MRI 자신감 키우기

BUILD CONFIDENCE IN MSK MRI

족부편
ANKLE AND FOOT

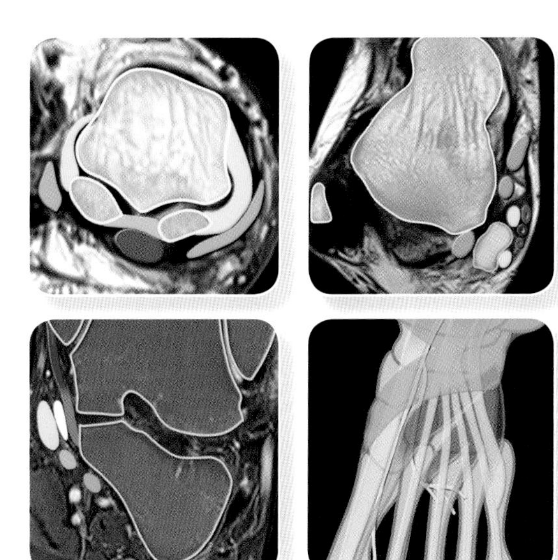

지은이 **이지은**

14시간 동영상 강의 QR 코드 수록

MRI 자신감 키우기

BUILD CONFIDENCE IN MSK MRI

족부편 ANKLE AND FOOT

첫째판 1쇄 인쇄 | 2022년 2월 16일
첫째판 1쇄 발행 | 2022년 2월 24일

지 은 이 이지은
발 행 인 장주연
출 판 기 획 이성재
책 임 편 집 강미연
표지디자인 김재욱
편집디자인 주은미
일 러 스 트 이호현
발 행 처 군자출판사(주)
등록 제4-139호(1991.6.24)
(10881) **파주출판단지** 경기도 파주시 회동길 338(서패동 474-1)
Tel. (031)943-1888 Fax. (031)955-9545
홈페이지 | www.koonja.co.kr

ISBN 979-11-5955-851-1
정가 120,000원

MRI
자신감 키우기

BUILD CONFIDENCE IN MSK MRI

족부편

ANKLE AND FOOT

작가의 말

2020년 봄, 개인 유튜브 채널을 통해 정리하며 공부하던 것을 동료, 후배 선생님들께 도움이 되는 부끄럽지 않은 책으로 만들어보자는 생각에 계속된 수정과 내용 추가를 반복하다보니 어느새 2년이란 시간이 지나서 2022년 봄을 맞이할 준비를 해야 할 때가 되었다.

나의 욕심일 수도 있겠지만 이 책을 읽는 모든 분들에게 작은 것 하나라도 도움이 되고 싶었고, 영상의학과 전문의로서 일해오고 공부한 그 시간 동안 정리한 것들을 아낌없이 나눠드리고 싶었다. 텍스트만으로 부족할 수 있는 부분은 유튜브로 볼 수 있는 강의 영상들을 찍었고, 또한 이 작업도 부족하게 느껴지거나 업데이트 되는 내용이 있으면 추가 촬영을 한 적도 셀 수 없이 많았다. 그러다보니 예상보다 책의 발간이 늦어지게 된 점은 책을 기다리던 유튜브 구독자분들께 죄송한 마음이다.

먼저 내게 영상의로서의 길을 이끌어주신 모교 이화여대 의대 목동병원 영상의학과 교실 교수님들께 감사드린다. 책을 쓰다가 너무 힘들어 포기하려고 했던 때, 내가 충분히 해낼 수 있다고 응원해주고 기다려준 사랑하고 존경하는 남편과 이런 시간들을 허락해준 가족들에게도 감사하다. 또한 책의 집필을 응원해주시고, 언제나 진료에 최선을 다하시는 병원의 대표원장님과 동료 원장님들께도 감사드린다. 유튜브로 시작한 작업의 원고를 투고했을 때 관심을 가져주시고 출판을 결정해주시고, 그리고 긴 시간의 수정 및 추가 작업에도 묵묵히 기다리며 도와준 군자출판사 측에도 감사의 말을 전하고 싶다.

책을 쓰는 과정이 너무 힘들고 긴 시간이었지만 이번 Ankle and foot part 책이 독자분들께 도움이 되어 제목대로 MRI에 자신감을 갖는 계기가 된다면 다른 part 에 대해 새로운 책을 쓰는 그 지난한 과정의 길을 다시 걷는데 큰 용기가 될 것 같다는 말로 마무리하겠다.

마지막으로, 독자분들이 내용이나 영상에 대한 궁금한 점을 동영상에 댓글로 남겨주시면 기존의 내용을 돌아보고, 일신우일신의 마음으로 노력해서 소통할 수 있도록 최선을 다할 것을 약속드린다.

2022년 2월

영상의학과 전문의 **이 지 은**

Contents

01 인대 (Ligament) 1

1. 외측측부인대복합체 (Lateral Collateral Ligament) ... 3
2. 내측측부인대복합체(삼각인대) (Deltoid Ligament) ... 29
3. 원위경비인대결합 (Tibiofibular Syndesmosis) ... 53
4. 스프링인대 (Spring Ligament) ... 73
5. 족근동 증후군 (Sinus Tarsi Syndrome) ... 85
6. Lisfranc 관절 (Lisfranc Joint) ... 93
7. Chopart 관절 (Chopart Joint) ... 109
8. 지지띠 (Retinacula) ... 121

02 충돌증후군 (Impingement) 133

1. 전외측 충돌증후군 (Anterolateral Impingement) ... 135
2. 전방 충돌증후군 (Anterior Impingement) ... 149
3. 전내측 충돌증후군 (Anteromedial Impingement) ... 155

4. 후내측 충돌증후군 (Posteromedial Impingement) 161
5. 후방 충돌증후군 (Posterior Impingement) 167
6. 외측 관절외 충돌증후군 (Talocalcaneal and Subfibular Impingement) 179

03 건 이상 (Tendon Abnormalities) 189

1. 후경골건 (Posterior Tibial Tendon) 191
2. 부주상골 (Accessory Navicular Bone) 207
3. 후천적 성인 편평족 (Adult Acquired Flatfoot Deformity) 213
4. 비골건 (Peroneal Tendons) 223
5. 상비골지지띠 (Superior Peroneal Retinaculum) 245
6. 아킬레스건 (Achilles Tendon) 253
7. 장족무지굴건 (Flexor Hallucis Longus Tendon) 273
8. 전경골건 (Tibialis Anterior Tendon) 277
9. 장족무지신건/장지신건 (EHL and EDL Tendons) 283
10. Terminology 287

Contents

04 골절
(Fracture) 295

1. 발목 골절 (Ankle Fracture) 297
2. 성장판 손상 (Growth Plate Injury) 315
3. 종골 골절 (Calcaneal Fracture) 321
4. 거골 골절 (Talar Fracture) 337
5. 주상골 골절 (Navicular Fracture) 345
6. 중족골 골절 (Metatarsal Fracture) 353
7. 피로 골절 (Stress Fracture) 359

05 기타 중요병변
(Important Miscellaneous Diseases) 371

1. 거골의 골연골병변 (Osteochondral Lesions of the Talus) 373
2. Morton 신경종 (Morton Neuroma) 391
3. Morton 신경종 감별질환 (Morton Neuroma mimics) 395

4. **제1중족지관절 병변** (1st MTP Joint) 413
5. **족저근막 병변** (Plantar Fascia Disorders) 429
6. **족근골 융합** (Tarsal Coalition) 439
7. **신경병증** (Nerves of the Foot and Ankle) 451
8. **류마티스 관절염, 통풍** (Arthropathy) 475
9. **연조직감염** (Soft tissue infection) 499

인대
(Ligament)

1. 외측측부인대복합체 (Lateral Collateral Ligament)
2. 내측측부인대복합체(삼각인대) (Deltoid Ligament)
3. 원위경비인대결합 (Tibiofibular Syndesmosis)
4. 스프링인대 (Spring Ligament)
5. 족근동 증후군 (Sinus Tarsi Syndrome)
6. Lisfranc 관절 (Lisfranc Joint)
7. Chopart 관절 (Chopart Joint)
8. 지지띠 (Retinacula)

01

외측측부인대복합체

(Lateral Collateral Ligament) (1) (2)

The lateral collateral ligament of the ankle is a set of three ligaments that resist inversion of the ankle joint.

1. 외측측부인대복합체는 세 가지 인대로 구성된다(Fig. 1-1.01~02).

a) Anterior Talofibular Ligament (ATFL) (= 전거비인대) (Fig. 1-1.03)

- 족관절인대 중 가장 약하여 가장 잘 손상되고, 외측측부인대 중에 가장 먼저 손상되는 인대이다.
- Lateral malleolus의 anterior margin에서 앞으로 진행하여 talus neck의 lateral aspect로 수평으로 이어진다.
- 대부분 2개의 fascicle로 구성되어 있고 저신호강도의 삼각형 혹은 편평한 띠

로 보이거나 나누어진 띠로 보인다(1).

- Axial image에서 가장 잘 보이며 팽팽하게 low signal intensity로 보인다.

b) Posterior Talofibular Ligament (PTFL) (=후거비인대) (3)

- 손상을 잘 받지 않는 인대이다.
- ATFL이 보이는 axial image에서 ATFL처럼 수평으로 주행하는 PTFL을 볼 수 있다.
- 인대 사이에 비균질한 지방 때문에 부채꼴 모양의 줄무늬 띠로 보인다.

c) Calcaneofibular Ligament (CFL) (=종비인대) (Fig. 1-1.04)

- Lateral malleolus의 posterior margin에서 거의 수직으로 내려가서 calcaneus의 trochlear eminence 근처에 부착한다.
- CFL은 axial image에서 peroneal tendon과 calcaneus 사이에 위치한다(peroneal tendon의 anteromedial aspect에 위치).
- 정상 CFL 두께는 2~3 mm이다(4).
- CFL은 휘어지면서 주행하여 lateral malleolus 주변에서 잘 안보이는 경우도 많다.
- ATFL이나 PTFL이 수평으로 주행하여서 한번에 잘 보이는 것과 달리 CFL은 앞 뒤로 연속된 이미지를 보고 판단해야 한다.

Fig. 1-1.01 Lateral Collateral Ligament Complex 인대

Anterior Talofibular Ligament (ATFL)

Calcaneofibular Ligament (CFL)

Posterior Talofibular Ligament (PTFL)

동영상 QR코드

▶ 1-1.01

Lateral Collateral Ligament Complex

- Lateral collateral ligament complex (외측측부인대복합체)는 anterior talofibular ligament (ATFL), posterior talofibular ligament (PTFL), calcaneofibular ligament (CFL) 세 가지 인대로 구성된다.

Fig. 1-1.02 **Lateral Collateral Ligament Complex** 인대

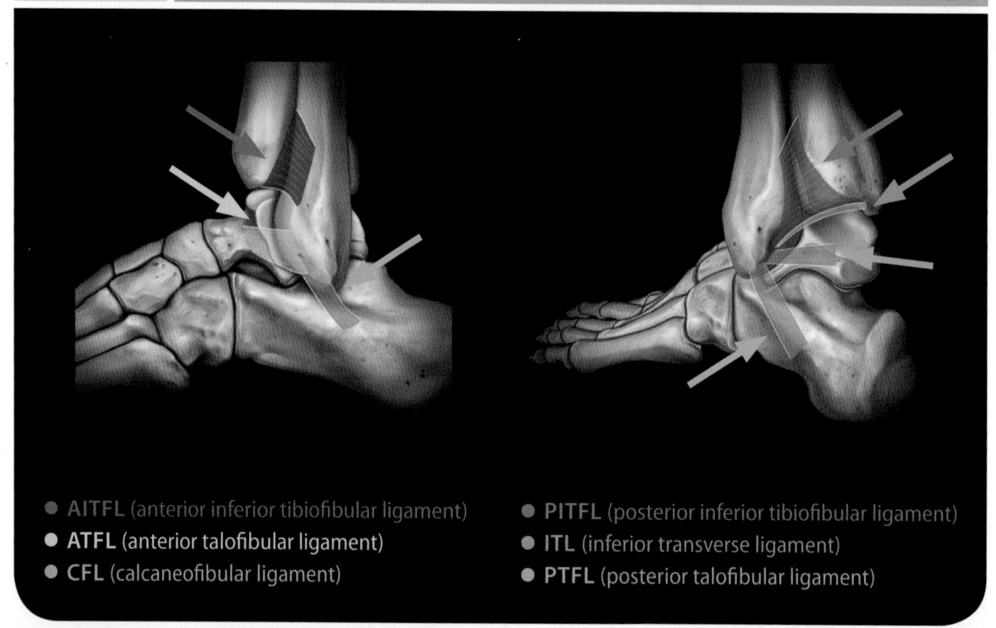

동영상 QR코드

▶ 1-1.02

Lateral Collateral Ligament Complex

- 3개의 인대로 구성된 외측측부인대복합체(ATFL, CFL, PTFL)가 보인다.
- 원위경비인대결합(AITFL, PITFL, ITL, IOL) 중에 이 이미지에서는 interosseous ligament (IOL)는 보이진 않는다.
- Anterior talofibular ligament (ATFL, yellow)는 lateral malleolus의 anterior margin에서 talar neck의 lateral aspect로 수평으로 이어진다.
- Calcaneofibular ligament (CFL, blue)는 lateral malleolus tip에서 ATFL 보다 바로 distal aspect에서 시작하여 후하방으로 주행하여 lateral calcaneus에 부착한다.
- Posterior talofibular ligament (PTFL, green)는 distal fibula의 posterior aspect에서 시작하여 talus의 lateral tubercle에 부착한다. 만약 os trigonum이 있으면 그곳에 부착한다.

Fig. 1-1.03 **Normal ATFL/PTFL** 인대

PITFL (posterior inferior tibiofibular ligament)
PTFL (posterior talofibular ligament)

AITFL
(anterior inferior
tibiofibular ligament)

ATFL
(anterior
talofibular
ligament)

PTFL
(posterior
talofibular
ligament)

T2WI

T1WI

T1WI

동영상 QR코드

▶ 1-1.03

Normal ATFL/PTFL

- Axial image에서 anterior talofibular ligament (ATFL, yellow)는 수평으로 주행하여서 talar neck 부위에서 저신호강도로 잘 보인다.
- Posterior talofibular ligament (PTFL, green)도 수평으로 주행하고 ATFL과 같은 level에서 보이는데, 내부의 fat때문에 striated or striped pattern을 보인다.
- ATFL과 PTFL은 axial image에서 가장 잘 보인다.
- AITFL (anterior inferior tibiofibular ligament, red)과 PITFL (posterior inferior tibiofibular ligament, orange)은 ATFL/PTFL보다 더 상방에서 비스듬히 주행하고, ATFL과 PTFL은 talus level에서 수평으로 주행한다.

Fig. 1-1.04 **Normal Calcaneofibular Ligament** 인대

CFL (calcaneofibular ligament) Peroneus brevis Peroneus longus

T2WI T2WI T2WI

동영상 QR코드

▶ 1-1.04

Normal Calcaneofibular Ligament (CFL)

- Calcaneofibular ligament (CFL)는 lateral malleolus의 posterior margin에서 거의 수직으로 내려가서 calcaneus의 trochlear eminence 근처에 부착한다.
- CFL은 peroneal tendons와 calcaneus의 lateral aspect 사이에 위치하여 axial image에서 이를 찾는 것은 쉽다.
- 하지만 CFL은 lateral malleolar tip에서 곧게 주행하지 않기 때문에 proximal CFL을 평가하기가 때로는 어렵다. 이 경우 coronal image (Fig. 1-1.12)를 참고하면 CFL평가에 도움이 된다.

2. 인대 손상 정도에 따라 3등급으로 분류한다(1).

Plantar flexion 상태에서 inversion injury를 받을 경우 가장 약한 ATFL이 가장 먼저 손상을 받고, CFL, PTFL 순서로 손상 받는다.

ATFL injury가 있는 경우 40%에서 CFL injury를 동반한다.

- Grade 1: ATFL stretching
  제1등급 염좌
  – 모양의 변화가 없는 인대 내에 국소적 고신호 강도

- Grade 2: Partial tear of the ATFL, with stretching of the CFL
  제2등급 염좌
  – 인대의 부분 불연속성(Fig. 1-1.05~06)

- Grade 3: Complete tear of both the ATFL and CFL
  제3등급 염좌
  – 인대의 완전한 파열(Fig. 1-1.07)

Fig. 1-1.05 Acute Partial Tear of ATFL

인대

Thickened and increased signal ATFL with blurring of ligament margin

FSPD

T2WI

동영상 QR코드

▶ 1-1.05

Acute Partial Tear of ATFL

- Anterior talofibular ligament (ATFL)의 acute low grade/interstitial injury의 경우 MRI에서 mild intraligamentous signal hyperintensity, ill-definition of the ligament, pericapsular edema를 보인다.
- ATFL의 talar attachment site는 정상적으로 저신호강도로 보이나, ATFL의 midsubstance부터 fibular attachment에서는 경계가 불분명하고 신호강도가 증가하면서 두껍다.
- 이런 경우 "ligament sprain"이라는 애매한 용어보다는 acute interstitial injury나 partial tear라고 하는 것이 좋다.

Fig. 1-1.06 **Partial Tear of ATFL** 인대

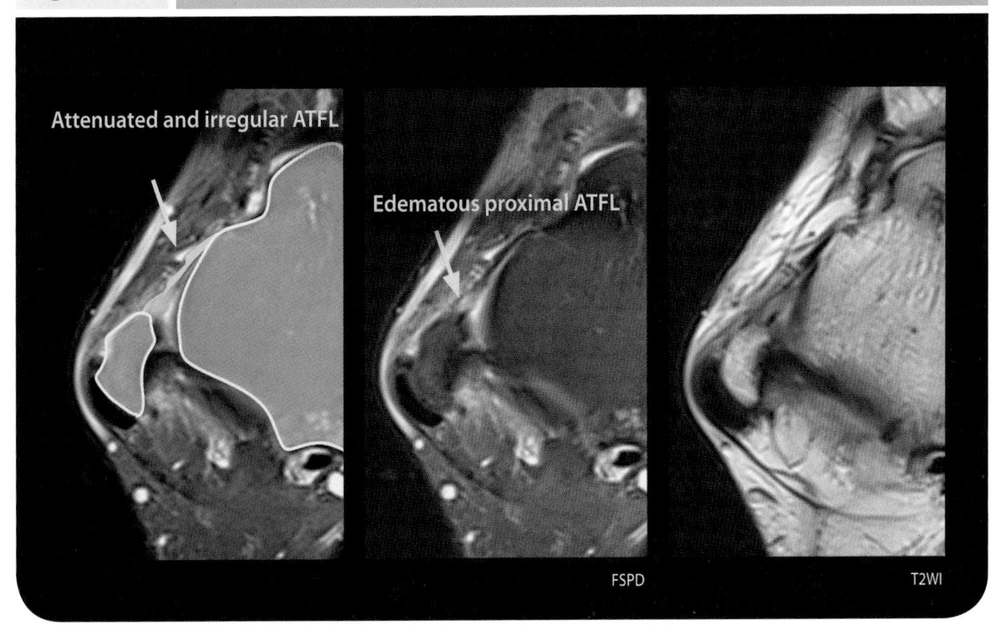

동영상 QR코드

▶ 1-1.06

Partial Tear of ATFL

- Anterior talofibular ligament (ATFL)가 가늘어지고 불규칙한 모양을 보이며 fibular attachment site 주변으로는 edema가 있다.
- ATFL injury 후 scar remodeling이 완전히 되지 않으면, 특히 지금처럼 fibular 혹은 talar attachment에서 chronic tear가 잘 생기게 되면서 chronic ankle instability가 될 수 있다.
- Ligament fiber discontinuity, redundancy가 있으면 임상적으로 laxity 및 instability와 연관이 있다.

Fig. 1-1.07 Complete ATFL Tear

인대

Thickened ligament with increased signal intensity

Complete tear of ATFL surrounded by fluid signal

FSPD

T2WI

동영상 QR코드

▶ 1-1.07

Complete ATFL Tear

- 인대 손상 정도에 따라 3등급으로 분류하는데 anterior talofibular ligament (ATFL)의 midsubstance에서 complete tear가 보여 grade 3 injury이다.
- ATFL은 전반적으로 두껍고 신호강도가 증가하였다.
- ATFL 주변에 periligamentous edema 및 fluid signal이 동반되어있다.

3. 급성 손상을 받은 인대는 모양이 불규칙하거나, 파형(wavy)을 보이며, ligament 방향이 바뀌거나, ligament margin의 blurring을 보인다(5).

- 급성 손상을 받은 인대는 두껍거나, 가늘어지거나, 혹은 불연속성을 보인다(5).
- 정상 인대는 저신호강도이지만 급성 손상 받은 인대는 T2WI, FSPD (fat-suppressed proton density) 이미지에서 고신호강도로 보인다.
- Distal fibula avulsion fracture, talar side avulsion fracture가 동반되기도 한다. (Fig. 1-1.08~10)
- Anterolateral gutter (전외측홈)에 soft tissue edema, synovial inflammation이 보이기도 한다(Fig. 2-1.04).
- Tibiotalar effusion이나 인접한 tendon sheath에 fluid collection이 보일 수도 있다.
- Capsular tear가 동반되어 joint fluid가 인접한 soft tissue로 extravasation되기도 한다(4).

- 만성 염좌의 경우는 인대가 두꺼워지면서 저신호강도를 보인다.
- 만성 불안정성을 보이는 경우 인대 경계가 비교적 뚜렷하게 보이기는 하지만, 인대가 두꺼워지거나 얇아지고, 늘어지고, 파형 혹은 불규칙하게 보인다.

Fig. 1-1.08 Avulsion Fracture of the Lateral Malleolus

인대

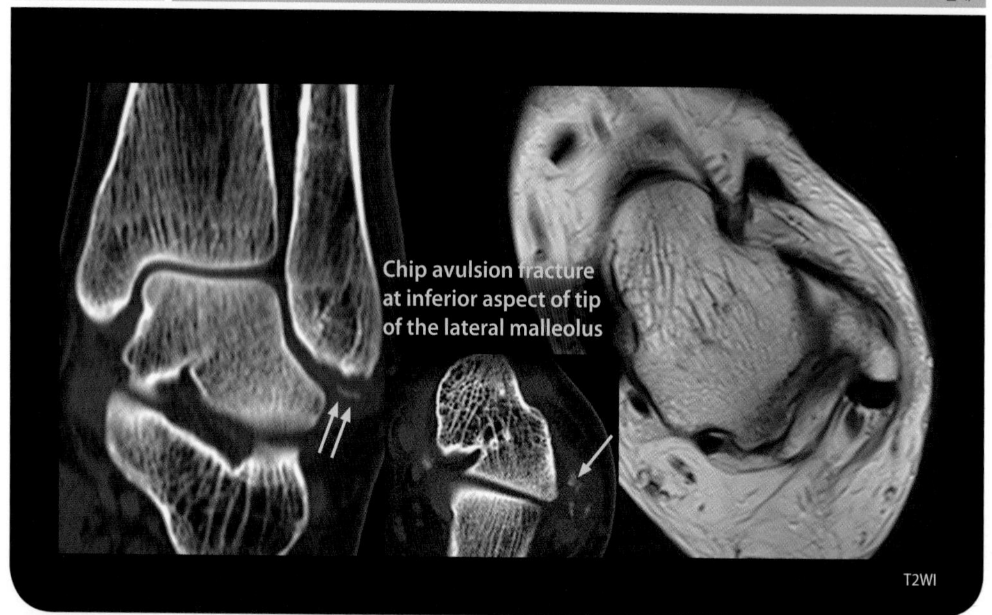

동영상 QR코드

▶ 1-1.08

Avulsion Fracture of the Lateral Malleolus

- Lateral malleolus의 inferior tip 근처에서 thin bony fragment가 있고 lateral malleolus에 cortical irregularity가 보여 anterior talofibular ligament (ATFL)의 avulsion fracture이다.
- 이런 작은 골편인 경우는 MRI에서는 잘 보이지 않는다.

- 간혹 os subfibulare와 avulsion fracture를 감별할 필요할 때가 있는데, os subfibulare는 동그랗고 경계가 분명한 cortex가 보인다.
- Os subfibulare는 이전 ATFL의 avulsion fracture 때문이거나, lateral malleolus의 unfused accessory ossification center로 생각된다.

Fig. 1-1.09 Avulsion Fracture of the Talus

인대

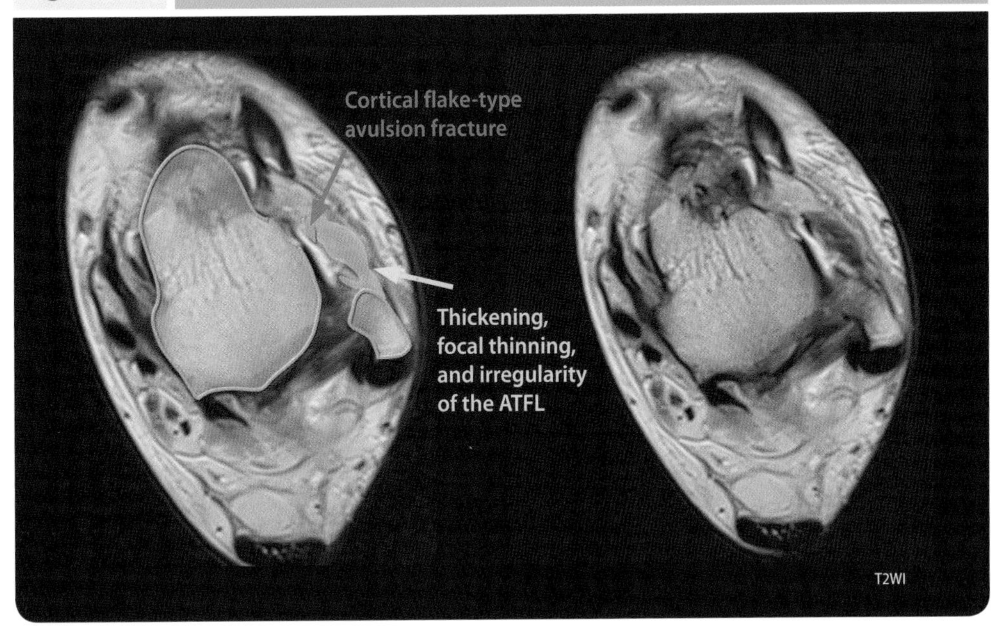

동영상 QR코드

▶ 1-1.09

Avulsion Fracture of the Talus

- Anterior talofibular ligament (ATFL)의 talar neck attachment에서 complete tear가 보인다.
- 자세히 보면 불규칙하면서 두꺼워진 ATFL의 talar side에 talar neck에서부터 떨어져 나온 cortical flake-type avulsion fracture fragment (pink arrow)가 보인다. 작은 골편은 ATFL보다 더 저신호강도여서 ligament와 구분된다.

Fig. 1-1.10 ATFL Avulsion Fracture From Talus

인대

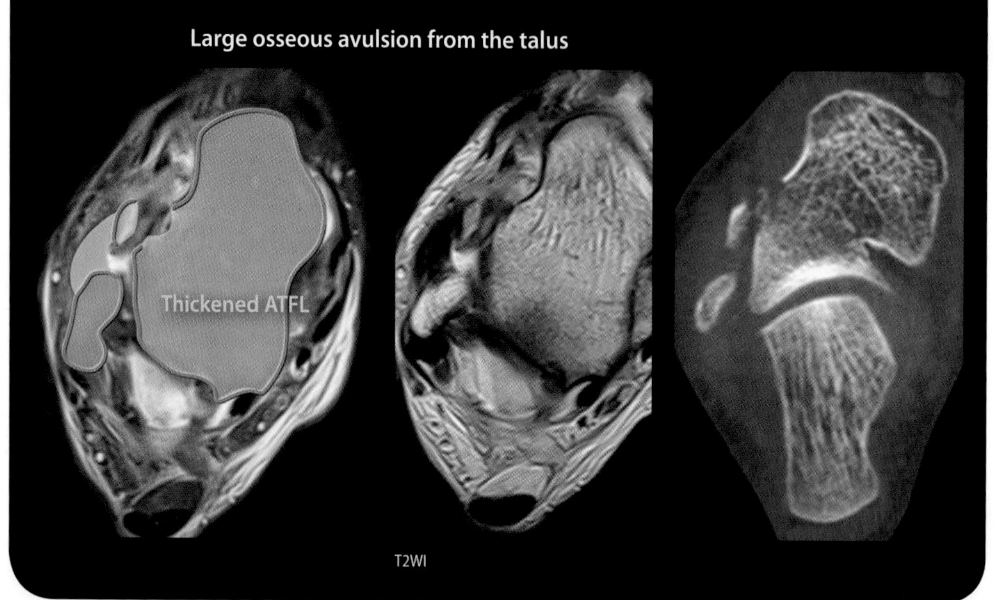

동영상 QR코드

▶ 1-1.10

ATFL Avulsion Fracture From Talus

- (Fig. 1-1.09)처럼 anterior talofibular ligament (ATFL)가 talar neck에서 avulsion fracture되었다.
- ATFL에 avulsion fracture된 골편이 부착되어 있으며, anterolateral gutter에 위치한다.
- (Fig. 1-1.10)의 fracture fragment가 (Fig. 1-1.09)보다 더 커서 골편 내에 fatty bone marrow의 고신호강도가 보여서 MRI에서도 잘 보인다.

4. Avulsion fracture와 os subfibulare (비골하부골)의 감별이 필요하다.

- Os subfibulare는 둥글고 경계가 분명한 피질골을 가지고 있다.
- Avulsion fractures의 경우 anterolateral gutter에서 골편이 ATFL에 부착된 것을 볼 수 있다(Fig. 1-1.09~10).

5. Calcaneofibular ligament (종비인대) 손상

- 단독 손상은 드물고 대부분 ATFL 손상과 동반된다(Fig. 1-1.11~12).
- CFL 손상은 lateral ankle sprain에서 두 번째로 흔하다(3).
- ATFL과 같이 손상이 있을 때에 lateral joint space widening과 talus의 varus tilting이 보일 수도 있다.

- CFL 손상 진단이 종종 어려운 경우가 있다. 이 경우, 아래에서 언급한 소견이 동반되었다면 CFL injury 진단하는데 도움이 된다.
  - CFL injury가 있을 경우 관련하여 peroneal retinaculum의 비후, ligament와 calcaneus 사이의 edema, 5th metatarsal base의 avulsion fracture, peroneal tendon sheath의 tear, subtalar joint capsule의 injury를 동반할 수 있다(1) (6) (Fig. 1-1.13).

Fig. 1-1.11 Complete Tear of ATFL and CFL

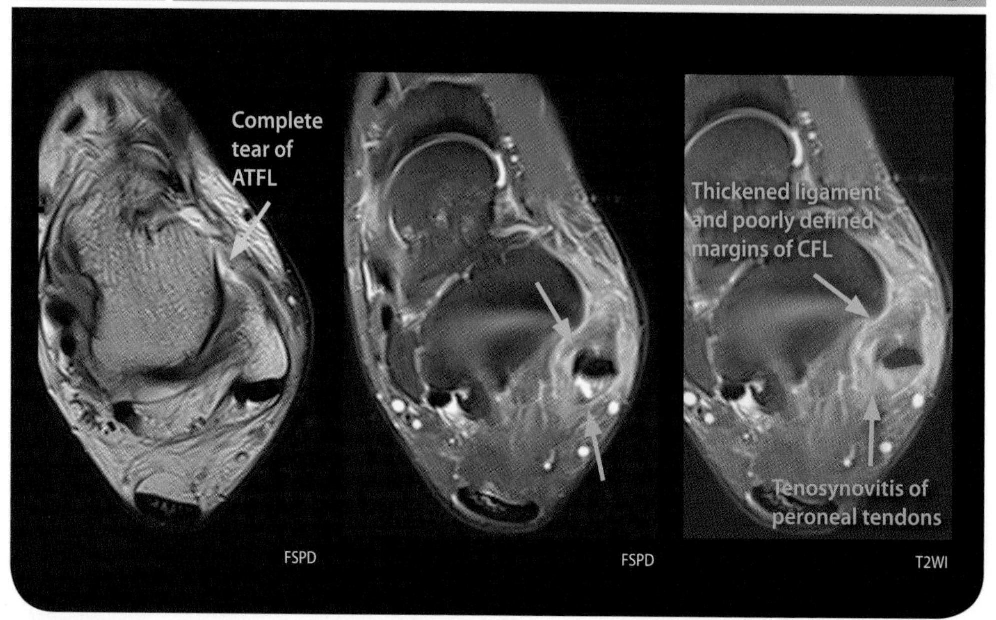

동영상 QR코드

▶ 1-1.11

Complete Tear of ATFL and CFL

- Anterior talofibular ligament (ATFL, yellow)가 talus 부착부위에서 complete tear 되고, 전반적으로 두꺼워지면서 신호강도가 증가하였다.
- Calcaneofibular ligament (CFL, blue)는 보통 단독으로 손상이 생기지 않고 ATFL과 같이 손상이 있다.
- Axial image에서 peroneal tendons보다 깊은 곳에 CFL이 보이는데, 전반적으로 두껍고 신호강도가 증가하고 경계도 불분명하다.
- CFL injury와 관련하여 CFL과 calcaneus 사이의 edema, peroneal tendon sheath의 injury로 tenosynovitis (green)가 보인다.

Fig. 1-1.12 Complete Tear of ATFL and CFL

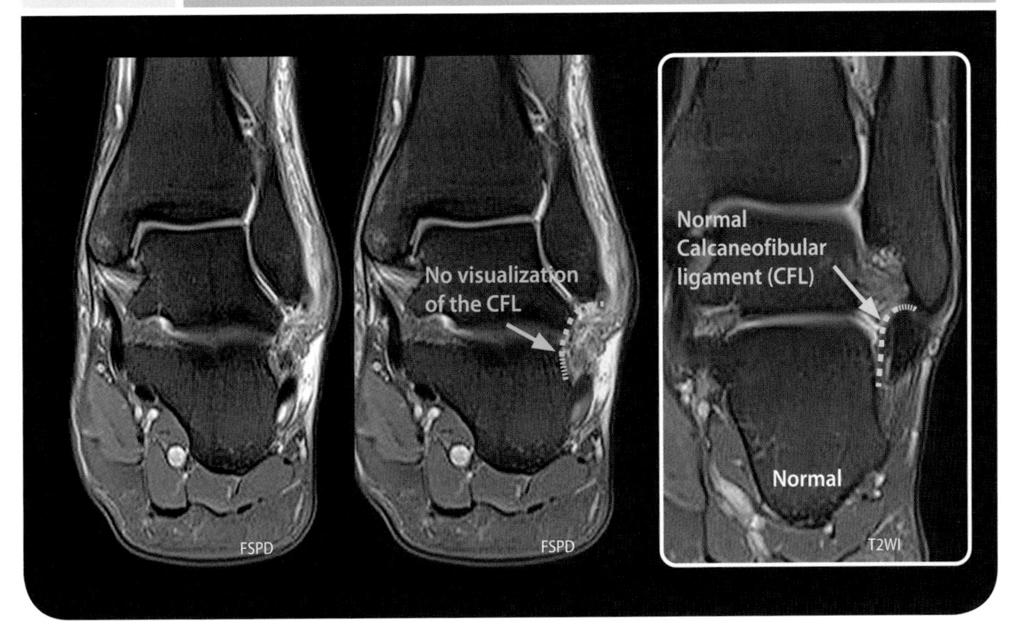

동영상 QR코드

▶ 1-1.12

Complete Tear of ATFL and CFL

- (Fig. 1-1.11)과 같은 환자이다.
- 오른쪽 정상 CFL coronal image에서 calcaneofibular ligament (CFL)는 lateral malleolus의 posterior margin에서 거의 수직으로 내려가서 calcaneus의 trochlear eminence 근처에 부착한다. 특히 lateral malleolus에서 많이 휘어져 내려온다(orange dots).
- 왼쪽과 가운데 coronal image에서 CFL이 complete tear되어 정상적으로 보여야하는 위치에(blue dots) CFL이 보이지 않는다.
- Peroneus brevis (light purple)와 peroneus longus (purple) tendon 중에 peroneus longus tendon의 tenosynovitis가 보인다.

Fig. 1-1.13 Partial Tear of CFL

인대

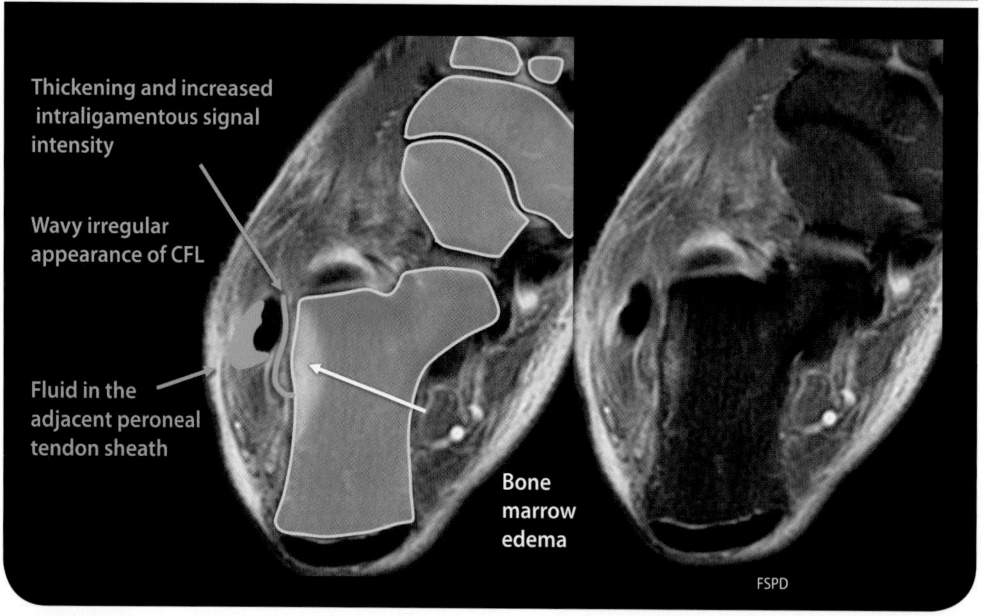

동영상 QR코드

▶ 1-1.13

Partial Tear of CFL

- Calcaneofibular ligament (CFL)는 약간 두꺼워지면서 신호강도가 증가하고, wavy irregular appearance를 보여 partial tear에 해당한다.
- CFL은 손상을 평가하기 어려울 때가 있다.
- CFL의 calcaneal attachment 주변으로 reactive bone marrow edema (white), peroneal tendons의 tenosynovitis (green)같은 추가적인 이미지가 보인다면 CFL 손상을 진단하는데 도움이 될 수 있다.

6. Ankle sprain의 대부분은 보존적 치료 후 회복되나 10~20% 환자에서 functional, mechanical instability가 생기며, chronic ankle instability (CAI)로 진행한다(1) (5).

a) Scar reconstitution of the ATFL (2)

- ATFL 손상 후에 scar가 형성되는데 시간이 지나면서 변하는 scar의 MRI 소견에 익숙해지는 것이 중요하다.
  - 초기에는 ill-defined edematous immature scar tissue가 생기며, PD/FSPD 이미지에서 중등도 신호강도를 보인다.
  - 시간이 지날수록 점점 저신호강도로 바뀌며 thickening 및 edema가 감소하게 된다(Fig. 1-1.14~15).

- Chronic sprain
  - 손상 후 6~12개월 후까지 scar remodeling이 완전히 되지 않을 수 있다(Fig. 1-1.16).
  - Chronic sprain이라는 용어는 부정확하고, ligament scar와 remodeling의 maturity 정도, ligament fiber의 연속성 유무, ligament fiber의 redundancy 여부를 언급하는 것이 필요하다.
  - Ligament fiber discontinuity, redundancy가 있으면 임상적으로 instability와 연관이 있다.

Fig. 1-1.14 Scar Remodeling of the ATFL

인대

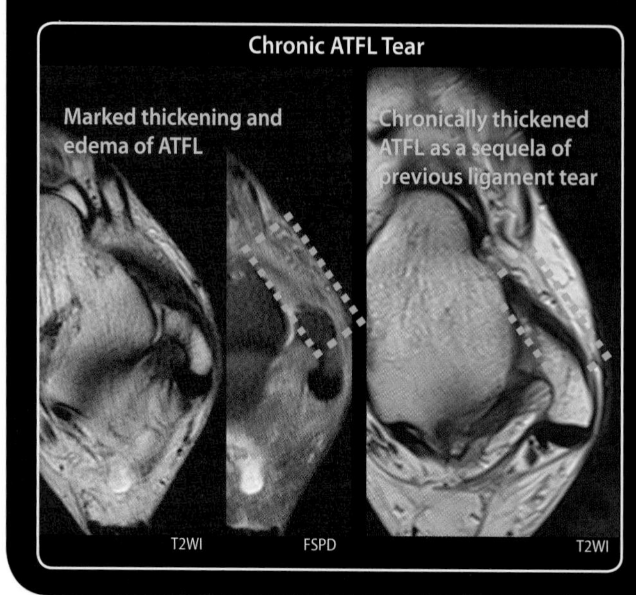

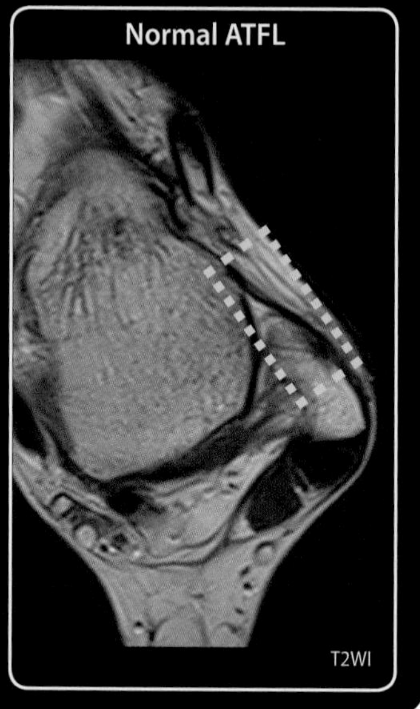

동영상 QR코드

▶ 1-1.14

Scar Remodeling of the ATFL

- Anterior talofibular ligament (ATFL) injury 초기에는 ill-defined ligament margins, ligament thickening, intermediate signal intensity를 보인다(왼쪽 T2WI/FSPD).
- 점차 ATFL의 scar가 mature되고 remodeling이 되어 ligament thickening이 감소하고 signal intensity가 정상처럼 저신호강도로 바뀌고, ATFL의 경계가 더 분명해진다(가운데 T2WI).
- ATFL 손상 후 scar reconstitution이 되는 과정의 MRI 소견에 익숙해지는 것은 중요하다.

Fig. 1-1.15 Scar Remodeling of the CFL

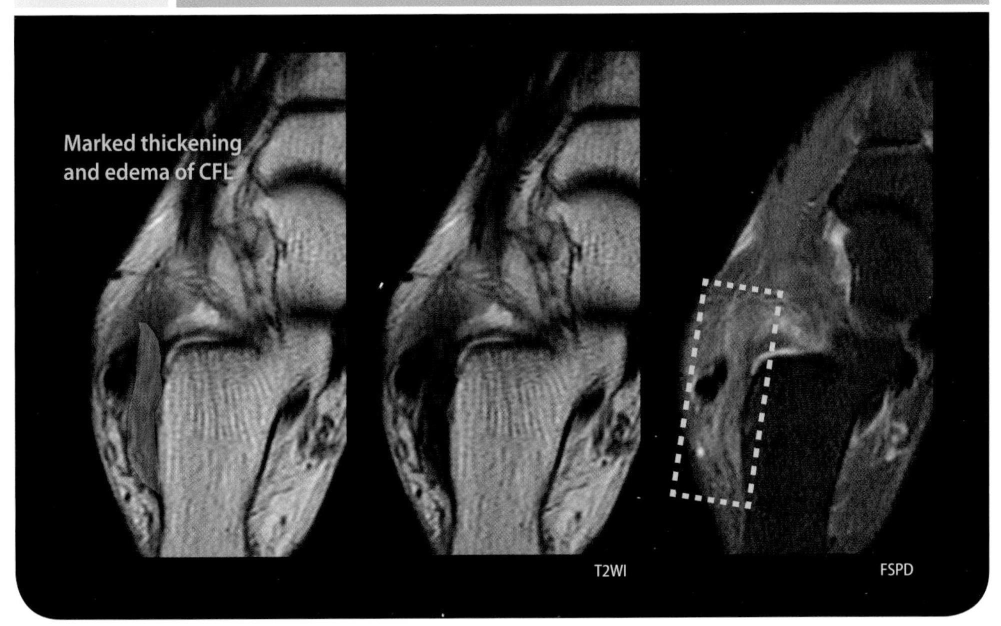

동영상 QR코드

▶ 1-1.15

Scar Remodeling of the CFL

- (Fig. 1-1.14)에서는 anterior talofibular ligament (ATFL)의 scar remodeling 과정이고, (Fig. 1-1.15~16)은 calcaneofibular ligament (CFL)의 과정을 보여준다.
- CFL thickening이 아주 심하고, FSPD 이미지에서 신호강도가 중등도 이상으로 증가하고, 비교적 ill-defined ligament margin을 보인다. 하지만 주변 soft tissue에 부종이 심하지 않아 hypertrophic scar가 mature되고 있는 상태라고 볼 수 있다.

Fig. 1-1.16 Scar Remodeling of the CFL

인대

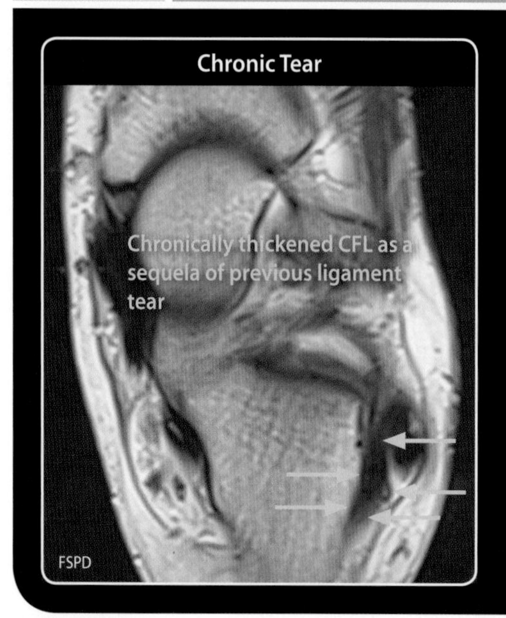

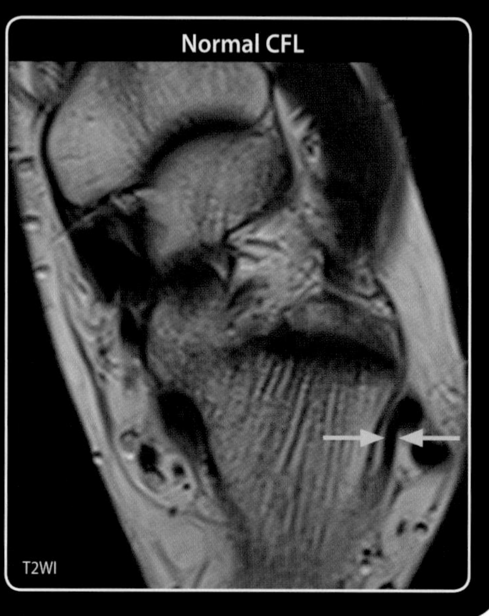

동영상 QR코드

▶ 1-1.16

Scar Remodeling of the ATFL

- (Fig. 1-1.15)에서는 calcaneofibular ligament (CFL) 손상의 비교적 초기 이미지이며, (Fig. 1-1.16)은 CFL의 scar가 mature되고 remodeling이 되었다.
- CFL의 ligament thickening이 감소하고 signal intensity가 오른쪽 이미지의 정상과 같은 저신호강도로 바뀌고 CFL 경계도 더 분명해졌다.

b) Chronic Ankle Instability (1) (Fig. 1-1.06) (Fig. 1-1.17)

- Ankle sprain의 대부분은 보존적 치료 후 회복되나 10~20% 환자에서 functional, mechanical instability가 생기며, chronic ankle instability (CAI)로 진행한다.
- CAI는 만성 발목 통증의 중요한 원인이며, 조기에 osteoarthritis가 생긴다.
- 대부분의 원인은 lateral ankle joint의 inversion sprain이다.

- Chronic functional ankle instability를 가진 환자의 10~25%에서 subtalar instability가 생긴다.
- Lateral ankle instability 후에 이차적으로 medial ankle instability가 발생할 수 있다.

- Chronic tear에서는 ligament는 두꺼워지거나 얇아지고 늘어지며 파형 혹은 불규칙한 형태를 보인다.
- Chronic lateral ankle instability가 있는 경우 MRI에서 false negative finding을 보일 수 있는데 이 경우 ligament midsubstance보다는 fibular 혹은 talar attachment에 chronic tear가 있는 경우가 많으므로, 이 부분을 더 잘 봐야 한다(7).

Fig. 1-1.17 Chronic Ankle Instability

인대

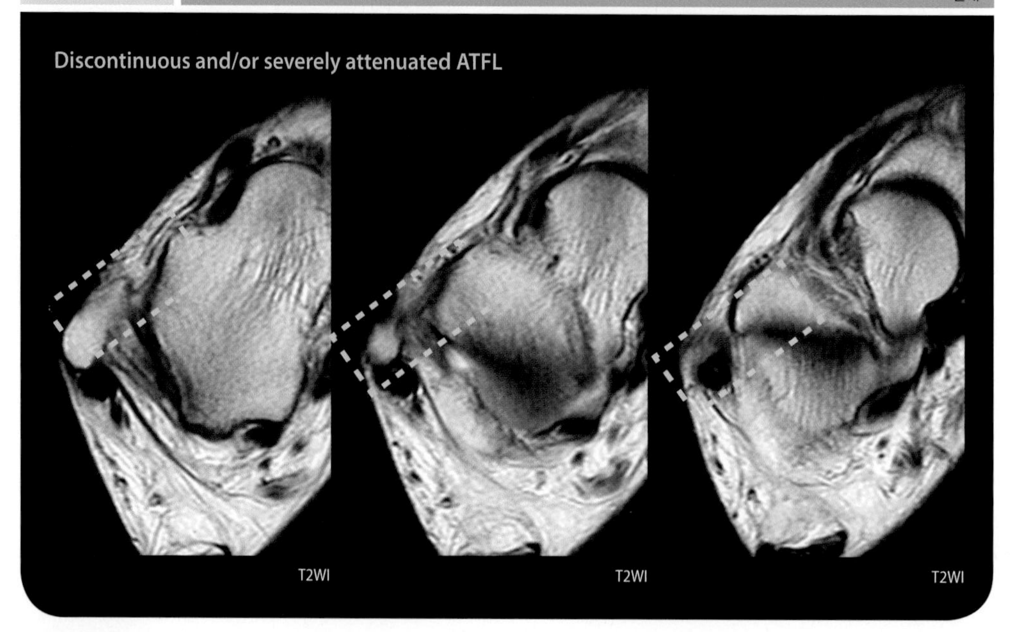

동영상 QR코드

▶ 1-1.17

Chronic Ankle Instability

- Anterior talofibular ligament (ATFL)가 ineffective scar healing이 되어 ligament fiber의 discontinuity를 보이면서 가늘어지고, 신호강도도 약간 높으며 redundancy가 있다.
- Ligament fiber discontinuity, redundancy가 있으면 임상적으로 laxity와 연관이 있어 chronic ankle instability 가능성을 생각해야한다.

c) 수술적 치료를 계획할 때에는 ligament 및 그와 관련된 손상을 알아야한다.

- Intraarticular abnormality
  Synovitis, anterolateral impingement, osteochondral lesion, osteophyte, foreign body
- Extraarticular abnormality
  Peroneal tendon pathology, tenosynovitis, longitudinal tendon tear, peroneal retinacular injury, peroneal tendon subluxation/dislocation

d) Posttraumatic synovitis, fibrous bands, and meniscoid lesion (Fig. 2-1.03~07)

- Lateral ligament complex injury로 인하여 hemarthrosis가 생기면 posttraumatic synovitis가 anterolateral gutter에 생기기 쉽다.
- 이러한 synovitis가 시간이 지나면 점차 합쳐지면서 hyalinized fibrosis가 되어 둥근 혹은 길쭉한 모양을 하게 된다. 그리고 anterolateral gutter 안의 모양을 따라서 삼각형 모양(meniscoid)으로 변하게 된다(8).
- Ankle dorsiflexion 동안 meniscoid lesion이 talar dome의 anterolateral margin에서 impingement가 될 수 있다(2).

- Synovitis는 anterolateral gutter에서 linear/filiform 혹은 conglomerate foci로 보인다.
- Fibrous band/meniscoid lesion은 mature되면서 점차 저신호강도를 보이게 되고, 내측 전방으로 extension되기도 한다(9).

02

내측측부인대복합체(삼각인대) (Deltoid Ligament)

Deltoid ligament injury occurs due to eversion and/or pronation injury or can be associated with lateral ankle fractures.

1. Anatomy of Deltoid Ligament (Fig. 1-2.01~ 08)

내측측부인대는 심부인대와 표재인대(deep and superficial layers)로 구분된다(2).

a) 심부인대는 다시 전경거인대(anterior tibiotalar ligament, aTTL)와 후경거인대(posterior tibiotalar ligament, pTTL)로 나뉜다.

- 후경거인대(pTTL)는 내측측부인대 중 가장 두껍고, posterior colliculus, intercollicular groove에서 나와 talus medial tubercle의 상방에 부착한다(1).
- 후경거인대(pTTL)는 multifascicular ligament (다섬유)이므로 인대섬유 사이

에 지방이 있어서 비균질 줄무늬(striation)를 보인다. 만약 이런 줄무늬가 보이지 않는다면 병적인 상태이다.

- 전경거인대(aTTL)는 anterior colliculus tip과 intercollicular groove의 anterior aspect에서 나와서 talar neck에 부착한다(1).
- 전경거인대(aTTL) 크기가 매우 다양하여 완전히 보이지 않는 경우도 있다(2).

b) 표재인대는 fan 모양의 구조를 보인다.

- 표재인대는 내측과(medial malleolus)의 periosteum에서 기시하여 여러 bands로 나뉘면서 sustentaculum tali (재거돌기), talar neck (거골), spring ligament (스프링인대), navicular medial eminence (주상골), posterior talus에 부착한다(10).
- 표재인대는 경주상인대(Tibionavicular ligament, TNL), 경스프링인대(Tibiospring ligament, TSL), 경종인대(Tibiocalcaneal ligament, TCL)가 있다.
- 그 외 표재인대로 표재경거인대(superficial tibiotalar ligaments)가 있으나 MRI에서 심부인대와 구분이 어렵고, 변이가 있다(2).

- 경스프링인대(TSL)는 표재인대 중 가장 크고, MRI에서 항상 잘 보인다(11).
- 경주상인대(TNL)는 MRI에서 잘 안보일 때도 있다(11).

Fig. 1-2.01 Deltoid Ligament

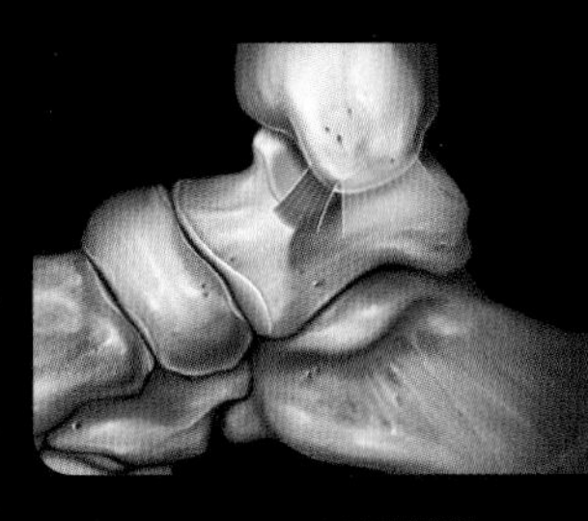

Deep layer

Anterior tibiotalar ligament (aTTL) (orange)
Posterior tibiotalar ligament (pTTL) (yellow)

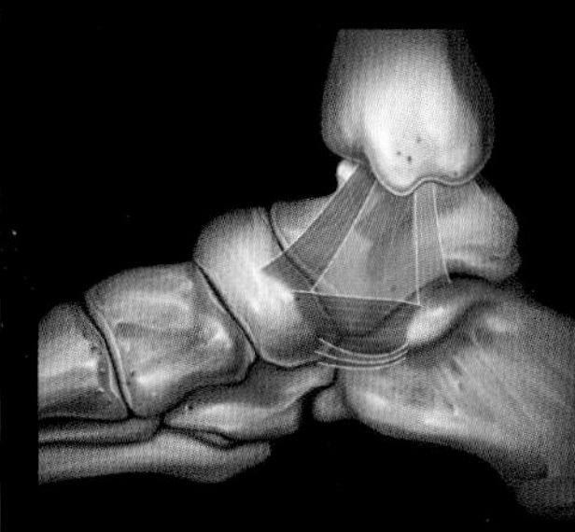

Superficial layer

Tibionavicular ligament (TNL) (red)
Tibiospring ligament (TSL) (blue)
Tibiocalcaneal ligament (TCL) (green)
Superficial tibiotalar ligament (variably present)

동영상 QR코드

▶ 1-2.01

Deltoid Ligament

- Deep layer: Anterior tibiotalar ligament (aTTL), Posterior tibiotalar ligament (pTTL)
- Superficial layer: Tibionavicular ligament (TNL), Tibiospring ligament (TSL), Tibiocalcaneal ligament (TCL)
- aTTL은 anterior colliculus tip과 intercollicular groove의 anterior aspect에서 나와서 talar neck에 부착한다
- pTTL은 deltoid ligament 중에 가장 두껍고, posterior colliculus, intercollicular groove에서 나와 talus medial tubercle의 상방에 부착한다.
- TNL은 medial malleolus의 anterior colliculus에서 기시하여 medial navicular tuberosity에 부착하면서 posterior tibial tendon과 plantar calcaneonavicular ligament와 합쳐진다.
- TSL은 deltoid ligament 중에 두 번째로 크고, medial malleolus의 anterior colliculus에서 기시하여 spring ligament 상방에 부착한다.
- TCL은 TSL 바로 뒤에서 나와 sustentaculum tali에 부착한다.

Fig. 1-2.02 Deltoid Ligament

인대

동영상 QR코드

▶ 1-2.02

Deltoid Ligament

- Deep layer: Anterior tibiotalar ligament (aTTL), Posterior tibiotalar ligament (pTTL)
- Superficial layer: Tibionavicular ligament (TNL), Tibiospring ligament (TSL), Tibiocalcaneal ligament (TCL)
- Spring ligament: Superomedial (smCNL, calcaneonavicular ligament), Medioplantar oblique (mpoCNL), Inferoplantar longitudinal (iplCNL) components
- Medial malleolus: Intercollicular groove (IG), anterior colliculus (a-C), posterior colliculus (p-C)

Fig. 1-2.03 **Deltoid Ligament** 인대

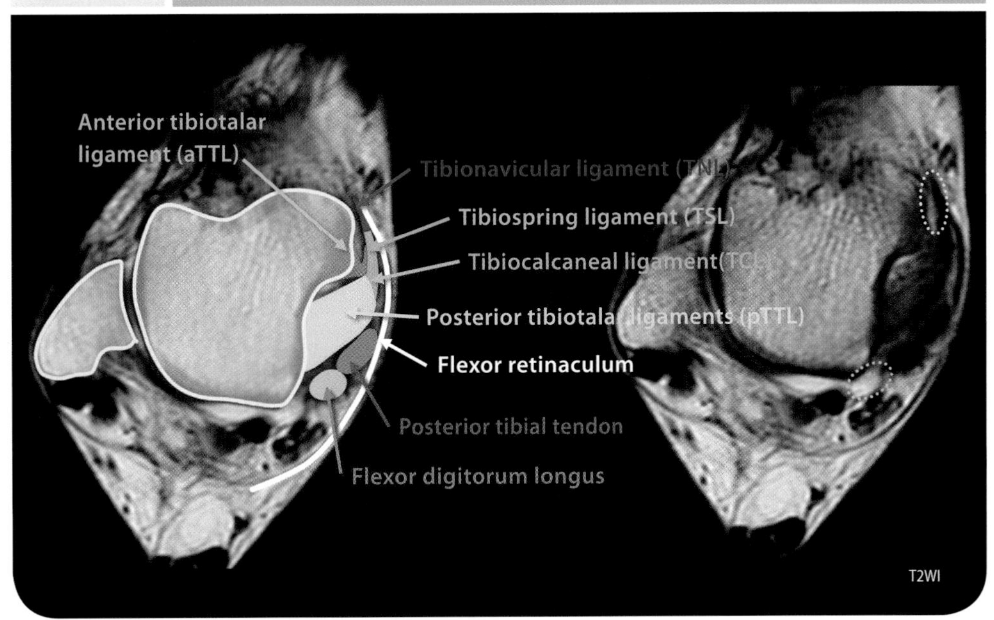

동영상 QR코드

▶ 1-2.03

Deltoid Ligament

- (Fig. 1-2.03)과 (Fig. 1-2.04)는 deltoid ligament의 정상 axial image이며, (Fig. 1-2.03)이 proximal aspect에서 얻은 이미지이다.
- Talar dome의 distal aspect에서 얻은 axial image에서는 posterior tibiotalar ligament (pTTL)를 포함하여 superficial 및 deep deltoid ligament가 보인다.
- Superficial deltoid ligament의 tibionavicular ligament (TNL), tibiospring ligament (TSL), tibiocalcaneal ligament (TCL)가 명확하게 구분되는 것은 아니고 대략적인 위치를 색깔로 표시해두었다.
- pTTL은 인대섬유 사이에 지방이 있어서 비균질 줄무늬(striation)를 보인다.
- 오른쪽 이미지에서 정상 anteromedial recess (yellow circle)를 표시하였고, (Fig. 2-3.01)과 같이 보자. 또한 정상 posteromedial recess (blue circle)는 (Fig. 2-4.01)과 함께 참고하자.

Fig. 1-2.04 **Deltoid Ligament** 인대

Tibionavicular ligament (TNL)
Tibiospring ligament (TSL)
Tibiocalcaneal ligament (TCL)
Flexor retinaculum
Posterior tibial tendon
Flexor digitorum longus
T2WI

동영상 QR코드

▶ 1-2.04

Deltoid Ligament

- (Fig. 1-2.03)과 (Fig. 1-2.04)는 deltoid ligament의 정상 axial image이며, (Fig. 1-2.04)가 조금 더 distal aspect에서 얻은 이미지이다. 여기에서는 posterior tibiotalar ligament (pTTL)가 보이지 않고 superficial deltoid ligament가 보인다.
- Tibionavicular ligament (TNL)는 medial navicular tuberosity에 부착하는데 비스듬하게 주행하여 위 아래 연속된 이미지를 보면서 확인한다.
- Tibiospring ligament (TSL)는 bone이 아닌 ligament에 부착하는데, superomedial spring ligament (smCNL, calcaneonavicular ligament)에 부착한다. TSL와 smCNL에 관한 이미지는 (Fig. 1-4.02~03)을 참고하자.
- Tibiocalcaneal ligament (TCL)는 sustentaculum tali에 부착하는데 coronal image에서 더 정확하게 확인할 수 있다(Fig. 1-2.07).

Fig. 1-2.05 Deltoid Ligament (TNL level) 인대

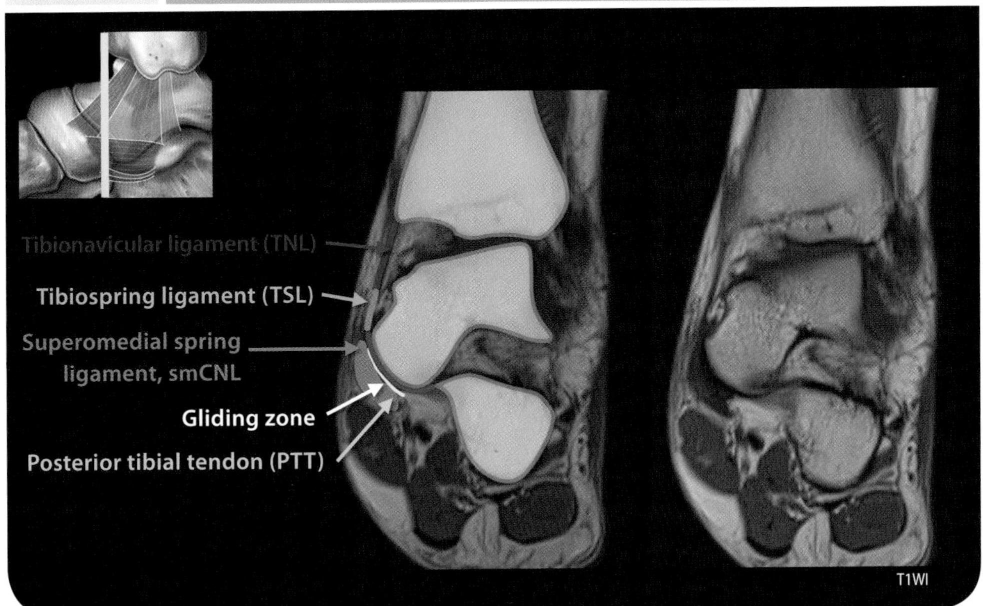

동영상 QR코드

▶ 1-2.05

Deltoid Ligament (TNL level)

- (Fig. 1-2.05~08)은 deltoid ligament의 정상 coronal image이며, (Fig. 1-2.05)는 가장 anterior aspect에서 얻은 이미지이다. 여기에서 tibionavicular ligament (TNL)가 보인다.
- TNL은 비스듬하게 주행하면서 medial navicular tuberosity에 부착하므로 앞뒤로 연속된 이미지를 보면서 확인한다.
- Posterior tibial tendon (PTT)은 axial image나 coronal image에서 쉽게 확인할 수 있는데 그보다 깊은 곳에 superomedial spring ligament (smCNL, calcaneonavicular ligament)가 보인다.
- smCNL은 tibiospring ligament (TSL)와 연결되므로 그 상방에 TSL이 일부 보이고 있다. TNL과 TSL은 명확하게 구분되는 것은 아니고 대략적으로 위치를 색깔로 표시해두었다.

Fig. 1-2.06 Deltoid Ligament (TSL level)

인대

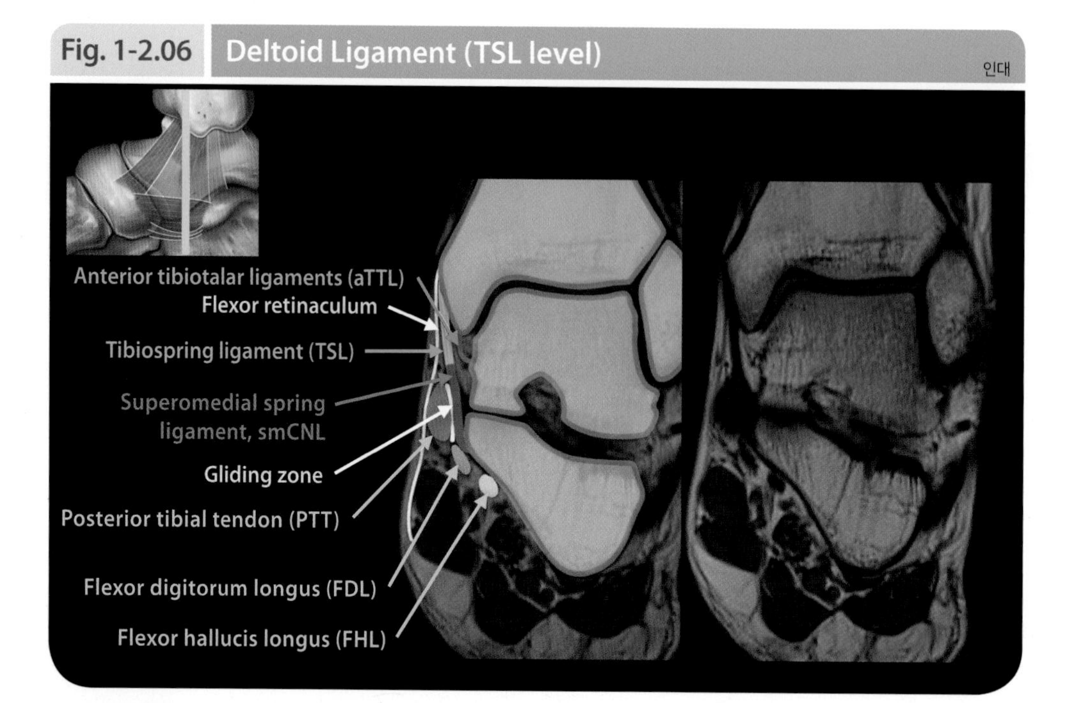

동영상 QR코드

▶ 1-2.06

Deltoid Ligament (TSL level)

- (Fig. 1-2.05~08)은 deltoid ligament의 정상 coronal image이며, (Fig. 1-2.05)보다 약간 뒤에서 얻은 이미지이다. (Fig. 1-2.06)에서 superficial deltoid ligament 중에 tibiospring ligament (TSL), deep deltoid ligament 중에 anterior tibiotalar ligament (aTTL)가 보인다.
- aTTL은 변이가 많기 때문에 때로는 보이지 않는 경우가 있어서, 보이지 않는다고 tear라고 말할 수는 없다.
- TSL은 superomedial spring ligament (smCNL, calcaneonavicular ligament)에 부착한다. 이 둘이 명확하게 구분되는 것은 아니고 대략적인 위치를 색깔로 표시해두었다.
- TSL과 superomedial (smCNL) ligament에 관한 이미지는 (Fig. 1-4.02~03)을 참고하자.
- Posterior tibial tendon (PTT)과 smCNL 사이에 gliding zone이 있으나 MRI에서 구분이 되지 않는다.

Fig. 1-2.07 **Deltoid Ligament (TCL level)** 인대

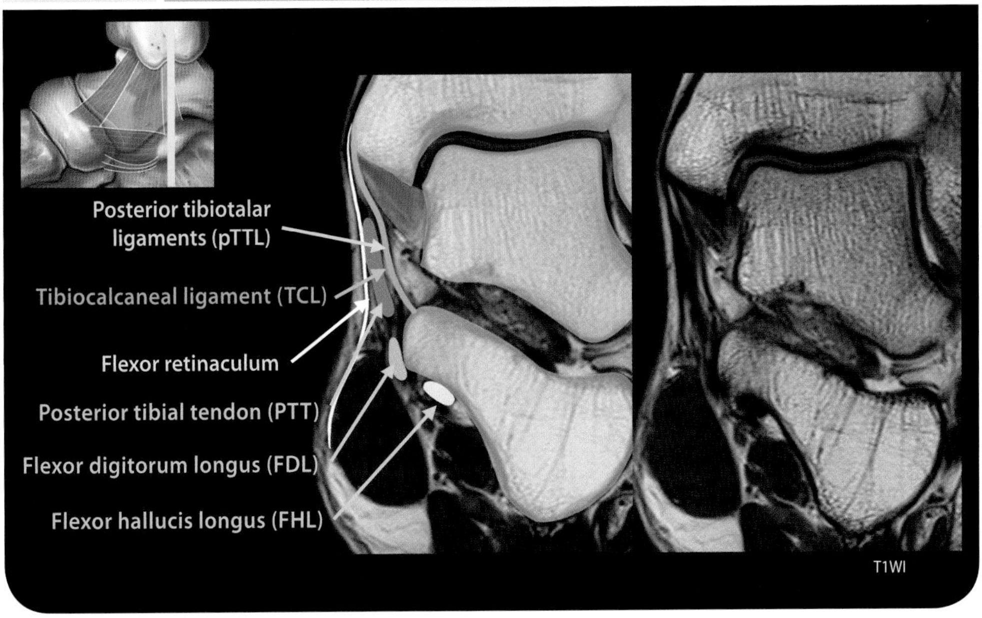

Posterior tibiotalar ligaments (pTTL)
Tibiocalcaneal ligament (TCL)
Flexor retinaculum
Posterior tibial tendon (PTT)
Flexor digitorum longus (FDL)
Flexor hallucis longus (FHL)
T1WI

동영상 QR코드

▶ 1-2.07

Deltoid Ligament (TCL level)

- (Fig. 1-2.05~08)은 deltoid ligament의 정상 coronal image이며, (Fig. 1-2.06)보다 약간 뒤에서 얻은 이미지이다.
- (Fig. 1-2.07)에서 superficial deltoid ligament 중에 tibiocalcaneal ligament (TCL), deep deltoid ligament 중에 posterior tibiotalar ligament (pTTL)가 보인다.
- TCL은 superomedial spring ligament (smCNL, calcaneonavicular ligament)와 tibiospring ligament (TSL)의 posterior aspect에 위치하며 medial malleolus의 intercollicular groove에서 시작하여 sustentaculum tali에 부착한다.

Fig. 1-2.08 Deltoid Ligament (pTTL level) 인대

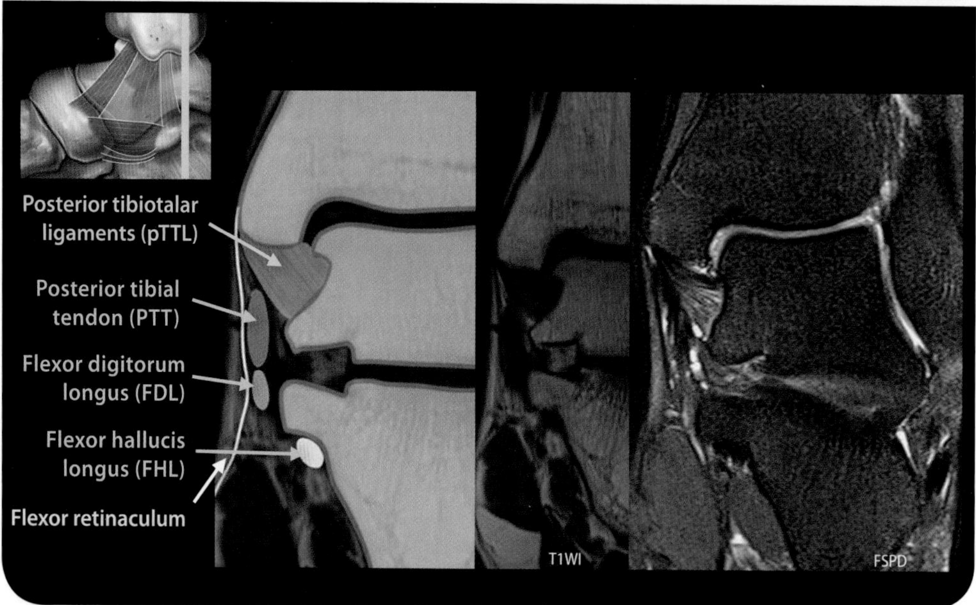

동영상 QR코드

▶ 1-2.08

Deltoid Ligament (pTTL level)

- (Fig. 1-2.05~08)은 deltoid ligament의 정상 coronal image이며, 가장 뒤에서 얻은 이미지이다. (Fig. 1-2.08)에서 posterior tibiotalar ligament (pTTL)가 보인다.
- Superficial deltoid ligament 중에 superficial posterior tibiotalar ligament (superficial TTL)가 있으나, superficial과 deep pTTL은 서로 구분이 잘 안되고 superficial TTL이 없는 경우도 있기 때문에 여기에 그림으로 넣지 않았다.
- Axial image (Fig. 1-2.03)과 마찬가지로 coronal image에서도 pTTL은 인대 섬유 사이에 지방이 있어서 비균질 줄무늬(striation)를 보이는 것이 정상이다.
- Flexor retinaculum (white arrow)을 superficial deltoid ligament로 오인하면 안된다.

2. Deltoid ligament는 superficial deltoid ligament가 먼저 손상되고 deep deltoid ligament가 나중에 손상된다(1) (2).

a) 일반촬영(Fig. 1-2.12) (Fig. 1-3.09) (Fig. 4-1.06)

- 보편적으로 mortise 영상에서 talus–medial malleolus 간격(medial clear space, 거골–내측과 간격)이 5 mm 이상이면 medial collateral ligament injury가 있다고 간주한다.
- Lateral talar shift (거골이 외측으로 이동)가 보이기도 한다(1).

b) MRI

- 심부인대의 1등급 염좌(grade I injuries)는 MRI에서 줄무늬 모양이 소실(loss of the striated appearance)되고, fat suppression T2–weighted imaging (FS T2WI), FSPD 이미지에서 인대 내에 신호강도가 증가한다(Fig. 1-2.09~10).
- 2등급, 3등급 염좌(grade II and grade III injuries)가 있으면 액체로 찬 틈(fluid–filled defect)이 보인다.
- 부분파열이 완전파열보다 더 흔하다.

c) 내측측부인대의 단독 손상은 드물다(12).

- 내측측부인대 손상은 medial and lateral malleolar fractures, osteochondral injuries of the talus (거골의 골연골병변), lateral collateral ligament (외측측부인대), syndesmotic ligament (경비인대결합), spring ligament (스프링인대) injuries, tibialis posterior tendon (후경골건) 손상과 잘 동반된다(13). 4단원 비골 골절 파트를 참고하자.
- 내측과 연골하 부종, 인접한 내측 거골 부종 등이 동반될 수 있다(Fig. 1-2.11). Lateral ligament complex injury가 동시에 있는 경우 medial malleolus의 후

방과 medial talar body 및 neck에 bone contusion (kissing bone contusion)을 볼 수도 있다. Talar dome chondral injury가 이런 medial kissing bone contusion과 흔히 연관이 된다(14).

d) 표재 및 심부인대는 주로 손상 받는 위치가 약간 다르다(15) (16) (Fig. 1-2.12~13).

- 표재인대 손상은 주로 내측과 부착 부위이고 종종 굽힘근지지띠가 내측과에 부착하는 부분(anterior aspect of the flexor retinacular insertion on the medial malleolus)까지 진행되기도 한다(2).
- Tibionavicular, tibiocalcaneal ligament가 먼저 손상되고, 더 강한 tibiospring ligament가 나중에 손상된다.
- 심부인대손상은 주로 거골 부착 부위이다(2).

Fig. 1-2.09 Partial Tear of Posterior Tibiotalar Ligament 인대

동영상 QR코드

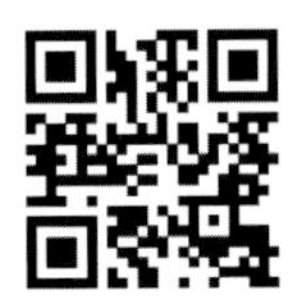

▶ 1-2.09

Partial Tear of Posterior Tibiotalar Ligament

- Posterior tibiotalar ligament (pTTL)가 정상적으로 FST2WI, FSPD에서 줄무늬 모양을 갖는다. 정상 pTTL의 axial image (Fig. 1-2.03), coronal image (Fig. 1-2.08)과 비교해 보자.
- (Fig. 1-2.09)에서 줄무늬 모양이 소실(loss of the striated appearance)되고 신호강도가 증가하고 동시에 focal partial tear (yellow arrow)도 보인다. 그리고 medial malleolus의 bone marrow edema 및 spur가 있다.

Fig. 1-2.10 Tear of Posterior Tibiotalar Ligament

인대

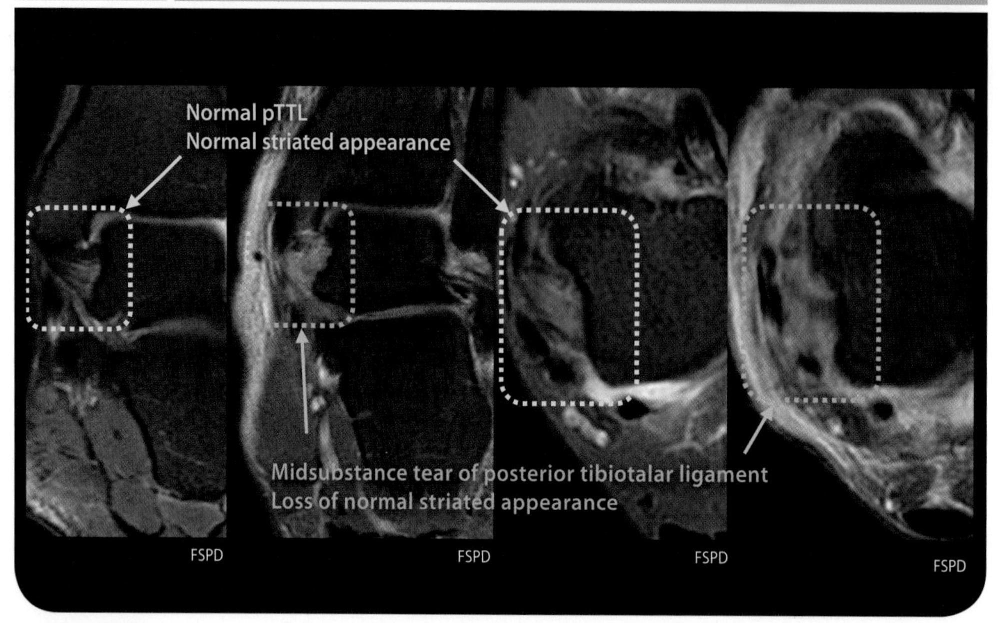

동영상 QR코드

▶ 1-2.10

Tear of Posterior Tibiotalar Ligament

- Yellow box에서 보이는 normal posterior tibiotalar ligament (pTTL)는 axial image 및 coronal image에서 모두 정상적으로 striated appearance를 보인다.
- 하지만 green box에서 보이는 pTTL은 coronal과 axial image에서 모두 midsubstance partial tear와 줄무늬 모양이 소실되고 신호강도도 증가하여있고, 인접한 soft tissue edema가 동반되었다.

Fig. 1-2.11 **Tear of Anterior Tibiotalar Ligament** 인대

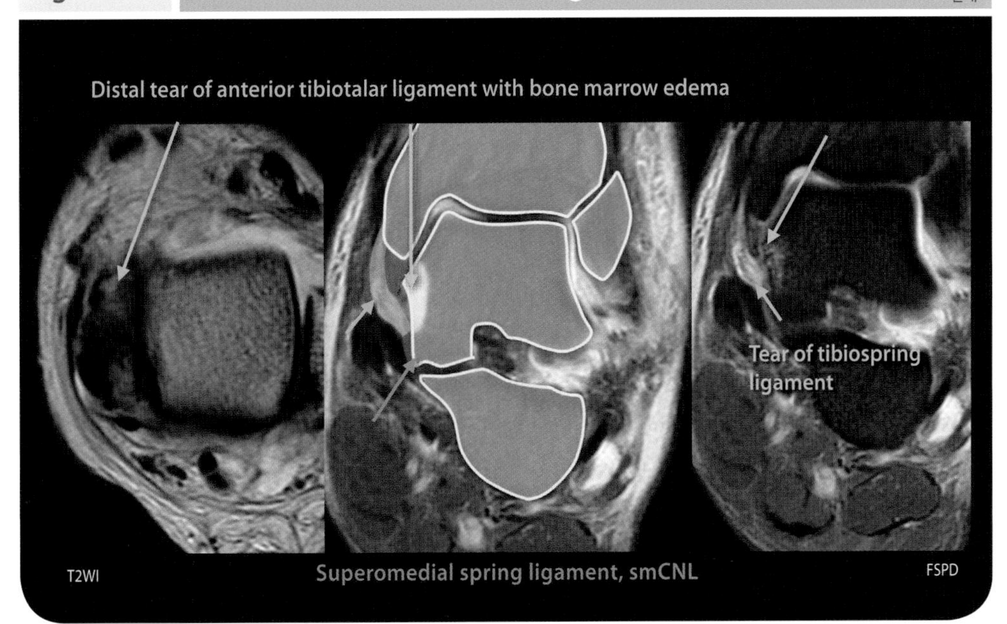

동영상 QR코드

▶ 1-2.11

Tear of Anterior Tibiotalar Ligament

- Anterior tibiotalar ligament (aTTL, orange)와 tibiospring ligament (TSL, blue)의 신호강도가 증가하고 두꺼워서 partial tear에 해당한다. aTTL이 부착하는 talar neck에 bone marrow edema도 동반되었다.

Fig. 1-2.12 **Complete Tear of Deltoid Ligament** 인대

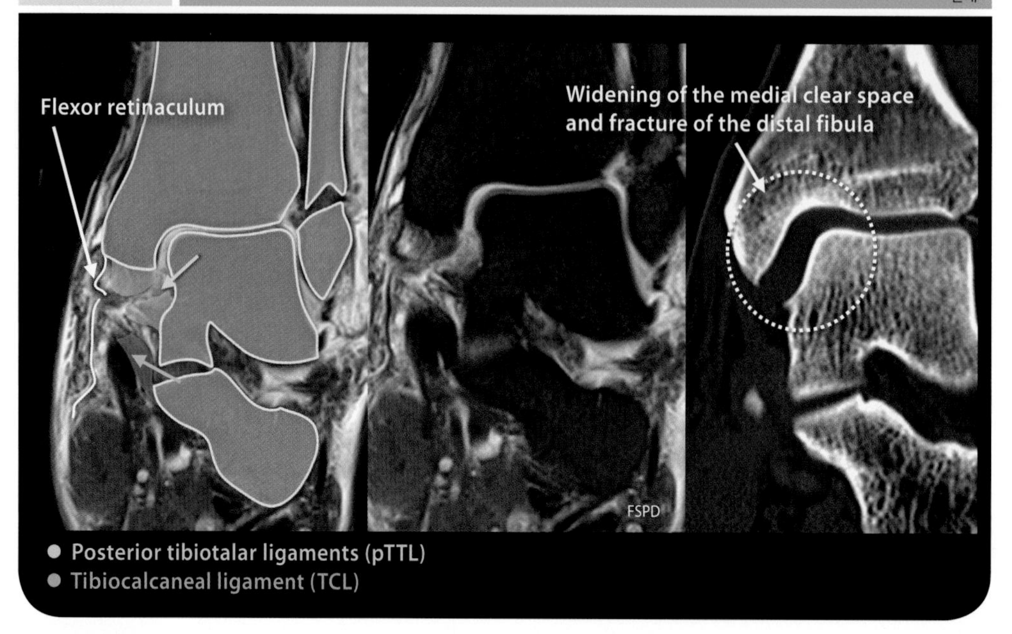

동영상 QR코드

▶ 1-2.12

Complete Tear of Deltoid Ligament

- Supination-external rotation, stage 4 환자이다.
- Anterior inferior tibiofibular ligament tear (stage 1), lateral malleolus fracture (stage 2)가 있고, posterior malleolus fracture (stage 3)가 있었던 환자이다.
- 이 경우 medial malleolar fracture가 보이지 않지만 widening of the medial mortis (white circle)가 보여 일반촬영이나 CT만으로도 deltoid ligament 손상을 생각할 수 있다(stage 4) (Fig. 1-3.09).
- MRI에서는 posterior tibiotalar ligament (pTTL), superficial deltoid ligament 및 flexor retinaculum까지도 tear된 것이 보인다.

Fig. 1-2.13 Complete Tear of Deltoid Ligament 인대

● Anterior tibiotalar ligaments (aTTL)

Deep posterior tibiotalar ligament fully detached from its medial talar attachment

FSPD

FSPD

● Superomedial spring ligament, smCNL

● Tibiospring ligament (TSL)

동영상 QR코드

▶ 1-2.13

Complete Tear of Deltoid Ligament

- Superficial deltoid ligament는 주로 medial malleolus attachment site에서 tear되고, 종종 flexor retinaculum이 medial malleolus에 부착하는 곳까지 tear가 진행된다.
- 여기에서도 tibiospring ligament (TSL)뿐 아니라 anterior tibiotalar ligament (aTTL) 역시 medial malleolus의 anterior colliculus에서 tear가 된 것이 보인다.
- Axial image에서 posterior tibiotalar ligament (pTTL)는 medial talar attachment에서 complete tear가 되었다.

3. Fascial Sleeve of the Medial Malleolus (10)

- 표재 내측측부인대는 내측과(medial malleolus)의 anteromedial corner에서 기시한다.
- Superficial deltoid ligament는 medial malleolus의 periosteum과 연결이 되며, 골막은 굽힘근지지띠(flexor retinaculum)와 연결된다.
- 이렇게 내측과를 앞에서부터 뒤로 덮는 sheet of fibrous tissue를 “fascial sleeve of the medial malleolus”라고 부른다(Fig. 1-2.14).
- Fascial sleeve of the medial malleolus는 origin of superficial deltoid ligament, periosteum, insertion of the flexor retinaculum 세 가지로 이루어져 있다.

- Superficial deltoid ligament가 손상되어 기시 부위에 fascial sleeve of the medial malleolus가 focal discontinuity를 보이거나 medial malleolus에서 떨어져 나갈 수 있다(detachment of a sheet of fibrous tissue from the entire superficial aspect of the medial malleolus from anterior to posterior)(Fig. 1-2.15~17).

Fig. 1-2.14 Normal finding of Medial Fascial Sleeve

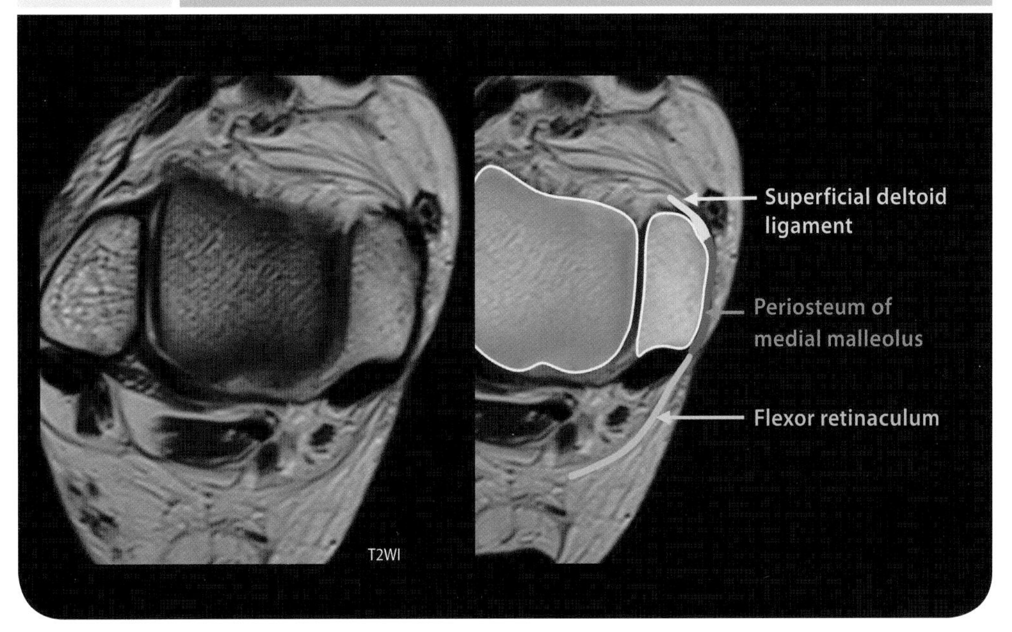

동영상 QR코드

▶ 1-2.14

Normal finding of Medial Fascial Sleeve

- 정상 superficial deltoid ligament (yellow)의 anterior bundles는 medial malleolus의 anteromedial corner에서 기시한다.
- Superficial deltoid ligament, medial malleolus의 periosteum, flexor retinaculum은 서로 연결되어 있는데 이를 fascial sleeve of the medial malleolus라고 부른다.
- Superficial deltoid ligament는 origin에서 tear가 잘 생기고 medial malleolus에서 fascial sleeve of the medial malleolus가 detachment되기도 하여서 이 위치를 잘 봐야한다.

Fig. 1-2.15 Stripping of Origin of Medial Fascial Sleeve 인대

Line of fluid separating medial malleolus from medial fascial sleeve
Superficial deltoid ligament
Periosteum of medial malleolus
Flexor retinaculum
FSPD

동영상 QR코드

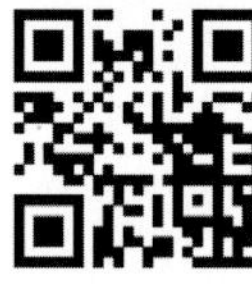

▶ 1-2.15

Stripping of Origin of Medial Fascial Sleeve

- Fascial sleeve of the medial malleolus는 superficial deltoid ligament origin, periosteum of medial malleolus, flexor retinaculum으로 구성된다.
- 여기서 superficial deltoid ligament와 medial malleolus의 periosteum이 medial malleolus 사이에 detachment되어서 그 사이에 fluid (white dots)가 보인다.
- Superficial deltoid ligament의 anterior bundles도 손상으로 두꺼워져 있다.

Fig. 1-2.16 Stripping of Origin of Medial Fascial Sleeve 인대

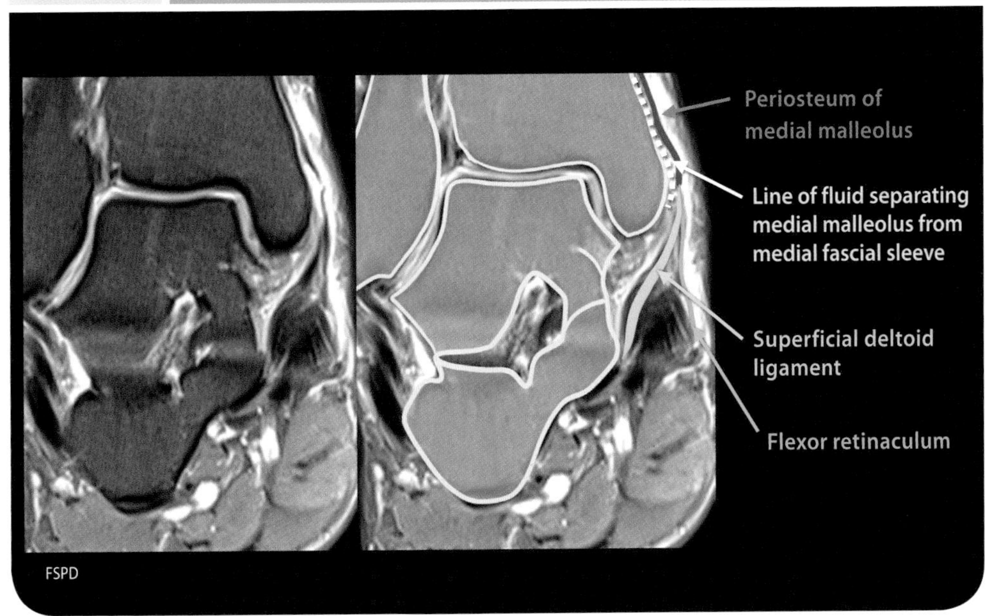

동영상 QR코드

▶ 1-2.16

Stripping of Origin of Medial Fascial Sleeve

- (Fig. 1-2.15)와 유사한 소견을 coronal image에서도 볼 수 있다.
- Superficial deltoid ligament가 origin에서 partial tear와 함께, medial malleolus에서 detachment되었다.
- Superficial deltoid ligament와 medial malleolus의 periosteum이 연결되어 있고, medial malleolus에서부터 떨어져 나가면서 그 사이에 fluid signal intensity의 line (white dots)이 보인다.

Fig. 1-2.17 Stripping and Tear of Origin of Medial Fascial Sleeve 인대

Edema and thickening of superficial deltoid ligament
Detachment of the superficial deltoid origin
Periosteum of medial malleolus
Flexor retinaculum
FSPD

동영상 QR코드

▶ 1-2.17

Stripping and Tear of Origin of Medial Fascial Sleeve

- Superficial deltoid ligament (yellow)가 신호강도가 증가되고 주변과 불분명한 경계를 보이며 두꺼워져 있다.
- 그와 동시에 superficial deltoid ligament origin과 medial malleolus의 periosteum 경계에 discontinuity (white circle)가 보인다.

4. Chronic Deltoid Ligament Complex Injuries (Fig. 1-2.18)

- 내측측부인대는 자연 치유력이 좋아서 외측측부인대에 비해 불안정성이나 만성인대손상이 드물다(17).
- 만성손상의 경우 섬유증식 혹은 반흔이 생겨, 인대가 두꺼워지거나, 얇아지고 늘어지고 파형 혹은 불규칙하게 보이고 종종 골화를 볼 수도 있다(1).
- 만성인대손상으로 scar가 fibrosis되면 MRI 모든 시퀀스에서 정상 인대처럼 저신호강도로 보일 수 있다.
  - 이 경우 정상적인 fibrillar architecture가 소실된 것을 볼 수 있다.
  - 그리고 인접한 구조물의 반응성 골변화가 있는지 보는 것도 도움이 된다 (sclerosis, spurring, and marrow edema) (Fig. 1-2.09).

- 한 번 혹은 여러 번의 ankle sprain으로 deltoid ligament insufficiency가 되어 instability나 impingement syndrome이 생길 수 있다(15) (Fig. 2-3.03) (Fig. 2-4.03~04).
  - Scar와 synovitis가 medial gutter의 전방 혹은 후방으로 protrusion되어 anteromedial 혹은 posteromedial impingement가 된다(18).

Fig. 1-2.18 Chronic Deltoid Ligament Injury

인대

Partial tear of posterior tibiotalar ligament

FSPD

Small ossicle

Abnormally thickened and low in signal indicating fibrosis from remote trauma (aTTL and TSL)

Reactive bony changes, sclerosis, spurring and marrow edema

FSPD

- Anterior tibiotalar ligaments (aTTL)
- Tibiospring ligament (TSL)
- Superomedial spring ligament, smCNL

동영상 QR코드

▶ 1-2.18

Chronic Deltoid Ligament Injury

- Posterior tibiotalar ligament (pTTL)의 talar attachment site에서 partial tear가 보인다.
- Anterior tibiotalar ligament (aTTL), tibiospring ligament (TSL)가 두꺼워져 있으나 저신호강도이면서, 경계가 분명하며, chronic deltoid ligament injury로 인하여 fibrosis가 생겼다.
- Chronic deltoid ligament injury로 인하여 medial malleolus에 small spur, subcortical sclerosis, medial tibiotalar space에 small ossicle이 동반되었다.

03

원위경비인대결합
(Tibiofibular Syndesmosis)

Distal tibiofibular syndesmosis injuries are relatively frequent ankle injuries, although less common than a fracture or lateral ankle sprain.

1. 4개의 인대는 서로 다른 방향과 각도로 주행하여 족관절 인대를 구분할 때 도움이 된다(19).

a) 원위경비인대결합은(distal tibiofibular syndesmosis) 4개의 인대가 있다:

(Fig. 1-3.01~02)

- 전하경비인대(anterior inferior tibiofibular ligament, AITFL)
- 후하경비인대(posterior inferior tibiofibular ligament, PITFL)
- 하횡인대(inferior transverse ligament, ITL)
- 골간인대(interosseous ligament, IOL)

Fig. 1-3.01 Tibiofibular Syndesmosis

인대

AITFL
(Anterior inferior tibiofibular ligament)

PITFL
(Posterior inferior tibiofibular ligament)

ITL
(Inferior transverse ligament)

IOL
(Interosseous ligament)

동영상 QR코드

▶ 1-3.01

Tibiofibular Syndesmosis

Fig. 1-3.02 Tibiofibular Syndesmosis 인대

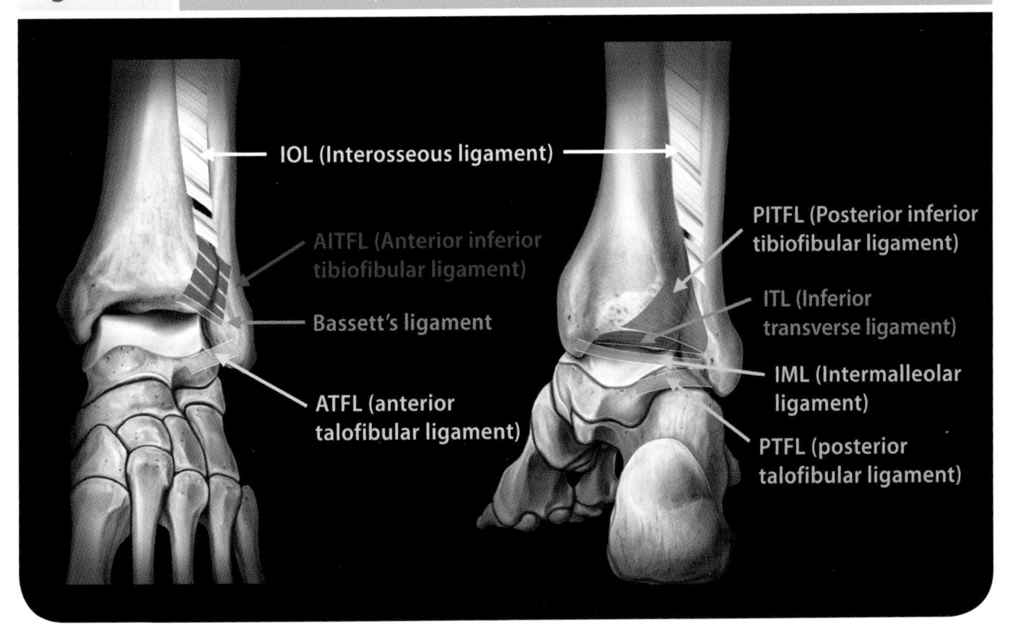

동영상 QR코드

▶ 1-3.02

Tibiofibular Syndesmosis

- Distal tibiofibular syndesmosis는 4개의 인대가 있다.
- AITFL (anterior inferior tibiofibular ligament): 3~4개의 bands로 구성되어 있으며 oblique하게 주행한다. AITFL과 떨어져 있고 AITFL보다 조금 더 수평으로 주행하는 distal accessory fascicle을 Bassett 인대라고 한다.
- PITFL (posterior inferior tibiofibular ligament): 삼각형 모양으로 oblique하게 주행한다.
- ITL (inferior transverse ligament): PITFL 원위부의 두꺼워진 deep fiber를 말한다.
- IOL (interosseous ligament): syndesmotic membrane의 원위부가 두꺼워진 것으로 비스듬하게 주행한다.

b) 전하경비인대 Anterior inferior tibiofibular ligament (AITFL) (19) (Fig. 1-3.03)

- 전하경비인대(AITFL)는 비골의 전내측 결절과 경골의 전외측 결절 사이를 비스듬하게 부착하는 사다리꼴 모양의 인대이며, 줄무늬 모양(striated band)을 보인다.
- 전하경비인대(AITFL)는 보통 3~4개의 bands로 이루어져 있다.
- 비스듬하게 주행하기 때문에 축상 이미지에서 전거비인대(anterior talofibular ligament)처럼 한 번에 보이지 않고 적어도 2~3개의 연속된 이미지에서 평가해야 한다.

c) Bassett 인대 Accessory anterior inferior tibiofibular (Bassett's) ligament (20) (Fig. 1-3.04)

- 전하경비인대(AITFL)와 평행하게 주행하지만 전하경비인대(AITFL)와 떨어져 있는 가장 원위부에(distal aspect) 있는 다발(accessory fascicle)을 Bassett 인대라고 한다.
- 전하경비인대(AITFL)보다 Bassett 인대는 조금 더 수평으로 주행한다.
- Bassett 인대의 비골 부착 부위는 전거비인대(anterior talofibular ligament)와 가까이 있다.
- Bassett 인대는 정상적으로 거골원개(talar dome)의 전외측으로 주행한다.
- 만약 Bassett 인대가 비정상적으로 두꺼워져 있으면 거골원개의 연골, 골연골 병변이 생기거나, 전외측 충돌증후군이 생길 수 있다.

d) 후하경비인대 Posterior inferior tibiofibular ligament (PITFL) (Fig. 1-3.05)

- 후하경비인대(PITFL)는 원위경비인대 결합 중에 가장 강하다.
- 후하경비인대(PITFL)는 비골 외측과의 후면과 경골의 후외측 결절 사이에 비스듬하게 부착한다.
- 후하경비인대(PITFL)는 multifascicular ligament이며 삼각형 모양으로 넓게 부착한다.

Fig. 1-3.03 **Normal AITFL** 인대

AITFL as a striated bands with an oblique orientation between the anterolateral tibia and the lateral malleolus

T1WI

AITFL (Anterior inferior tibiofibular ligament)

PITFL (Posterior inferior tibiofibular ligament)

T2WI

FSPD

동영상 QR코드

▶ 1-3.03

Normal AITFL (Anterior inferior tibiofibular ligament)

- Coronal image에서 전하경비인대 anterior inferior tibiofibular ligament (AITFL) (red box)가 3~4개의 bands로 보이며, oblique로 주행하기 때문에 axial image에서 한 번에 보이지 않고 여러 level에서 평가해야 한다.
- Axial image AITFL이 보이는 level에서 distal fibula의 posterior aspect에 보이는 것은 후하경비인대 posterior inferior tibiofibular ligament (PITFL) (yellow box)이다.

Fig. 1-3.04 **Bassett's ligament**

인대

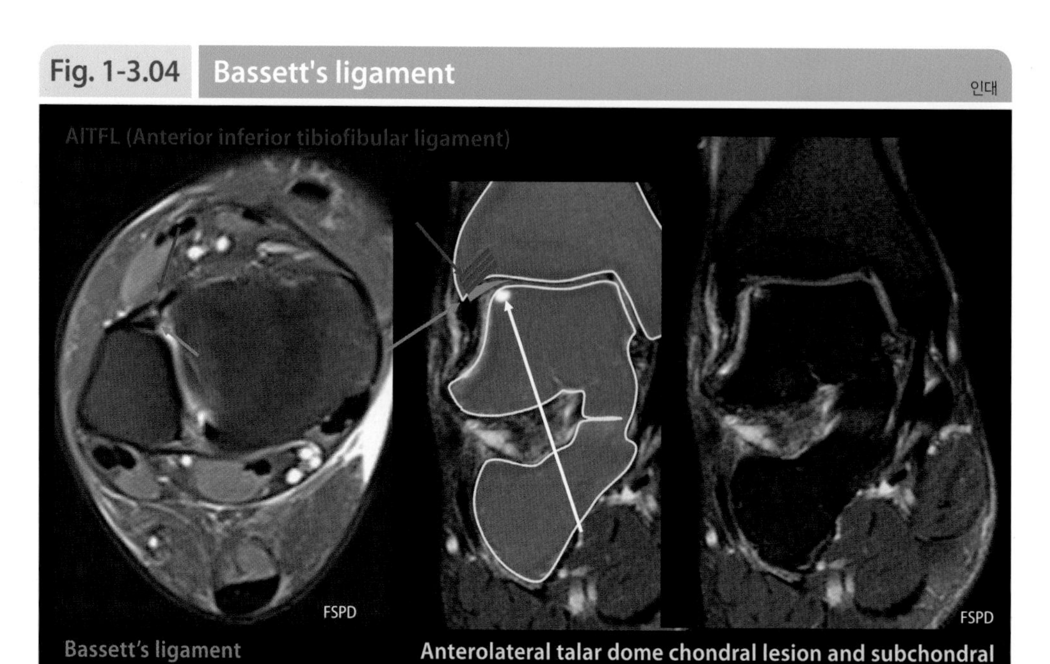

동영상 QR코드

▶ 1-3.04

Bassett's ligament

- AITFL (anterior inferior tibiofibular ligament)의 distal accessory fascicle을 Bassett 인대(pink)라고 한다.
- Coronal image에서 Bassett's ligament가 lateral talar dome의 anterolateral aspect로 주행하기 때문에 이 ligament가 비정상적으로 두꺼워진 경우 talar dome에 osteochondral lesion (우측 이미지)이나 anterolateral impingement가 생길 수 있다.

Fig. 1-3.05 **Normal Posterior Syndesmosis**

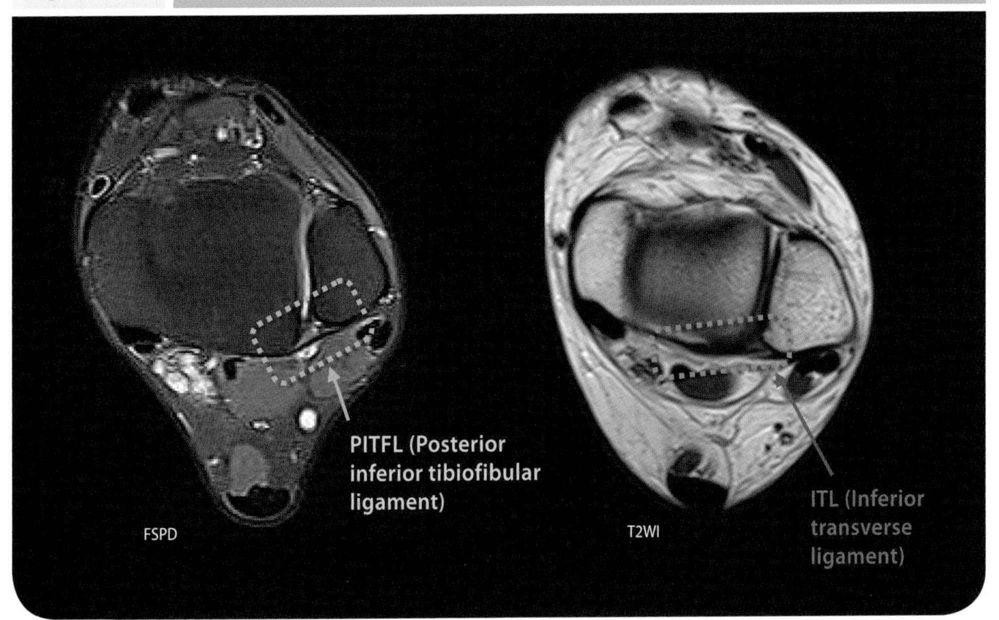

동영상 QR코드

▶ 1-3.05

Normal Posterior Syndesmosis

- Posterior syndesmotic ligament injury는 ITL (inferior transverse ligament)의 tibial attachment에서부터 시작하는 경우가 많다.
- Axial image (Fig. 1-3.05), coronal image (Fig. 1-3.06), sagittal image (Fig. 1-3.07)의 정상 ITL을 기억하자.

e) 하횡인대 Inferior transverse ligament (ITL) (Fig. 1-3.06~07)

- 후하경비인대(PITFL) 원위부의 두꺼워진 deep fiber를 하횡인대(ITL)라고 한다.
- 하횡인대(ITL)는 labrum과 유사한 모양을 하여 경골의 후하방 변연을 깊게 해준다(21).
- 하횡인대(ITL)는 후하경비인대(PITFL)보다 조금 더 수평으로 주행한다.

f) 후과간인대 Posterior intermalleolar ligament (IML)

- 후과간인대(IML)는 후거비인대(posterior talofibular ligament, PTFL)와 하횡인대(ITL) 사이에 있다. 후과간인대(IML)는 원위경비인대결합은 아니다.
- 하횡인대(ITL)의 가장 원위부 섬유와 PTFL의 일부 섬유가 유합하여 후과간인대(IML) 혹은 tibial slip ligament를 형성하여 하횡인대(ITL)와 PTFL사이에 위치한다(1).
- 후과간인대(IML)는 하나의 두꺼운 다발, 여러 개 다발, 혹은 가느다란 밴드 등 다양하게 보일 수 있다(19).
- 후과간인대(IML)가 두꺼워지면 후방충돌증후군의 원인이 될 수도 있다(22).

g) 골간인대 Interosseous ligament (IOL) (Fig. 1-3.08)

- 골간인대는 인대결합막(syndesmotic membrane)의 원위부가 두꺼워진 것이다.
- 비스듬하게 주행하여서 연속된 축상 및 관상 이미지에서 평가한다. 축상 이미지에서 밴드로 보이기도 하지만 점으로도 보이기도 한다. 이것을 파열이라고 오인하면 안 된다.
- 소량의 관절액이 interosseous synovial recess로 들어가는데 이것을 골간인대 파열로 오인하면 안 된다(23).

Fig. 1-3.06 Normal Posterior Syndesmosis 인대

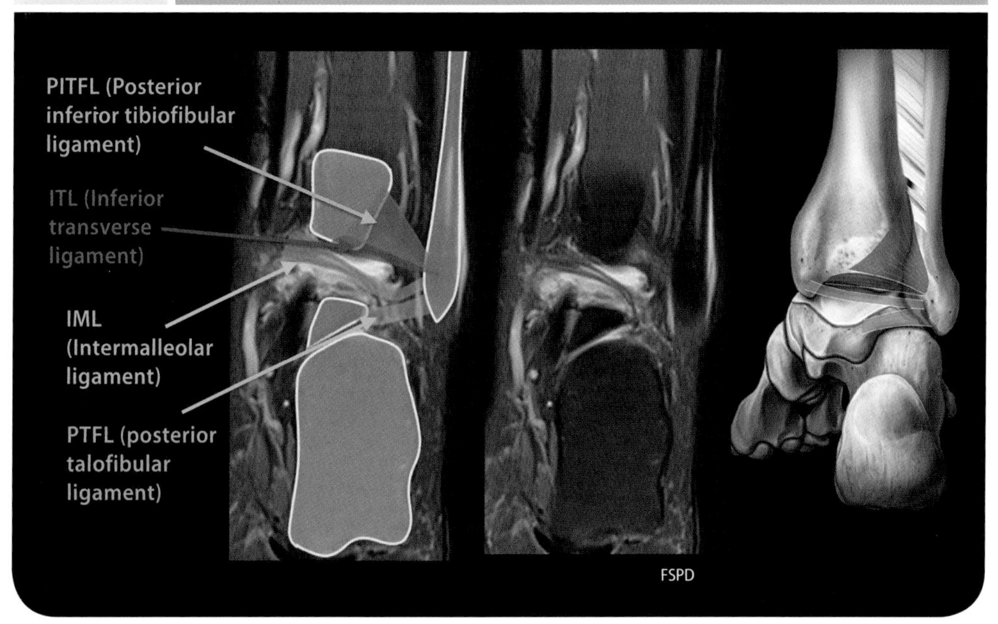

동영상 QR코드

▶ 1-3.06

Normal Posterior Syndesmosis

- Posterior ankle에 여러 종류의 ligaments가 있고, 근위부부터 PITFL (posterior inferior tibiofibular ligament), ITL (inferior transverse ligament), IML (posterior Intermalleolar ligament), PTFL (posterior talofibular ligament)이 있다.
- Posterior ankle에서 보이는 ligaments는 axial image (Fig. 1-3.05), sagittal image (Fig. 1-3.07)과 함께 coronal image (Fig. 1-3.06)에서 평가한다.
- 이런 ligaments 중에 coronal image에서 잘 살펴보아야 하는 것은 inferior transverse ligament (ITL)의 tibial attachment site이다. ITL tear 이미지와 (Fig. 1-3.12) 정상 ITL (Fig. 1-3.06)을 비교해보자.

Fig. 1-3.07 Normal Posterior Syndesmosis

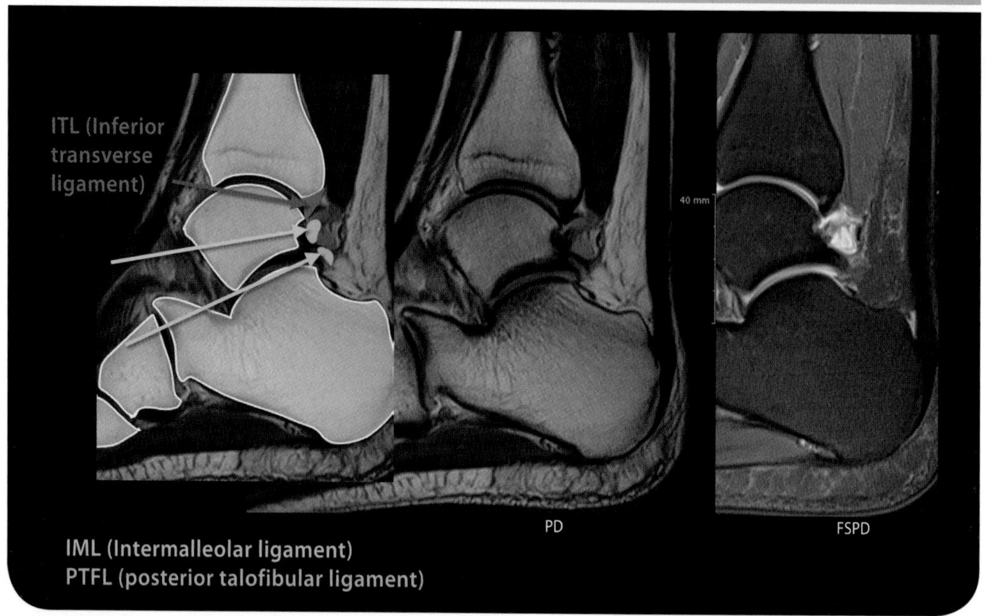

동영상 QR코드

▶ 1-3.07

Normal Posterior Syndesmosis

- Sagittal image (lateral aspect)에서 ITL (inferior transverse ligament), IML (posterior Intermalleolar ligament), PTFL (posterior talofibular ligament)을 잘 볼 수 있다.
- ITL은 shoulder나 hip의 labrum과 같은 모양으로 posteroinferior tibial rim에 부착한다. Posterior syndesmosis injury가 있으면 axial image (Fig. 1-3.06)과 sagittal image에서 병변을 잘 볼 수 있다.
- IML은 하나 혹은 여러 개의 다발로 다양하게 보일 수 있으나, 두꺼워져 있다면 posterior impingement가 생길 수 있다.
- PTFL은 lateral collateral ligament complex (ATFL, CFL and PTFL)의 하나로 talus posterior process의 lateral tubercle에 혹은 os trigonum이 있다면 그곳에 부착한다(Fig. 1-1.02~03).

Fig. 1-3.08 Normal Interosseous Ligament 인대

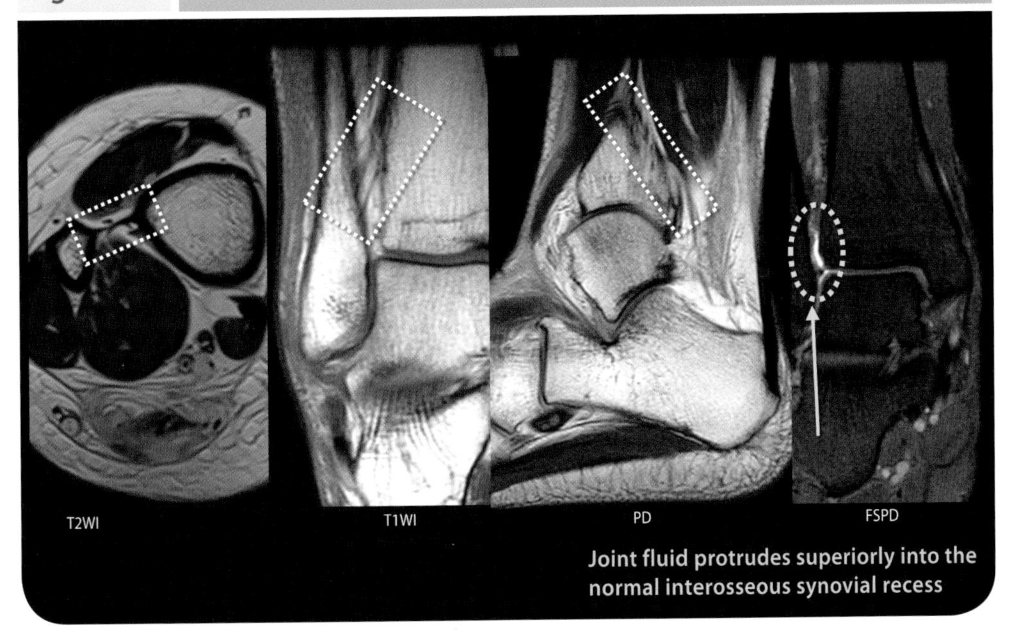

Joint fluid protrudes superiorly into the normal interosseous synovial recess

동영상 QR코드

▶ 1-3.08

Normal Interosseous Ligament

- Axial image에서 하나의 band로 보이기도 하지만 fascicles로 이루어져서 점과 같은 형태로 보이기도 한다.
- Tibia에서부터 fibula까지 proximomedial to distalolateral course를 보인다.
- IOL (interosseous ligament)은 PITFL (posterior inferior tibiofibular ligament)의 superior margin 가까이 insertion하는 것을 sagittal image에서 볼 수 있다.
- 그림 우측에 보이는 소량의 관절액이 interosseous synovial recess (yellow circle)로 들어가 있는데 이것을 IOL 파열로 오인하면 안 된다.

2. 경비인대결합 손상은 "상부 발목 염좌(high ankle sprain)"라고 부르며, 발목 염좌의 1~10% 정도이다(1) (24).

- 경비인대결합 손상은 일반적인 발목 염좌와 비교하여 회복기간이 더 길다. (24) (25). 그렇기 때문에 경비인대결합손상을 조기에 정확하게 진단해야 한다.
- 손상의 원인은 다양하나, 가장 흔한 원인은 forced external rotation with ankle dorsiflexion and pronation이다(26).

- 전하경비인대(AITFL)가 interstitial injury를 받으면 PD 혹은 PDFS images에서 인대 내의 신호강도가 증가한다.
- 급성 파열은 인대가 불연속성을 보이고, 형태가 불규칙하거나, 파형, 인대의 방향이 바뀌게 된다.

- 파열된 인대는 시간이 흐르면 점차 고신호강도에서 중등, 저신호강도로 바뀌고, immature scar가 파열된 곳에 생기게 된다.
- Scar tissue (반흔)는 초기에는 종종 비후되어 인대가 두꺼워지게 된다.
- 시간이 더 지나면 반흔은 remodeling되어 두꺼워진 인대가 점차 호전되고, 조금 더 균일하게 저신호강도로 바뀐다.

3. 일반촬영에서 distal tibiofibular syndesmosis의 integrity를 평가하는 측정법이 있으나, 그 측정값은 연구자마다 차이가 있다(1) (27).

■ Tibiofibular clear space (TFCS)

- posterior tibial malleolus의 외측 모서리(incisura fibularis)와 fibular의 내측 모서리 사이의 거리
- 5~6 mm 이하가 정상

■ Tibiofibular overlap (TFO)

- anterior distal tibial prominence의 외측 모서리와 distal fibula의 내측 모서리 사이 겹쳐진 거리
- 6~10 mm 이상이 정상

■ Medial clear space (MCS)

- talus의 내측 모서리와 medial malleolus의 외측 모서리 사이의 간격
- superior clear space보다 같거나 작으면 정상, 4~5 mm 이상이면 비정상

■ 방사선 측정이 제한적이지만 tibiofibular overlap이 없거나 감소하고, tibiofibular clear space가 증가하며, medial clear space가 증가하면 syndesmotic injury를 고려해야한다. Surgical syndesmosis stabilization이 필요할 수 있다(Fig. 1-3.09).

- Weight-bearing AP view 혹은 mortis view에서 tibiofibular clear space가 alignment 평가에 가장 신뢰할 수 있는 수치이며 ankle joint 1 cm 상방에서 6 mm까지를 정상으로 본다(2).
- Medial ankle joint space widening이 보인다면 deltoid ligament deep fiber의 손상을 생각해야 한다(2) (Fig. 1-2.12).

4. 경비인대결합은 거의 항상 앞에서부터 뒤로 손상이 진행된다. 즉, AITFL (전하경비인대), IOL (골간인대), 그리고 PITFL (후하경비인대) 순서로 손상된다(2).

■ AITFL: (Fig. 1-1.10) (Fig. 1-3.10) (Fig. 4-1.04~06)

Interstitial injury가 있으면 mild ligament hyperintensity가 보이며 complete tear는 fluid로 채워진 defect로 보인다.

■ IOL:

IOL은 axial 및 coronal images에서 쉽게 평가할 수 있는데, 간혹 tibial avulsion이 있으면 subperiosteal hematoma가 생기고 그것이 ossification이 되기도 한다.

■ PITFL: (Fig. 1-3.11) (Fig. 4-1.04) (Fig. 4-1.06)

전형적으로, 후하경비인대(PITFL) 손상은 경골의 후하방 변연부터 파열된다.

- 후하경비인대(PITFL) 원위부의 두꺼워진 deep fiber인 하횡인대(ITL)의 손상은 shoulder의 anterior glenoid labrum의 파열과 유사한 모양을 한다. 종종 후과 골절, 후과 골막 박리(posterior malleolar periosteal strip)와 동반된다(2).
- 하횡인대는 경골 후하방 변연에서 기시하는데, 이 손상은 시상 이미지에서 잘 보인다(21) (Fig. 1-3.12).
- 종종 인접한 posterolateral tibial plafond chondral lesion이 생길 수도 있다(25).
- 후과 골절(posterior malleolar fracture)이 동반된 원위경비인대결합 손상에서는 막상 후하경비인대(PITFL)가 보통 파열되지는 않는다(2).

- 원위경비인대가 심하게 손상 받는 경우에는 내측측부인대복합체도 손상을 받을 수 있다(2).

- Brown에 따르면 경비인대결합 손상을 받으면 그와 동반하여 거골원개(talar dome)의 골연골병변(28%), 골 좌상(bone contusion)(24%), 외측측부인대복합체 손상(74%)을 보인다고 한다(28).

- 상부 발목 염좌, 즉 경비인대결합 손상은 종종 다른 발목 손상, 비골 골절과 연관된다. 비골 골절은 4장을 참고하자.
    - Lateral and medial malleolar fracture, medial collateral ligament injury를 동반하며, 이런 경우 lateral collateral ligament injury가 없는 경우도 많다.
    - 많은 경비인대결합 손상에게서 Lauge-Hansen supination external rotation (SER)/Weber B type fractures or pronation external rotation (PER)/Weber C type fractures와 연관되어 있다(29).

Fig. 1-3.09 Syndesmosis & Deltoid Ligament Analysis 인대

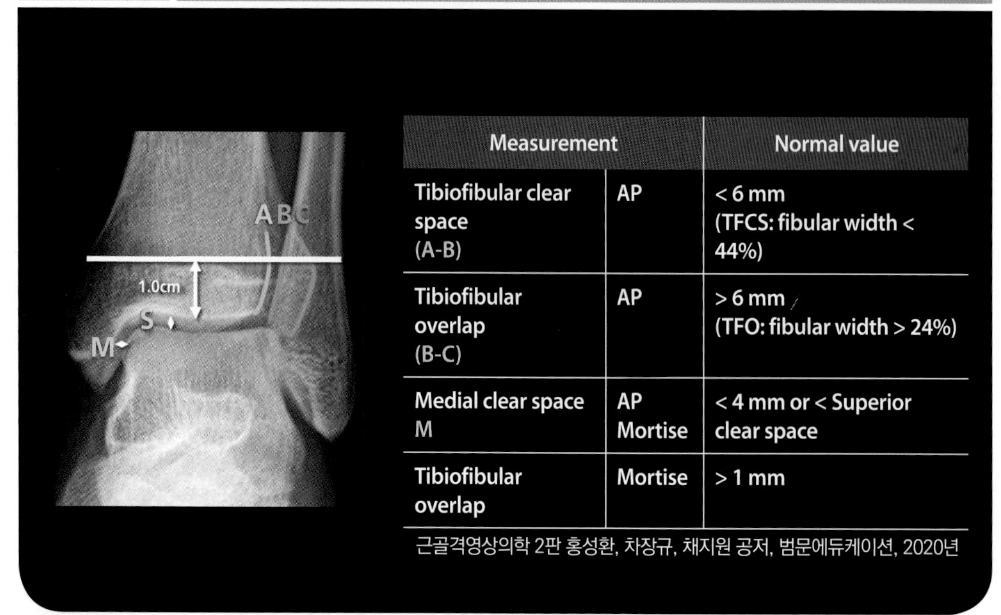

Measurement		Normal value
Tibiofibular clear space (A-B)	AP	< 6 mm (TFCS: fibular width < 44%)
Tibiofibular overlap (B-C)	AP	> 6 mm (TFO: fibular width > 24%)
Medial clear space M	AP Mortise	< 4 mm or < Superior clear space
Tibiofibular overlap	Mortise	> 1 mm

근골격영상의학 2판 홍성환, 차장규, 채지원 공저, 범문에듀케이션, 2020년

동영상 QR코드

▶ 1-3.09

Tibiofibular Syndesmosis and Deltoid Ligament Analysis

- Tibiofibular syndesmosis나 deltoid ligament를 일반촬영에서 평가하는 방법이다.

A line – posterior tibial malleolus의 외측 모서리(incisura fibularis)
B line – fibula의 내측 모서리
C line – anterior distal tibial prominence의 외측 모서리

Tibiofibular clear space (TFCS): A–B, 5~6 mm 이하가 정상
Tibiofibular overlap (TFO): B–C, 6~10 mm 이상이 정상
Medial clear space (MCS): talus의 내측 모서리와 medial malleolus의 외측 모서리 사이의 간격, superior clear space보다 같거나 작으면 정상, 4~5 mm 이상이면 비정상

Fig. 1-3.10 **Complete Tear of AITFL** 인대

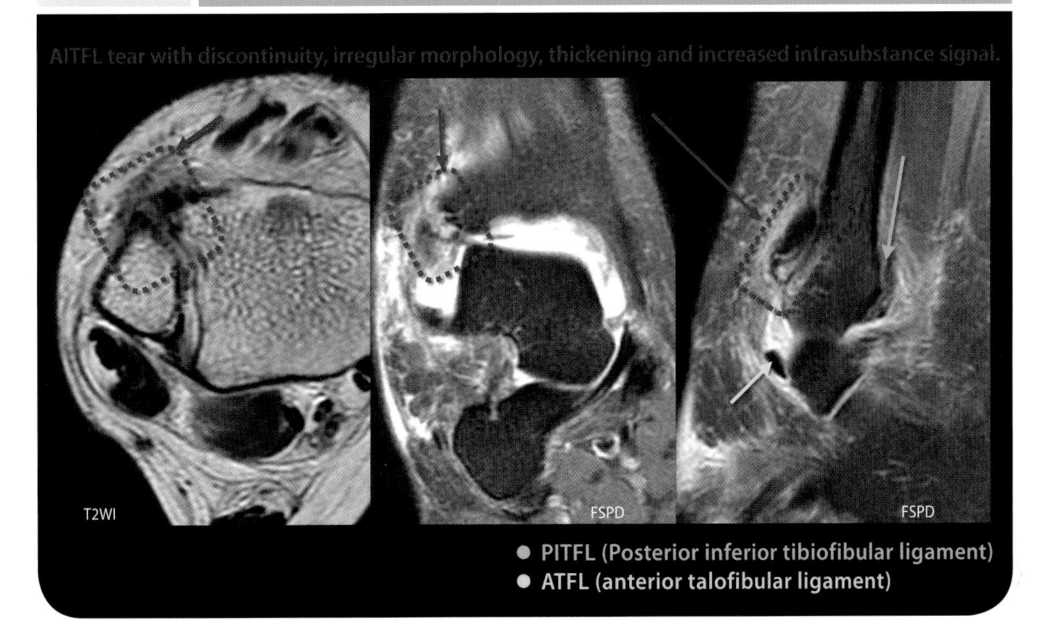

동영상 QR코드

▶ 1-3.10

Complete Tear of AITFL (Anterior inferior tibiofibular ligament)

- AITFL (anterior inferior tibiofibular ligament)이 두꺼워지고 blurred anterior margin이 보인다.
- AITFL 내부에 axial image 및 coronal image에서 ligament의 불연속성이 보인다.
- 두꺼워진 AITFL은 sagittal image에서도 보이며, posterior tibia에는 PITFL (posterior inferior tibiofibular ligament, orange)도 두꺼우면서 주변에 edema가 보인다.

Fig. 1-3.11 **Partial Tear of PITFL** 인대

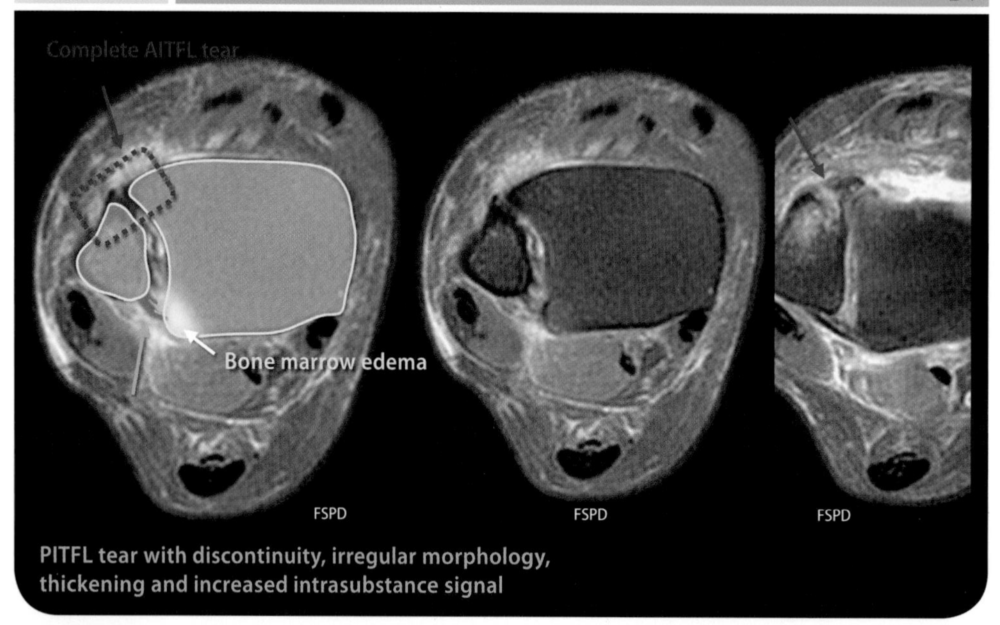

PITFL tear with discontinuity, irregular morphology, thickening and increased intrasubstance signal

동영상 QR코드

▶ 1-3.11

Partial Tear of PITFL (Posterior inferior tibiofibular ligament)

- Tibiofibular syndesmosis는 거의 항상 AITFL (anterior inferior tibiofibular ligament), IOL (interosseous ligament), PITFL (posterior inferior tibiofibular ligament)순서로 손상을 받는다.
- Complete AITFL 손상이 있다면, IOL, PITFL에 tear가 동반되었는지 살펴봐야 한다(AITFL 손상이 없다면 IOL, PITFL은 괜찮을 가능성이 아주 높다).
- 여기서도 complete AITFL 손상이 있고, PITFL은 약간 irregular shape을 보이며 신호강도도 약간 증가하고 주변에 edema도 동반되어 있어 partial tear로 보인다.

Fig. 1-3.12 **Tear of Inferior Transverse Ligament**

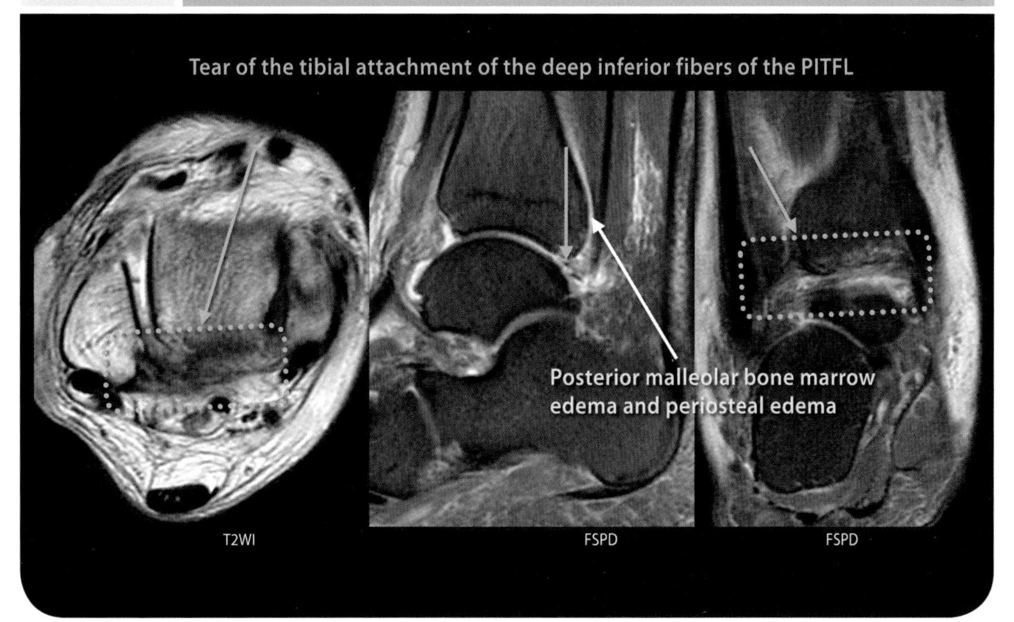

동영상 QR코드

▶ 1-3.12

Tear of Inferior Transverse Ligament

- 먼저 AITFL (anterior inferior tibiofibular ligament) complete tear로 MRI에서 tibiofibular space widening이 보인다. PITFL (posterior inferior tibiofibular ligament)은 경계가 불분명하고 신호강도가 증가하였다.
- 정상 ITL은 저신호강도이며 shoulder나 hip의 labrum과 같은 모양으로 posteroinferior tibial rim에 부착한다.
- 이 case에서는 ITL 모양도 불규칙하고 내부에 신호강도가 증가하였고, axial, coronal, sagittal images에서 이러한 소견이 모두 잘 보인다. 특히 이것을 진단하는데 sagittal image가 가장 도움이 되며, (Fig. 1-3.07)의 정상 sagittal image와 비교해보자.
- PITFL 손상으로 posterior malleolar bone marrow edema and periosteal edema (white)가 보인다. 간혹 posterior malleolus에 생긴 작은 fracture는 MRI에서 잘 보이지 않는다.

5. Scar reconstitution and chronic syndesmotic instability (2)

- Acute complete tear
  - 파열된 곳에 fluid 신호강도를 보이는 defect가 보이며, 종종 anterior syndesmosis widening이 보인다(Fig. 1-3.09) (Fig. 1-3.12).

- Subacute stage
  - Immature scar response가 파열부위에서 보이기 시작하여 ligament가 두꺼워진다.

- Over time
  - 두꺼워지고 증가한 신호강도를 보였던 ligament는 두께도 감소하고 저신호강도로 변한다. 이와 같은 변화는 모든 ligament에서 보일 수 있으며, ATFL (Fig. 1-1.14)와, CFL (Fig. 1-1.15~16)이 scar remodeling하는 과정을 참고하자.
  - 정상 AITFL의 ligament fascicles는 각각 서로 구분되지만 scar로 인하여 서로 구분이 되지 않기도 한다(Fig. 2-1.05).
  - Scar가 전방, anterolateral gutter로 protrusion되면 meniscoid lesion이 되어 anterolateral impingement 혹은 syndesmotic impingement가 생기기도 한다 (Fig. 2-1.05) (Fig. 2-1.08).
  - PITFL의 heterotopic scarring이 tibial attachment에 생기거나, bony overgrowth를 보이면 posterior impingement가 생길 수 있다(30).

- Chronic syndesmotic instability 및 widening은 흔하진 않다(31).
  - 이전 syndesmotic injury가 있는 곳에 heterotopic ossification이 보이기도 하며 이것이 pain의 원인이 되기도 한다.

04

스프링인대
(Spring Ligament)

Spring ligament acts as the primary static stabilizers of the medial arch of the foot and, together with the posterior tibialis tendon, helps support normal hindfoot relations.

1. 스프링인대는 두꺼운 삼각형 모양이며, 내측면은 후경골건의 부착부위와 합쳐서 내측 종족궁을 유지하는 주요 구조물이다(32).

- 스프링인대(족저종주인대, plantar calcaneonavicular ligament)는 종골(calcaneus)과 주상골(navicular)을 연결하고 거골(talus)을 지지하며 종골의 재거돌기(sustentaculum tali)의 아랫면에서 기시하여 주상골 결절의 하내 측면에 부착한다.

■ 두꺼운 삼각형 모양이며, 내측면은 posterior tibial tendon의 insertion 부위와 합쳐서 medial longitudinal arch를 유지하는 주요 구조물이다(1).

■ 스프링인대는 3개의 구조물로 나뉜다(33) (Fig. 1-2.02) (Fig. 1-2.05~06) (Fig. 1-4.01~04).

- Superomedial component: 가장 강한 상내측부(superomdial)는 거골두를 감싸고 있고 후경골건(posterior tibial tendon)과 talar head 사이에 위치한다.
- Medioplantar oblique: 내족저경사부(중간, medioplantar oblique)는 줄무늬 모양으로 비스듬하게 주행하며 후경골건 외측에 있다.
- Inferoplantar longitudinal: 하족저종단부(외측, inferoplantar longitudinal)는 짧고 똑바른 구조물로 axial 및 sagittal images에서 잘 보인다.

Fig. 1-4.01 Spring Ligament Anatomy

인대

SM-CNL
Superomedial

MPO-CNL
Medioplantar
oblique

IPL-CNL
Inferoplantar
longitudinal

동영상 QR코드

▶ 1-4.01

Spring Ligament Anatomy

- 스프링인대는 3개의 구조물로 나뉜다.
- Superomedial component (SM-CNL, calcaneonavicular ligament): 가장 강한 상내측부(superomdial)는 거골두를 감싸고 있고 posterior tibialis tendon 외측에 있다.
- Medioplantar oblique (MPO-CNL): 내족저경사부(중간, medioplantar oblique)는 줄무늬 모양으로 비스듬하게 후경골건 외측에 있다.
- Inferoplantar longitudinal (IPL-CNL): 하족저종단부(외측, inferoplantar longitudinal)는 짧고 똑바른 구조물이다.

Fig. 1-4.02 Spring Ligament Anatomy

인대

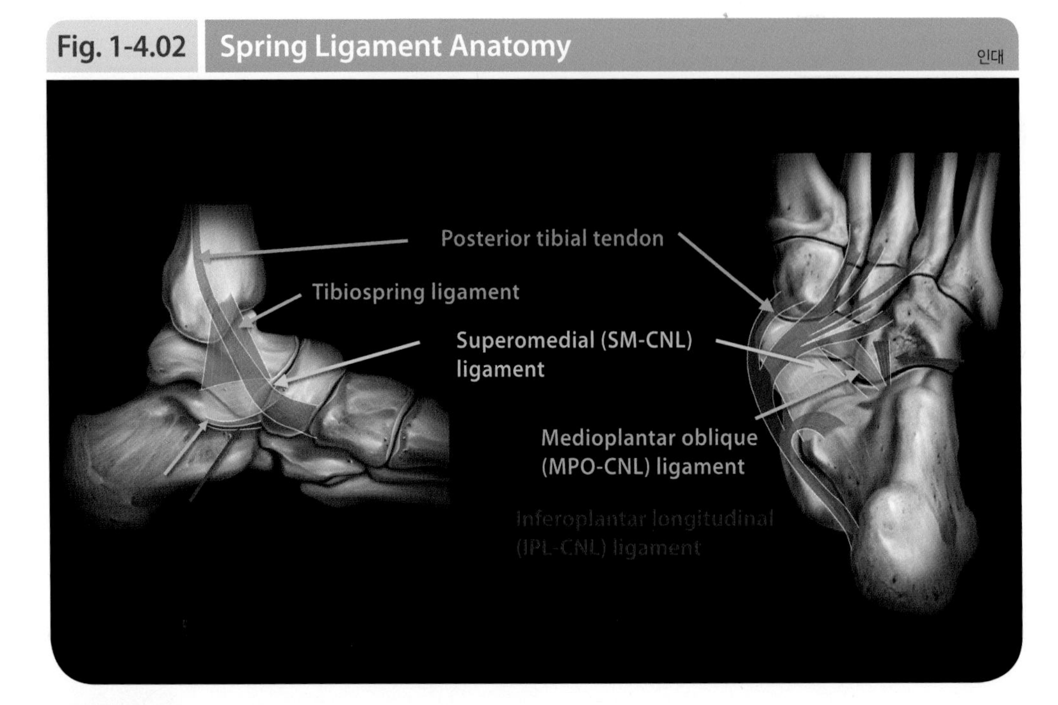

동영상 QR코드

▶ 1-4.02

Spring Ligament Anatomy

- Superomedial (SM-CNL) ligament: spring ligament 중에 가장 중요하며, talar head를 medial, plantar aspect에서 받쳐주는 해먹과 같은 기능을 한다. 이는 sustentaculum tali의 anterior margin에서 시작하여 navicular tuberosity와 tibiospring ligament에 넓게 부착한다.
- Posterior tibial tendon: navicular에 insertion을 하고 일부 small slip들이 발바닥으로 가서 tarsal 및 metatarsal bones에 insertion을 한다(Fig. 3-1.01~02). Talonavicular joint level에서 posterior tibial tendon 바로 아래에 superomedial (SM-CNL) ligament가 있다.
- Tibiospring ligament: superficial deltoid ligament 중 하나로 medial malleolus와 spring ligament의 superomedial component를 연결한다(Fig. 1-2.02~ 07).

Fig. 1-4.03 Anatomy of Spring Ligament 인대

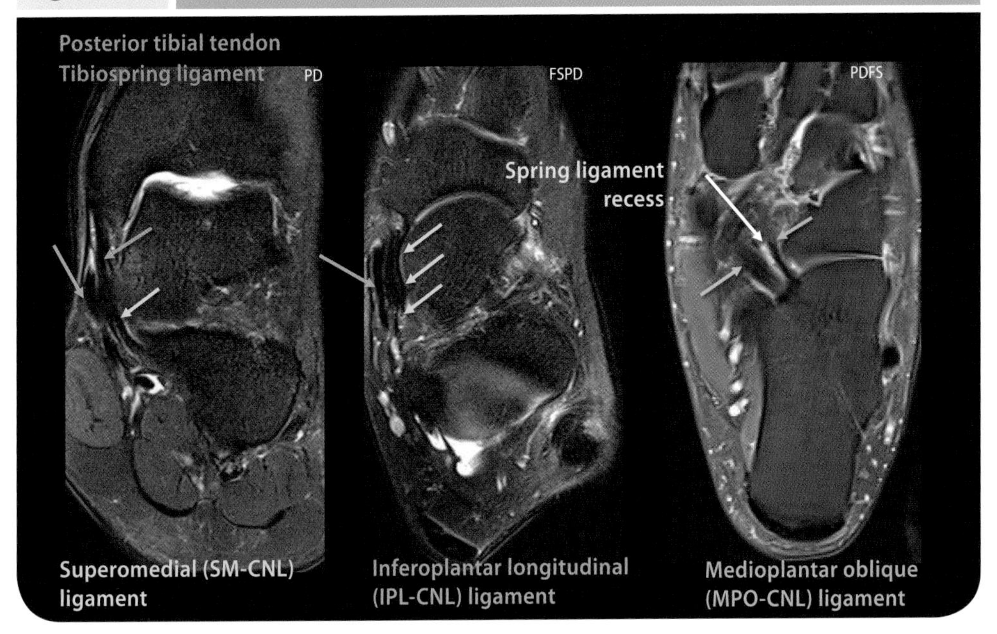

동영상 QR코드

▶ 1-4.03

Anatomy of Spring Ligament

- Superomedial (SM-CNL) ligament: Posterior tibial tendon (orange)보다 깊이 위치하며 tibiospring ligament (pink)와 연결된다(Fig. 3-1.01). Spring ligament 중에 가장 강하다.
- Spring ligament recess: 정상적으로 inferoplantar longitudinal (IPL-CNL, green) ligament와 medioplantar oblique (MPO-CNL, blue) ligament 사이에 소량의 fluid (white arrow)가 보일 수 있다. 이것을 tear로 오인하면 안 된다(Fig. 1-4.08).

Fig. 1-4.04 Anatomy of Spring Ligament

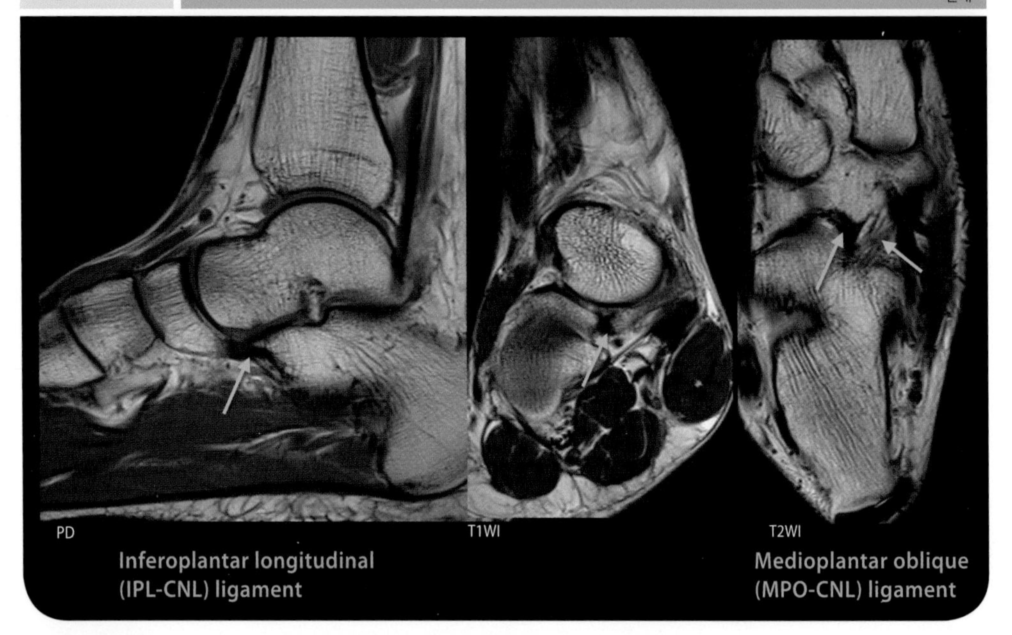

동영상 QR코드

▶ 1-4.04

Anatomy of Spring Ligament

- Inferoplantar longitudinal (IPL-CNL) ligament: Inferior navicular beak부터 calcaneal coronoid process 사이에 있다.
- Medioplantar oblique (MPO-CNL) ligament: Medial plantar navicular부터 calcaneal coronoid process 사이에 있다.
- 보통 striated pattern으로 보이고 tear로 오인하면 안 된다.

2. Spring Ligament Injury (2) (Fig. 1-4.05~06)

- Spring ligament injury는 posterior tibial tendon tear처럼 chronic degeneration에 의해 생기며 중년여자에게서 가장 흔하며, 임상증상도 posterior tibial dysfunction 환자와 유사하다(34).
- Spring ligament injury로 medial longitudinal arch가 무너지면 talar head가 medial 그리고 plantar rotation을 하여 adult acquired flatfoot deformity가 된다(Fig. 1-4.07) (Fig. 3-1.08~10).
- 운동선수들에게 acute ligament injury가 흔하지 않다.

- MRI
  - Spring ligament가 5 mm 이상 두꺼워진다.
  - Ligament contour가 변하고, signal intensity가 증가한다.

    cf) Medioplantar oblique (MPO–CNL) ligament와 inferoplantar longitudinal (IPL–CNL) ligament는 정상적으로 그 내부에 지방 때문에 중등신호강도를 보일 수 있어서 파열이라고 오인하면 안된다(Fig. 1-4.04).

    cf) Spring ligament recess (Fig. 1-4.03) (Fig. 1-4.08)
    Medioplantar oblique (MPO–CNL) ligament와 inferoplantar longitudinal (IPL–CNL) ligament 사이에 정상적으로 talocalcaneonavicular joint와 연결되는 synovium–lined, fluid–filled space가 있고 이를 spring ligament recess라고 한다. 이것 역시 spring ligament의 tear라고 하면 안된다(35).
  - Superomedial component (SM-CNL, calcaneonavicular ligament)가 가장 손상을 잘 입고, navicular insertion 근처에서 tear가 잘 된다(36).
  - Posterior tibial tendon pathology가 동반될 수 있다(Fig. 1-4.06) (Fig 3-1.08~10).

Fig. 1-4.05 **Spring Ligament Low Grade Injury** 인대

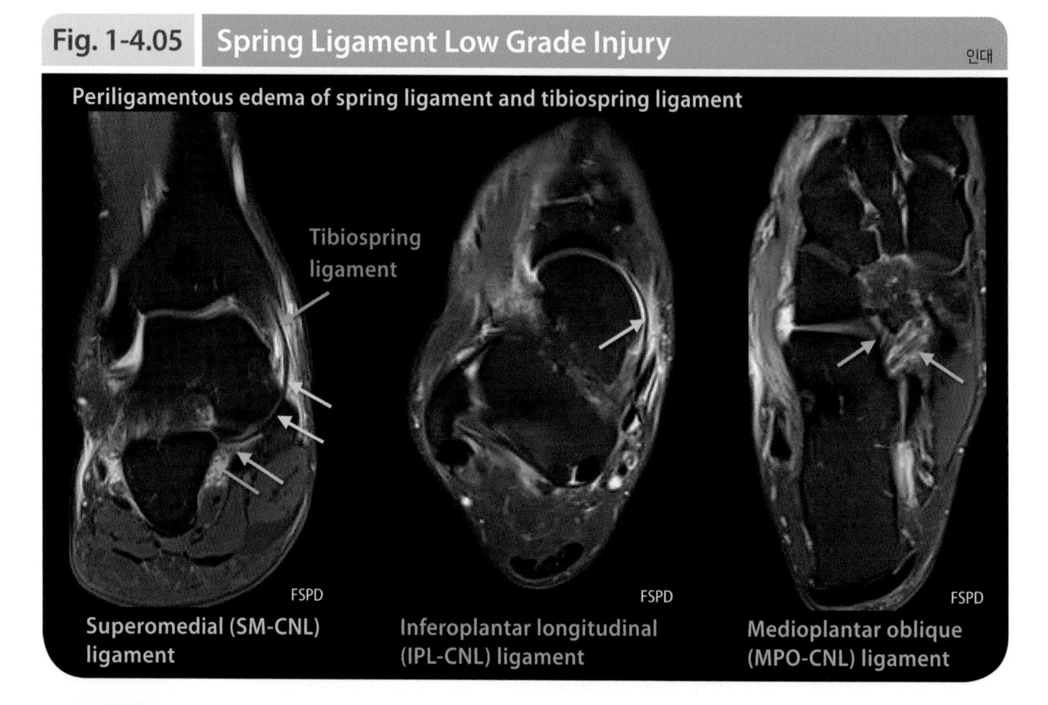

동영상 QR코드

▶ 1-4.05

Spring Ligament Low Grade Injury

- Superomedial (SM-CNL) ligament (yellow)가 thickening을 보이거나 분명한 tear가 있지는 않지만 tibiospring ligament를 포함하여 SM-CNL ligament 주변에 edema가 있어 low grade injury로 보인다.
- Inferoplantar longitudinal (IPL-CNL) ligament, medioplantar oblique (MPO-CNL) ligament는 SM-CNL에 비해서 injury가 덜 생기고, 정상에서도 striated pattern이 보여서 손상 여부를 판단하기 어렵다. 이 케이스의 coronal image에서 IPL-CNL과 MPO-CNL 주변과 plantar aspect에 edema가 보여 low grade injury가 있다고 볼 수 있다.

Fig. 1-4.06 **Spring Ligament High Grade Partial Tear** 인대

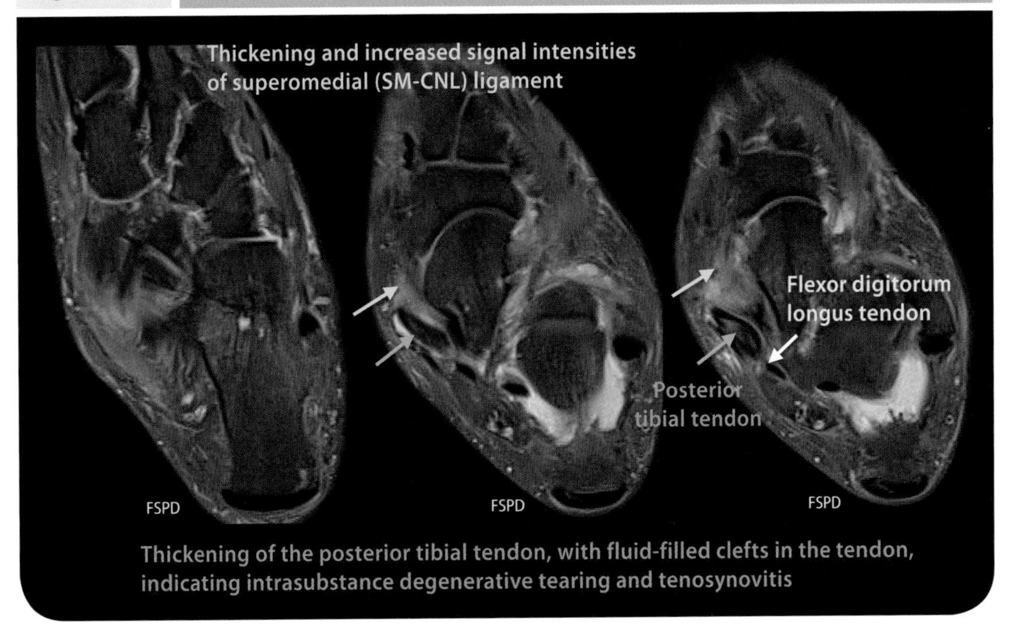

Thickening and increased signal intensities of superomedial (SM-CNL) ligament
Flexor digitorum longus tendon
Posterior tibial tendon
FSPD
FSPD
FSPD
Thickening of the posterior tibial tendon, with fluid-filled clefts in the tendon, indicating intrasubstance degenerative tearing and tenosynovitis

동영상 QR코드

▶ 1-4.06

Spring Ligament High Grade Partial Tear

- Posterior tibial tendon (PTT)은 flexor digitorum longus tendon보다 1.5~2배 가량 큰 것이 정상이다. 그런데 여기서는 PTT가 적어도 5배 이상 두껍고 내부에 고신호강도를 보이고 있어 partial tear (Type I)가 있다.
- PTT와 talar head 사이에 있는 superomedial (SM-CNL) ligament가 4 mm 이상 두껍고 navicular insertion 부위에서 고신호강도(yellow arrow)를 보인다.
- PTT dysfunction의 경우 medial longitudinal arch가 무너지면서 spring ligament도 내측 종족궁을 유지하는 주요 구조물이어서 동반 손상이 될 수 있다 (Fig. 1-4.07).

Fig. 1-4.07 Spring Ligament Tear

인대

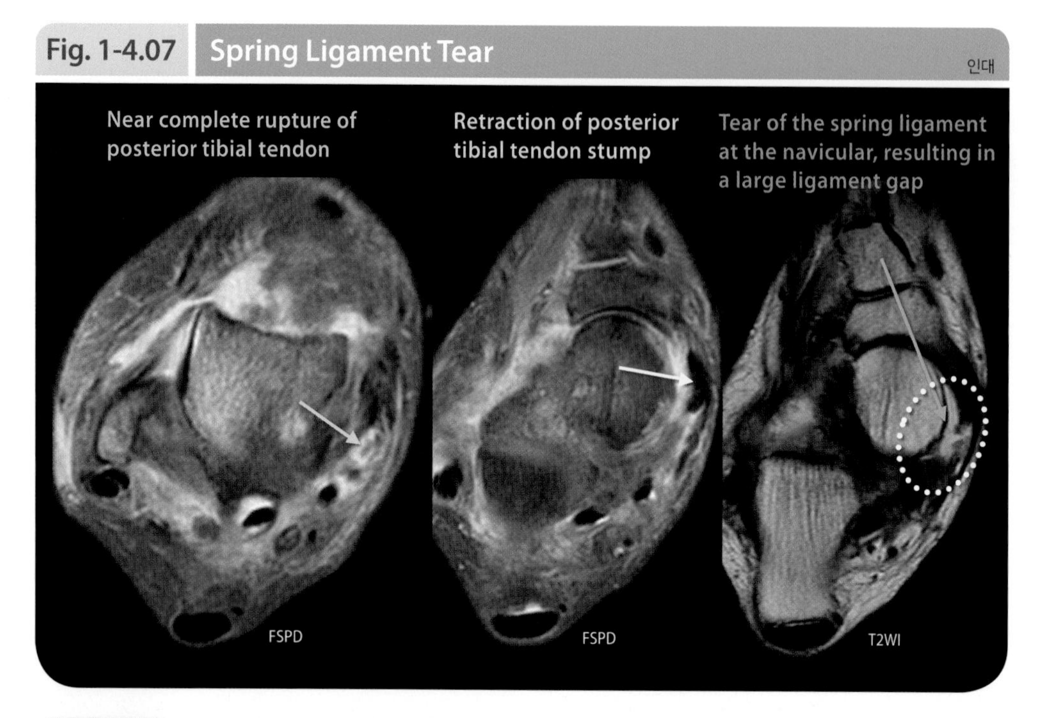

동영상 QR코드

▶ 1-4.07

Spring Ligament Tear

- Posterior tibial tendon (PTT, yellow)에 complete tear가 있고 distal aspect로 retraction된 tendon stump (white arrow)가 보인다.
- 오른쪽 이미지에서 PTT의 tear로 PTT가 보이지 않는다. PTT와 talar head 사이에 spring ligament [superomedial component (SM-CNL), white circle]가 보여야 하는데 역시 complete tear가 되어 ligament가 있어야하는 곳에 fluid가 채워져있다.

Fig. 1-4.08 Spring Ligament Recess

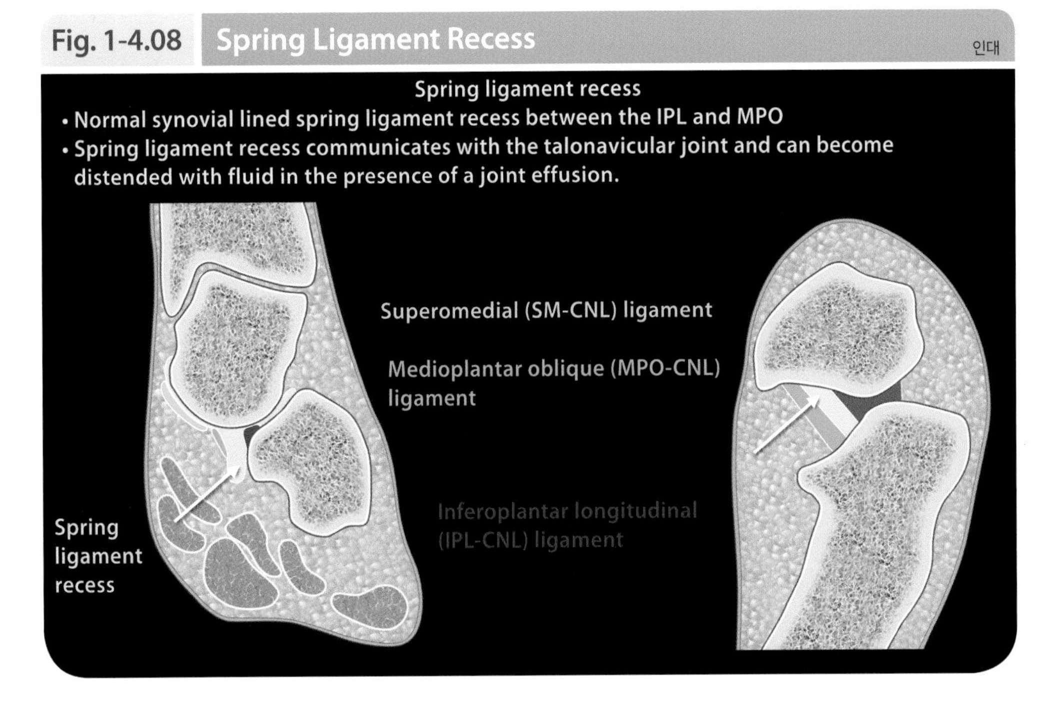
인대
Spring ligament recess
• Normal synovial lined spring ligament recess between the IPL and MPO
• Spring ligament recess communicates with the talonavicular joint and can become distended with fluid in the presence of a joint effusion.
Superomedial (SM-CNL) ligament
Medioplantar oblique (MPO-CNL) ligament
Inferoplantar longitudinal (IPL-CNL) ligament
Spring ligament recess

동영상 QR코드

▶ 1-4.08

Spring Ligament Recess

- Medioplantar oblique (MPO-CNL) ligament와 inferoplantar longitudinal (IPL-CNL) ligament 사이에 정상적으로 talocalcaneonavicular joint와 연결되는 synovium-lined, fluid-filled space가 있고 이는 spring ligament recess이며 tear가 아니다(Fig. 1-4.03).

05 족근동 증후군 (Sinus Tarsi Syndrome)

Sinus tarsi syndrome (STS) is the clinical syndrome of pain and tenderness of the lateral side of the hindfoot.

1. The sinus tarsi can be divided into the superficial, intermediate, and deep layers (37).

a) Layers of Sinus Tarsi (Fig. 1-5.01~04) (Fig. 1-8.01~04)

- Superficial layer
  - lateral root of the inferior extensor retinaculum (IER), lateral talocalcaneal ligament, CFL, posterior talocalcaneal ligament, and the medial talocalcaneal ligament.

- Intermediate layer
    - cervical ligament and intermediate root of the IER.

- Deep layer
    - interosseous talocalcaneal ligament and medial root of the IER.

- The interosseous talocalcaneal ligament와 cervical ligament는 lateral ankle, hindfoot complex에서 중요한 기능을 한다(37).

b) Tarsal sinus: 외전방은 넓고, 내후방은 좁은 깔때기 모양의 공간이다(1)
(Fig. 4-3.01).

전방: Anterior subtalar joint
후방: Posterior subtalar joint
상방: Talar neck
하방: Calcaneus

내부에는 Inferior extensor retinaculum의 medial, lateral, intermediate roots, cervical ligament, interosseous ligament, fat, neurovascular anastomosis 등이 포함된다.

Fig. 1-5.01 **Sinus Tarsi Ligament Anatomy** 인대

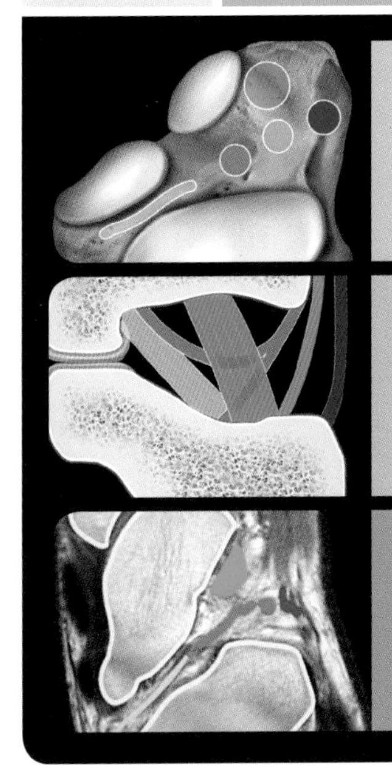

Superficial layer
- Lateral root of inferior extensor retinaculum (red)

Intermediate layer
- Cervical ligament (green)
- Intermediate root of inferior extensor retinaculum (blue)

Deep layer
- Interosseous talocalcaneal ligament (yellow)
- Medial root of inferior extensor retinaculum (orange)

동영상 QR코드

▶ 1-5.01

Sinus Tarsi Ligament Anatomy

- Superficial layer: 가장 lateral aspect에 위치하며 inferior extensor retinaculum (IER)중에 lateral root가 있다.
- Intermediate layer: cervical ligament와 IER 중에 intermediate root가 있으며, cervical ligament는 전방에 위치한다.
- Deep layer: interosseous talocalcaneal ligament와 medial root of the IER이 있고 interosseous ligament는 tarsal canal에 위치한다.

Fig. 1-5.02 Sinus Tarsi Ligament Anatomy

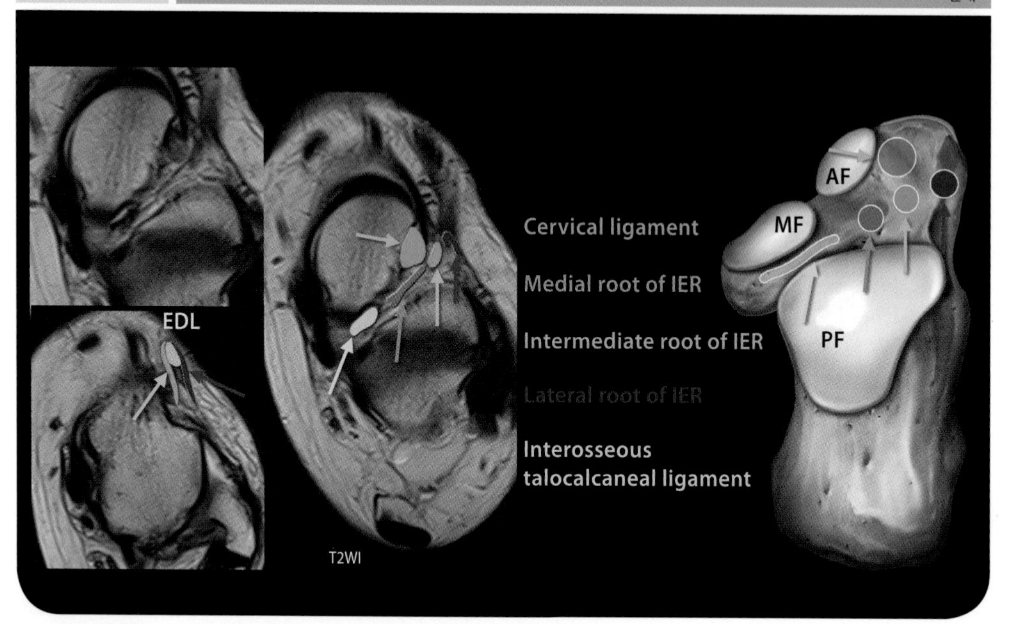

동영상 QR코드

▶ 1-5.02

Sinus Tarsi Ligament Anatomy

- (Fig. 1-5.01)에서 언급한 layer를 참고한다.
- Sinus tarsi ligaments 중에서 interosseous talocalcaneal ligament와 cervical ligament는 lateral ankle, hindfoot complex에서 중요한 ligament 이다.
- Interosseous talocalcaneal ligament (yellow)는 deep layer, tarsal canal 에 있다.
- Cervical ligament (green)는 intermediate layer에 있고 앞에 위치한다.
- 그리고 inferior extensor retinaculum (IER)의 3개의 roots가 있으며, lateral aspect를 superficial layer, medial aspect를 deep layer라고 한다. Medial root (deep layer), intermediate root (intermediate layer), lateral root (superficial layer)가 있다.
- 오른쪽 이미지는 calcaneus를 위에서 본 것이며, tarsal sinus가 외전방이 넓고, 내후방이 좁다. Subtalar joints의 3개의 facets, PF (posterior facet), MF (middle facet), AF (anterior facet)가 보인다(Fig. 4-3.01).

Fig. 1-5.03 Sinus Tarsi Ligament Anatomy

인대

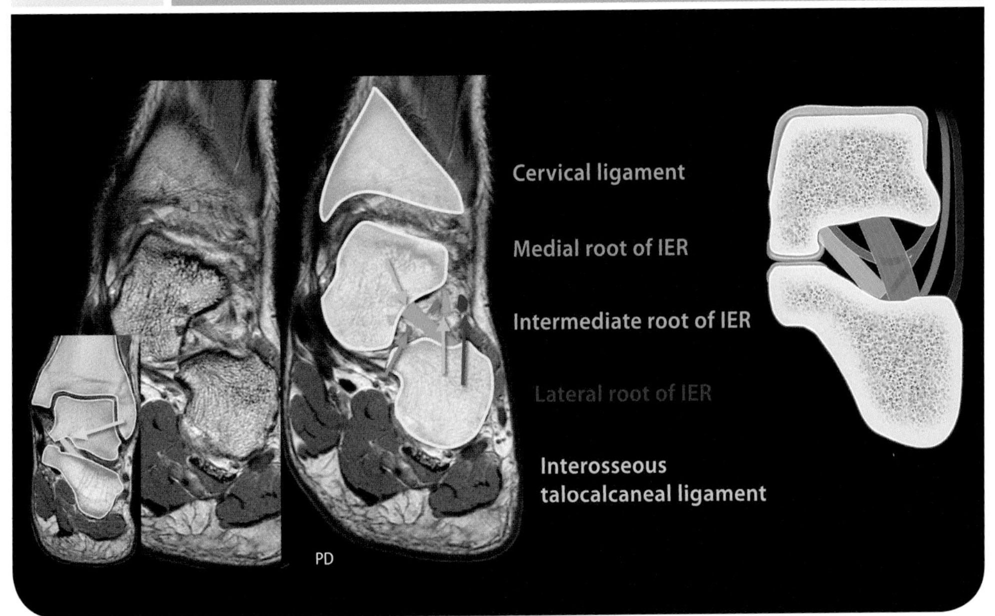

동영상 QR코드

▶ 1-5.03

Sinus Tarsi Ligament Anatomy

- Interosseous talocalcaneal ligament (yellow)는 medial 그리고 좀더 posterior aspect에 위치하며 tarsal canal에 있다(왼쪽 작은 이미지).
- Cervical ligament (green)는 intermediate layer에 있고 interosseous ligament보다 좀 더 anterolateral aspect에 있다.
- Inferior extensor retinaculum (IER)의 3개의 roots가 보인다.
- Superficial layer (가장 lateral aspect에 위치)에는 lateral root of inferior extensor retinaculum (red), intermediate layer에는 intermediate root of inferior extensor retinaculum (blue), 그리고 deep layer (가장 medial aspect에 위치)에는 medial root of inferior extensor retinaculum (orange)가 있다.

Fig. 1-5.04 Inferior Extensor Retinaculum

인대

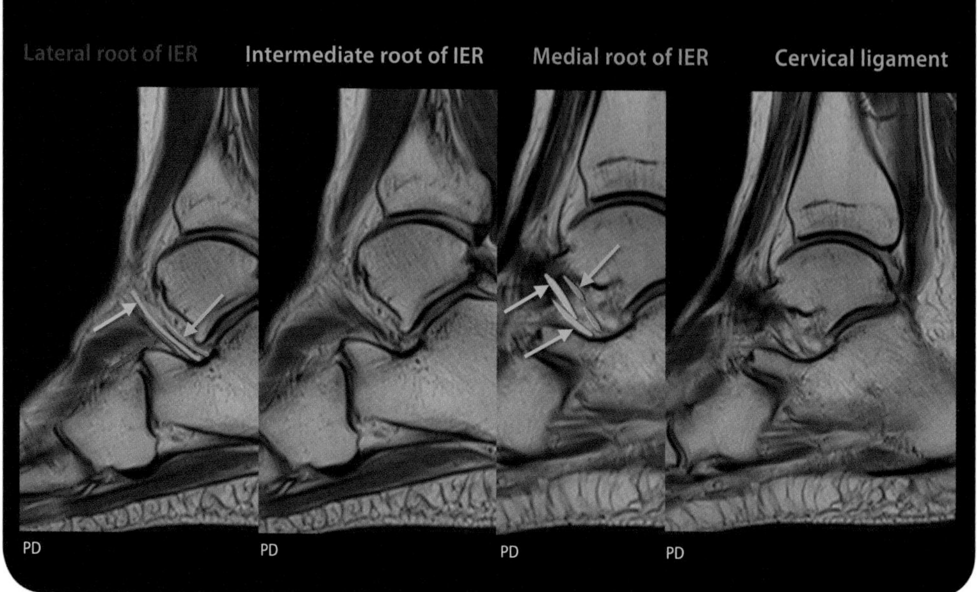

동영상 QR코드

▶ 1-5.04

Inferior Extensor Retinaculum

- Inferior extensor retinaculum (IER)은 3개의 roots가 있고, medial root (deep layer), intermediate root (intermediate layer), lateral root (superficial layer)이다.
- (왼쪽 이미지 2개) 가장 lateral aspect의 sagittal image에서 이 3개의 roots는 비슷한 위치에 있으나 posterior aspect에 있으면 medial root, 중간에 있으면 intermediate root, 가장 앞에 있으면 lateral root라고 볼 수 있다.
- (오른쪽 이미지 2개) 왼쪽 이미지 2개보다 medial aspect로 약간 이동하면 더 이상 lateral root (superficial layer)는 보이지 않고, medial/intermediate roots가 있으며, 그보다 전방에 cervical ligament가 있다.

2. 족근동 증후군은 T1WI나 PD 이미지에서 정상적인 고신호강도의 fat이 소실(effacement)되는 것으로 진단할 수 있다. 그와 동시에 족근동 여러 인대들의 손상이 있을 수 있다(38).

a) 족근동 증후군 Sinus tarsi syndrome (STS) (Fig. 1-5.05)

- 족근동 증후군(Sinus tarsi syndrome, STS)은 70%에서 외상으로 인하여 생긴다(39).
- 족근동 증후군은 T1WI나 PD 이미지에서 정상적인 고신호강도의 fat이 소실(effacement)되는 것으로 진단할 수 있고, 그와 동시에 족근동 여러 인대들의 손상이 있을 수 있다(38).

- Klein, Spreitzer는 족근동 증후군 환자 79%에서 lateral collateral ligament tear가 있으며, 역으로 lateral collateral ligament injuries 환자들 중 39%에서 족근동 증후군이 있다고 보고하였다(40).
- 그 외 족근동 증후군에서 관련하여 볼 수 있는 다른 소견들로 subtalar joint osteoarthritis, 후경골건 손상, 족근동의 hypertrophied synovium 조영증강이 있다.

Fig. 1-5.05 Sinus Tarsi Syndrome

인대

Poorly defined cervical ligament

Bone marrow edema in roof of sinus tarsi and calcaneus

Effacement of sinus tarsi fat

T2WI

FSPD

PD

동영상 QR코드

▶ 1-5.05

Sinus Tarsi Syndrome

- Sinus tarsi syndrome은 T1WI나 PD 이미지에서 정상적인 고신호강도의 fat이 소실(effacement, yellow circle)되는 것(즉 저신호강도로 보이는 것)으로 진단한다.
- Cervical ligament (green)가 불분명하게 보이며 인접한 calcaneus와 talus (white arrows)에 bone marrow edema (reactive bone marrow edema)가 동반되었다.
- Sinus tarsi syndrome의 경우 sinus tarsi ligaments injury나 synovitis가 생길 수 있다.
- Sinus tarsi의 fat에 effacement도 있으면서 조금 더 fluid signal intensity가 보인다면 synovitis가 있다고 판단한다.

06

Lisfranc 관절
(Lisfranc Joint)

The Lisfranc ligament is a strong band attaching the medial cuneiform to the 2nd metatarsal base

1. 전족부와 중족부 사이를 Lisfranc 관절이라고 하고 중족부와 후족부 사이의 거주상골(talonavicular) 관절과 종입방(calcaneocuboid) 관절을 Chopart (midtarsal) 관절이라 한다(Fig. 1-6.01).

- 족부(foot)는 전족부(forefoot), 중족부(midfoot), 후족부(hindfoot)의 세 부분으로 나눌 수 있다.
  - 전족부는 중족골과 그 말단의 마디뼈들을 포함하고
  - 중족부는 주상골(navicular), 입방골(cuboid)과 설상골(cuneiform)을

- 후족부는 종골(calcaneus)과 거골(talus)을 포함한다.

■ The lateral column: articulation of M4 and M5 with the cuboid

이 column은 가장 mobile하고 외상 후 불안정성 및 관절염으로부터 보호한다.

■ The middle column: articulations of M2 and M3 with C2 and C3, 가장 rigid하다.

■ The medial column: articulation between C1 and M1 (41)

Fig. 1-6.01 Joints of Midfoot

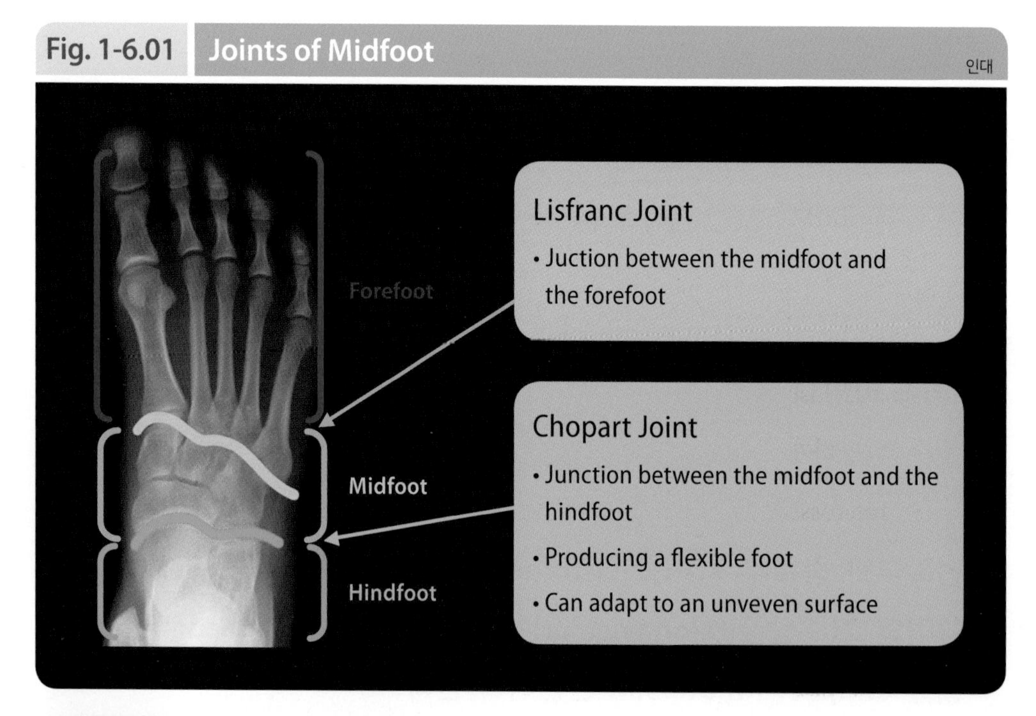

인대
Forefoot
Midfoot
Hindfoot
Lisfranc Joint
• Juction between the midfoot and the forefoot
Chopart Joint
• Junction between the midfoot and the hindfoot
• Producing a flexible foot
• Can adapt to an unveven surface

동영상 QR코드

▶ 1-6.01

Joints of Midfoot

- 족부(foot)는 전족부(forefoot), 중족부(midfoot), 후족부(hindfoot)의 세 부분으로 나눌 수 있다.
- 전족부는 metatarsal bones와 그 말단의 phalangeal bones를 포함하고, 중족부는 navicular, cuboid, cuneiform bones을, 후족부는 calcaneus와 talus를 포함한다.

2. 제1과 제2중족골 사이에는 중족골간인대(intermetatarsal ligament)가 없고 약한 골간인대가 존재하므로 Lisfranc 인대가 더욱 중요하다 (1) (41) (Fig. 1-6.02~04).

- Lisfranc ligament proper, which is the interosseous C1–M2 ligament;
  - 두껍고 넓은 ligament로 약 1 cm 높이와 0.5 cm 좌우폭을 갖는다.
  - M2부터 M5까지 강한 intermetatarsal ligaments가 있지만 M1 and M2 bases 사이에는 없다.
  - Interosseous and plantar Lisfranc ligaments injury가 있으면 transverse mid-foot instability가 생겨서 tarsometatarsal widening of C1–M2를 보이게 된다.
  - C1 = medial cuneiform; C2 = intermediate cuneiform; C3 = lateral cuneiform; M1, M2, M3, M4, and M5 for each of the corresponding metatarsal bones

- Plantar Lisfranc ligament, which connects the plantar C1 and M2 and M3;
  - 다양하게 보일 수 있다.
  - Interosseous 및 plantar Lisfranc ligament는 Lisfranc joint의 stability에 중요한 역할을 한다.

- Dorsal Lisfranc ligament, which connects the dorsum of C1 and M2;
  - Dorsal Lisfranc ligament는 가장 약한 인대이다.
  - 이 손상으로 Lisfranc injuries가 있을 때 dorsal displacement가 발생한다.

Fig. 1-6.02 Anatomy of the Lisfranc Ligament Complex 인대

Dorsal | Interosseous | Plantar

동영상 QR코드

▶ 1-6.02

Anatomy of the Lisfranc Ligament Complex

- C1 = medial cuneiform; C2 = intermediate cuneiform; C3 = lateral cuneiform; Cu = Cuboid; N = Navicular; M1, M2, M3, M4, and M5 for each of the corresponding metatarsal bones
- 간단하게 M2와 M5사이에 intermetatarsal ligaments는 있으나, M1-M2는 intermetatarsal ligament가 없으며, 대신에 dorsal and interosseous C1-M2 그리고 plantar C1-M2M3 Lisfranc ligament가 있다.
- Interosseous C1-M2 ligament가 가장 강하고, dorsal ligaments는 interosseous와 plantar ligaments에 비하여 가늘고 약하다.

Fig. 1-6.03 Anatomy of the Lisfranc Ligament Complex 인대

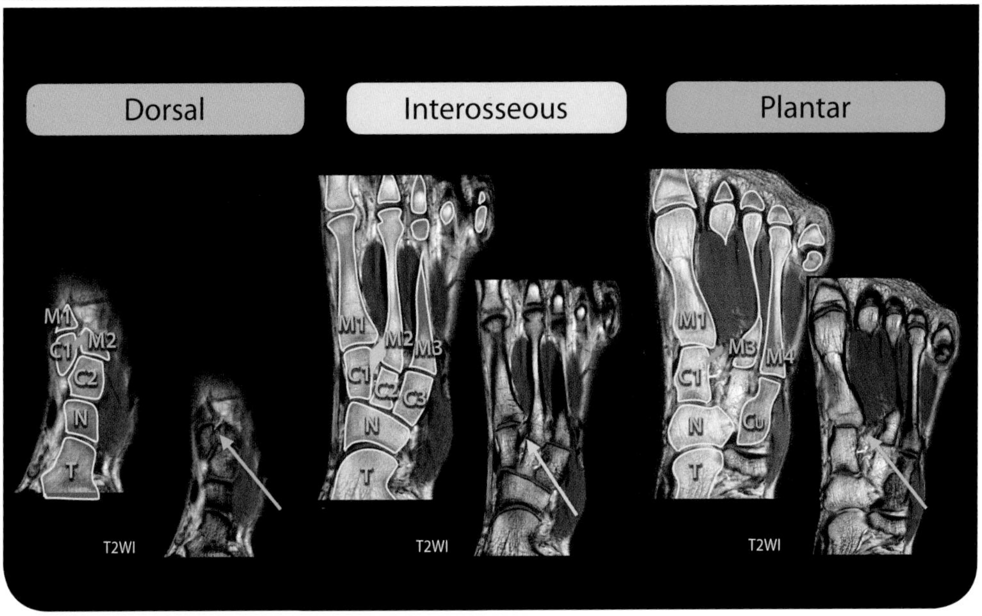

Dorsal | Interosseous | Plantar

T2WI T2WI T2WI

동영상 QR코드

▶ 1-6.03

Anatomy of the Lisfranc Ligament Complex

- (Fig. 1-6.02)와 같이 보자.
- Foot의 long axis image에서 interosseous C1-M2 ligament가 1 cm 높이와 0.5 cm 좌우폭을 보이며 두껍게 잘 보인다(가운데 그림).
- Plantar Lisfranc ligaments는 C1에서 M2, M3로 가기 때문에 long axis image에서 interosseous ligament처럼 한 번에 보이지 않고 위 아래 연속된 이미지로 확인하며, dorsal Lisfranc ligament는 short axis image에서 가장 잘 보인다(Fig. 1-6.04).

Fig. 1-6.04 Anatomy of the Lisfranc Ligament Complex

인대

M2
M3
C1
M2
M3
C1
M2
M3
C1
M4
M5
Dorsal
Interosseous
Plantar

동영상 QR코드

▶ 1-6.04

Anatomy of the Lisfranc Ligament Complex

3. 가장 흔히 사용되는 Lisfranc injury indicator는 malalignment at the second tarsometatarsal articulation (lateral displacement of the base of M2 with respect to C1)이다(41).

a) Injuries to the Lisfranc joint

- Lisfranc joint complex 손상은 high–impact 혹은 low–impact trauma로 나뉜다.
  - Low-impact injuries: Lisfranc ligament injuries or midfoot sprains
    - ➡ Nunley–Vertullo classification of low–grade midfoot sprains
  - High–impact injuries: Lisfranc fracture–displacements (41).
    - ➡ Myerson classification of high–grade Lisfranc fracture–displacements

b) Nunley–Vertullo classification

- Low energy Lisfranc ligament injury는 운동선수에서 비교적 흔하지만 임상증상이 심하지 않다.
- Lisfranc ligament injuries의 25%에서만 일반촬영에서 약간 diastasis만 보이기 때문에 정상으로 보인다. Non–weight bearing radiographs에서는 50%에서 정상으로 보인다(41).
- 이러한 Lisfranc ligament injuries를 진단하지 못하면 심각한 midfoot instability, planovalgus deformity, osteoarthritis가 될 수 있다(42).
- Nunley and Vertullo가 low–impact injuries 진단을 위해 comparative weight–bearing radiographs를 이용한 three stage classification system을 도입했다(43) (Fig. 1-6.05~07).

- Increased space between M1 and M2 and C1 and M2
  (most common and reliably detected abnormalities)
- Lateral and/or dorsal displacement of M2 base relative C2
- Flattening of longitudinal arch of foot
- Fleck sign at medial base of M2 **(44)**
  Lisfranc ligament flake avulsion fracture at the C1–M2 interval

Fig. 1-6.05 Nunley and Vertullo Classification 인대

Stage 1

Low-grade Lisfranc ligament complex sprain

Findings at Weight-bearing Normal

Stage 2

Lisfranc ligament insufficiency or disruption; intact plantar ligament

Anteroposterior: 2-5 mm M1-M2 diastasis

Lateral: no loss of arch height

Am J Sports Med 2002,30 (6):871-878

동영상 QR코드

▶ 1-6.05

Nunley and Vertullo Classification

- Nunley and Vertullo가 low-impact injuries 진단을 위해 weight-bearing radiographs를 이용한 three stage classification system을 도입했다.
- (Fig. 1-6.06)과 같이 보자.
- Stage 1: Low-grade Lisfranc ligament complex sprain
  Weight-bearing AP view는 정상으로 보인다.
- Stage 2: Lisfranc ligament insufficiency or disruption; intact plantar ligament
  Weight-bearing AP view에서 M1-M2 사이에 2~5 mm 정도만 벌어지는 것이 보인다.

Fig. 1-6.06 Nunley and Vertullo Classification

인대

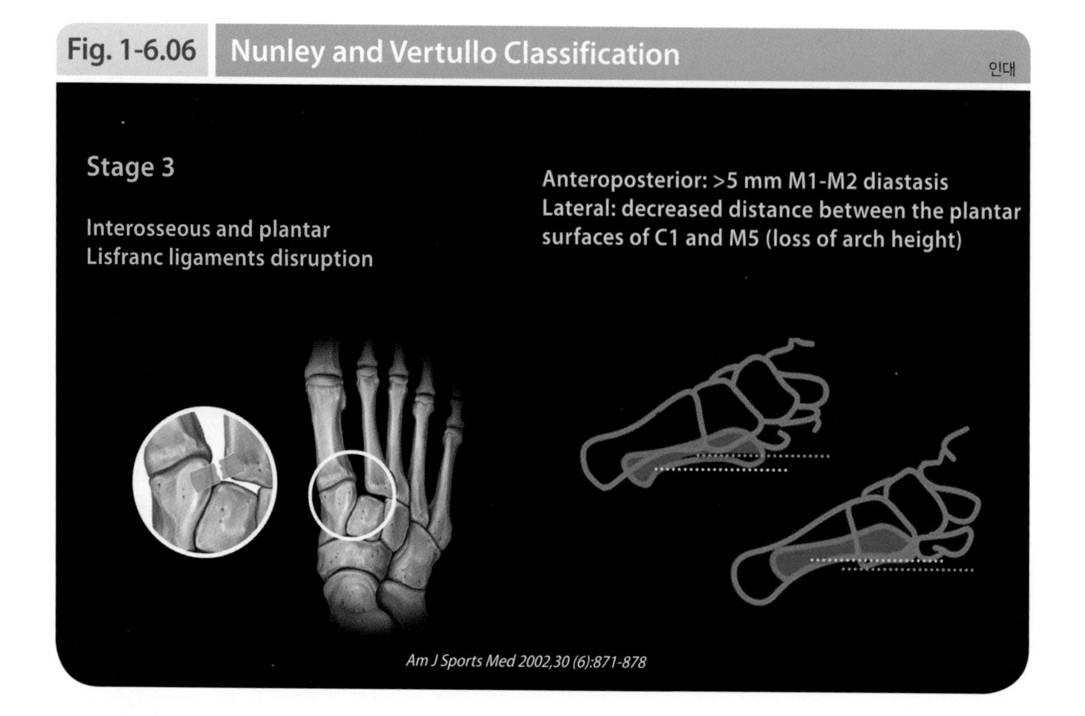

Nunley and Vertullo Classification

- (Fig. 1-6.05)와 이어서 보자.
- Stage 3: Interosseous and plantar Lisfranc ligaments disruption
  AP view에서 M1-M2 사이에 5 mm 넘게 벌어진다.
- Lateral view에서 longitudinal arch height loss로 C1과 M5의 plantar surface (yellow는 M5, blue는 C1) 거리가 좁아진다.

Fig. 1-6.07 Tear of Lisfranc Ligaments 인대

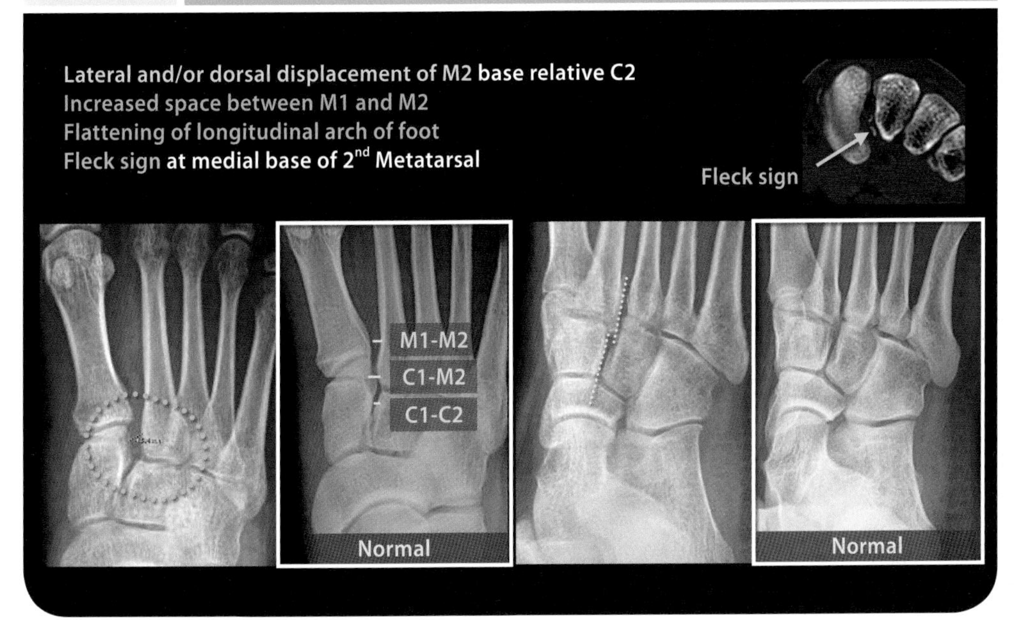

Lateral and/or dorsal displacement of M2 base relative C2
Increased space between M1 and M2
Flattening of longitudinal arch of foot
Fleck sign at medial base of 2nd Metatarsal
Fleck sign
M1-M2
C1-M2
C1-C2
Normal
Normal

동영상 QR코드

▶ 1-6.07

Tear of Lisfranc Ligaments

- 일반촬영에서 Lisfranc Ligaments 손상을 평가하는데 M1-M2, C1-M2 사이의 거리가 증가하는 것을 확인하는 것이 가장 신뢰도가 높고 가장 흔하게 사용되는 방법이다. 왼쪽 이미지 2개를 정상과 비교하여 보자.
- 그것 이외에 M2 base가 C2에 비해서 lateral 혹은 dorsal displacement를 보이거나, longitudinal arch of foot이 flattening이 되어 C1과 M5의 plantar surface 사이 거리가 좁아지기도 한다. 오른쪽 이미지 2개를 정상과 비교하여 보자.
- 그리고 일반촬영에서 C1-M2 사이에 Lisfranc ligament avulsion fracture로 작은 골편이 보이는데 그것을 Fleck sign이라고 한다(Fig. 1-6.09).

4. Low grade injuries에서는 dorsal capsule만 손상을 입거나, interosseous Lisfranc ligament elongation만 보일 수 있고, higher grade injuries에서는 complete interosseous 혹은 plantar Lisfranc ligament tear를 보인다(43).

a) MRI–Based Grading Scheme (Nunley–Vertullo) (Fig. 1-6.08~09)

- Low grade
  - Isolated to dorsal capsule
  - Elongation of interosseous Lisfranc ligament

- High grade
  - Complete interosseous or plantar Lisfranc ligament disruption
  - Fluid tracking along the lateral margin of the M1

- Interstitial ligament injury는 FSPD 이미지 혹은 STIR에서 mild hyperintensity를 보인다.
- Interosseous 혹은 plantar Lisfranc ligament의 acute tear는 ligament 내에 fluid signal의 defect를 볼 수 있다.
- Dorsal Lisfranc ligament는 short axis image에서 가장 잘 보인다.
- Flake avulsion fracture fragment는 MRI에서 종종 잘 보이지 않는다(45).

Fig. 1-6.08 Tear of Lisfranc Ligaments

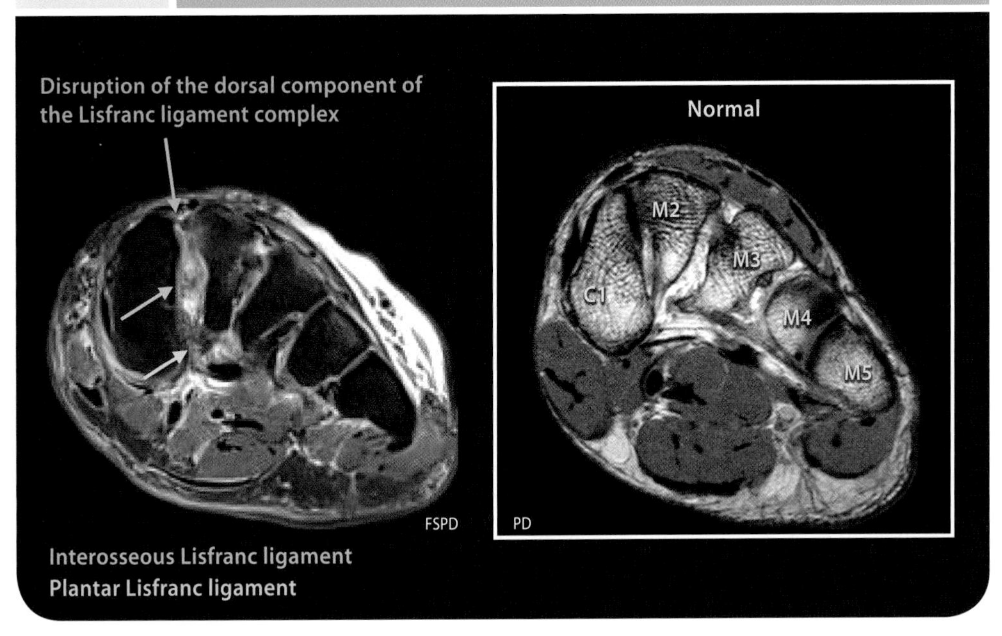

동영상 QR코드

▶ 1-6.08

Tear of Lisfranc Ligaments

- Dorsal부터, interosseous, planar Lisfranc ligament complex가 모두 파열되고 C1-M2 사이에 간격이 벌어져 있다.

Fig. 1-6.09 Lisfranc Ligaments Injuries

인대

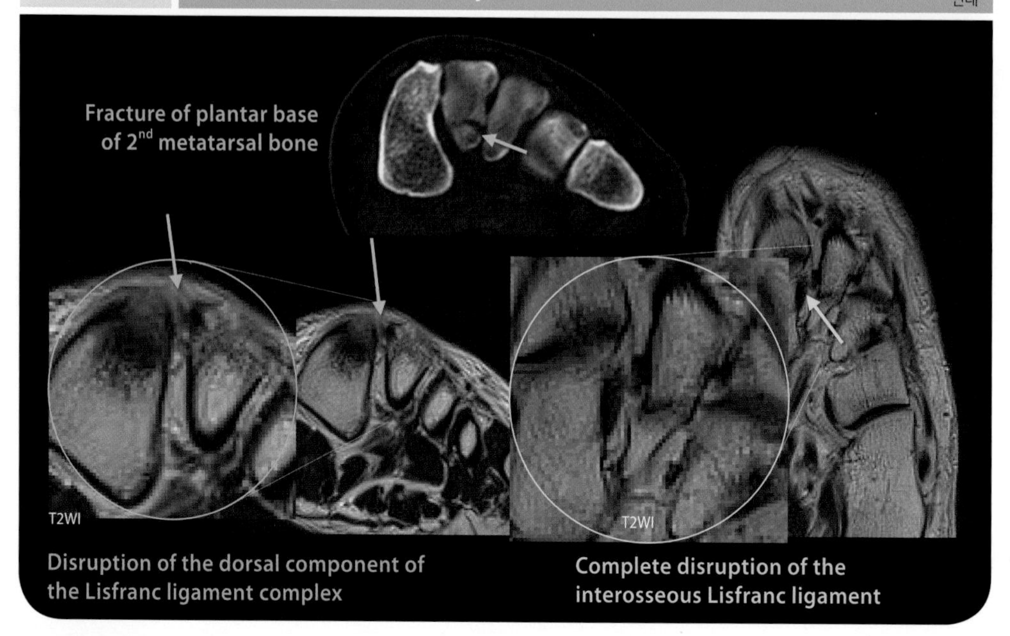

동영상 QR코드

▶ 1-6.09

Lisfranc Ligaments Injuries

- Dorsal 및 interosseous Lisfranc ligaments에 tear가 있다.
- Interosseous Lisfranc ligament는 long axis, short axis image에서 모두 잘 보이고, dorsal Lisfranc ligament는 short axis image (green circle)에서 잘 보인다.
- Plantar Lisfranc ligament는 M2 plantar aspect에 avulsion fracture가 보인다.
- Lisfranc ligament avulsion fracture는 2nd metatarsal의 medial base에 주로 발생하여, 일반촬영에서 C1-M2 interval에서 보인다(Fig. 1-6.07).

5. Lisfranc 골절 탈구 또는 족근중족 관절(tarsometatarsal joint) 골절 탈구는 발이 족저굴곡된 상태에서 종축부하가 가해져서 생기며, 압박력의 크기에 따라 다양한 족근중족 관절의 손상이 생긴다(1).

a) Lisfranc fracture dislocation

- Lisfranc 골절 탈구가 되면 종축부하가 제1 및 제2 metatarsal bone 사이에 가해지면 제1 metatarsal bone 은 내측으로, 나머지 metatarsal bone들은 외측으로 전위된다.
- 중족골, 설상골(cuneiform bone), 입방골(cuboid bone)의 골절이 동반될 수 있으며, 제2중족골의 골절이 가장 흔하다(1).

b) Quenu and Kuss/Myerson 분류

- Quenu and Kuss 분류는 Lisfranc 골절 탈구를 중족골들의 전위 방향과 손상 정도에 따라 동측형(homolateral), 국한형(isolated type), 그리고 산개형(divergent type)의 세 가지 형태로 구분한다(1) (41).
- 최근에는 Myerson 등에 의해 수정된 분류법을 주로 이용한다(46).
- 이러한 분류가 치료 방향이나 또는 결과를 예측하는데 항상 유용한 것은 아니다.

– Type A: Total incongruity (medial & lateral)

– Type B: Partial incongruity

B1: Medial, B2: Partial lateral, B3: Total lateral

– Type C: Divergent

C1: Partial, C2: Total

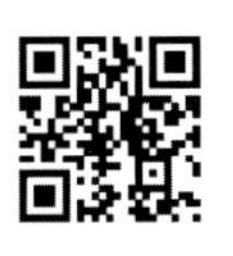

07

Chopart 관절
(Chopart Joint)

The midtarsal or Chopart joint is the articulation between the hindfoot (calcaneus and talus) and the midfoot (navicular and cuboid).

1. Anatomy of Chopart joint (Fig. 1-7.01~06)

- Midtarsal 관절(Chopart 관절)은 hindfoot과 midfoot 사이에 있는 S모양을 하는 관절이다.
- Talocalcaneonavicular joint (혹은 talonavicular joint)와 calcaneocuboid joint로 이루어져 있으며 여러 supporting ligaments가 있다(47).
- Talonavicular joint는 spring ligament, dorsal talonavicular ligament와 2개의 bifurcate ligament 중에 calcaneonavicular component에 의해서 지지를 받는다.

- Calcaneocuboid joint는 dorsal calcaneocuboid ligament, short and long plantar ligaments, 그리고 2개의 bifurcate ligament 중에 나머지 calcaneocuboid component에 의해서 지지를 받는다(48).

- 참고〉 Bifurcate ligament는 2개의 components가 있다(47) (Fig. 1-7.03) (Fig. 1-7.07).
  - Calcaneonavicular portion of the bifurcate ligament
    = lateral calcaneonavicular component of the bifurcate ligament
  - Calcaneocuboid portion of the bifurcate ligament
    = medial calcaneocuboid component of the bifurcate ligament

Fig. 1-7.01 **Talocalcaneonavicular Joint**

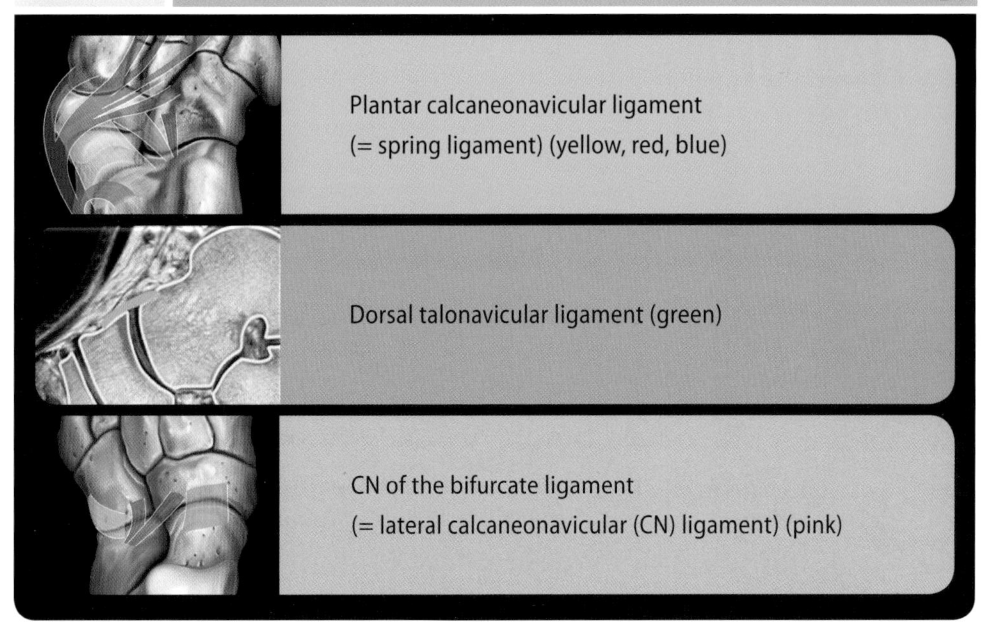

동영상 QR코드

▶ 1-7.01

Talocalcaneonavicular Joint

- Midtarsal (Chopart) joint는 talocalcaneonavicular joint (혹은 talonavicular joint)와 (Fig. 1-7.01), calcaneocuboid joint로 (Fig. 1-7.02) 이루어져 있으며 각각 여러 supporting ligaments가 있다.
- Talocalcaneonavicular joint를 plantar, dorsal, lateral aspect에서 각각 살펴본다.
- (상단 이미지) Plantar aspect는 plantar calcaneonavicular ligament (=spring ligament)가 아래를 지지해준다(Fig. 1-4.02~04).
- (중앙 이미지) Dorsal aspect에는 dorsal talonavicular ligament가 지지한다.
- (하단 이미지) Lateral aspect에는 bifurcate ligament 중 calcaneonavicular component, 즉 lateral calcaneonavicular component of the bifurcate ligament가 있다.

Fig. 1-7.02 Calcaneocuboid Joint

인대

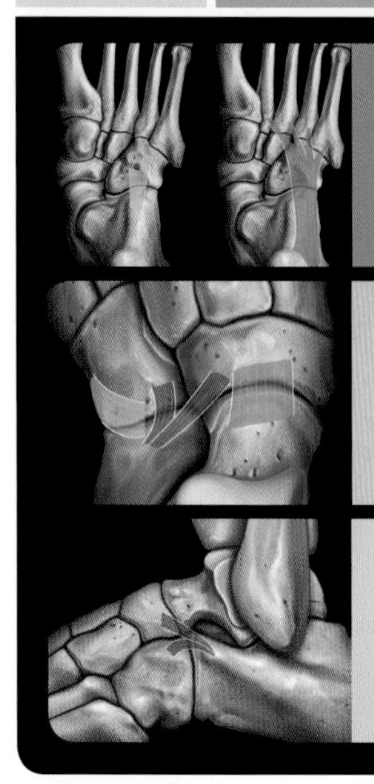

Plantar calcaneocuboid ligament
- Short plantar ligament (yellow)
- Long plantar ligament (green)

Dorsal calcaneocuboid ligament (yellow)

CC portion of the bifurcate ligament
= Medial calcaneocuboid ligament (orange)

동영상 QR코드

▶ 1-7.02

Calcaneocuboid Joint

- Midtarsal (Chopart) joint는 talocalcaneonavicular joint (혹은 talonavicular joint)와 (Fig. 1-7.01), calcaneocuboid joint로 (Fig. 1-7.02) 이루어져 있고 calcaneocuboid joint에 있는 ligaments를 살펴본다.
- Calcaneocuboid joint를 plantar, dorsal, medial aspect에서 각각 살펴본다.
- (상단 이미지) Plantar aspect는 plantar calcaneocuboid ligaments (short and long plantar ligaments)가 아래를 지지해준다.
- (중앙 이미지) Dorsal aspect에는 dorsal calcaneocuboid ligament가 지지한다.
- (하단 이미지) Dorsal calcaneocuboid ligament보다 조금 더 내측에 위치하며, bifurcate ligament 중에 calcaneocuboid component, 즉 medial calcaneocuboid component of the bifurcate ligament가 있다.

Fig. 1-7.03 Anatomy of Chopart Joint 인대

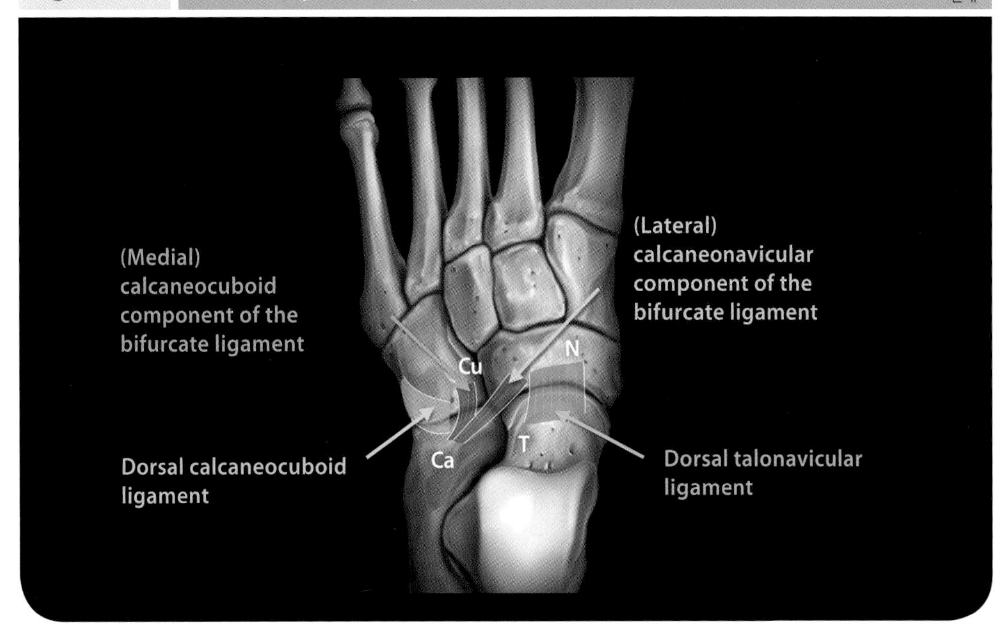

동영상 QR코드

▶ 1-7.03

Anatomy of Chopart Joint

- Midtarsal (Chopart) joint의 ligaments를 dorsal aspect (Fig. 1-7.03), plantar aspect (Fig. 1-7.04)에서 그림으로 보자.
- Talocalcaneonavicular joint (혹은 talonavicular joint)의 dorsal talonavicular ligament (blue), calcaneocuboid joint의 dorsal calcaneocuboid ligament (yellow)가 있다.
- 그리고 bifurcate ligament의 2개 components가 있다.
  1. (Lateral) calcaneonavicular component of the bifurcate ligament: 앞에 "lateral"이라는 말이 들어가기도 하는데 막상 bifurcate ligament에서 보면 "medial"에 위치한다. 그래서 혼동을 주기도 한다. "lateral"이라는 이름이 붙은 이유는 talocalcaneonavicular joint의 관점에서 봤을때 lateral aspect에 있기 때문이라고 생각할 수 있다.
  2. (Medial) calcaneocuboid component of the bifurcate ligament: 마찬가지로 앞에 "medial"이라는 말이 들어가는데 bifurcate ligament에서만 본다면 오히려 "lateral" aspect에 있다. "medial"이라는 이름이 붙은 이유는 calcaneocuboid joint의 medial aspect에 위치하고 있어서 dorsal calcaneocuboid ligament와 구분하기 위함이라고 생각할 수 있다.

Fig. 1-7.04 Anatomy of Chopart Joint 인대

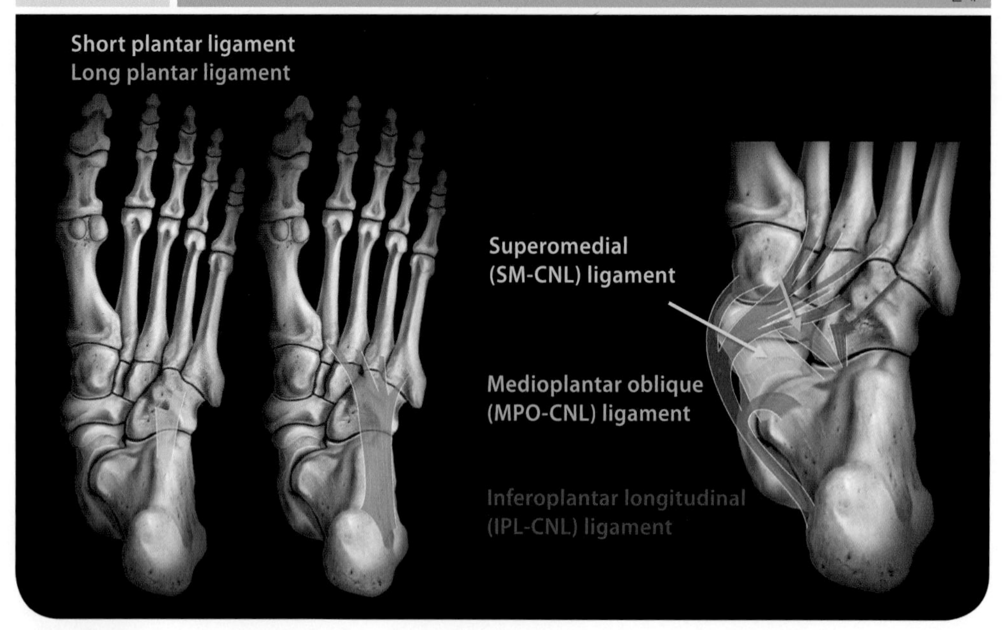

동영상 QR코드

▶ 1-7.04

Anatomy of Chopart Joint

- Midtarsal (Chopart) joint의 ligaments를 dorsal aspect (Fig. 1-7.03), plantar aspect (Fig. 1-7.04)에서 그림으로 보자.

- Talocalcaneonavicular joint (혹은 talonavicular joint)에 spring ligament 가 있다(4단원 스프링 인대).
  1. Superomedial component (SM-CNL, calcaneonavicular ligament): 가장 강하고 talar head를 감싸고 있고 posterior tibialis tendon (PTT, orange) 보다 깊게 위치
  2. Medioplantar oblique (MPO-CNL): 줄무늬 모양으로 비스듬하게 PTT 외측에 위치
  3. Inferoplantar longitudinal (IPL-CNL): 짧고 똑바른 구조물

- Calcaneocuboid joint에는 short and long plantar ligaments가 있다.
  1. Short plantar ligament는 anterior tubercle of the calcaneus에서 기시하여 posterior plantar surface and beak of the cuboid에 부착
  2. Long plantar ligament는 anterior tubercle과 posterior calcaneal tuberosity에서 기시하여 deep fibers (most of the ligament)는 cuboid crest에, 그리고 일부 superficial fibers는 second to fifth metatarsal bases에 부착한다. Short plantar ligament가 long plantar ligament보다 조금 더 깊고, medial aspect에 위치한다.

Fig. 1-7.05 Dorsal Talonavicular Ligament 인대

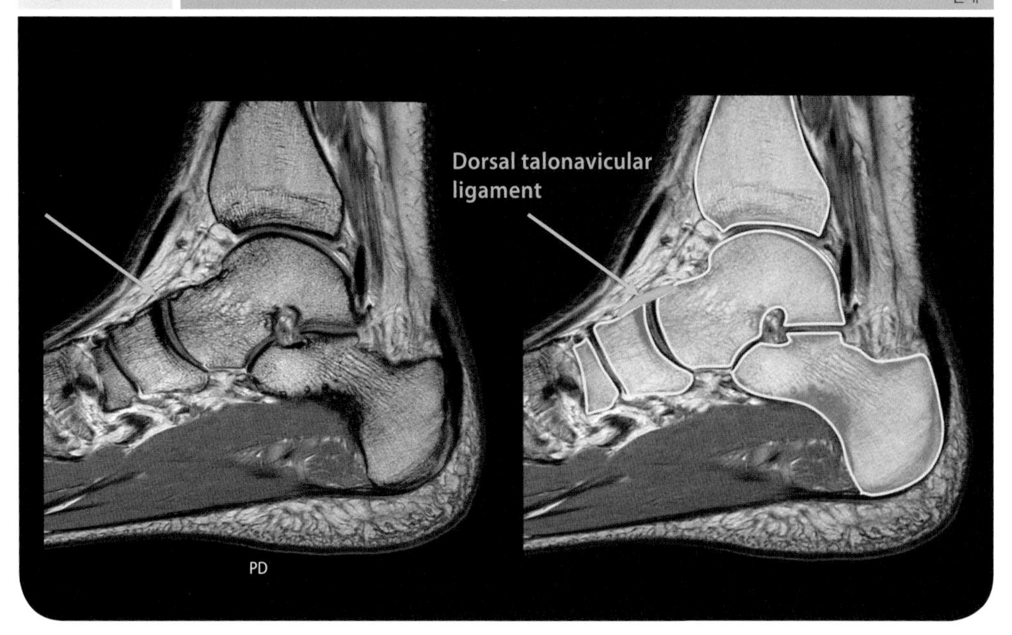

동영상 QR코드

▶ 1-7.05

Dorsal Talonavicular Ligament

- (Fig. 1-7.03)을 참고하자.
- Dorsal talonavicular ligament는 focal broad capsular thickening을 보이며, dorsal talar neck에서 기시하여 joint capsule과 blending된다.
- 종종 dorsal talonavicular ligament가 두껍게 보이는데 traction으로 인하여 remodeling된 것으로 생각되며 임상적으로 중요하진 않다.

Fig. 1-7.06 Plantar Calcaneocuboid Ligament 인대

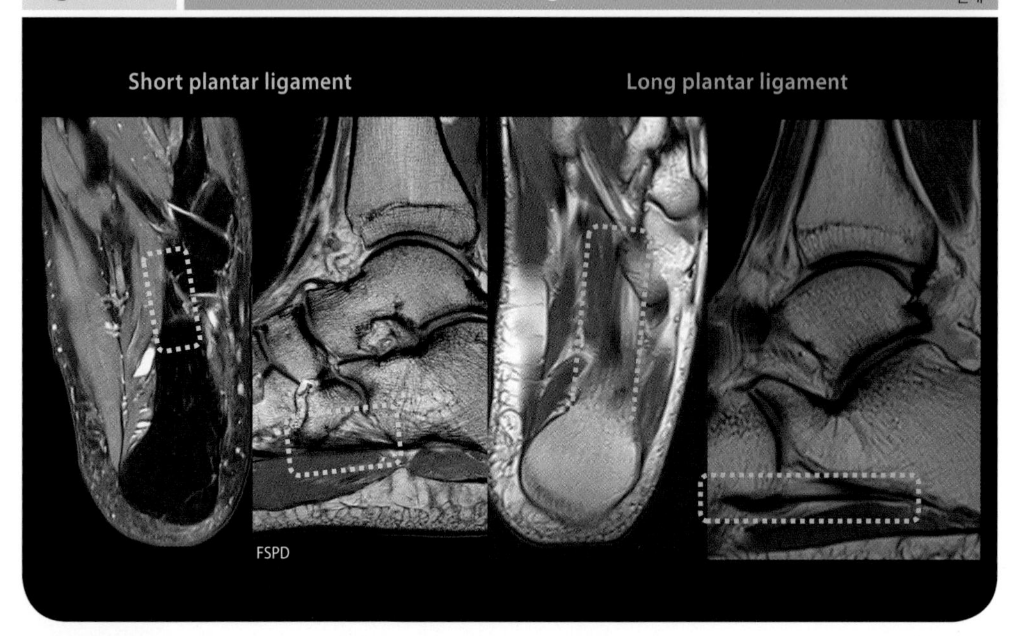

동영상 QR코드

▶ 1-7.06

Plantar Calcaneocuboid Ligament

- (Fig. 1-7.04)를 참고하자.
- Plantar 혹은 inferior calcaneocuboid ligaments에는 short and long plantar ligaments가 있다.
- Short plantar ligament가 long planar ligament보다 조금 더 깊게 위치하고, 약간 더 내측으로 주행한다.

Fig. 1-7.07 Bifurcate Ligament 인대

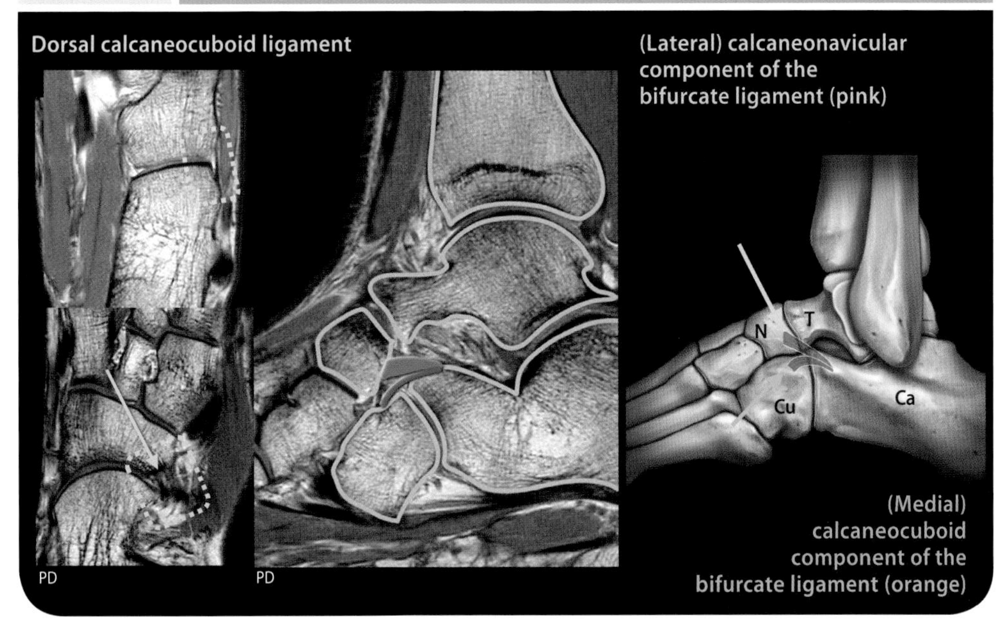

동영상 QR코드

▶ 1-7.07

Bifurcate Ligament

- (Fig. 1-7.03)을 참고하자.
- Bifurcate ligament는 calcaneonavicular, calcaneocuboid components로 구성된다.
- (Lateral) calcaneonavicular component of the bifurcate ligament (pink)는 calcaneus anterior process에서 시작하여 navicular의 dorsolateral aspect에 부착한다. Sagittal image에서 잘 보이지만 navicular insertion 부위는 비스듬히 주행하여 sagittal image에서 잘 보이지 않는 경우도 있다.
- (Medial) calcaneocuboid component of the bifurcate ligament (orange)는 anterior process of calcaneus에서 시작하여 dorsal calcaneocuboid ligament보다 medial aspect에 부착한다.
- Dorsal calcaneocuboid ligament와 (medial) calcaneocuboid component of the bifurcate ligament는 서로 연속될 수도 있어서 구분이 어려울 수도 있다.

2. Transverse Tarsal Joint injury (Fig. 1-7.08~09)

- Talonavicular joint injury (2) (49)
  - Dorsal talonavicular ligament injury, 종종 cortical flake avulsion fracture가 talar head or navicular에서 볼 수 있으나 MRI에서는 오히려 잘 안보일 수 있다.
  - Talar head의 plantar margin에 impaction injury (bone contusion, edema, focal depression of subchondral plate, overlying chondral lesion)등의 소견이 보이기도 한다(Fig. 4-4. 04).

- Calcaneocuboid joint injury (50)
  - 여러 다른 injury와 연관이 있다.

    intra–articular fracture of the anterior process of the calcaneus
    dorsal medial calcaneocuboid ligament injury (lateral limb bifurcate ligament)
    dorsal lateral calcaneocuboid ligament injury
    calcaneocuboid joint subluxation
    calcaneocuboid joint chondral injury

Fig. 1-7.08 Avulsion Fracture

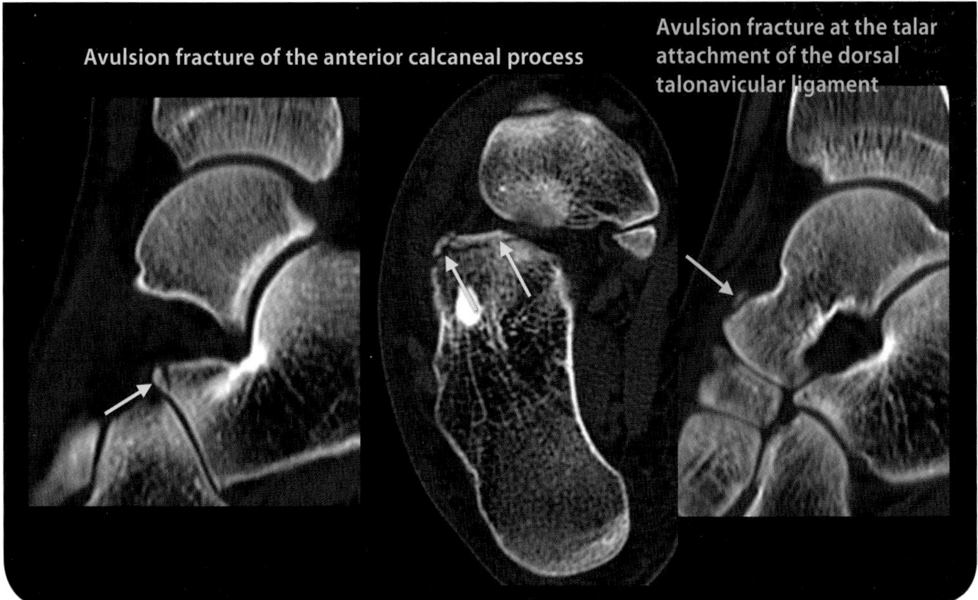

동영상 QR코드

▶ 1-7.08

Avulsion Fracture

- Anterior calcaneal process의 avulsion fracture는 bifurcate ligament의 avulsion에 의한 것이다.
- 만약 AP view에서 잘 보이는 경우 calcaneocuboid component, oblique view에서 잘 보인다면 calcaneonavicular component의 avulsion fracture가 된 것을 예상할 수 있다.
- 그리고 조금 더 커다란 avulsion fracture라면 extensor digitorum brevis muscle의 calcaneal origin에서 avulsion된 것일 수도 있다.
- Dorsal talonavicular ligament의 avulsion fracture는 talus 혹은 navicular side에서 모두 생길 수 있고, CT가 MRI보다 더 잘 보인다.

Fig. 1-7.09 Bifurcate Ligament Injury
인대

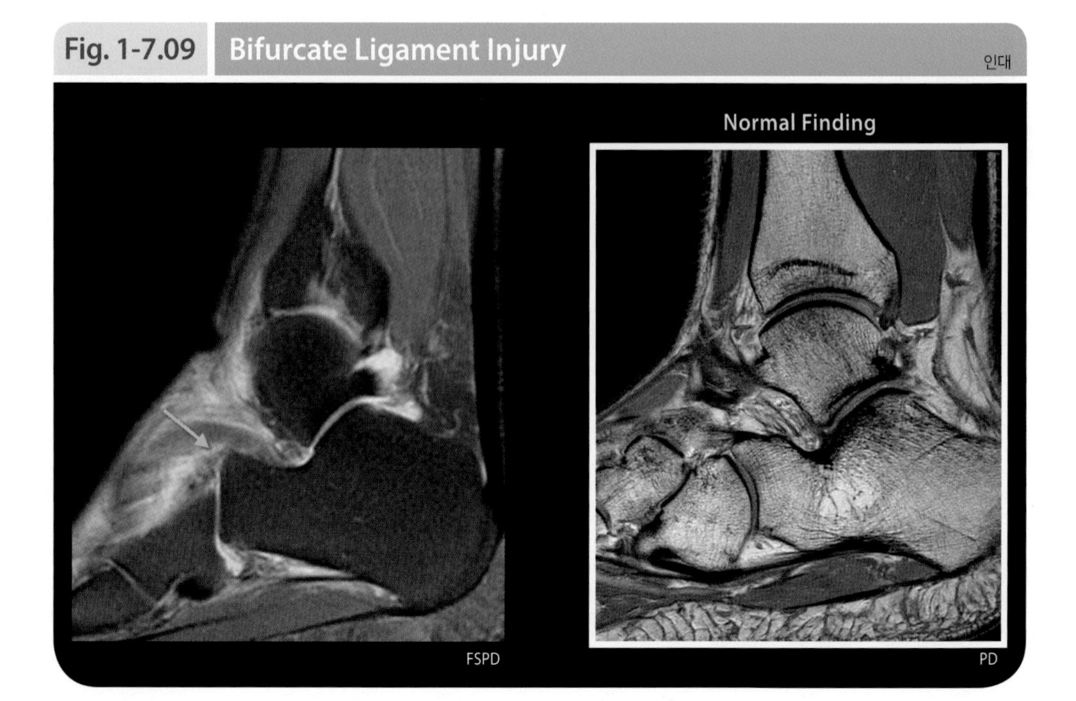

Bifurcate Ligament Injury

- Bifurcate ligament 중에 (medial) calcaneocuboid component of the bifurcate ligament의 injury로 신호강도도 증가하고 경계도 불분명하다.
- 인접한 extensor digitorum brevis muscle 주변에 edema가 보인다.
- 정상 bifurcate ligament는 (Fig. 1-7.07)을 참고하자.

08

지지띠

(Retinacula) (1) (51)

The retinacula act as a pulleylike mechanism that appears to represent an adaptation of the body to provide both a smooth gliding surface and the mechanical strength to prevent tendon bowstringing (Fig. 1-8.01~02).

1. 상폄근지지띠(Superior Extensor Retinaculum, SER) (52) (Fig. 1-8.01~03)

- SER은 tibiotalar joint보다 위에 위치하는 대략 사각형 모양의 band이다.
- Lower fibula의 lateral crest 및 lateral malleolus의 lateral surface와 tibia의 anterior crest, medial malleolus 사이에 있다.
- 내측으로는 flexor retinaculum, 외측으로는 superior peroneal retinaculum과 연결된다.

2. 하폄근지지띠(Inferior Extensor Retinaculum, IER) (53) (Fig. 1-8.01~02) (Fig. 1-8.04)

- 발등에 위치하며 SER보다는 두껍고 Y자 모양으로, 뿌리는 족근동까지 연속된다.
- Roots, oblique superomedial, oblique inferomedial limbs 세 가지로 나뉜다.

- 내측에는 oblique superomedial limb과 oblique inferomedial limb으로 나뉜다.
  - Oblique superomedial limb:
    P-IER (=proximal limb, inferior extensor retinaculum)
    Medial malleolus의 anterior aspect에 부착
  - Oblique inferomedial limb:
    D-IER (=distal limb, inferior extensor retinaculum)
    Cuneonavicular joint 내측에 부착

- 외측에는 3개의 roots (medial, intermediate, and lateral)가 있다(Fig. 1-5.01~04).
  - lateral root: 가장 superficial하게 위치
  - intermediate root: sinus tarsi에서 시작하여 cervical ligament보다 후방에 위치
  - medial root: 가장 깊게 위치하며 talus와 calcaneus와 연결

3. 상비골지지띠(Superior Peroneal Retinaculum,SPR) (Fig. 3-4.01) (Fig. 3-5.01)

- Lateral malleolus와 calcaneus의 위측면에 부착하고 peroneal longus/brevis tendons를 지지한다.

4. 하비골지지띠(Inferior Peroneal Retinaculum, IPR) (Fig. 3-4.02)

- IPR과 IER이 연결되어 peroneal tubercle, calcaneus 외측면의 뒤쪽에 부착한다.

5. 굽힘근지지띠(Flexor Retinaculum, FR) (Fig. 1-2.14) (Fig. 5-7.01)

- FR은 medial malleolus tip에서부터 calcaneus의 posterosuperior aspect까지 이르며, tarsal tunnel의 내측에 위치한다.
- FR은 plantar aponeurosis와 연결된다.

6. Retinacular injury (54) (Fig. 1-8.05)

- Extensor retinacula 손상은 foot의 forceful dorsiflexion으로 인하여 주로 발생한다.
- 지지띠의 손상은 MRI에서 retinacular thickening, poor definition, disruption 등으로 보인다.
- Small avulsion fracture, traction-related spur 혹은 ossification이 retinacular insertion site에 보일 수 있다.

Fig. 1-8.01 Ankle Retinacula

인대

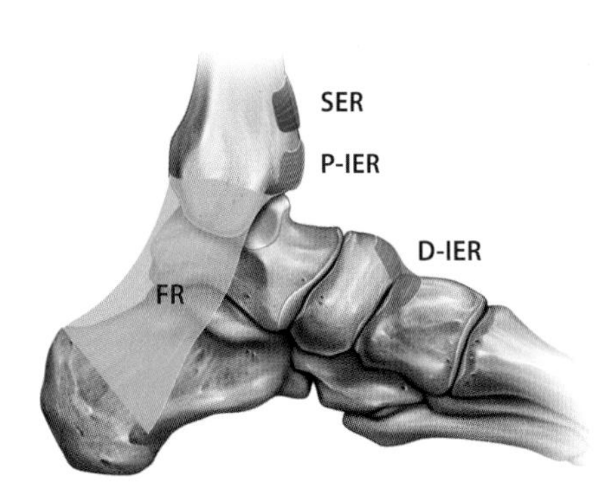

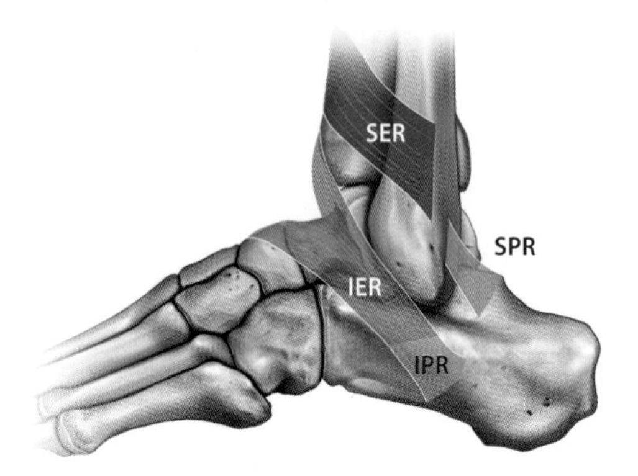

- **SER** = superior extensor retinaculum
- **IER** = inferior extensor retinaculum
- **SPR** = superior peroneal retinaculum
- **IPR** = inferior peroneal retinaculum
- **P-IER** = proximal limb, inferior extensor retinaculum
- **D-IER** = distal limb, inferior extensor retinaculum
- **FR** = flexor retinaculum

동영상 QR코드

▶ 1-8.01

Ankle Retinacula

- SER (=superior extensor retinaculum)은 tibiotalar joint보다 위에 있으며 내측으로 flexor retinaculum, 외측으로 superior peroneal retinaculum과 연결된다.
- IER (=inferior extensor retinaculum)은 발등에 위치하고 Y자 모양이고 내측에는 P-IER, D-IER로 나뉜다. 외측에는 3개의 roots가 있어서 sinus tarsi까지 연속된다.
- P-IER (=proximal limb, inferior extensor retinaculum)
- D-IER (=distal limb, inferior extensor retinaculum)

- SPR (=superior peroneal retinaculum)은 lateral malleolus와 calcaneus의 위측면에 부착하고 peroneal longus/brevis tendons를 지지한다.
- IPR (=inferior peroneal retinaculum)은 IPR과 IER이 연결되어 peroneal tubercle, calcaneus 외측면의 뒤쪽에 부착한다.

- FR (=flexor retinaculum)은 medial malleolus tip에서부터 calcaneus의 posterosuperior aspect까지 이르며, tarsal tunnel의 내측에 위치한다.

Fig. 1-8.02 Ankle Retinacula 인대

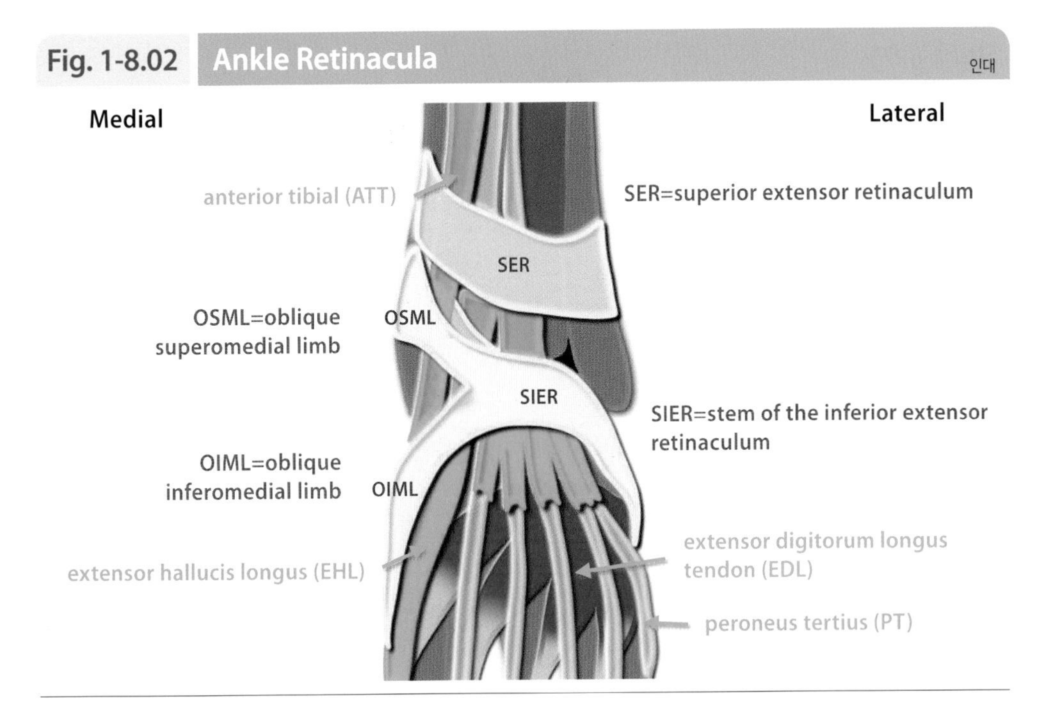

동영상 QR코드

▶ 1-8.02

Ankle Retinacula

Fig. 1-8.03 Ankle Retinacula-SER & P-IER

인대

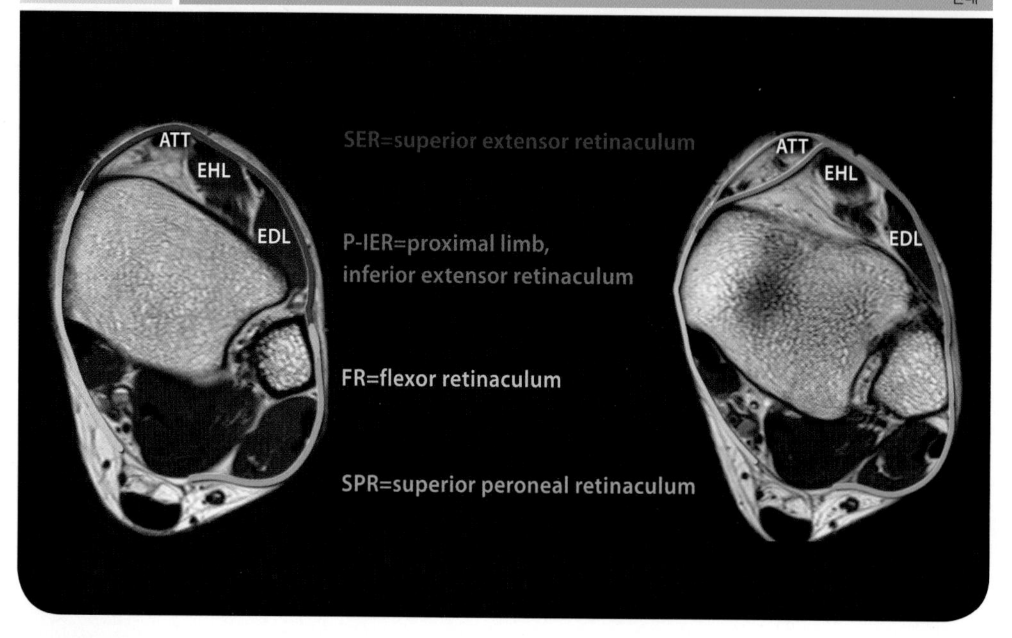

동영상 QR코드

▶ 1-8.03

Ankle Retinacula-SER & P-IER

- (Fig. 1-8.02)를 참고하자.
- (왼쪽 이미지) Superior extensor retinaculum (왼쪽, red): talar dome 2.5 cm 상방에서 얻은 이미지이며, extensor tendons and muscles 위로 thin low signal band로 보인다.
- (오른쪽 이미지) P-IER (= proximal limb, inferior extensor retinaculum): tibial plafond level에서 얻은 이미지이며, P-IER이 superficial (thin)과 deep (thick) layers로 나뉘어 anterior tibial tendon을 감싼다.

Fig. 1-8.04 Ankle Retinacula-Roots & D-IER

인대

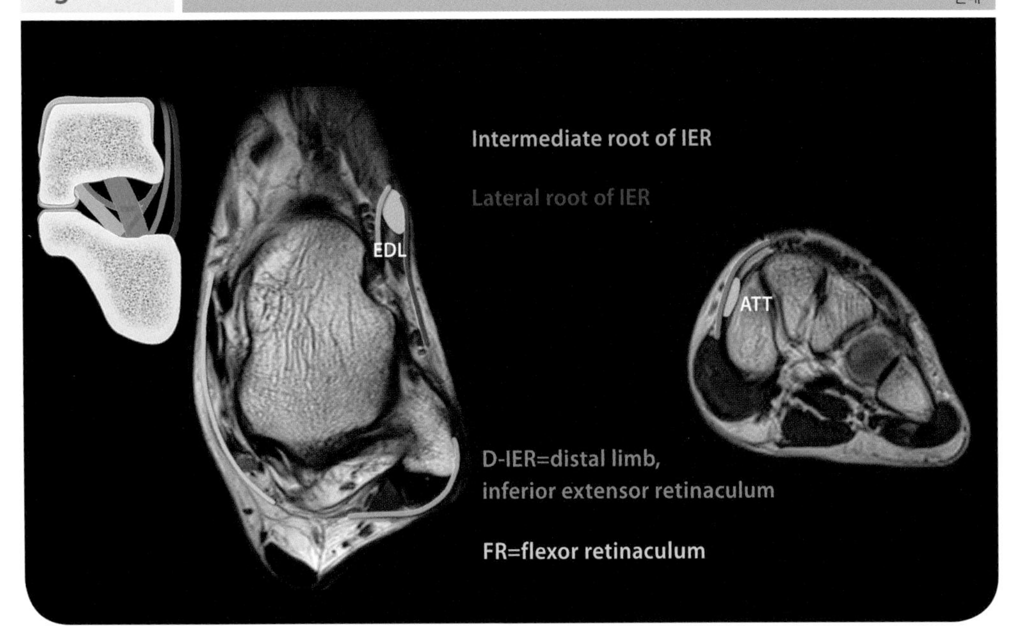

동영상 QR코드

▶ 1-8.04

Ankle Retinacula-Roots & D-IER

- (Fig. 1-8.02)를 참고하자.
- (왼쪽 이미지) Roots of the inferior extensor retinaculum: talar dome 2 cm 가량 아래에서 얻은 이미지이며, IER의 3개 roots 중 2개가 보인다. Extensor digitorum longus tendon보다 내측에는 intermediate root (blue), 외측에는 lateral root (red)가 있다. 5단원 족근동 증후군에서 해당 anatomy를 자세히 다뤘다(Fig. 1-5.01~04).
- (오른쪽 이미지) D-IER (= distal limb, inferior extensor retinaculum): distal medial cuneiform 레벨에서 얻은 coronal image이며, anterior tibial tendon (ATT)이 근처에 부착한다. 이는 ankle MRI보다는 foot MRI에서 보인다.

Fig. 1-8.05 Retinacular Injury

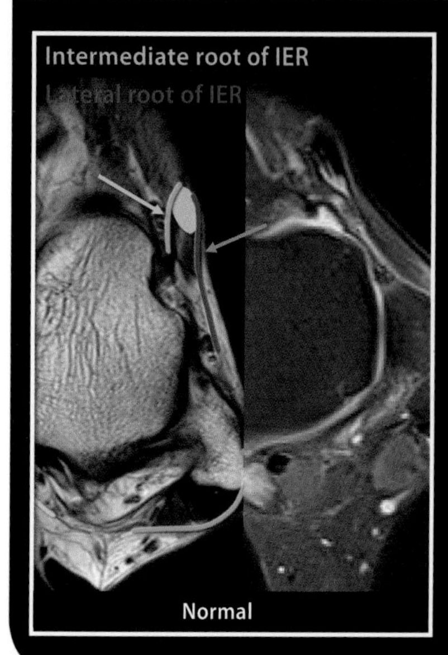

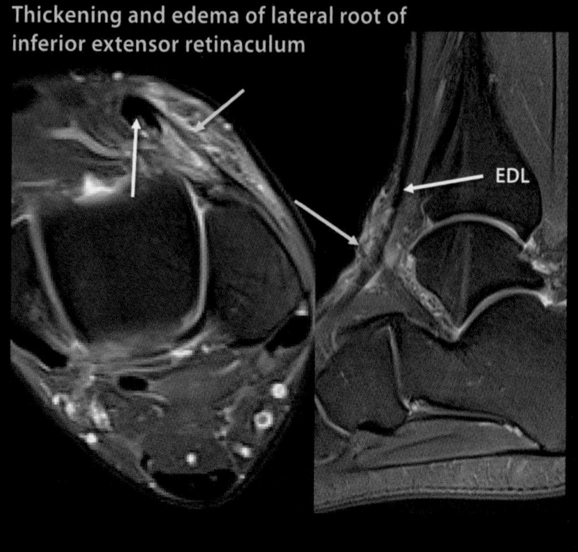

Thickening and edema of lateral root of inferior extensor retinaculum
EDL

동영상 QR코드
▶ 1-8.05

Retinacular Injury

- Retinacular injury는 MRI에서 ill-defined thickening, edema로 보인다. 이 케이스에서는 inferior extensor retinaculum의 3개 roots 중에 extensor digitorum longus tendon보다 외측에 있는 lateral root of IER (red)에 edema 및 thickening이 있다. 정상 anatomy는 (Fig. 1-8.02) (Fig. 1-8.04)를 참고하자.
- 간혹 avulsion fracture가 보이기도 하지만 여기서는 없다.
- 작은 avulsion fractures는 MRI에서 평가하기 어렵다.

참고문헌

1. "근골격영상의학 2판 홍성환, 차장규, 채지원 공저, 범문에듀케이션, 2020년."
2. "Linklater JM, Hayter CL, Vu D. Imaging of Acute Capsuloligamentous Sports Injuries in the Ankle and Foot: Sports Imaging Series. Radiology. 2017 Jun;283(3):644-662. doi: 10.1148/radiol.2017152442. PMID: 28514214."
3. "Perrich KD, Goodwin DW, Hecht PJ, Cheung Y. Ankle ligaments on MRI: appearance of normal and injured ligaments. AJR Am J Roentgenol. 2009 Sep;193(3):687-95. doi: 10.2214/AJR.08.2286. PMID: 19696282."
4. "Deutsch AL, Mink JH, Kerr R. "MRI of the foot and ankle." New York, N: Raven Press, 1992."
5. "Rosenberg ZS, Beltran J, Bencardino JT. From the RSNA Refresher Courses. Radiological Society of North America. MR imaging of the ankle and foot. Radiographics. 2000 Oct;20 Spec No:S153-79. doi: 10.1148/radiographics.20.suppl_1.g00oc26s153. PMID: 11046169."
6. "David W. Stoller. "Magnetic Resonance Imaging in Orthopaedics and Sports Medicine.: Lippincott Williams & Wilkins; 3 editions, 2006."
7. "Kim YS, Kim YB, Kim TG, Lee SW, Park SH, Lee HJ, Choi YJ, Koh YG. Reliability and Validity of Magnetic Resonance Imaging for the Evaluation of the Anterior Talofibular Ligament in Patients Undergoing Ankle Arthroscopy. Arthroscopy. 2015 Aug;31(8):1540-7."
8. "WOLIN I, GLASSMAN F, SIDEMAN S, LEVINTHAL DH. Internal derangement of the talofibular component of the ankle. Surg Gynecol Obstet. 1950 Aug;91(2):193-200. PMID: 15442838."
9. "Linklater J. MR imaging of ankle impingement lesions. Magn Reson Imaging Clin N Am. 2009 Nov;17(4):775-800, vii-viii. doi: 10.1016/j.mric.2009.06.006. PMID: 19887302."
10. "Crim J, Longenecker LG. MRI and surgical findings in deltoid ligament tears. AJR Am J Roentgenol. 2015 Jan;204(1):W63-9. doi: 10.2214/AJR.13.11702. PMID: 25539277."
11. "Mengiardi B, Pfirrmann CW, Vienne P, Hodler J, Zanetti M. Medial collateral ligament complex of the ankle: MR appearance in asymptomatic subjects. Radiology. 2007 Mar;242(3):817-24. doi: 10.1148/radiol.2423060055. Epub 2007 Jan 5. PMID: 17209165."
12. "Crim JR, Beals TC, Nickisch F, Schannen A, Saltzman CL. Deltoid ligament abnormalities in chronic lateral ankle instability. Foot Ankle Int. 2011 Sep;32(9):873-8. doi: 10.3113/FAI.2011.0873. PMID: 22097163."
13. "Kim JS, Moon YJ, Choi YS, Park YU, Park SM, Lee KT. Usefulness of oblique axial scan in magnetic resonance imaging evaluation of anterior talofibular ligament in ankle sprain. J Foot Ankle Surg. 2012 May-Jun;51(3):288-92. doi: 10.1053/j.jfas.2011.12.002."
14. "van Dijk CN, Bossuyt PM, Marti RK. Medial ankle pain after lateral ligament rupture. J Bone Joint Surg Br. 1996 Jul;78(4):562-7. PMID: 8682821."
15. "Jeong MS, Choi YS, Kim YJ, Kim JS, Young KW, Jung YY. Deltoid ligament in acute ankle injury: MR imaging analysis. Skeletal Radiol. 2014 May;43(5):655-63. doi: 10.1007/s00256-014-1842-5. Epub 2014 Mar 6. PMID: 24599341."
16. "Crim J, Longenecker LG. MRI and surgical findings in deltoid ligament tears. AJR Am J Roentgenol. 2015 Jan;204(1):W63-9. doi: 10.2214/AJR.13.11702. PMID: 25539277."
17. "Harper MC. The deltoid ligament. An evaluation of need for surgical repair. Clin Orthop Relat Res. 1988 Jan;(226):156-68. PMID: 3121227."
18. "Koulouris G, Connell D, Schneider T, Edwards W. Posterior tibiotalar ligament injury resulting in posterome-

dial impingement. Foot Ankle Int. 2003 Aug;24(8):575-83. doi: 10.1177/107110070302400802. PMID: 12956561."

19. "Boonthathip M, Chen L, Trudell DJ, Resnick DL. Tibiofibular syndesmotic ligaments: MR arthrography in cadavers with anatomic correlation. Radiology. 2010 Mar;254(3):827-36. doi: 10.1148/radiol.09090624. PMID: 20177095."
20. "van den Bekerom MP, Raven EE. The distal fascicle of the anterior inferior tibiofibular ligament as a cause of tibiotalar impingement syndrome: a current concepts review. Knee Surg Sports Traumatol Arthrosc. 2007 Apr;15(4):465-71. doi: 10.1007/s00167-006."
21. "Golanò P, Mariani PP, Rodríguez-Niedenfuhr M, Mariani PF, Ruano-Gil D. Arthroscopic anatomy of the posterior ankle ligaments. Arthroscopy. 2002 Apr;18(4):353-8. doi: 10.1053/jars.2002.32318. PMID: 11951192."
22. "Rosenberg ZS, Cheung YY, Beltran J, Sheskier S, Leong M, Jahss M. Posterior intermalleolar ligament of the ankle: normal anatomy and MR imaging features. AJR Am J Roentgenol. 1995 Aug;165(2):387-90. doi: 10.2214/ajr.165.2.7618563. PMID: 7618563."
23. "Kim S, Huh YM, Song HT, Lee SA, Lee JW, Lee JE, Chung IH, Suh JS. Chronic tibiofibular syndesmosis injury of ankle: evaluation with contrast-enhanced fat-suppressed 3D fast spoiled gradient-recalled acquisition in the steady state MR imaging. Radiology. 2."
24. "Hopkinson WJ, St Pierre P, Ryan JB, Wheeler JH. Syndesmosis sprains of the ankle. Foot Ankle. 1990 Jun;10(6):325-30. doi: 10.1177/107110079001000607. PMID: 2113510."
25. "Nussbaum ED, Hosea TM, Sieler SD, Incremona BR, Kessler DE. Prospective evaluation of syndesmotic ankle sprains without diastasis. Am J Sports Med. 2001 Jan-Feb;29(1):31-5. doi: 10.1177/03635465010290011001. PMID: 11206253."
26. "Williams GN, Jones MH, Amendola A. Syndesmotic ankle sprains in athletes. Am J Sports Med. 2007 Jul;35(7):1197-207. doi: 10.1177/0363546507302545. Epub 2007 May 22. PMID: 17519439."
27. "Ostrum RF, De Meo P, Subramanian R. A critical analysis of the anterior-posterior radiographic anatomy of the ankle syndesmosis. Foot Ankle Int. 1995 Mar;16(3):128-31. doi: 10.1177/107110079501600304. PMID: 7599729."
28. "Brown KW, Morrison WB, Schweitzer ME, Parellada JA, Nothnagel H. MRI findings associated with distal tibiofibular syndesmosis injury. AJR Am J Roentgenol. 2004 Jan;182(1):131-6. doi: 10.2214/ajr.182.1.1820131. PMID: 14684526."
29. "Jenkinson RJ, Sanders DW, Macleod MD, Domonkos A, Lydestadt J. Intraoperative diagnosis of syndesmosis injuries in external rotation ankle fractures. J Orthop Trauma. 2005 Oct;19(9):604-9. doi: 10.1097/01.bot.0000177114.13263.12. PMID: 16247304."
30. "Ogilvie-Harris DJ, Reed SC. Disruption of the ankle syndesmosis: diagnosis and treatment by arthroscopic surgery. Arthroscopy. 1994 Oct;10(5):561-8. doi: 10.1016/s0749-8063(05)80015-5. PMID: 7999168."
31. "Harper MC. Delayed reduction and stabilization of the tibiofibular syndesmosis. Foot Ankle Int. 2001 Jan;22(1):15-8. doi: 10.1177/107110070102200103. PMID: 11206818."
32. "Jennings MM, Christensen JC. The effects of sectioning the spring ligament on rearfoot stability and posterior tibial tendon efficiency. J Foot Ankle Surg. 2008 May-Jun;47(3):219-24. doi: 10.1053/j.jfas.2008.02.002. Epub 2008 Mar 28. PMID: 18455668."

33. "Taniguchi A, Tanaka Y, Takakura Y, Kadono K, Maeda M, Yamamoto H. Anatomy of the spring ligament. J Bone Joint Surg Am. 2003 Nov;85(11):2174-8. doi: 10.2106/00004623-200311000-00018. PMID: 14630849."
34. "Mengiardi B, Zanetti M, Schöttle PB, Vienne P, Bode B, Hodler J, Pfirrmann CW. Spring ligament complex: MR imaging-anatomic correlation and findings in asymptomatic subjects. Radiology. 2005 Oct;237(1):242-9. doi: 10.1148/radiol.2371041065. Epub 2005 Aug."
35. "Desai KR, Beltran LS, Bencardino JT, Rosenberg ZS, Petchprapa C, Steiner G. The spring ligament recess of the talocalcaneonavicular joint: depiction on MR images with cadaveric and histologic correlation. AJR Am J Roentgenol. 2011 May;196(5):1145-50. doi:."
36. "Hintermann B, Valderrabano V, Boss A, Trouillier HH, Dick W. Medial ankle instability: an exploratory, prospective study of fifty-two cases. Am J Sports Med. 2004 Jan-Feb;32(1):183-90. doi: 10.1177/0095399703258789. PMID: 14754742."
37. "Nazarenko A, Beltran LS, Bencardino JT. Imaging evaluation of traumatic ligamentous injuries of the ankle and foot. Radiol Clin North Am. 2013 May;51(3):455-78. doi: 10.1016/j.rcl.2012.11.004. Epub 2013 Mar 25. PMID: 23622094."
38. "Stoller DW, Ferkel RD. "Magnetic resonance imaging in orthopaedics and sports medicine. 3rd edition." Baltimore: Lippincott Williams & Wilkins, 2007. The ankle and foot (2 Volume Set)."
39. "Breitenseher MJ, Haller J, Kukla C, Gaebler C, Kaider A, Fleischmann D, Helbich T, Trattnig S. MRI of the sinus tarsi in acute ankle sprain injuries. J Comput Assist Tomogr. 1997 Mar-Apr;21(2):274-9. doi: 10.1097/00004728-199703000-00021. PMID: 9071300."
40. "Klein MA, Spreitzer AM. MR imaging of the tarsal sinus and canal: normal anatomy, pathologic findings, and features of the sinus tarsi syndrome. Radiology. 1993 Jan;186(1):233-40. doi: 10.1148/radiology.186.1.8416571. PMID: 8416571."
41. "Siddiqui NA, Galizia MS, Almusa E, Omar IM. Evaluation of the tarsometatarsal joint using conventional radiography, CT, and MR imaging. Radiographics. 2014 Mar-Apr;34(2):514-31. doi: 10.1148/rg.342125215. PMID: 24617695."
42. "Philbin T, Rosenberg G, Sferra JJ. Complications of missed or untreated Lisfranc injuries. Foot Ankle Clin. 2003 Mar;8(1):61-71. doi: 10.1016/s1083-7515(03)00003-2. PMID: 12760575."
43. "Nunley JA, Vertullo CJ. Classification, investigation, and management of midfoot sprains: Lisfranc injuries in the athlete. Am J Sports Med. 2002 Nov-Dec;30(6):871-8. doi: 10.1177/03635465020300061901. PMID: 12435655."
44. "Myerson MS, Fisher RT, Burgess AR, Kenzora JE. Fracture dislocations of the tarsometatarsal joints: end results correlated with pathology and treatment. Foot Ankle. 1986 Apr;6(5):225-42. doi: 10.1177/107110078600600504. PMID: 3710321."
45. "Preidler KW, Peicha G, Lajtai G, Seibert FJ, Fock C, Szolar DM, Raith H. Conventional radiography, CT, and MR imaging in patients with hyperflexion injuries of the foot: diagnostic accuracy in the detection of bony and ligamentous changes. AJR Am J Roentg."
46. "Hatem SF. Imaging of lisfranc injury and midfoot sprain. Radiol Clin North Am. 2008 Nov;46(6):1045-60, vi. doi: 10.1016/j.rcl.2008.09.003. PMID: 19038612."
47. "Walter WR, Hirschmann A, Alaia EF, Garwood ER, Rosenberg ZS. JOURNAL CLUB: MRI Evaluation of

Midtarsal (Chopart) Sprain in the Setting of Acute Ankle Injury. AJR Am J Roentgenol. 2018 Feb;210(2):386-395. doi: 10.2214/AJR.17.18503. Epub 2017 Nov 7. PMID: 2."

48. "Walter WR, Hirschmann A, Alaia EF, Tafur M, Rosenberg ZS. Normal Anatomy and Traumatic Injury of the Midtarsal (Chopart) Joint Complex: An Imaging Primer. Radiographics. 2019 Jan-Feb;39(1):136-152. doi: 10.1148/rg.2019180102. Epub 2018 Nov 30. PMID: 30500."
49. "Sammarco VJ. The talonavicular and calcaneocuboid joints: anatomy, biomechanics, and clinical management of the transverse tarsal joint. Foot Ankle Clin. 2004 Mar;9(1):127-45. doi: 10.1016/S1083-7515(03)00152-9. PMID: 15062218."
50. "Agnholt J, Nielsen S, Christensen H. Lesion of the ligamentum bifurcatum in ankle sprain. Arch Orthop Trauma Surg. 1988;107(5):326-8. doi: 10.1007/BF00451515. PMID: 3178448."
51. "Numkarunarunrote N, Malik A, Aguiar RO, Trudell DJ, Resnick D. Retinacula of the foot and ankle: MRI with anatomic correlation in cadavers. AJR Am J Roentgenol. 2007 Apr;188(4):W348-54. doi: 10.2214/AJR.05.1066. PMID: 17377003."
52. "Lee MH, Chung CB, Cho JH, Mohana-Borges AV, Pretterklieber ML, Trudell DJ, Resnick D. Tibialis anterior tendon and extensor retinaculum: imaging in cadavers and patients with tendon tear. AJR Am J Roentgenol. 2006 Aug;187(2):W161-8. doi: 10.2214/AJR.05.00."
53. "Ankle Extensor Tendon Pathology." Leland Y. Tsao.: MRI Web Clinic, 2014. https://radsource.us/ankle-extensor-tendon-pathology2/."
54. "Ng JM, Rosenberg ZS, Bencardino JT, Restrepo-Velez Z, Ciavarra GA, Adler RS. US and MR imaging of the extensor compartment of the ankle. Radiographics. 2013 Nov-Dec;33(7):2047-64. doi: 10.1148/rg.337125182. PMID: 24224598."

충돌증후군

(Impingement)

1. 전외측 충돌증후군 (Anterolateral Impingement)
2. 전방 충돌증후군 (Anterior Impingement)
3. 전내측 충돌증후군 (Anteromedial Impingement)
4. 후내측 충돌증후군 (Posteromedial Impingement)
5. 후방 충돌증후군 (Posterior Impingement)
6. 외측 관절외 충돌증후군
   (Talocalcaneal and Subfibular Impingement)

01

전외측 충돌증후군 (Anterolateral Impingement) (Fig. 2-1.01)

Anterolateral impingement is associated with a previous ankle sprain or anterior talofibular ligament injury.

1. 족관절 충돌증후군(ankle impingement syndrome)(1) (2) (Fig. 2-1.02).

Impingement (충돌증후군)

- 골성 혹은 연조직에 의하여 족관절 움직임에 제한과 통증이 생기는 병적상태를 말한다.
- 특히 운동선수에서 만성 통증의 중요한 원인이 될 수 있다.
- 족관절 충돌증후군의 흔한 원인은 외상 후 활막염, 반흔 섬유화, 피막유착, 골극, 골절 후 부정 유합, 만성 염좌 등이다(1) (2).

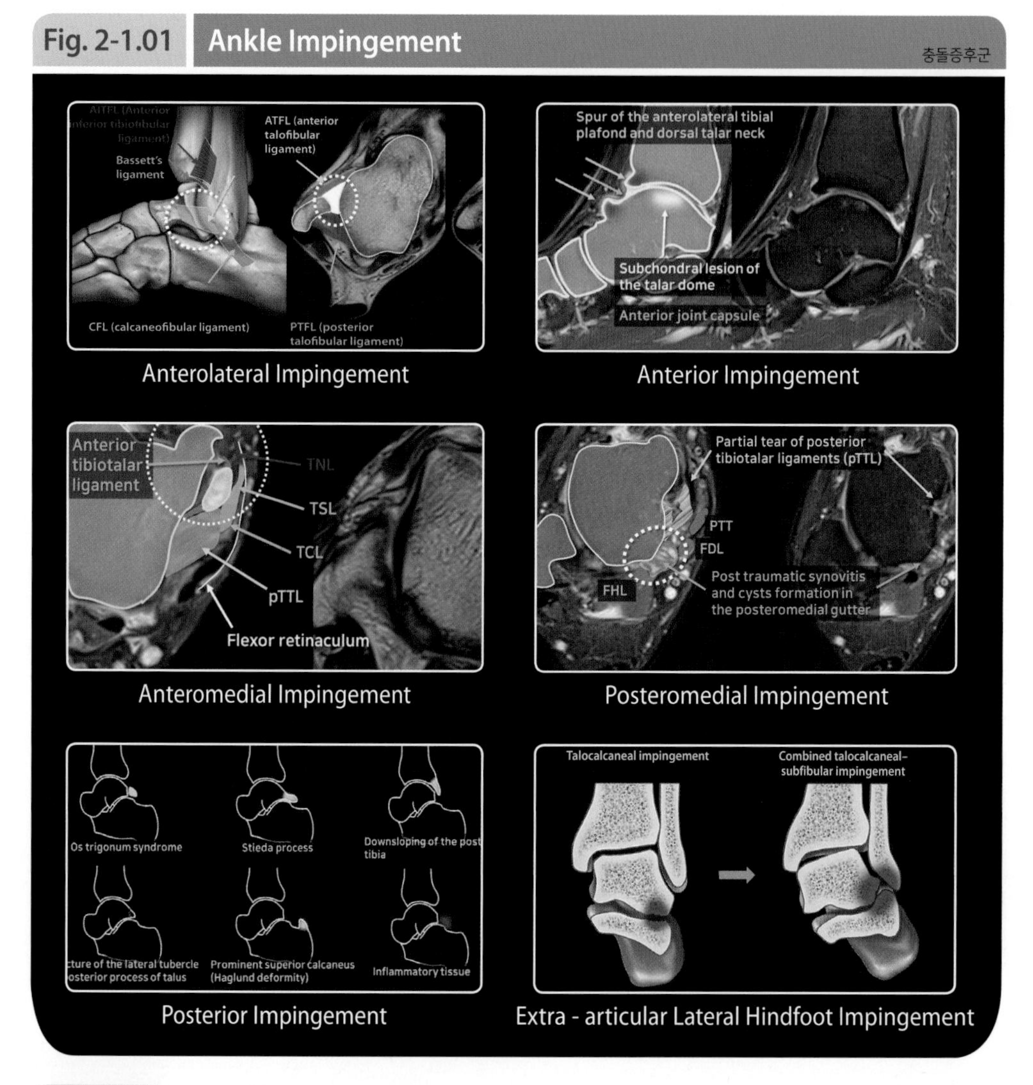

동영상 QR코드

▶ 2-1.01

Ankle Impingement

- Impingement syndrome은 osseous, soft tissue lesion, 혹은 accessory ossification center에 의해서 ankle joint 움직임에 제한이 있고 통증을 동반하는 condition을 말한다.
- Ankle joint의 해부학적인 위치에 따라서 구분을 한다.

- Anterolateral impingement: anterior talofibular ligament 혹은 anterior inferior tibiofibular ligament 손상으로 anterolateral gutter에 post traumatic synovitis나 osseous lesion에 의해 발생한다.
- Anterior impingement: anterior distal tibial spur, dorsal talar neck spur와 같은 osseous lesion에 의해서 혹은 anterior recess에 soft tissue lesion에 의해서 생긴다.
- Anteromedial impingement: anteromedial recess에 osseous lesion (spurs of dorsomedial talar neck and anterior colliculus of medial malleolus)이나 anterior tibiotalar ligament (aTTL) 손상에 의한 scarring, synovitis에 의해서 발생한다.
- Posteromedial impingement: posterior tibiotalar ligament (pTTL)의 손상과 연관하여 posteromedial recess에 생긴 병변이 entrapment가 되어 발생한다. Posteromedial recess에 생긴 병변은 flexor hallucis longus tendon과 flexor digitorum longus tendon 사이에 위치한다.
- Posterior impingement: tibia와 calcaneus 사이에서, 특히 os trigonum이나 prominent lateral tubercle of posterior talar process, 혹은 soft tissue lesion에 의해 talus와 주변 soft tissue가 압박되어 증상이 생긴다.
- Extraarticular lateral hindfoot impingement: hindfoot valgus가 생기면 ankle joint의 외측에 talocalcaneal, 더 진행하면 subfibular impingement가 생긴다.

2. Anatomy of Anterolateral gutter (전외측홈) (Fig. 1-1.02) (Fig. 2-1.03)

- 전외측홈의 경계는 후내측에 tibia 및 talus, 외측엔 fibula, 앞쪽으로 전거비인대(anterior talofibular ligament), 족관절피막, 종비인대(calcaneofibular ligament)이다(3).
- 전외측홈은 삼각형 모양의 recess로 axial image에서 가장 잘 보인다.

Fig. 2-1.02 Normal Anterolateral Gutter 충돌증후군

AITFL (Anterior inferior tibiofibular ligament)
Bassett's ligament
ATFL (anterior talofibular ligament)
T2WI
CFL (calcaneofibular ligament)
PTFL (posterior talofibular ligament)

동영상 QR코드

▶ 2-1.02

Normal Anterolateral Gutter

- Talus가 길쭉하게 보이는 talar neck level에 lateral malleolus에서 앞으로 향하는 ATFL (anterior talofibular ligament)이 있고 후방에는 PTFL (posterior talofibular ligament)이 보인다.
- Anterolateral gutter (white circle)는 axial image에서 가장 잘 보이며, ATFL 보다 깊은 곳에 joint fluid가 있는 공간이며, 상방에는 AITFL (anterior inferior tibiofibular ligament)이 있다.
- AITFL (전하경비인대)과 평행하게 주행하지만 AITFL과 떨어져 있는 원위부에 위치한 부다발(accessory fascicle)을 Bassett 인대(pink)라고 한다. Bassett 인대는 정상적으로 거골원개(talar dome)의 전외측으로 주행하여 anterolateral recess 상방에 위치한다.

Fig. 2-1.03 Anterolateral Impingement

충돌증후군

Soft tissue lesions

- Posttraumatic synovitis in the anterolateral gutter
- Meniscoid lesion
- Ganglia arising from the anterolateral capsule
- Arthrofibrosis

Bony lesions

- Anterolateral plafond spurs and adjacent ossicles, with or without associated chondral lesions involving the tibial plafond or talar dome
- Loose bodies

동영상 QR코드

▶ 2-1.03

Anterolateral Impingement

- Anterolateral impingement를 일으키는 원인으로 soft tissue lesion과 bony lesion이 있다.
- 가장 흔한 원인은 ATFL (anterior talofibular ligament) injury 후에 발생한 post traumatic synovitis이다.

3. 전외측홈(anterolateral gutter) 내의 비정상적인 연조직, 골성조직이 포착이 되어 전외측 충돌증후군이 생긴다. 족관절에 생기는 충돌증후군 중에 가장 흔하다(4).

a) 전외측 충돌증후군(Anterolateral Impingement) (Fig. 2-1.04)

- 전외측 충돌증후군은 원위경비인대결합, 외측측부인대복합체, 전외측홈 피막의 내번 손상으로 골절 출혈이 생기고 그로 인해 발생한 활막염과 반흔, 유리체에 의해 생긴다. 전형적으로 젊은 운동선수에게서 잘 생긴다(4).
- 전하경비인대(anterior inferior tibiofibular ligament, AITFL)의 부다발(accessory fascicle)인 Bassett's ligament는 정상적으로 거골원개(talar dome)의 전외측으로 주행한다(5).

  이 인대는 족관절 염좌 병력, 특히 족관절 불안정이 있는 경우에 충돌증후군의 원인이 되기도 한다(Fig. 1-3.04).
- 전외측 충돌증후군은 족관절 발등 굽힘 및 외번 시에 전외측 통증이 생긴다(4).

Fig. 2-1.04 Anterolateral Impingement 충돌증후군

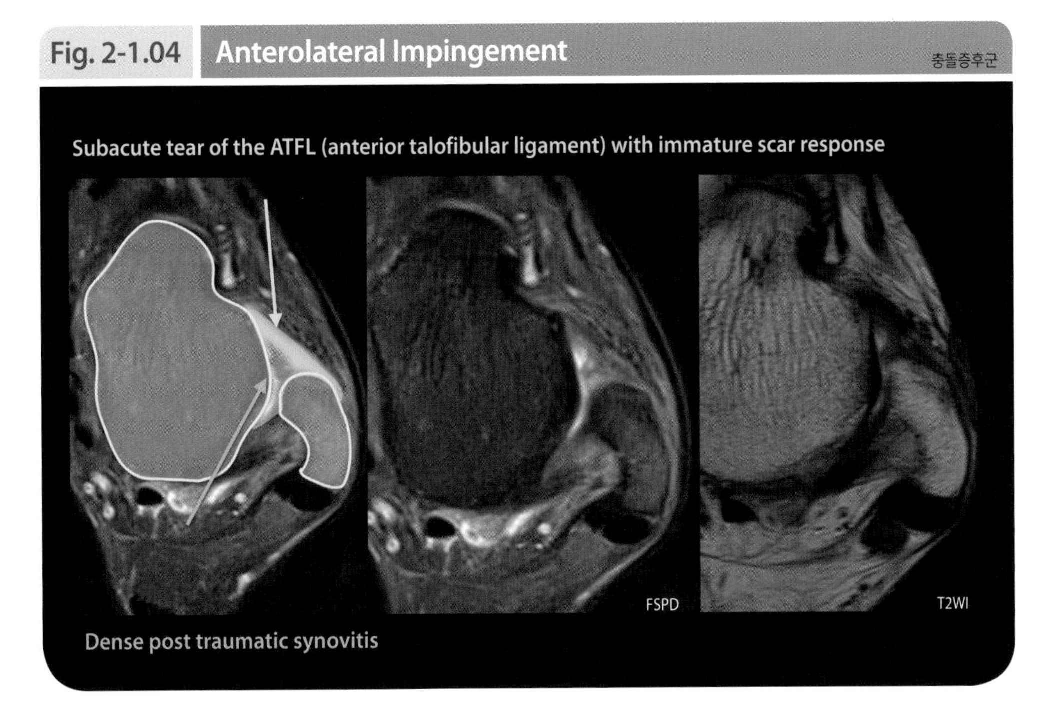

Subacute tear of the ATFL (anterior talofibular ligament) with immature scar response
FSPD
T2WI
Dense post traumatic synovitis

동영상 QR코드

▶ 2-1.04

Anterolateral Impingement

- Anterolateral impingement는 흔히 ATFL (anterior talofibular ligament) injury 후에 post traumatic synovitis로 인해 생긴다.
- ATFL (yellow)이 두꺼워지면서 신호강도가 증가하여 있으며, 인접한 fat과 ATFL 사이의 경계가 불분명하여 subacute stage injury로 보인다.
- Anterolateral recess (orange)의 joint effusion 내에 불규칙한 형태의 점 혹은 선 모양의 저신호강도 병변이 보이는데 이것이 post traumatic synovitis이며, 이러한 soft tissue lesion 때문에 anterolateral ankle에 impingement가 생긴다.

b) 반월판모양 병변(Meniscoid lesion) (Fig. 2-1.05)

- Posttraumatic synovitis는 T2WI 혹은 FSPD 이미지에서 저신호, 중등신호강도의 실 모양, 점 모양의 병변으로 보인다(1).
- 활막 증식, 염증, 섬유화가 더 진행되면 삼각형 모양의 전외측홈 내에 이런 조직들이 삼각형 모양으로 molding된다. 이것을 '반월판모양' 연조직 종괴(meniscoid lesion)라고 부른다(6).

c) 전외측 충돌증후군 MRI 소견(Fig. 2-1.06~07)

- 전외측 충돌증후군은 전하경비인대(anterior inferior tibiofibular ligament, AITFL) 및 전거비인대(anterior talofibular ligament, ATFL)의 손상과 관련이 있어서 MRI에서 인대 손상을 확인할 수 있다.
- 전외측홈 내에 저신호, 중등신호강도의 연조직 종괴(meniscoid lesion), 혹은 유리 종괴, 전거비인대 혹은 전하경비인대 그 중 Bassett 인대 비후, 외측홈의 충만, 비골 끝 연조직 내에 소골이나 유리체, 거골과 비골의 골극, 연골연화가 보인다(4).
- Bassett 인대는 거골원개의 전외측으로 주행하므로, anterolateral talar dome의 이차적인 연골손상이 생기고(7), 전외측 충돌증후군 환자에서 연골연화는 17% 정도 동반된다(8).
- 증상이 없는 환자에서도 전외측 반흔이나 활막염이 보일 수 있으므로 임상 소견과 연관시키는 것이 필요하다(4).

Fig. 2-1.05 Meniscoid Lesion

충돌증후군

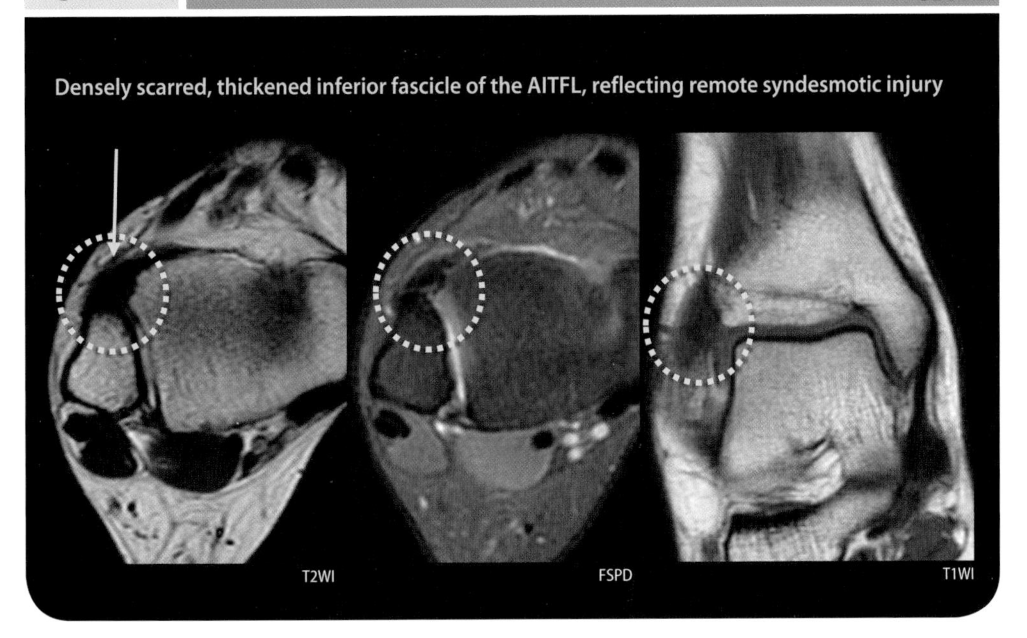

Densely scarred, thickened inferior fascicle of the AITFL, reflecting remote syndesmotic injury
T2WI
FSPD
T1WI

동영상 QR코드

▶ 2-1.05

Meniscoid Lesion

- 이전 AITFL (anterior inferior tibiofibular ligament)의 손상으로 ligament가 두껍다.
- Anterolateral gutter 안에 joint fluid가 보이지 않고 AITFL 손상과 관련하여 scar 및 post traumatic synovitis가 점차 synovial proliferation, fibrosis가 되면서 anterolateral gutter 안에 삼각형 모양으로 뭉치면서 molding되어 '반월판 모양' 연조직 종괴(meniscoid lesion)를 형성하였다(yellow circle).
- 이런 meniscoid lesion으로 인하여 전외측 충돌증후군(anterolateral impingement)이 생기게 된다.

Fig. 2-1.06 Anterolateral Impingement 충돌증후군

- Posttraumatic synovitis in the anterolateral gutter, manifests as ill-defined intermediate signal intensity foci within an anterolateral gutter effusion

- Laxity and chronic sprain of ATFL

FSPD

T2WI

- Small ossicle in the anterolateral gutter with attachment of the ATFL

동영상 QR코드

▶ 2-1.06

Anterolateral Impingement

- ATFL (anterior talofibular ligament, yellow)이 chronic tear로 늘어지면서 가늘어졌다. ATFL에 붙어있는 작은 ossicle (green)이 anterolateral gutter 안에 위치한다. 작은 ossicle은 내부에 fat marrow가 있어 FSPD에서는 내부가 저신호강도로 보이고 T2WI에서는 주변 fat처럼 고신호강도로 보인다.
- Anterolateral gutter 내부에 중등신호강도의 실 모양의 병변은 ATFL 손상 후 post traumatic synovitis이다(orange).
- 이런 posttraumatic synovitis와 ossicle로 anterolateral impingement가 생긴다.

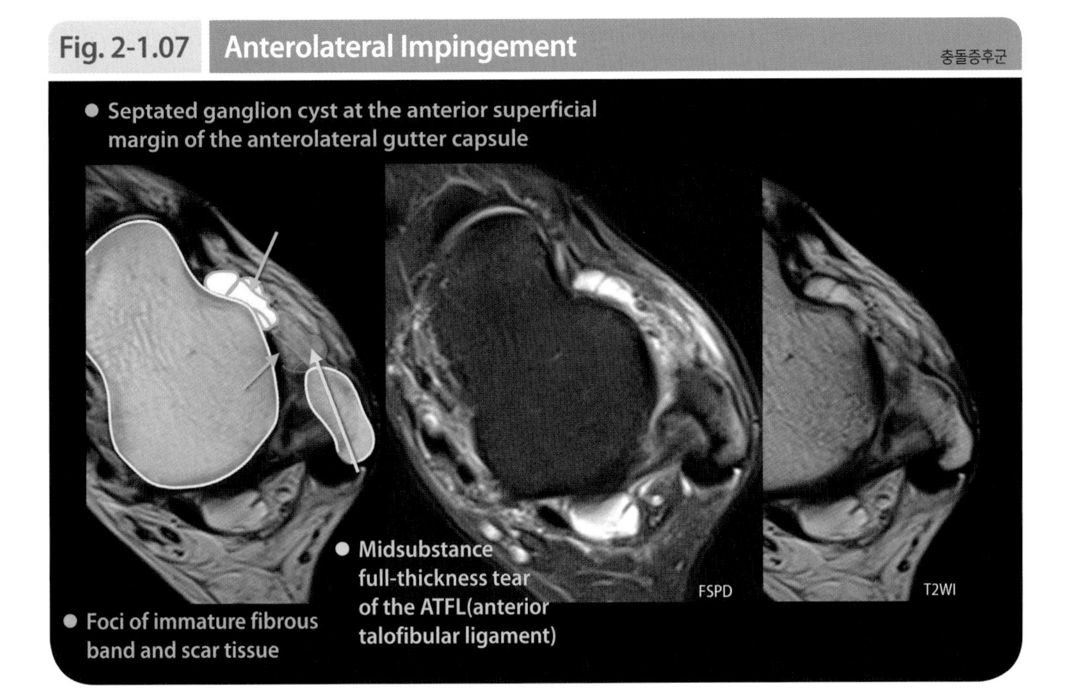

동영상 QR코드

▶ 2-1.07

Anterolateral Impingement

- Anterolateral capsule에 생긴 ganglion cyst가 anterolateral impingement를 일으킬 수 있다.
- ATFL (anterior talofibular ligament, yellow) complete tear가 보인다.
- ATFL tear와 연관하여 anterolateral gutter capsule의 전방에 ganglion cyst (green)가 형성되어 있다.
- Post traumatic synovitis (orange)도 동반되어 MRI에서 immature fibrotic band 및 scar가 점, 선 모양으로 보인다.
- 이런 post traumatic synovitis와 anterolateral capsule에 생기는 ganglion cyst로 impingement가 생길 수 있다.

4. Tibiofibular syndesmosis injury 후에 syndesmotic impingement가 발생한다(9) (Fig. 2-1.08).

a) Syndesmotic Impingement

- Syndesmotic sprain 및 fracture와 관련된 soft tissue 변화 및 bony lesion으로 impingement가 발생한다.
- 임상적으로 tibiofibular syndesmosis에 pain이 있다.
- Anterior, central 혹은 posterior syndesmosis에 impingement가 생길 수 있다.
- Bassett 인대의 충돌은 전외측 충돌증후군에 언급이 되기도 하며 따로 구분하여, 인대결합 충돌증후군(syndesmotic impingement)이라고 부르기도 한다(4).
- MRI에서 syndesmosis 전후면을 침범하는 synovial inflammation, anterior inferior tibiofibular ligament tear, loose body, talar dome의 chondromalacia, osteophyte, distal tibiofibular joint 내에 scarring이 보인다.

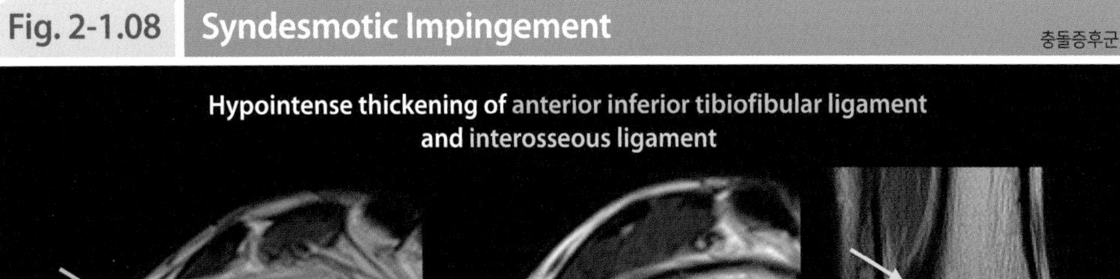

Hypointense thickening of anterior inferior tibiofibular ligament
and interosseous ligament

Fig. 2-1.08 Syndesmotic Impingement 충돌증후군

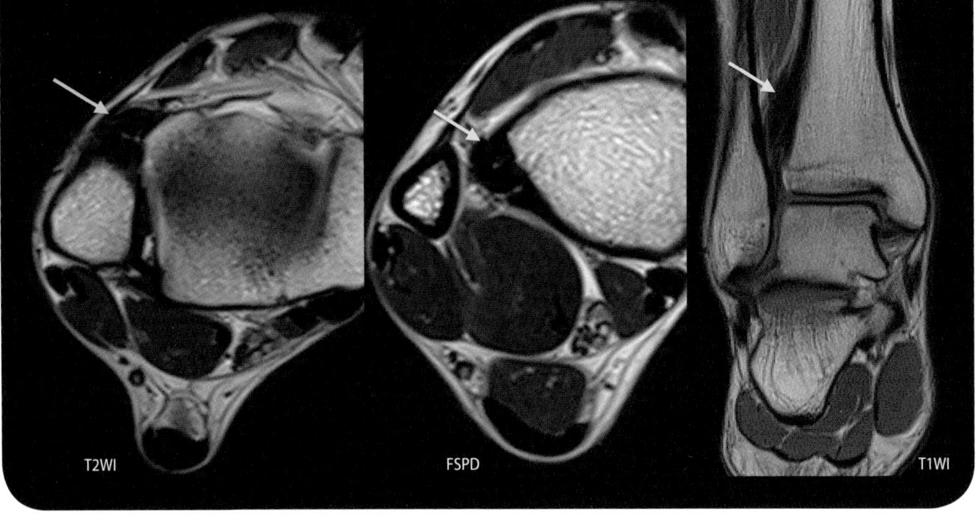

동영상 QR코드

▶ 2-1.08

Syndesmotic Impingement

- AITFL (anterior inferior tibiofibular ligament), interosseous ligament tear 후에 scarring, loose body, synovitis가 생기면서 syndesmotic impingement를 일으킬 수 있다.
- 왼쪽 axial image에서 보면 anterolateral impingement로도 볼 수 있으나 syndesmotic sprain 및 fracture와 관련하여 생긴 변화로 impingement를 일으키면 따로 구분하여 syndesmotic impingement라고 부르기도 한다.
- 여기에서는 AITFL 및 interosseous ligament가 저신호강도로 두껍게 보이고 있어 scarring이 생겼고, 관련하여 통증이 생겨 syndesmotic impingement에 해당한다.
- (Fig. 1-3.01) (Fig. 1-3.03~04)에서 정상 distal tibiofibular syndesmosis ligaments와 비교해보자.

02

전방 충돌증후군
(Anterior Impingement)

Anterior impingement most commonly relates to bone spurs of the anterior tibial plafond, and is typically seen in athletes who subject their ankles to repetitive, forced dorsiflexion, or to direct microtrauma

1. 전방 충돌증후군은 경골의 전방관절면과 거골 경부 사이에 생기고 주로 골극에 의해서 발생한다(10) (11).

a) 전방 충돌증후군(Anterior Impingement) (Fig. 2-2.01~04)

- 반복적이고 과도한 발등굽힘 혹은 미세외상으로 인하여 발목 전방부에 골극이 생긴다(12).
- 이런 골극과 비후된 연조직의 충돌 때문에 발등을 굽히면 증상이 악화된다(4).

- 운동선수 특히 축구선수나 발레 댄서에서 만성 발목통증의 흔한 원인이다.
- 증상이 없는 환자에서도 골극이 보일 수 있기 때문에 이를 감별하는데 MRI가 도움이 된다.
- 증상 있는 환자에게서 골극 내에 부종이나 인접한 활막염, 피막 비후 및 부종을 확인할 수 있다(1).

Fig. 2-2.01 Anterior Impingement 충돌증후군

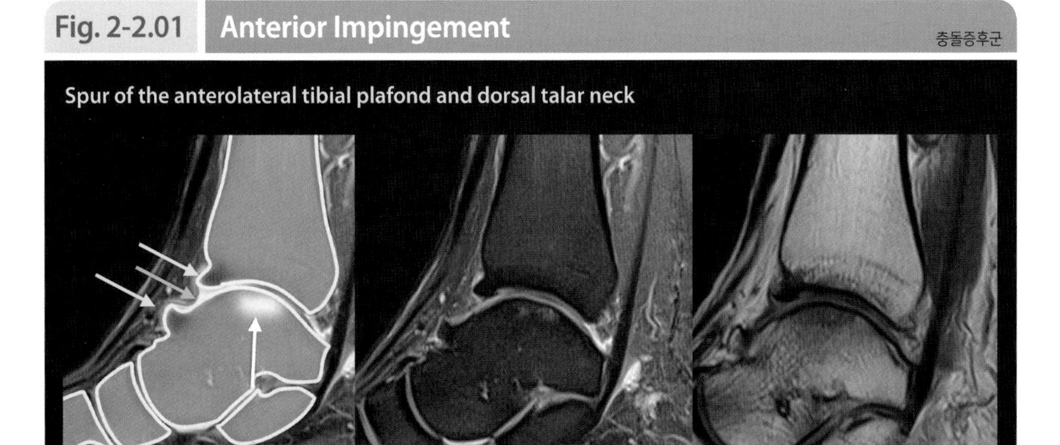

Spur of the anterolateral tibial plafond and dorsal talar neck

Subchondral lesion of the talar dome

Anterior joint capsule

동영상 QR코드

▶ 2-2.01

Anterior Impingement

- Anterolateral tibial plafond와 dorsal talar neck (yellow)에 spur가 있으며 spur에 저신호강도의 sclerosis가 보인다.
- Anterior impingement 증상이 있는 경우 spur 내에 bone marrow edema나 anterior recess에 effusion 및 synovitis도 볼 수 있다.
- Ankle joint 앞쪽에 생긴 spur로 talar dome에 chondral damage (여기 MRI에서 chondral lesion이 정확하게 보이진 않지만 subchondral edema는 보인다) 및 subchondral lesion이 생기게 된다.

Fig. 2-2.02 **Anterior Impingement** 충돌증후군

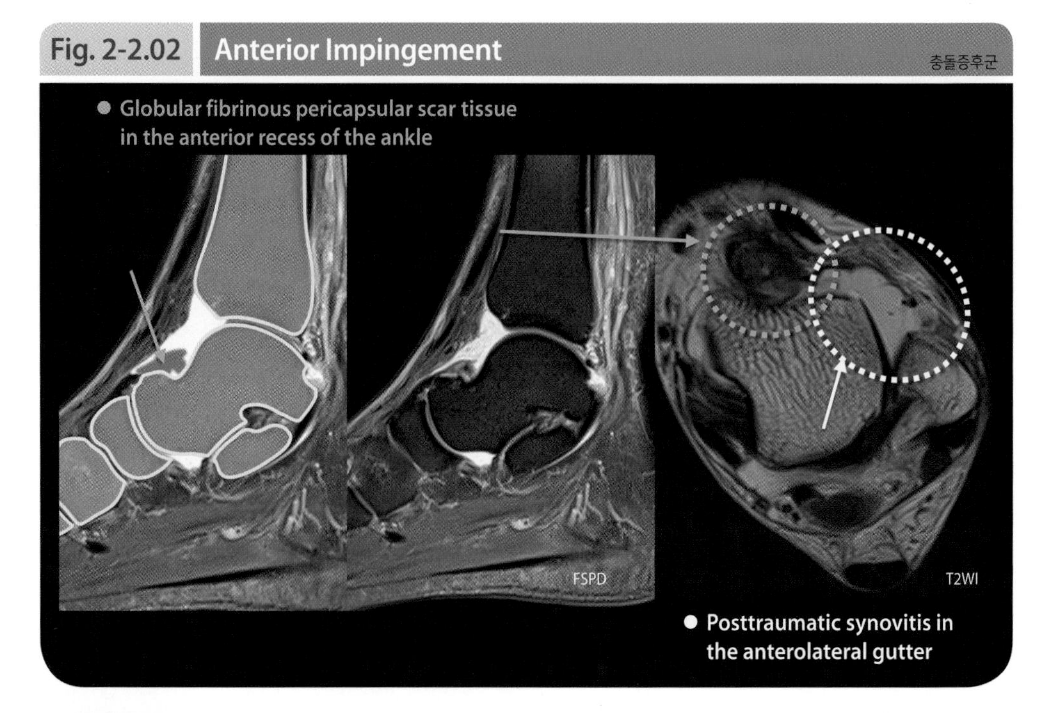

● Globular fibrinous pericapsular scar tissue in the anterior recess of the ankle
FSPD
T2WI
● Posttraumatic synovitis in the anterolateral gutter

동영상 QR코드

▶ 2-2.02

Anterior Impingement

- 전형적인 anterior impingement는 anterolateral tibial plafond와 dorsal talar neck spur같은 bony lesion에 의해서 생긴다.
- 하지만 soft tissue lesion에 의해서도 impingement가 생길 수 있다.
- 여기에서 globular fibrinous pericapsular scar tissue (orange)가 anterior recess of the ankle에 있어 anterior impingement (orange circle)가 생겼다.

- ATFL (anterior talofibular ligament, yellow) injury로 anterolateral gutter에 synovitis (white circle)가 보인다.

Fig. 2-2.03 Synovial Osteochondromatosis 충돌증후군

- Multiple, circular, similarly sized loose bodies, anterior recess of tibiotalar joint

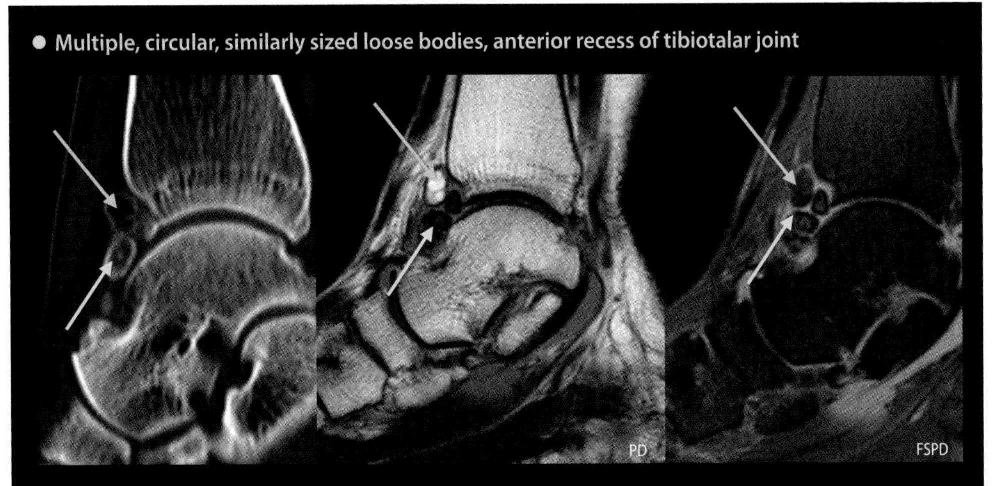

- When calcification is absent (25~30% of cases) plain radiographs may be normal or reveal a non-specific findings, (soft-tissue mass surrounding the joint, widening of the joint space, erosions of adjacent bones, or early osteoarthritic changes.)

동영상 QR코드

▶ 2-2.03

Synovial Osteochondromatosis

- Tibiotalar joint의 anterior recess에 여러 개의 동그랗고 크기가 비슷한 loose bodies가 보인다. Degenerative change가 없으며, 서로 비슷한 크기의 loose bodies여서 secondary synovial osteochondromatosis가 아니라 primary synovial osteochondromatosis에 해당한다.
- Loose bodies가 ossification이 되지 않으면(대략 25~30%) 일반촬영이나 CT에서 안보이고, 인접한 bone에 erosion이나 joint space widening 정도만 보이게 된다.
- Mineralization이 되지 않는 chondromatosis 병변은 MRI에서 chondroid signal의 특징을 보이기 때문에 T1WI에서 중등 혹은 저신호강도, T2WI에서 고신호강도를 보인다. 혹은 완전히 ossification이 된다면 모든 시퀀스에서 저신호강도로 보인다(yellow arrows).
- 만약 mineralization이 되어 내부에 fat을 갖게 되면 T1WI, T2WI에서 고신호강도로 보이고 FSPD에서는 fat suppression되어 저신호강도로 보인다(blue arrows).
- 이렇게 anterior recess에 생긴 synovial osteochondromatosis로 anterior impingement가 생겼다.

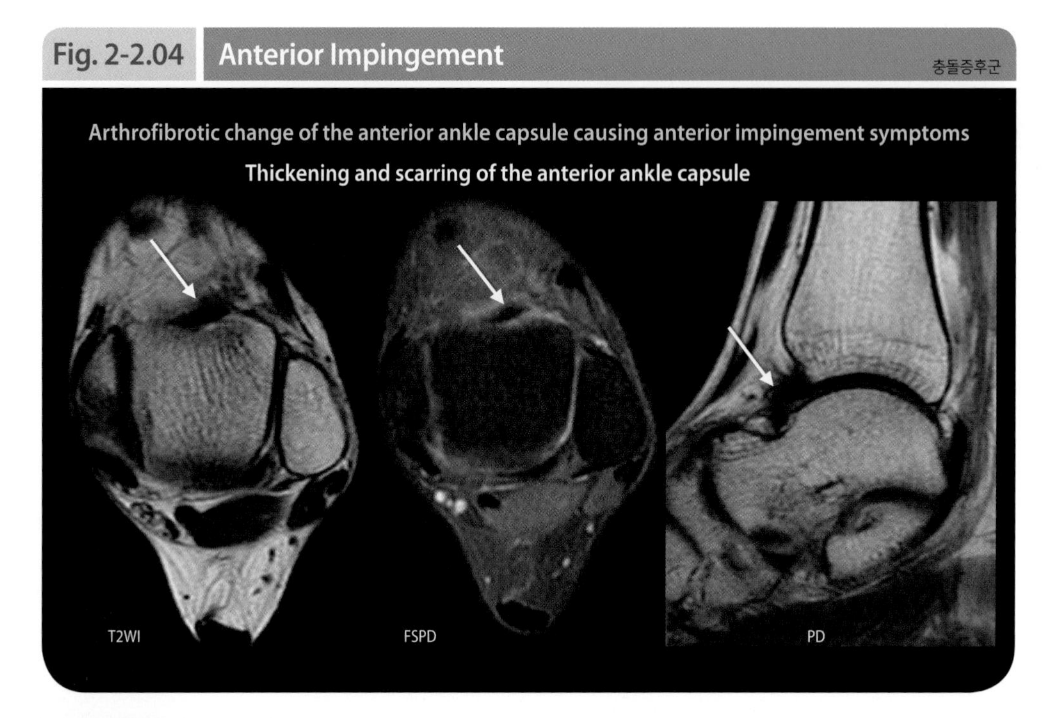

Fig. 2-2.04 Anterior Impingement 충돌증후군

Arthrofibrotic change of the anterior ankle capsule causing anterior impingement symptoms
Thickening and scarring of the anterior ankle capsule

동영상 QR코드

▶ 2-2.04

Anterior Impingement

- Arthrofibrosis (저신호강도로 보이는 soft tissue lesion, white arrow)가 종종 anterior ankle capsule에 생길 수 있고 impingement의 증상을 보일 수 있다.

03

전내측 충돌증후군
(Anteromedial Impingement)

Anteromedial impingement can occur because of a previous plantar flexion and inversion injury and can be seen in football players, and dancers.

1. 전내측충돌은 전내측 피막, 전방삼각인대의 손상과 관련되며, 내번 손상과 더불어 내측 회전과 연관이 있다고 보고되고 있다(4).

a) Anatomy of Anteromedial Gutter or Recess (전내측홈) (10) (Fig. 1-2.02~03) (Fig. 1-2.06) (Fig. 2-3.01)

- 전내측홈은 전내측 피막, 거골원개(talar dome), 거골 경부, 내측과(medial malleolus), 전경거인대(anterior tibiotalar ligament) 사이의 공간을 말한다.
- 내측측부인대복합체(deltoid ligament)의 2개의 deep layer (심부인대) 중에 하

나인 전경거인대(anterior tibiotalar ligament, aTTL)는 전내측홈(anteromedial recess)의 아래에 위치한다.

b) 전내측 충돌증후군(Anteromedial Impingement) (13) (Fig. 2-3.02~03)

- 축구와 같은 반복적인 low grade impaction으로 골극이 생긴다고 보고 있다(13).
- 전내측 거골의 경부(talar neck), 전내측 tibial plafond, 내측과의 전방을 따라 생긴 골극은 oblique radiograph of the foot에서 잘 보인다.
- 증상이 있는 환자에게서 이런 골극 및 주변 조직에 부종을 볼 수 있다.
- Anterior tibiotalar ligament의 비후와 ossification을 볼 수 있다.
- 전내측홈에 post-traumatic synovitis, immature scarring으로 인해 충돌이 생길 수 있다(2).
- 종종 전경거인대(anterior tibiotalar ligament)의 avulsion injury로 dystrophic ossification이 생기거나 골극에 골절이 생겨 충돌증후군이 발생할 수 있다(13).

Fig. 2-3.01 Normal Anteromedial Recess

충돌증후군

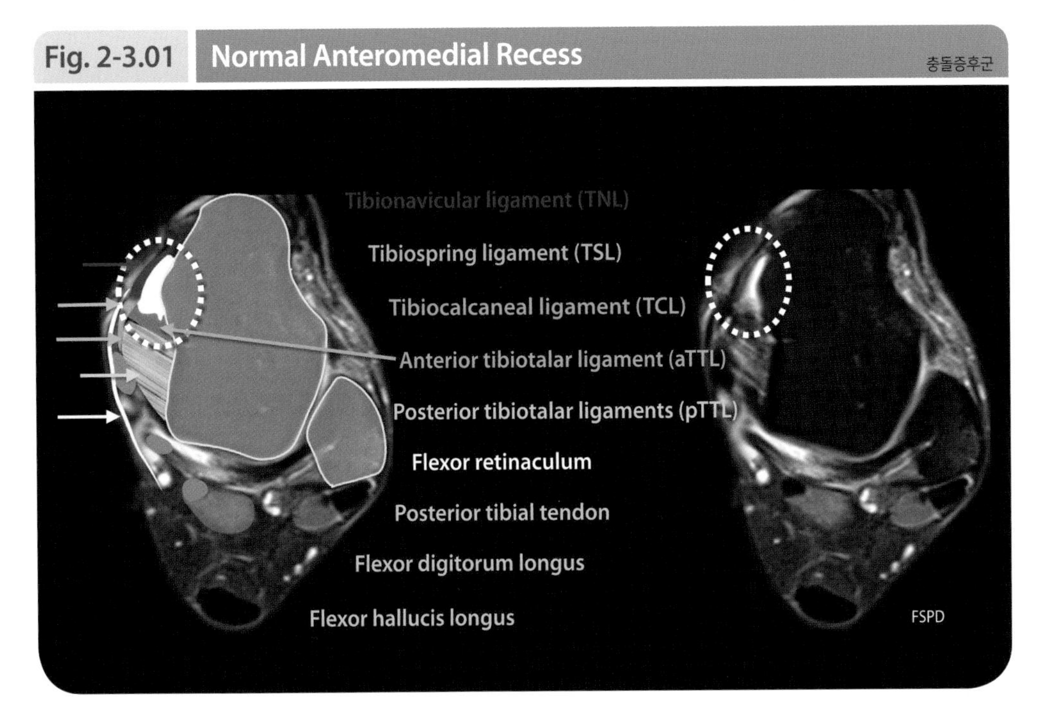

동영상 QR코드

▶ 2-3.01

Normal Anteromedial Recess

- Anteromedial recess (white circle)는 anterior tibiotalar ligament (aTTL, orange)보다 앞에 위치하는 joint recess이다.
- Anteromedial recess의 주변 구조물로는 talus, anteromedial joint capsule, medial malleolus, aTTL이 있다.
- aTTL은 deep deltoid ligament 중 하나로 개인마다 크기는 다양하다.

Fig. 2-3.02 Anteromedial Impingement

충돌증후군

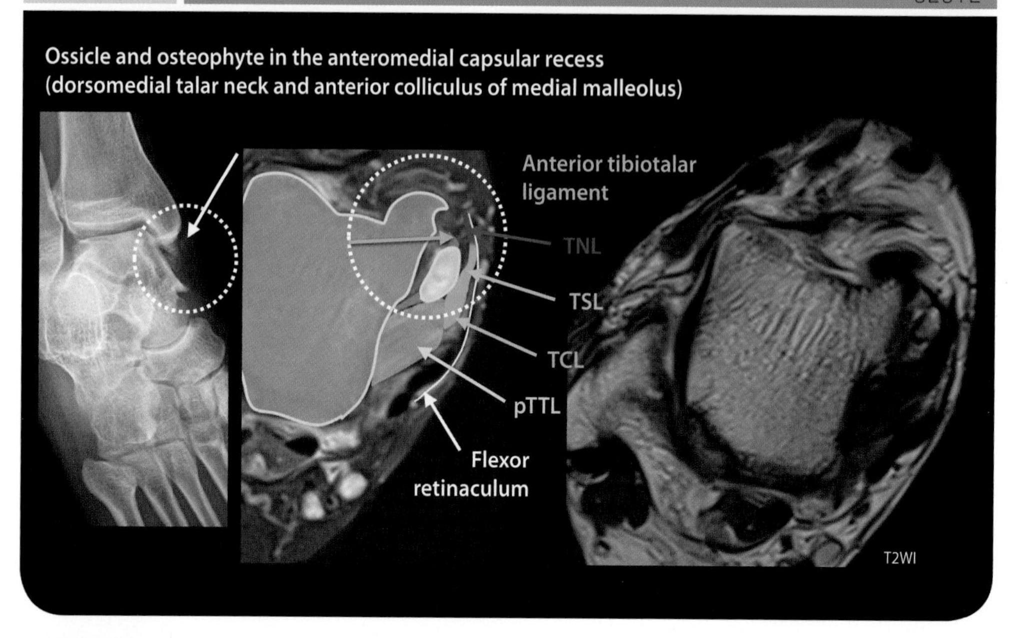

동영상 QR코드

▶ 2-3.02

Anteromedial Impingement

- Ossicle이나 osteophyte이 anteromedial recess로 튀어나와 있으면 oblique radiograph에서도 잘 보인다(white circle).
- Dorsomedial talar neck과 anterior colliculus of medial malleolus에 생긴 spur는 anteromedial recess로 튀어나와 있어 impingement를 일으키게 된다. 증상이 있는 환자에서 bone marrow edema나 synovitis를 볼 수 있다.

- Deltoid ligament는 superficial and deep layers로 되어있으며 (Fig. 1-2.01~04)를 참고하자.
- Deep layer: Anterior tibiotalar ligament (aTTL), Posterior tibiotalar ligament (pTTL)
- Superficial layer: Tibionavicular ligament (TNL), Tibiospring ligament (TSL), Tibiocalcaneal ligament (TCL)

Fig. 2-3.03 Anteromedial Impingement 충돌증후군

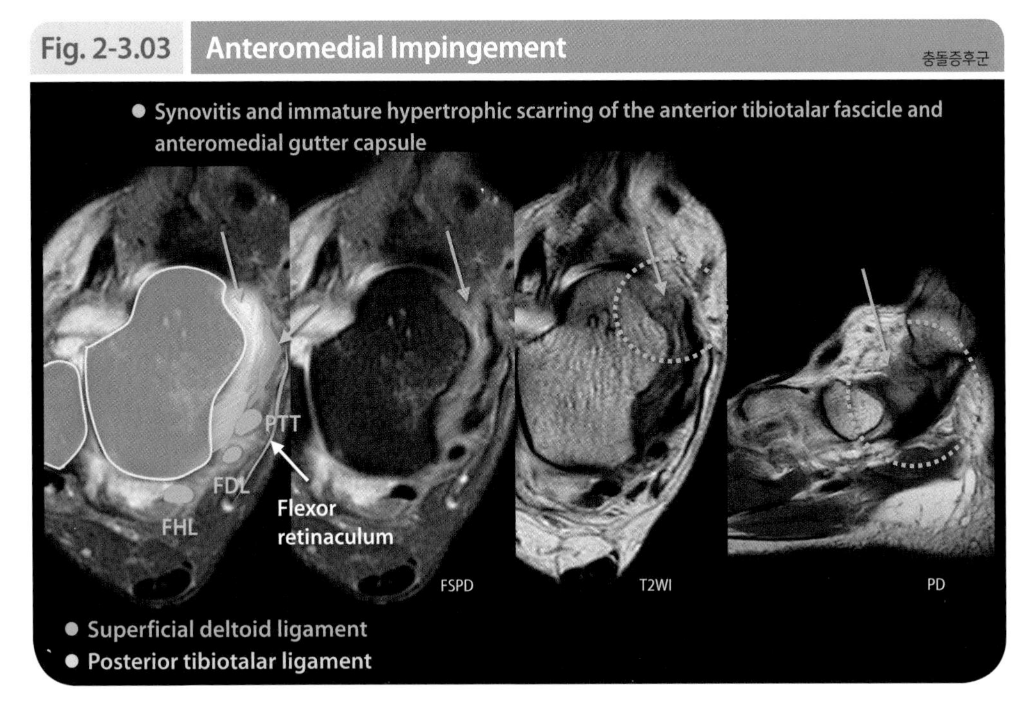

● Synovitis and immature hypertrophic scarring of the anterior tibiotalar fascicle and anteromedial gutter capsule
PTT
FDL
FHL
Flexor retinaculum
FSPD
T2WI
PD
● Superficial deltoid ligament
● Posterior tibiotalar ligament

동영상 QR코드

▶ 2-3.03

Anteromedial Impingement

- Anteromedial recess (orange circle)에 anterior tibiotalar ligament (aTTL) injury로 인하여 생긴 immature hypertrophic scarring 및 synovitis (joint effusion과 더불어 중등신호강도의 불규칙한 모양, orange)가 보인다.
- Osseous lesion (ossicle and osteophyte in the anteromedial capsular recess)은 없지만 anteromedial recess에 soft tissue lesion으로 impingement가 생긴 케이스이다.

04

후내측 충돌증후군 (Posteromedial Impingement)

Posteromedial impingement usually follows an injury to the posterior tibiotalar ligament (pTTL) and the posteromedial ankle capsule.

1. 후내측 충돌증후군은 후경거인대(posterior tibiotalar ligament)의 손상으로 인하여 반흔, 후내측홈 내의 활막염과 섬유조직이 생겨 비후된 연조직이 장지굴건(flexor digitorum longus tendon)과 후경골건(posterior tibial tendon)을 전위시키거나 둘러싸면서 충돌하는 것을 말한다[4].

a) Anatomy of Posteromedial Recess (후내측홈) (Fig. 1-2.02~03) (Fig. 1-2.07~08) (Fig. 2-4.01)

- 후방삼각인대(후경거인대, posterior tibiotalar ligament, pTTL), 거골원개(talar dome), 거골의 후돌기(posterior process of the talus), 후내측 피막 사이의 공간이다.
- 정상적으로 소량의 관절액이 있고 후내측홈 밖에 얇은 posteromedial capsular layer가 있다.
- 축상 이미지에서 쉽게 찾을 수 있고, 장지굴건(flexor digitorum longus, FDL)과 장족무지굴건(flexor hallucis longus, FHL) 사이를 말한다(1).

b) 후내측 충돌증후군(Posteromedial Impingement) (14) (Fig. 2-4.02~04)

- 후경거인대(posterior tibiotalar ligament, pTTL)는 정상적인 줄무늬를 보이는데 염좌가 되면 줄무늬가 보이지 않는다.
- Posterior tibiotalar ligament 손상으로 인한 반흔, capsule의 비후, 활막염이 후내측홈으로 protrusion한다.
- Flexor digitorum longus (FDL), flexor hallucis longus (FHL) 사이에 있는 후내측홈의 posteromedial joint capsule이 비후된다.
- 동시에 굽힘근지지띠(flexor retinaculum)의 비후가 보일 수 있고, 연조직이 후경골건(posterior tibial tendon)과 굽힘근지지띠 사이를 감싸게 되기도 한다.

Fig. 2-4.01 Normal Posteromedial Recess

충돌증후군

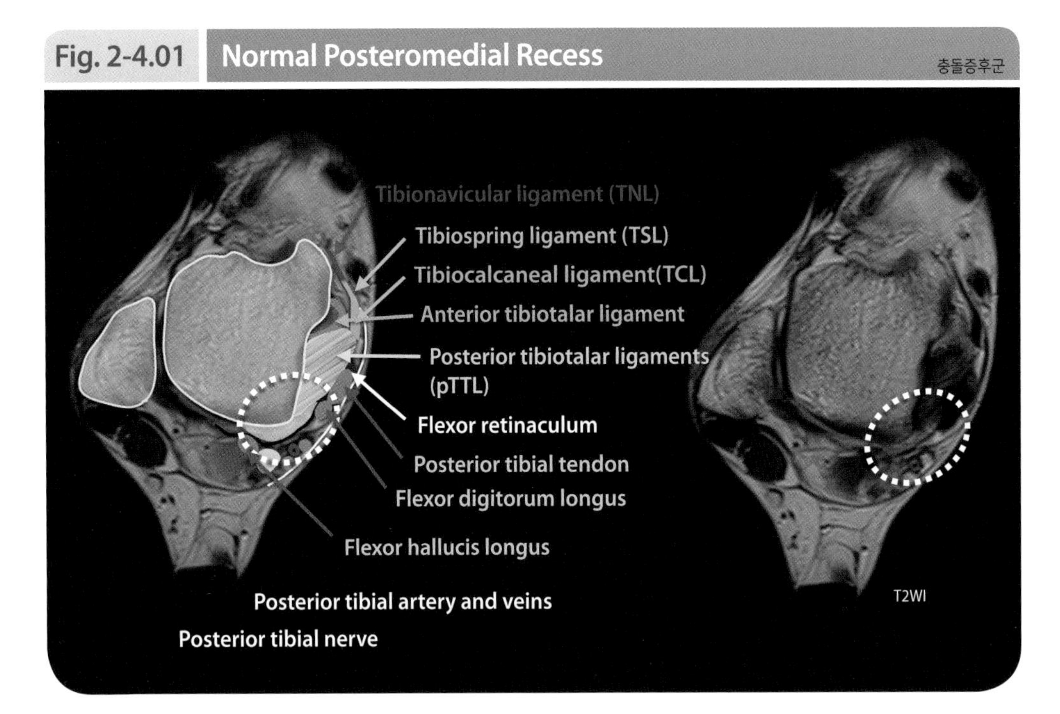

동영상 QR코드

▶ 2-4.01

Normal Posteromedial Recess

- Posteromedial recess는 전방에는 posterior tibiotalar ligament (pTTL), 외측에는 talar dome과 posterior process of talus가 있고 주변으로 posteromedial joint capsule, neurovascular bundle, flexor hallucis longus tendon, flexor digitorum longus tendon이 있다.
- Posteromedial recess는 flexor hallucis longus tendon과 flexor digitorum longus tendon 사이에 위치하며, thin posteromedial joint capsule이 recess 위에 있다.

Fig. 2-4.02 **Posteromedial Impingement** 충돌증후군

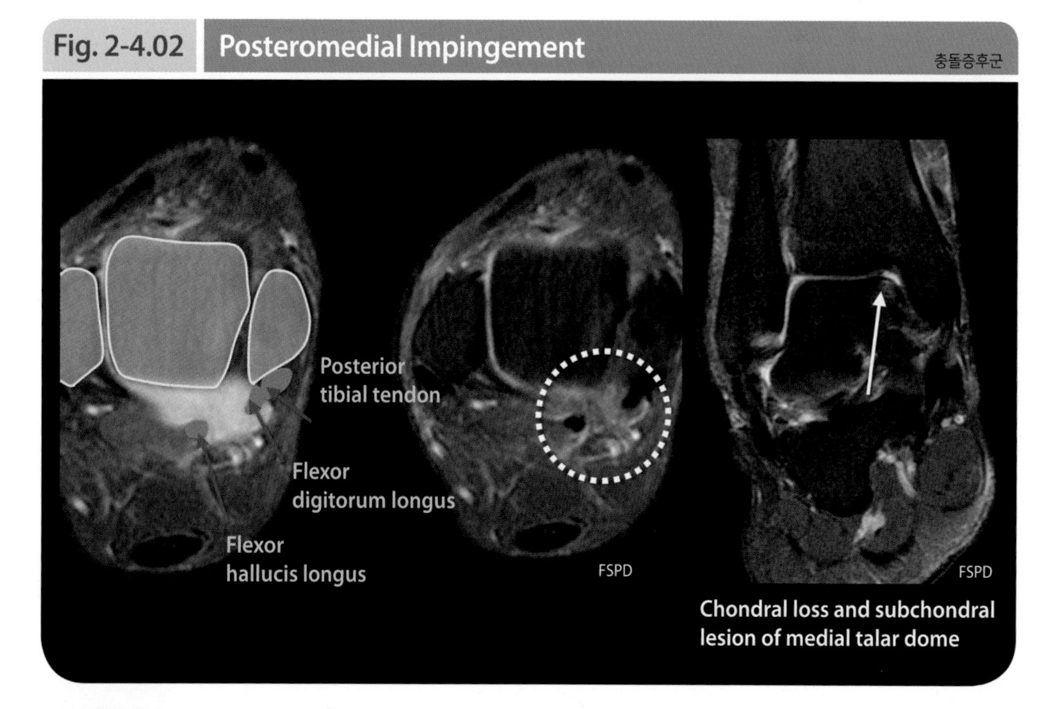

동영상 QR코드

▶ 2-4.02

Posteromedial Impingement

- Posterior tibiotalar ligament (pTTL)의 손상으로 scar가 후방으로 protrusion 되고, synovitis가 posteromedial recess의 flexor hallucis longus (FHL), flexor digitorum longus (FDL) tendons 사이로 튀어 나오면서(white circle) tendon을 일부 둘러싸고있다.
- (Fig. 2-4.01)의 정상 posteromedial recess와 비교하자. 정상에서는 posteromedial recess는 FHL과 FDL 사이에 있는 소량의 joint effusion이 있으면서 thin joint capsule을 보인다.

Fig. 2-4.03 Posteromedial Impingement

충돌증후군

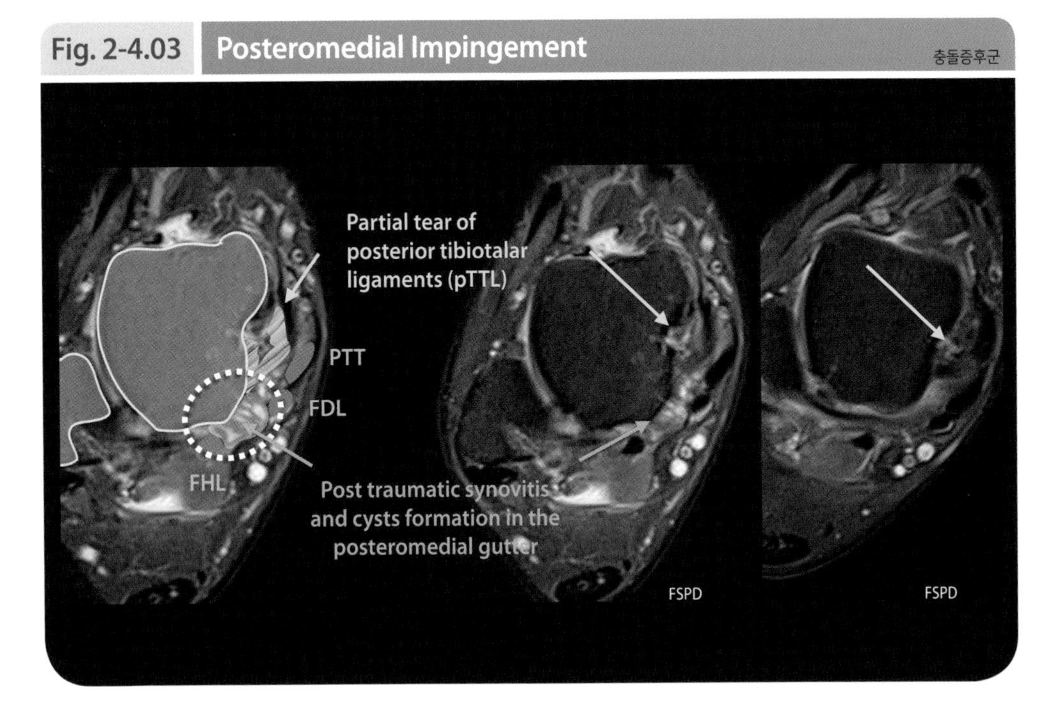

동영상 QR코드

▶ 2-4.03

Posteromedial Impingement

- Posteromedial gutter에 synovitis 및 cysts가 posteromedial recess에 있으며, 이러한 병변이 flexor hallucis longus (FHL), flexor digitorum longus (FDL) tendon 사이로 튀어 나와서 posteromedial impingement가 생길 수 있다.
- Posteromedial impingement가 있는 환자는 posterior tibiotalar ligament (pTTL) injury, synovitis, scar tissue 등이 주된 원인이므로 pTTL을 잘 봐야한다. 이 케이스에서도 pTTL (yellow arrow)에 partial tear가 있다.

Fig. 2-4.04 **Posteromedial and Anteromedial Impingement** 충돌증후군

● Immature scar response and scarring of the anterior tibiotalar ligament

PTT
FDL
FHL
T2WI
FSPD

● Synovitis and protrusion of immature scar into the posteromedial gutter

동영상 QR코드

▶ 2-4.04

Posteromedial and Anteromedial Impingement

- Deltoid ligament가 손상을 받는다면 두 가지 impingement가 생길 수 있다.
- Anterior tibiotalar ligament (aTTL) injury 후에 immature scar 혹은 post traumatic synovitis가 전방으로 나오면 anteromedial impingement (orange circle)가 된다.
- 혹은 posterior tibiotalar ligament (pTTL)가 손상을 받게 되면 같은 원리로 posteromedial impingement (yellow circle)가 생긴다.
- (Fig. 2-4.04)에서는 anteromedial 및 posteromedial impingement가 모두 보이고 있다.

05

후방 충돌증후군
(Posterior Impingement)

Different names have been given to posterior ankle impingement syndrome, including the os trigonum syndrome, talar compression syndrome, and posterior block of the ankle (Fig. 2-5.01).

1. 후방 충돌증후군은 후방 족관절의 해부학적 요인이 원인이 되기 때문에 이를 이해할 필요가 있다(12).

후방 충돌증후군은 경골 및 종골 사이에서 거골과 주변 연조직이 압박되어 (nutcracker phenomenon) 증상을 유발하는 것을 말한다. 삼각골증후군 혹은 거골 압박증후군, 족관절의 후방차단이라고도 불린다(2) (4).

Fig. 2-5.01 Posterior Impingement (Posterior Ankle Pain) 충돌증후군

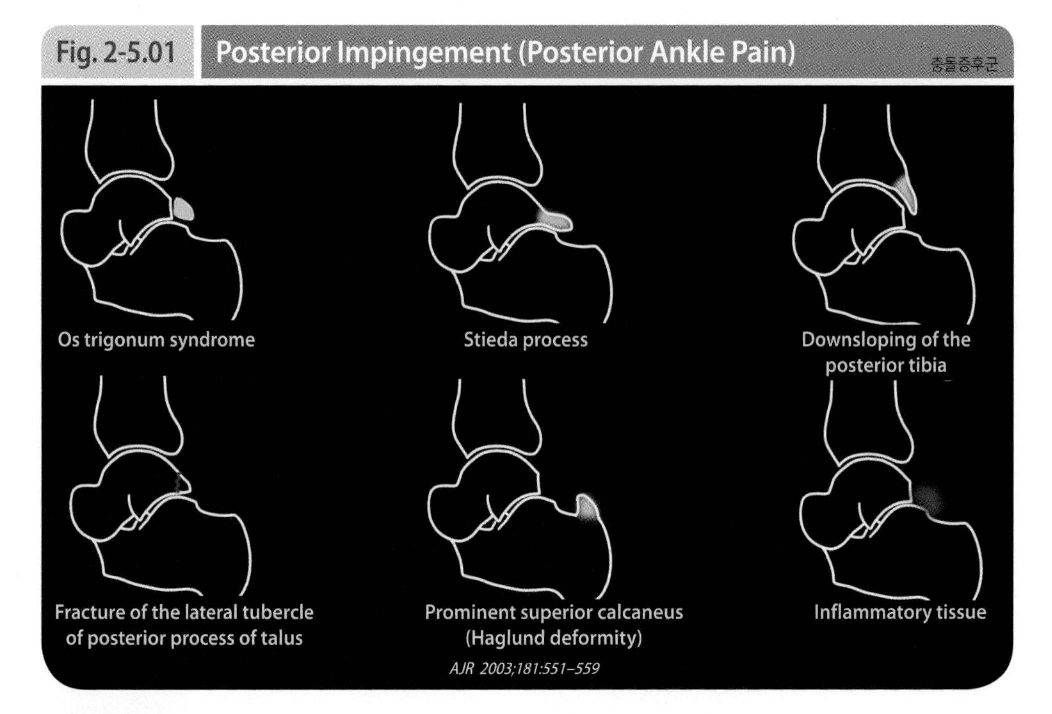

동영상 QR코드

▶ 2-5.01

Posterior Impingement (Posterior Ankle Pain)

- Posterior impingement는 발목 후방의 통증을 일으킨다.
- Tibia와 calcaneus 사이에 talus와 주변 soft tissue가 압박되어 증상이 생긴다. 가장 흔한 원인은 os trigonum이고, 돌출된 posterior tubercle (Stieda process)이나, downsloping of posterior tibia도 증상이 생길 수 있다.
- 그 외 발목 후방 통증을 일으킬 수 있는 것으로 talus의 posterior process 중 lateral tubercle의 골절이나, inflammatory tissue가 있다.
- Haglund deformity가 있어서 retrocalcaneal bursitis가 심하거나 인접한 구조물에 염증이 동반되면 posterior ankle pain의 원인이 된다.

a) Osseous Anatomic Structures

- 거골의 후외측은 인구의 7%에서 secondary ossification center가 융합되지 않고 삼각골(os trigonum)로 남게 된다(15).
- 거골의 돌출된 후방결절(Stieda 돌기), downward sloping posterior lip of the tibia, 커져 있는 종골(calcaneus)의 posterior process, 유리체 등이 후방 충돌증후군 원인이 된다(12).
- 삼각골이나 Stieda 돌기의 크기가 크다고 후방 충돌증후군이 더 심하게 생기는 것은 아니다(16).

b) Ligamentous Anatomic Structures (10) (Fig. 1-1.02~03) (Fig. 1-3.02) (Fig. 1-3.06~07)

- 원위경비인대 파트에서 더 자세히 소개하였으며, 4개의 구조물을 알아야한다.

  (1) 후하경비인대 Posterior inferior tibiofibular ligament (PITFL)

  (2) 하횡인대 Inferior transverse ligament (ITL)

  (3) 후과간인대 Posterior intermalleolar ligament (IML), also called tibial slip

  (4) 후거비인대 Posterior talofibular ligament (PTFL)

c) Imaging Findings of Osseous Causes (1) (Fig. 2-5.02~05)

- 증상이 있는 환자에게서 삼각골(os trigonum)이나 후방돌기(posterior process of talus) 내에 고신호강도, 연골연합(chondral synchondrosis) 혹은 거골의 후방, 관절막 주변으로 고신호강도의 부종이 보인다. 주변 soft tissue의 비후, 때때로 flexor hallucis longus tenosynovitis가 발생한다.
- 삼각골(os trigonum), 거골(talus)의 경화(sclerosis) 혹은 낭성변화(cystic change)가 보이거나, 인접한 활막염이 보일 수 있다.

- 연골연합은 FSPD 이미지 혹은 FS T2WI 에서 고신호강도로 보이고, 연골연합 주변으로 스트레스를 받게 되면 조금 더 고신호강도로 보인다.
- 삼각골과 인접한 거골 사이의 연골연합(chondral synchondrosis)에 만성적인 스트레스가 생기면 경화, 낭성변화가 생긴다. 미세외상으로 연골연합이 파열되면서 instability가 생기고 통증이 발생할 수 있다.
- 만약 fluid signal로 보일 정도의 고신호강도로 보인다면, 연골연합이 destabilization된 것이라 볼 수 있다.

- 거골이 외측결절에 급성 골절(Shepherd fracture) 혹은 불유합도 후방 충돌 증후군의 원인이 된다(17) (Fig. 2-5.06).

Fig. 2-5.02 **Posterior Impingement** 충돌증후군

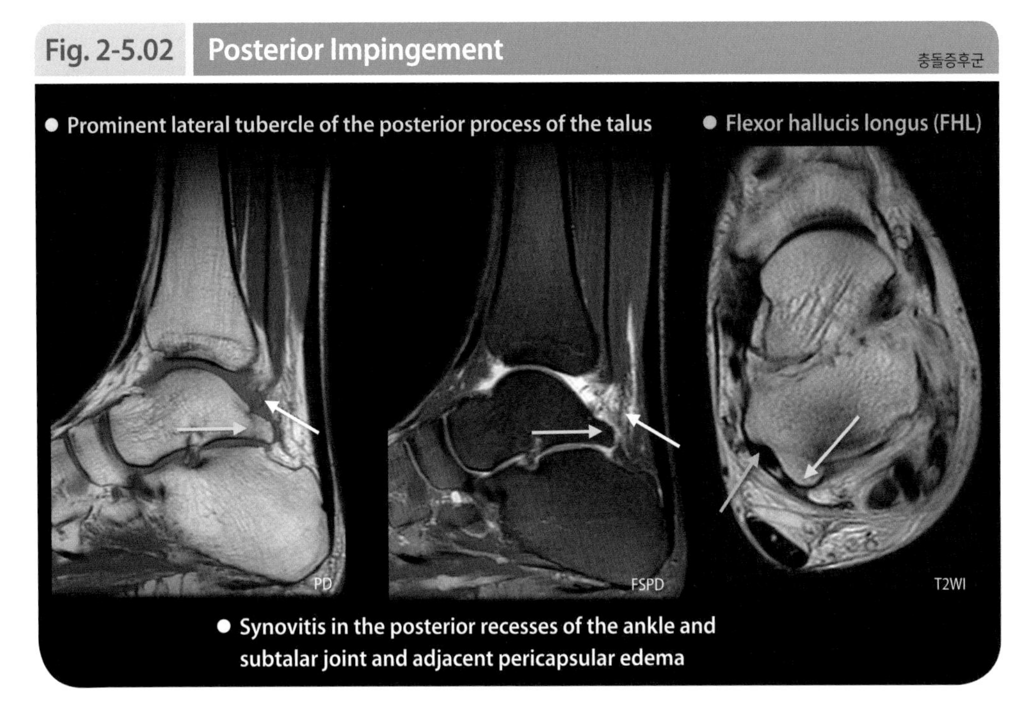

동영상 QR코드

▶ 2-5.02

Posterior Impingement

- Prominent lateral tubercle of the posterior process of the talus (yellow)에 의해서 posterior gutter에 nodular synovial hypertrophy 및 synovitis가 있고, pericapsular edema가 보인다. 이러한 후방 족관절의 해부학적인 요인에 의하여 충돌증후군이 생길 수 있다.

Fig. 2-5.03 **Posterior Impingement** 충돌증후군

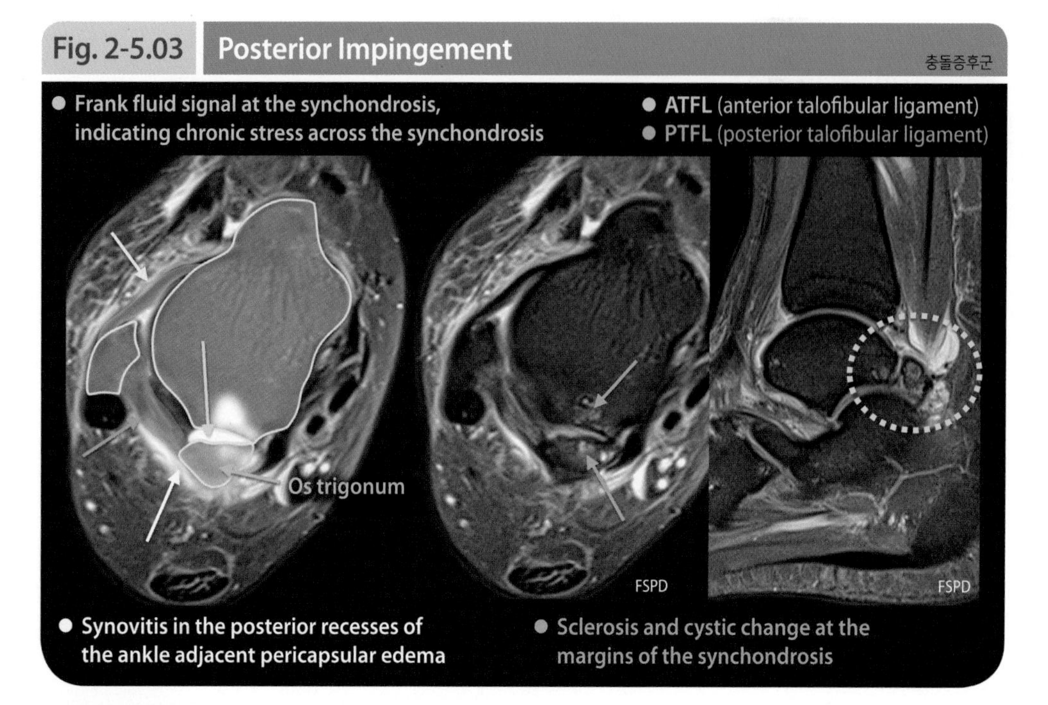

Frank fluid signal at the synchondrosis, indicating chronic stress across the synchondrosis
ATFL (anterior talofibular ligament)
PTFL (posterior talofibular ligament)
Os trigonum
FSPD
FSPD
Synovitis in the posterior recesses of the ankle adjacent pericapsular edema
Sclerosis and cystic change at the margins of the synchondrosis

동영상 QR코드

▶ 2-5.03

Posterior Impingement

- 커다란 os trigonum (blue)이 연골연합(chondral synchondrosis)을 통해 talus와 서로 연결된다. 여기에서 연골연합을 따라 subcortical sclerosis 및 cystic change가 보인다.
- 미세외상과 chronic stress를 받으면 os trigonum의 연골연합이 파열되어 fluid와 같은 고신호강도를 보이게 된다. 연골연합은 비교적 고신호강도이지만 destabilization이 될 수록 정상적인 연골연합보다 더 고신호강도의 fluid signal (T2WI, FSPD에서 고신호, T1WI에서 저신호)을 보이게 된다. 여기에서도 연골연합이(yellow arrow) 물과 같은 고신호강도를 보이고 있다.
- Fluid 정도로 신호강도가 증가하였는지를 판단할 때 인접한 joint effusion의 신호강도와 비교하면 쉽다(하지만 chronic synovitis의 경우 T2WI, FSPD에서 신호강도가 감소한다).
- Posterior impingement 증상이 있는 경우 os trigonum과 그와 인접한 talus는 bone marrow edema 및 cystic change가 보이고(orange circle), 주변 soft tissue의 비후 및 부종, 때때로 flexor hallucis longus tenosynovitis가 발생한다.

Fig. 2-5.04 Posterior Impingement 충돌증후군

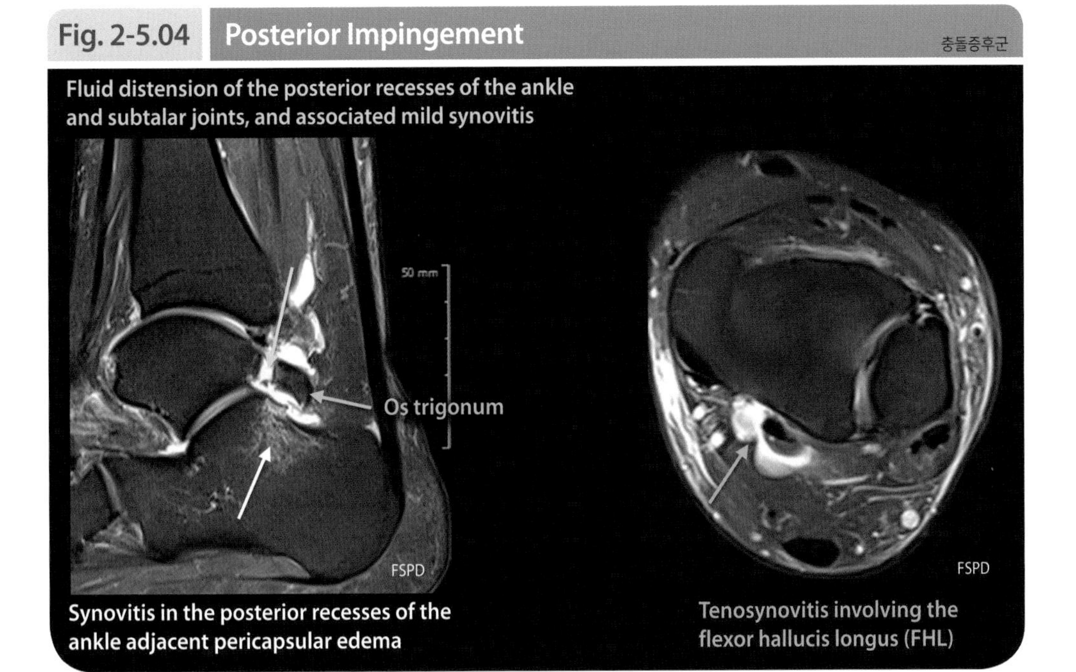

Fluid distension of the posterior recesses of the ankle and subtalar joints, and associated mild synovitis
50 mm
Os trigonum
FSPD
FSPD
Synovitis in the posterior recesses of the ankle adjacent pericapsular edema
Tenosynovitis involving the flexor hallucis longus (FHL)

동영상 QR코드

▶ 2-5.04

Posterior Impingement

- 커다란 os trigonum (blue arrow)이 있고 연골연합(chondral synchondrosis)은 미세외상과 chronic stress로 파열이 되어 fluid와 같은 고신호강도(yellow arrow)를 보이고 있다.
- Ankle joint의 anterior recess에 비하여 posterior gutter에 joint effusion의 양이 많다.
- 일반적으로 tibiotalar joint effusion이 있으면 flexor hallucis longus (FHL) tendon sheath가 joint space와 연결되어 있어 fluid가 어느 정도 보일 수 있다. (Fig. 2-5.04)에서는 joint effusion 양에 비하여 FHL tendon sheath 내에 fluid 양이 많고, 내부에 일부 저신호강도도 보이고 있어서 FHL tenosynovitis임을 알 수 있다.
- Os trigonum이나 talus에는 bone marrow edema는 없으나 os trigonum과 인접한 superior calcaneus (white arrow)에 bone marrow edema가 있다. Posterior impingement에서 posterior osseous structure에 bone marrow edema를 보이거나 관절막 주변으로 고신호강도의 edema가 보인다면 증상이 있을 거라고 예상할 수 있다.

Fig. 2-5.05 Posterior Impingement 충돌증후군

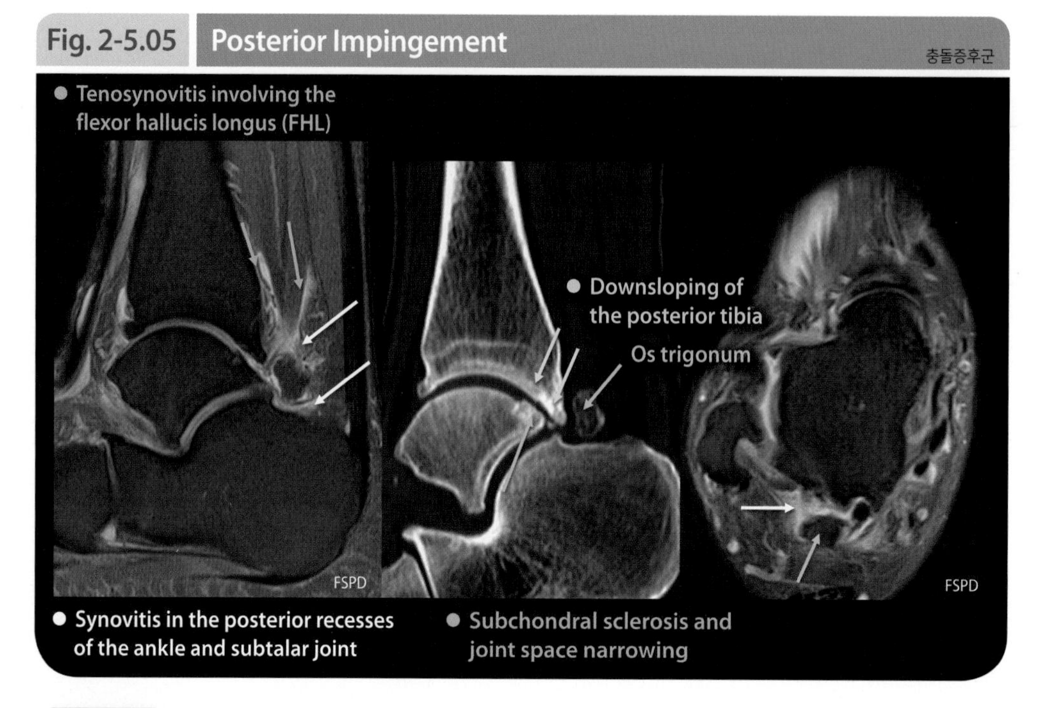

동영상 QR코드

▶ 2-5.05

Posterior Impingement

- Os trigonum (blue)과 더불어 downsloping posterior tibia (yellow)가 있으며 posterior tibiotalar joint space가 약간 좁아지면서 subchondral sclerosis (green)도 있다. 이러한 posterior osseous structure를 보인다면 plantar flexion 시에 impingement가 될 것이라고 예상할 수 있다.
- Os trigonum과 talus에 bone marrow edema나 subcortical cysts 등의 소견은 없으나 그 주변으로 soft tissue edema, 약간 flexor hallucis longus (FHL) tenosynovitis (orange)가 있어 발목 후방 통증이나, posterior impingement로 인하여 증상이 있을 것으로 생각된다.

Fig. 2-5.06 **Fracture of the Os Trigonum** 충돌증후군

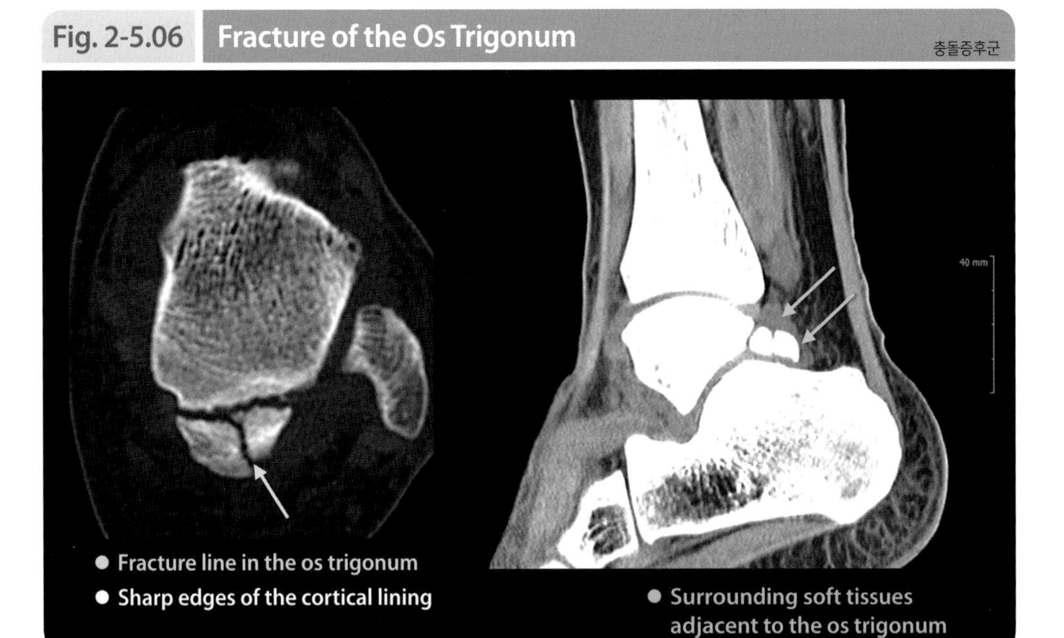

동영상 QR코드

▶ 2-5.06

Fracture of the Os Trigonum

- 거골 외측결절(lateral tubercle of posterior process of talus)에 골절(shepherd fracture) 혹은 nonunion도 후방 충돌증후군의 원인이 될 수 있다.
- (Fig. 2-5.06)에서 커다란 os trigonum에 sharp edge (orange)를 보이는 fracture가 있다.
- MRI에서 더 잘 보이겠지만 CT scan에서도 fracture를 보이는 os trigonum 주변으로 soft tissue density (green)가 보여 soft tissue edema가 동반되었을 가능성이 있어 증상이 있을거라 예상된다.

d) Imaging findings of ligamentous causes (18) (Fig. 2-5.07)

- Ligamentous anatomical structures에 의해서도 충돌증후군이 생길 수 있다.
- Posterior ankle에 여러 종류의 ligaments가 있고, 근위부부터 PITFL (posterior inferior tibiofibular ligament), ITL (inferior transverse ligament), IML (posterior intermalleolar ligament), PTFL (posterior talofibular ligament)이 있다(Fig. 1-3.06~07).
- 위로 posterior syndesmosis, 아래로 PTFL (posterior talofibular ligament) 사이에서 발목 후방의 외측을 따라 impingement가 발생할 수 있으며, soft tissue posterior impingement 혹은 posterolateral impingement라고 세분화하기도 한다(9).

- PITFL, PTFL, posterior intermalleolar ligament의 비후, myxoid change나 ganglion cyst 등으로 인하여 충돌이 발생한다.
- Posterior ligament를 둘러싼 불균일한 fluid와 synovium, 두꺼워진 capsule, 섬유화, 골막염, posterior ligament 내의 고신호강도 등이 보인다(9).
- 독립적으로 장족무지굴건(flexor hallucis longus tendon)의 건초염이 발생한다.

Fig. 2-5.07 Posterior Impingement

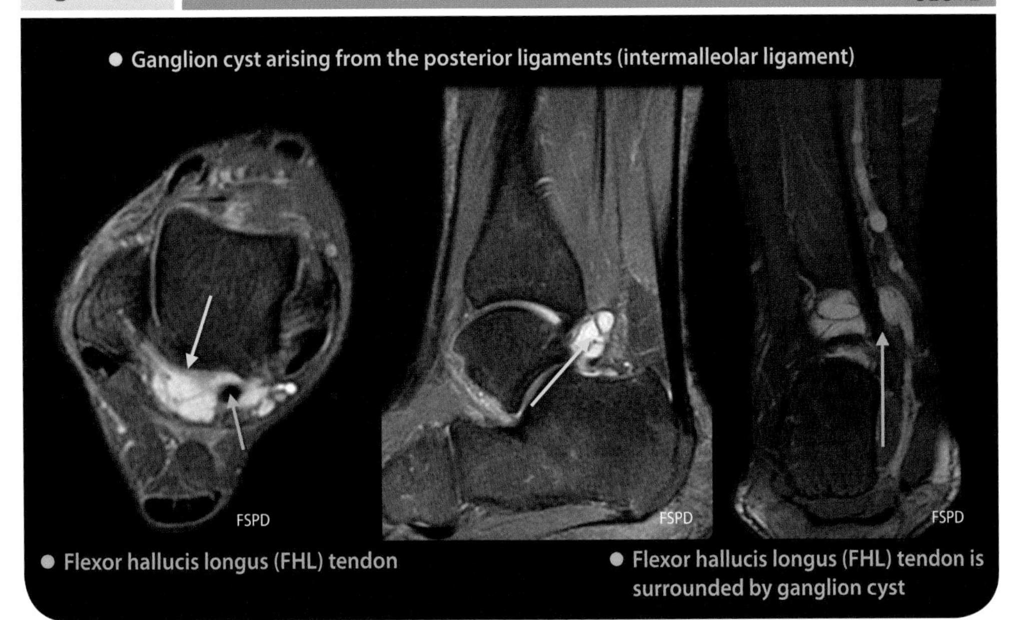

동영상 QR코드

▶ 2-5.07

Posterior Impingement

- 후방 충돌증후군의 가장 흔한 원인은 os trigonum과 같은 osseous structure다.
- 하지만 soft tissue 역시 posterior impingement를 일으킬 수 있다.
- 이 case에서 inferior transverse ligament (ITL), posterior intermalleolar ligament (IML), posterior talofibular ligament (PTFL) 후방에 multilcoulated cyst가 보인다. 이 ganglion cyst가 flexor hallucis longus tendon을 일부 에워싸고 있어 posterior impingement가 생길 수 있다.
- Posterior ankle에서 보이는 ligaments는 axial image (Fig. 1-3.05), sagittal image (Fig. 1-3.07)과 함께 coronal image (Fig. 1-3.06)에서 정상 구조물을 알아보자.

06

외측 관절외 충돌증후군
(Talocalcaneal and Subfibular Impingement)

Extraarticular lateral hindfoot impingement is associated with advanced posterior tibial tendon tears and increased MRI hindfoot valgus angle.

1. 관절외 충돌증후군이 족관절의 외측에 발생할 수 있으며, 거종골충돌(talocalcaneal impingement)과 비골하충돌(subfibular impingement)이 있다(19) (Fig. 2-6.01).

a) 외측 관절외 충돌증후군(Fig. 2-6.02~03)

- 외측 관절외 충돌증후군은 후방 거골하 관절(posterior subtalar joint), 족근동(sinus tarsi)의 후외측, 외측과(lateral malleolus) 사이에 발생한다.
- 외측 관절외 충돌증후군은 후경골건(posterior tibial tendon)의 기능이상을

포함한 다양한 원인에 의해 생긴 편평족(flatfoot), 후족의 외반변형(hindfoot valgus deformity)과 관련된다(18).

- 후족의 외반변형이 심할수록 종골과 비골이 더 접촉하게 된다.
  - 이런 비정상적인 접촉으로 관절염과 비골에 골미란이 생기고 외측 족근동(sinus tarsi)에 통증이 생기게 된다(19).

- 후경골건(PTT)의 기능이상 뿐 아니라 accessory anterolateral talar facet도 외측 관절외 충돌증후군의 원인이 된다(Fig. 2-6.03).
  - Accessory anterolateral talar facet은 비교적 흔하지만 편평족, 후족의 외반변형과 더불어 subtalar eversion 시에 충돌증후군이 생길 수 있다(10).

Fig. 2-6.01 Lateral Hindfoot Impingement

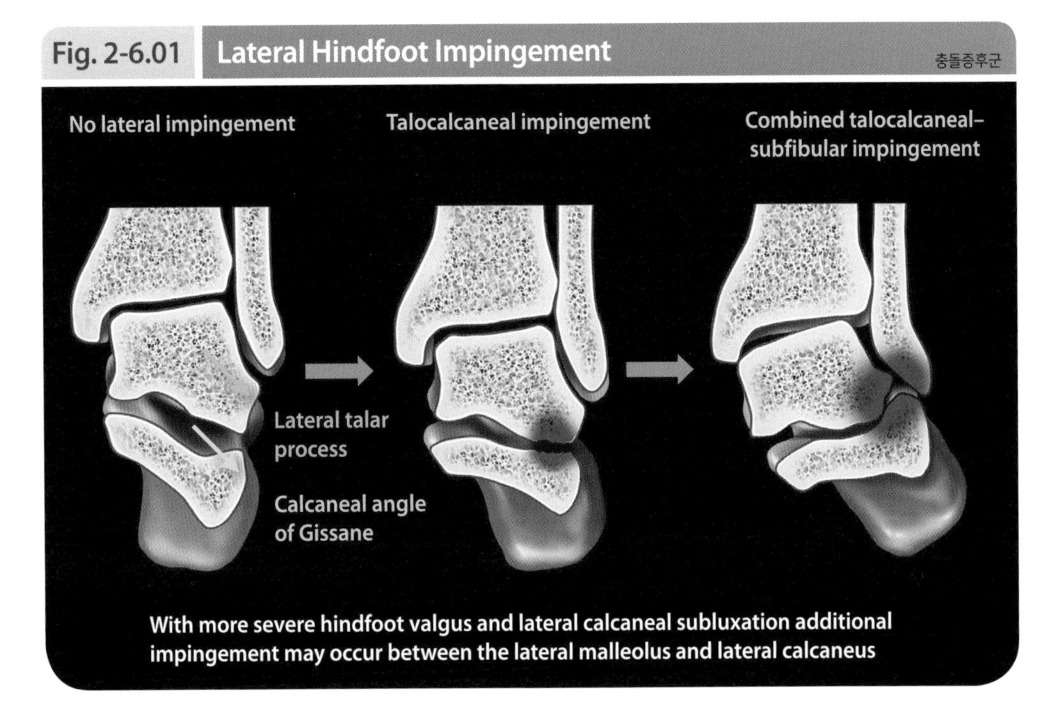

충돌증후군
No lateral impingement
Talocalcaneal impingement
Combined talocalcaneal-subfibular impingement
Lateral talar process
Calcaneal angle of Gissane
With more severe hindfoot valgus and lateral calcaneal subluxation additional impingement may occur between the lateral malleolus and lateral calcaneus

동영상 QR코드

▶ 2-6.01

Lateral Hindfoot Impingement

- 3개 이미지 모두 posterior subtalar joint의 바로 앞의 level에서 얻은 coronal image이다.
- (왼쪽 이미지) 정상 coronal image에서는 hindfoot valgus angle이 6도 이하이며, lateral talar process와 calcaneal angle of Gissane 사이에 정상적인 공간이 있다(Fig. 2-6.04).
- (중앙 이미지) Hindfoot valgus가 되면 lateral talus와 calcaneus가 서로 만나게 되어 talocalcaneal impingement가 생긴다.
- (오른쪽 이미지) Hindfoot valgus가 더 진행되면 fibula와 calcaneus도 abnormal contact을 하여 talocalcaneal impingement와 더불어 subfibular impingement가 생긴다.

Fig. 2-6.02 Lateral Hindfoot Impingement

충돌증후군

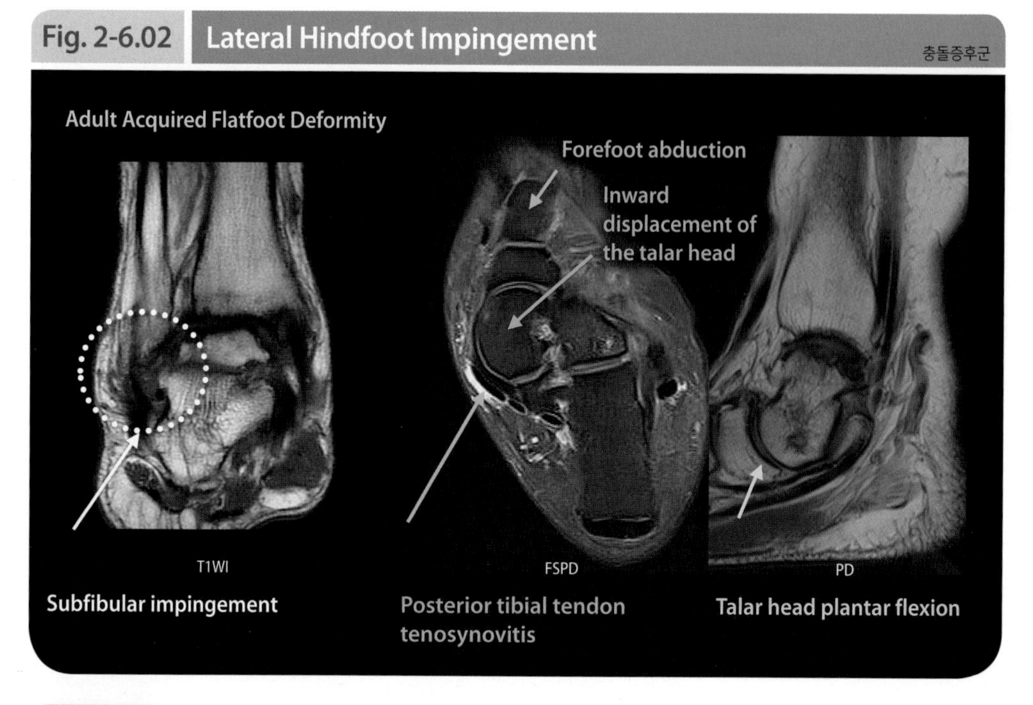

동영상 QR코드

▶ 2-6.02

Lateral Hindfoot Impingement

- Adult acquired flatfoot deformity에서는 posterior tibial tendon의 기능이상으로 medial longitudinal arch가 유지되지 못하여 navicular bone이 외측으로 이동하면서 talus가 노출되고, talar head가 inferomedial migration된다.
- Adult acquired flatfoot deformity에서 보이는 그 외 소견으로, spring ligament injury, sinus tarsi syndrome, plantar fasciitis, deltoid ligament failure, 그리고 talocalcaneal impingement, subfibular impingement (white circle)가 있다.
- 이 case에서도 hindfoot valgus로 인하여 lateral malleolus와 calcaneus 사이의 공간이 좁아지고, subfibular area에 T1WI에서 저신호강도의 edema가 보이고 있어 subfibular impingement가 생긴 것을 알 수 있다.

Fig. 2-6.03 Lateral Hindfoot Impingement 충돌증후군

- Adult Acquired Flatfoot Deformity
- Characteristic bone marrow edema at the inferior apex of the lateral talar process as well as at the subjacent angle of Gissane
- Accessory anterolateral talar facet

PD T1WI FSPD

- Cortical remodeling with bone loss and "neofacet" formation at both the lateral talar process and the calcaneus, as well as subcortical sclerosis

동영상 QR코드

▶ 2-6.03

Lateral Hindfoot Impingement

- Adult acquired flatfoot deformity에서 hindfoot valgus deformity로 lateral talar process의 inferior apex가 그와 마주하는 calcaneal angle of Gissane과 abnormal contact을 하게 된다. 이런 변화와 함께 subchondral sclerosis, edema와 cortical bone remodeling이 보인다.
- Hindfoot valgus가 되면 lateral talus와 calcaneus가 서로 가깝게 위치하게 되어 talocalcaneal impingement가 생기게 된다.
- 그와 동시에 large accessory anterolateral talar facet (green arrow)도 보인다.

b) 관절외 외측 충돌증후군

(Extra–articular Lateral Hindfoot Impingement Syndrome)

- 가장 흔한 MRI 소견은 외측 거골에 부종과 낭성변화이다.
- Subcortical bone marrow edema는 특징적으로 거골의 외측돌기(lateral talar process), 그리고 바로 인접한 종골(apex of the angle of Gissane)에 발생한다(19).
- 추가적으로 비골과 종골 사이 지방이나, 종비인대(calcaneofibular ligament)도 충돌(entrapment)될 수 있다.
- 점차 더 진행하면 종골과 비골 사이 충돌이 더 발생하여 이 둘 사이의 bony contours가 변하여 "calcaneofibular neofacet"을 형성하게 된다(19).
- 외측 충돌증후군이 심해지면 비골건의 아탈구/탈구도 생길 수 있다(Fig. 2-6.04~05).

Fig. 2-6.04 **Subfibular Impingement** 충돌증후군

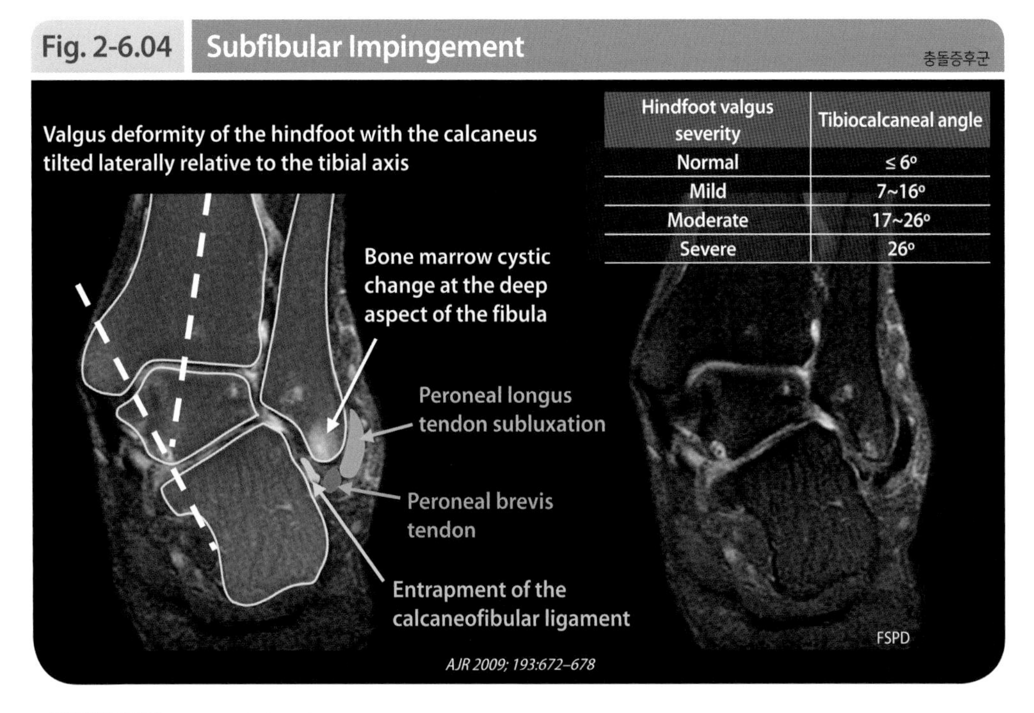

Hindfoot valgus severity	Tibiocalcaneal angle
Normal	≤ 6°
Mild	7~16°
Moderate	17~26°
Severe	26°

AJR 2009; 193:672–678

동영상 QR코드

▶ 2-6.04

Subfibular Impingement

- Hindfoot valgus angle은 medial calcaneal wall을 따라 얻은 선과, tibia의 longitudinal axis에 평행한 선 사이 각도를 의미한다.
- Tibiocalcaneal angle이 7도 이상이면 hindfoot valgus가 있다고 할 수 있다.
- Hindfoot valgus로 calcaneus와 fibula가 abnormal contact하면서 subfibular impingement를 보여준다.
- Lateral calcaneus에 위치한 정상적인 구조물인 calcaneofibular ligament (yellow)가 사이에 끼어 있고, peroneus longus tendon (blue)은 subluxation 되었다.

Fig. 2-6.05 Subfibular Impingement

충돌증후군

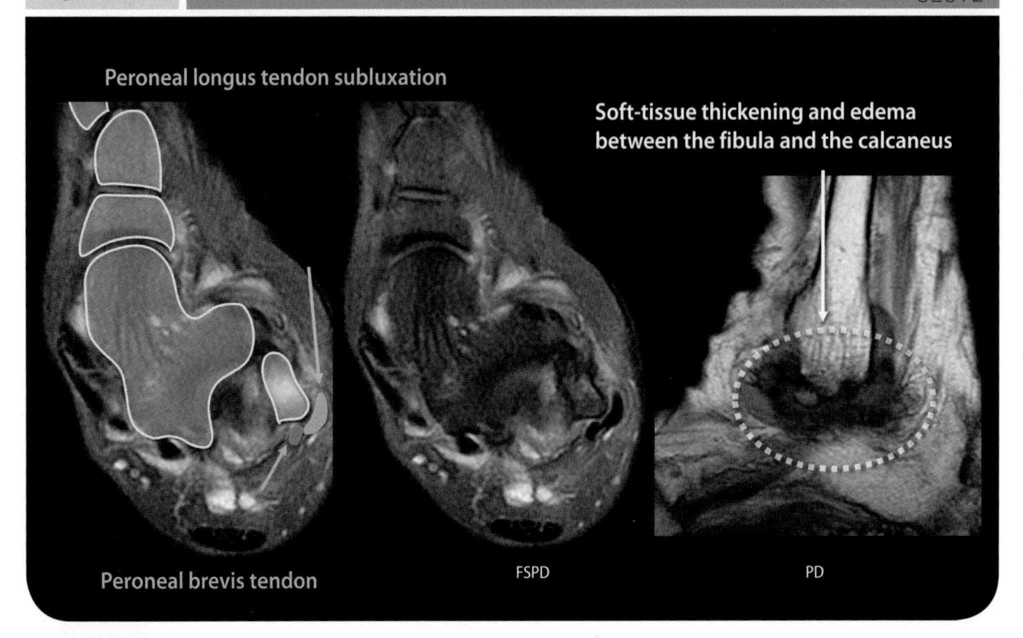

동영상 QR코드

▶ 2-6.05

Subfibular Impingement

- (Fig. 2-6.04)와 같은 환자이다.
- (Fig. 2-6.04) coronal image에서는 hindfoot valgus severity를 평가할 수 있으며(tibiocalcaneal angle 측정하기), impingement로 인하여 subcortical bone marrow edema/sclerosis, bone remodeling, cystic change, impingement된 CFL (calcaneofibular ligament)이 잘 보인다.
- (Fig. 2-6.05) axial image에서는 fibular와 calcaneus 사이 공간이 좁아져서 calcaneus의 외측에 있는 구조물인 peroneus longus tendon이 전방으로 subluxation된 것이 잘 보인다. Sagittal image에서는 subfibular area에 정상적인 고신호강도의 fat이 소실되어 PD 이미지에서 저신호강도로 보인다(white circle).

참고문헌

1. "Dimmick S, Linklater J. Ankle impingement syndromes. Radiol Clin North Am. 2013 May;51(3):479-510. doi: 10.1016/j.rcl.2012.11.005. Epub 2013 Feb 27. PMID: 23622095."
2. "Robinson P, White LM. Soft-tissue and osseous impingement syndromes of the ankle: role of imaging in diagnosis and management. Radiographics. 2002 Nov-Dec;22(6):1457-69; discussion 1470-1. doi: 10.1148/rg.226025034. PMID: 12432115."
3. "Bassett FH 3rd, Gates HS 3rd, Billys JB, Morris HB, Nikolaou PK. Talar impingement by the anteroinferior tibiofibular ligament. A cause of chronic pain in the ankle after inversion sprain. J Bone Joint Surg Am. 1990 Jan;72(1):55-9. PMID: 2295673."
4. "강홍식, 홍성환, 강창호. 근골격 영상의학. "근골격 영상의학: 범문에듀케이션, 2013년."
5. "van den Bekerom MP, Raven EE. The distal fascicle of the anterior inferior tibiofibular ligament as a cause of tibiotalar impingement syndrome: a current concepts review. Knee Surg Sports Traumatol Arthrosc. 2007 Apr;15(4):465-71. doi: 10.1007/s00167-006-."
6. "WOLIN I, GLASSMAN F, SIDEMAN S, LEVINTHAL DH. Internal derangement of the talofibular component of the ankle. Surg Gynecol Obstet. 1950 Aug;91(2):193-200. PMID: 15442838."
7. "Ray RG, Kriz BM. Anterior inferior tibiofibular ligament. Variations and relationship to the talus. J Am Podiatr Med Assoc. 1991 Sep;81(9):479-85. doi: 10.7547/87507315-81-9-479. PMID: 1748963."
8. "Odak S, Ahluwalia R, Shivarathre DG, Mahmood A, Blucher N, Hennessy M, Platt S. Arthroscopic Evaluation of Impingement and Osteochondral Lesions in Chronic Lateral Ankle Instability. Foot Ankle Int. 2015 Sep;36(9):1045-9. doi: 10.1177/1071100715585525. Ep."
9. "근골격영상의학 2판 홍성환, 차장규, 채지원 공저, 범문에듀케이션, 2020년."
10. "Berman Z, Tafur M, Ahmed SS, Huang BK, Chang EY. Ankle impingement syndromes: an imaging review. Br J Radiol. 2017 Feb;90(1070):20160735. doi: 10.1259/bjr.20160735. Epub 2016 Nov 25. PMID: 27885856; PMCID: PMC5685116."
11. "Datir A, Connell D. Imaging of impingement lesions in the ankle. Top Magn Reson Imaging. 2010 Feb;21(1):15-23. doi: 10.1097/RMR.0b013e31820ef46b. PMID: 21317565."
12. "Cerezal L, Abascal F, Canga A, Pereda T, García-Valtuille R, Pérez-Carro L, Cruz A. MR imaging of ankle impingement syndromes. AJR Am J Roentgenol. 2003 Aug;181(2):551-9. doi: 10.2214/ajr.181.2.1810551. PMID: 12876046."
13. "Linklater J. MR imaging of ankle impingement lesions. Magn Reson Imaging Clin N Am. 2009 Nov;17(4):775-800, vii-viii. doi: 10.1016/j.mric.2009.06.006. PMID: 19887302."
14. "Messiou C, Robinson P, O'Connor PJ, Grainger A. Subacute posteromedial impingement of the ankle in athletes: MR imaging evaluation and ultrasound guided therapy. Skeletal Radiol. 2006 Feb;35(2):88-94. doi: 10.1007/s00256-005-0049-1. Epub 2005 Dec 15. PMID."
15. "Quirk R. Common foot and ankle injuries in dance. Orthop Clin North Am. 1994 Jan;25(1):123-33. PMID: 7904737."
16. "Hamilton WG, Geppert MJ, Thompson FM. Pain in the posterior aspect of the ankle in dancers. Differential diagnosis and operative treatment. J Bone Joint Surg Am. 1996 Oct;78(10):1491-500. doi: 10.2106/00004623-199610000-00006. PMID: 8876576."

17. "van Dijk CN, Lim LS, Poortman A, Strübbe EH, Marti RK. Degenerative joint disease in female ballet dancers. Am J Sports Med. 1995 May-Jun;23(3):295-300. doi: 10.1177/036354659502300307. PMID: 7661255."
18. "Donovan A, Rosenberg ZS. MRI of ankle and lateral hindfoot impingement syndromes. AJR Am J Roentgenol. 2010 Sep;195(3):595-604. doi: 10.2214/AJR.09.4199. PMID: 20729435."
19. "Donovan A, Rosenberg ZS. Extraarticular lateral hindfoot impingement with posterior tibial tendon tear: MRI correlation. AJR Am J Roentgenol. 2009 Sep;193(3):672-8. doi: 10.2214/AJR.08.2215. PMID: 19696280."

건 이상
(Tendon Abnormalities)

1. 후경골건 (Posterior Tibial Tendon)
2. 부주상골 (Accessory Navicular Bone)
3. 후천적 성인 편평족 (Adult Acquired Flatfoot Deformity)
4. 비골건 (Peroneal Tendons)
5. 상비골지지띠 (Superior Peroneal Retinaculum)
6. 아킬레스건 (Achilles Tendon)
7. 장족무지굴건 (Flexor Hallucis Longus Tendon)
8. 전경골건 (Tibialis Anterior Tendon)
9. 장족무지신건/장지신건 (EHL and EDL Tendons)
10. Terminology

01

후경골건
(Posterior Tibial Tendon)

Tibialis posterior dysfunction is mostly affecting middle–aged and elderly females and can progress to adult acquired flatfoot disease.

1. 후경골건은 발의 내측 활(longitudinal arch of the foot)을 유지하고 내측 족관절(dynamic stabilizer of the medial ankle)을 안정화시키는 역할을 한다.

a) Anatomy of Posterior Tibial Tendon (Fig. 3-1.01~03)

- 후경골근은 종아리 중심의 가장 깊은 곳에 위치하는 근육으로 경골, 비골, interosseous membrane에서 기시한다.
- Posterior tibial tendon은 내측과(medial malleolus)의 retromalleolar groove

를 따라 주행하여 발목 터널(tarsal tunnel)안으로 들어가고, 굽힘근지지띠(flexor retinaculum)에 의해 지지된다(1).

- Posterior tibial tendon은 주상골(navicular) 내측에 주로 부착하고, 나머지는 중간 및 외측 설상골(second and third cuneiforms), 입방골(cuboid), 2~4번째 중족골 저부(bases of the second to fourth metatarsals)에 부착한다(2).

- 정상 posterior tibial tendon은 족관절 내측에 위치한 3개의 굴건 중에 가장 크고, 가장 내측에 위치한다.
- Ovoid 모양을 하며 7~11 mm 직경을 보이고, 인접한 장지굴건(flexor digitorum longus tendon)의 직경보다 1.5~2배 정도 크다(3).
- 정상 posterior tibial tendon은 MRI 모든 시퀀스에서 균등하게 저신호강도를 보이지만 마술각 효과 때문에 족관절을 돌아가는 부위를 보면 에코시간이 짧은 영상에서 신호강도가 올라가기도 한다(4) (Fig. 3-4.06).

- 균일한 저신호강도의 posterior tibial tendon은 주상골 부착 2~3 cm 상방부터 건이 넓어지고 주상골 주변의 결합조직과 합쳐지면서(broadening and interposing of connective tissue) 불균일한 신호강도를 보이게 되는데 정상소견이다(1).
- 원위부에는 tendon sheath가 없으므로 원위부의 tendon 주위에 증가된 신호강도가 보이면 비정상이다.
- 내측과(medial malleolus) 뒤에서 posterior tibial tendon은 1~2 cm정도 혈관문합(anastomosis)이 적은 avascular segment가 있다(5).

Fig. 3-1.01 Posterior Tibial Tendon 건 이상

Posterior tibial tendon
Posterior tibial tendon
Navicular
Medial cuneiform
FSPD
Navicular
Head of Talus
Spring ligament
Flexor digitorum longus
Flexor hallucis longus

동영상 QR코드

▶ 3-1.01

Posterior Tibial Tendon (PTT)

- Posterior tibial tendon (PTT)은 retromalleolar groove를 따라 내려와서 navicular에 주로 insertion을 하고 일부 slip들은 발바닥으로 간다(Fig. 3-1.02).
- (중앙 이미지) Aagittal image에서 PTT는 navicular 부착 근처에 tendon이 넓어지고 불균일한 신호강도를 보이는데 이를 tendinosis와 같은 병변으로 오인하면 안 된다.
- (오른쪽 이미지) Axial image에서 PTT (yellow)는 3개의 flexor tendons 중에 가장 앞에 있으며, 바로 뒤에 있는 flexor digitorum longus tendon (blue)보다 1.5~2배 가량 크다. 가장 posterior aspect에 flexor hallucis longus tendon (green)이 있다.
- PTT보다 바로 깊은 곳에 spring ligament 중에 superomedial component (SM-CNL, calcaneonavicular ligament, orange)도 보인다.

Fig. 3-1.02 **Posterior Tibial Tendon**

건 이상

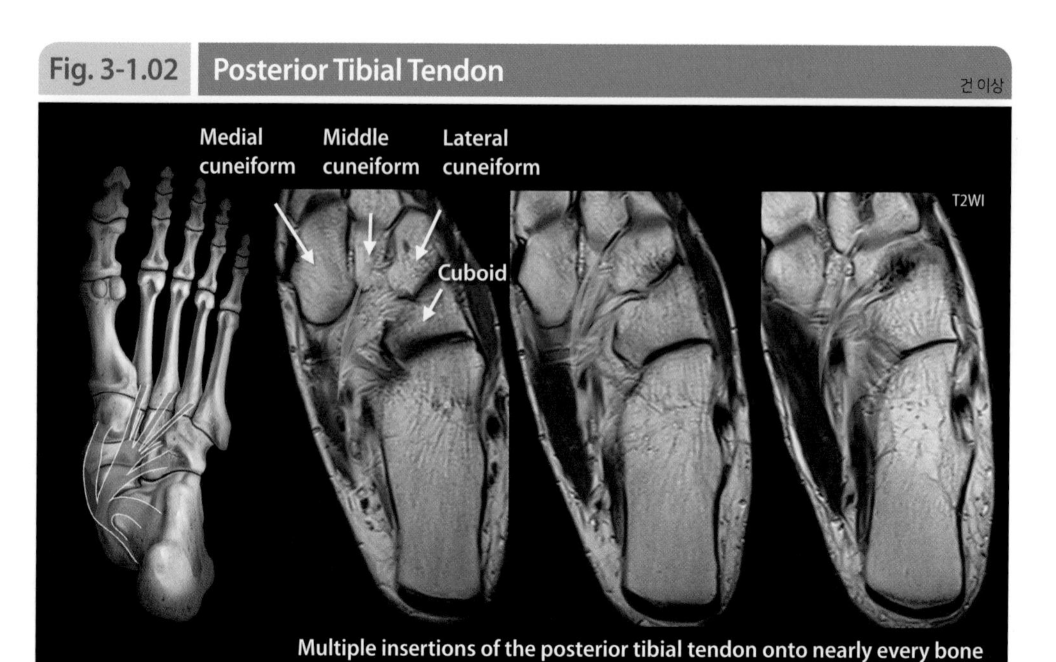

Multiple insertions of the posterior tibial tendon onto nearly every bone in the hindfoot and midfoot except the talus

동영상 QR코드

▶ 3-1.02

Posterior Tibial Tendon

- Posterior tibial tendon (yellow)이 주로 navicular의 medial aspect에 부착하고 변이가 있지만 작은 slip들은 talus를 제외한 거의 모든 midfoot, hindfoot에 부착한다.
- 왼쪽 그림은 발바닥에서 본 이미지다.

Fig. 3-1.03 **Posterior Tibial Tendon** 건 이상

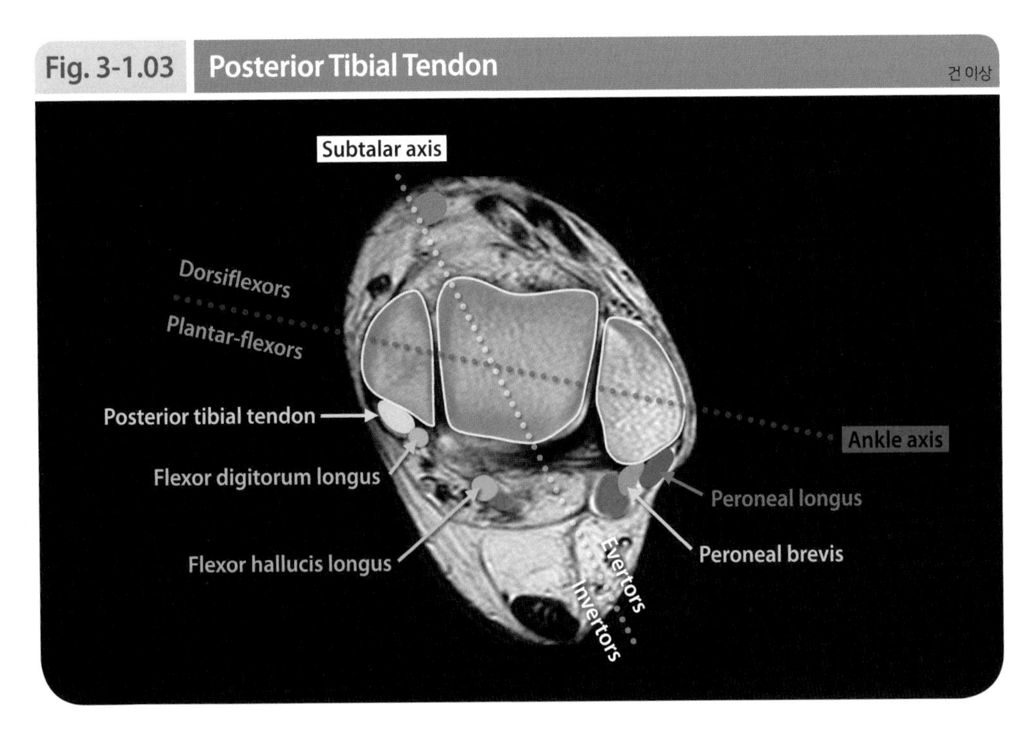

동영상 QR코드

▶ 3-1.03

Posterior Tibial Tendon

- Ankle axis를 기준으로 anterior aspect에 있는 tendon들은 dorsiflexors이며, posterior aspect는 plantar flexors이다. Subtalar axis를 기준으로 medial aspect에 있으면 invertors이며, lateral aspect에 있으면 evertors이다. (Fig. 3-10.01~03)을 참고하자.
- Posterior tibial muscle은 foot과 ankle의 가장 강한 invertor이고, plantar flexor이며, medial longitudinal arch를 support 한다.

2. Posterior tibial tendon 기능이상은 만성 내측 발목통증의 원인 중 하나이고 가장 흔한 원인은 만성 변성이다.

a) Posterior Tibial Tendon Abnormalities

- 만성 변성, 파열은 중년 여자에서 흔하며, 편평족 변형을 보이고, 통증, 종창, 압통을 동반한다.
- 만성염증질환, 류마티스 관절염, 혈청반응음성 척추관절병(seronegative spondyloarthropathy), 감염과 같은 전신장애, 비만, 당뇨, 스테로이드 사용 등과 관련이 있다(1).
- 보통 내측과(medial malleolus) 후방에 병변이 생기는데 이 부위에서 기계적인 자극이 가장 많이 일어나고, 내측과 직하부가 혈관분포가 가장 적기 때문이다.

- Posterior tibial tendon 변성으로 건증, 건초염, 파열이 생기게 된다.
  - Posterior tibial tendon 건증(tendinosis)에서는 건이 두꺼워지면서 건 내부가 불균일하게 신호강도가 증가하게 되지만 그렇다고 물과 같은 신호강도까지 증가되진 않는다(Fig. 3-1.05).
  - 건초염에서 건 주변으로 액체/활막염이 보이며 건초가 두꺼워지기도 하고 주변으로 부종이 보이기도 한다(6).
  - 아급성-만성 건초염에서 활막 비후(synovial hypertrophy), proliferation, 섬유화가 생기게 되고 초음파나 MRI에서 건 주변으로 두꺼워진 활막, 선상 격막, 국소적으로 액체 저류(thickened synovium with linear septations and /or loculations surrounding the tendons)를 볼 수 있다(Fig. 3-1.05).
  - Posterior tibial tendon은 정상에서도 소량의 물이 건초 내에 보일 수 있다.

  - 건초는 주상골 부착 1~2 cm에서는 없기 때문에 부착 부위의 액체는 항상 비정상이다. 그리고 이때는 건초염이 아니라 건주위염(paratenonitis)이다(7) (8).

- Posterior tibial tendon 손상이 진행되면 스프링인대, 족근동(sinus tarsi)에 이상이 잘 생기며, 족저근막(plantar fascia)에도 이상이 생길 수 있다(9).

- 드물게 굽힘근지지띠(flexor retinaculum)가 벗겨지면서(stripping or avulsion) posterior tibial tendon이 내측 전방으로 탈구되기도 한다(10) (Fig. 3-1.04).

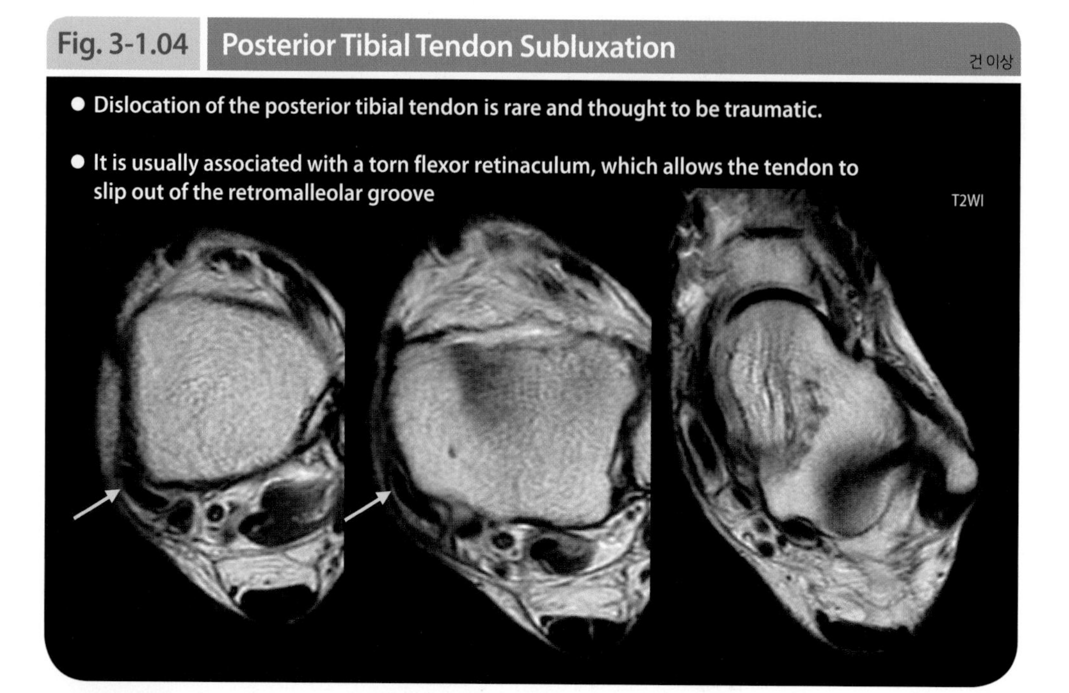

Fig. 3-1.04
Posterior Tibial Tendon Subluxation
건 이상
● Dislocation of the posterior tibial tendon is rare and thought to be traumatic.
● It is usually associated with a torn flexor retinaculum, which allows the tendon to slip out of the retromalleolar groove
T2WI

동영상 QR코드

▶ 3-1.04

Posterior Tibial Tendon Subluxation

- Posterior tibial tendon (PTT, arrows)이 retromalleolar groove에서 전방으로 subluxation되어 있고 tenosynovitis가 있다.
- 이런 소견은 flexor retinaculum의 injury와 연관이 있다.
- Flexor retinaculum의 anatomy는 1단원 지지띠(retinacula)에서 다루며, (Fig. 1-8.01) (Fig. 1-8.03~04)를 참고하자.
- Superficial deltoid ligament, medial malleolus의 periosteum, flexor retinaculum은 서로 연결되어 있는데 이를 fascial sleeve of the medial malleolus라고 부른다(Fig. 1-2.14). 이러한 PTT 주변 구조물의 anatomy를 참고하자.

Fig. 3-1.05 **Posterior Tibial Tendon Tenosynovitis** 건 이상

Thickened synovium with ill-defined intermediate signal intensity foci and linear septations and loculations surrounding the tendons

FSPD T2WI T2WI

Posterior tibial tendon Flexor digitorum longus Flexor hallucis longus

동영상 QR코드

▶ 3-1.05

Posterior Tibial Tendon Tenosynovitis

- Posterior tibial tendon (PTT, yellow), flexor digitorum longus (FDL, blue), flexor hallucis longus (FHL, green)에 tenosynovitis가 있으며, 그 안에 저신호강도의 septation과 ill-defined intermediate signal intensity foci가 있고 일부 fluid가 PTT tendon sheath 내에서 loculation을 보인다. Subacute, chronic stage의 tenosynovitis로 보인다.
- Tendon 자체의 신호강도는 정상이며, tendon thickening이나 attenuation은 없다.

3. 만성 posterior tibial tendon 열상은 건의 직경과, 신호강도를 기준으로 세 가지 형태로 분류한다.

a) 후경골건 열상 Posterior Tibial Tendon Tears (8) (Fig. 3-1.06)

- Type Ⅰ 열상: 건 내에 국소적 고신호강도를 보이며, 크기가 증가된다(partial thickness intrasubstance tear) (Fig. 3-1.07~08).
- Type Ⅱ 열상: 건의 크기가 감소하여 가늘어진다.
  - 후경골건의 정상 건의 크기는 인접한 flexor digitorum longus tendon보다 1.5~2배 가량 크기 때문에 이를 기준으로 건의 크기를 평가한다.
- Type Ⅲ 열상: 건이 완전 파열되어, 파열된 건 사이에 액체, 지방, 흉터조직 등이 찬다(Fig. 3-1.09~10).

- Type Ⅱ와 Ⅲ 열상이 Type I 보다 흔하진 않지만 기능적으로 더 중요한 병변이다.
- Posterior tibial tendon 파열의 90%는 내측과 후방 혹은 원위부(retromalleolar or inframalleolar level), 주상골 부착부위에서 생긴다(1).

- Posterior tibial tendon tear는 보통 longitudinal axis 방향으로 발생한다.

Fig. 3-1.06 Types of Posterior Tibial Tendon Tear
건 이상

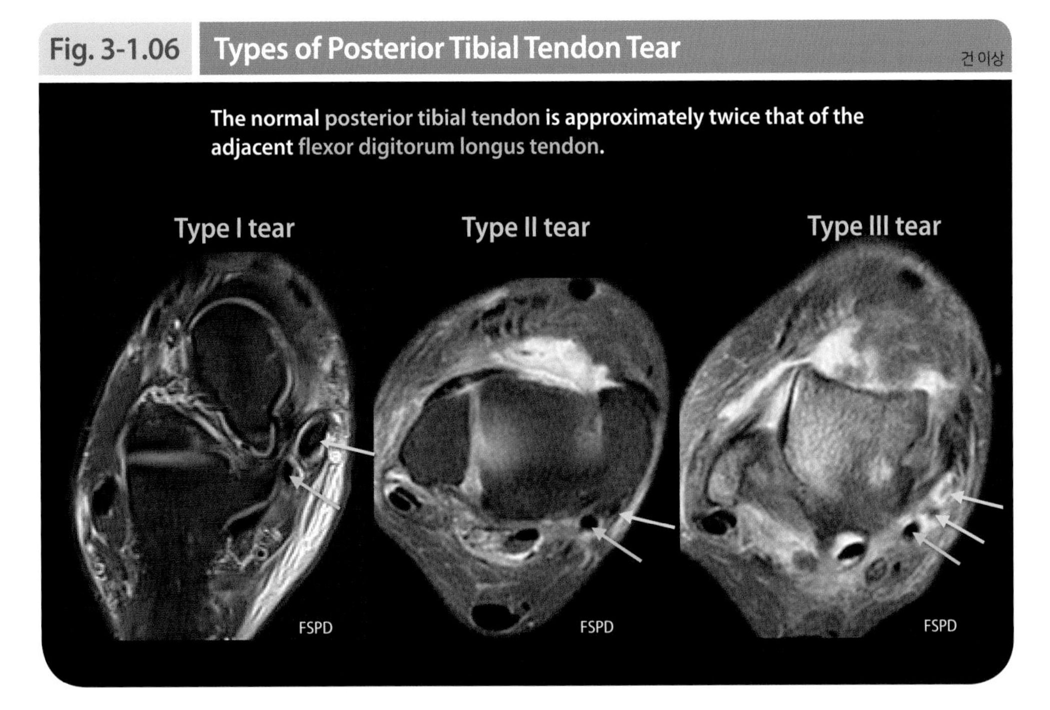

동영상 QR코드

▶ 3-1.06

Types of Posterior Tibial Tendon Tear

- Posterior tibial tendon (PTT, yellow)의 크기는 flexor digitorum longus tendon (FDL, blue)과 비교하여 1.5~2배까지 큰 것이 정상이다. 정상 크기의 PTT와 FDL은 (Fig. 3-1.03) (Fig. 3-10.01)을 참고하자.
- PTT tear는 세 가지 type으로 나누며 각각을 살펴본다.
- (왼쪽 이미지, Type I tear) PTT (yellow)가 FDL (blue)보다 4배 이상 커져 있으며, PTT 내부에 신호강도가 약간 증가된 것이 보인다.
- (중앙 이미지, Type II tear) PTT (yellow)가 FDL (blue)과 거의 같은 크기이며, 확연하게 PTT 내부에 신호강도도 증가하였다.
- (오른쪽 이미지, Type III tear) PTT (yellow)가 tendon sheath 안에 작은 조각으로 보이며, 여기에서 보이진 않지만 distal tendon stump는 retraction되어있어 complete tear이다.

Fig. 3-1.07 Partial Tear of Posterior Tibial Tendon 건 이상

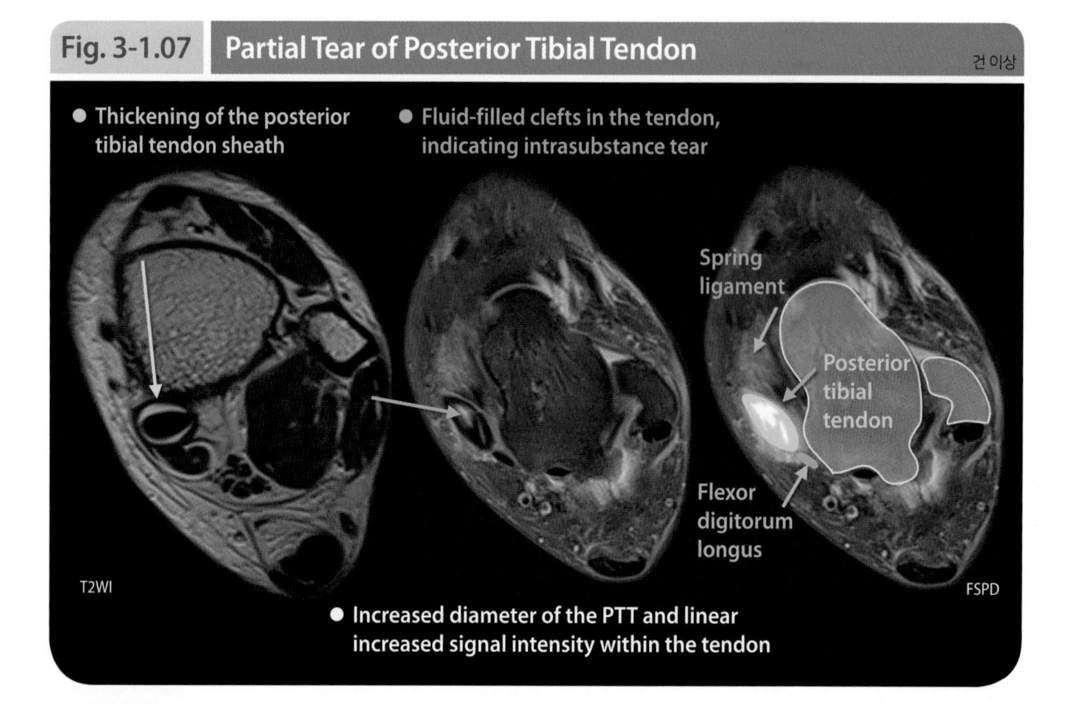

동영상 QR코드

▶ 3-1.07

Partial Tear of Posterior Tibial Tendon

- Posterior tibial tendon (PTT)은 flexor digitorum longus tendon보다 1.5~2배 이상 두꺼워지고 내부 신호강도가 증가(orange arrow)하여, Type I tear이다.
- Tenosynovitis와 함께 tendon sheath도 두꺼워져 있다(yellow arrow).
- Spring ligament 중에 가장 중요한 superomedial (SM-CNL) ligament (green arrow)가 PTT와 talar head 사이에 보인다. 여기서는 4 mm 이상 두껍고 navicular insertion 부위에서 고신호강도를 보인다.
- PTT dysfunction의 경우 medial longitudinal arch의 static stabilizer인 spring ligament도 이 케이스에서 보이는 것처럼 손상이 동반될 수 있다.
- 정상 superomedial (SM-CNL) ligament는 (Fig. 1-2.06) (Fig. 1-4.01~03)을 참고하자.

Fig. 3-1.08 Partial Tear of Posterior Tibial Tendon 건 이상

- Intrasubstance tearing and tenosynovitis of the posterior tibial tendon
- Absence of the superomedial bundle of the spring ligament, which should be visible between the talar head and thickened posterior tibial tendon

FSPD FSPD

- Thickened, elongated, and irregular plantar components of the spring ligament

동영상 QR코드

▶ 3-1.08

Partial Tear of Posterior Tibial Tendon

- Posterior tibial tendon (PTT, yellow)이 두꺼워지고 내부에 신호강도가 증가하여 Type I tear를 보이며 tenosynovitis가 있다.
- 정상 spring ligament 중에 superomedial component (SM-CNL, calcaneonavicular ligament)는 sustentaculum tali의 anterior margin에서 시작하여 navicular tuberosity와 tibiospring ligament에 넓게 부착하고 PTT와 talar head 사이에 위치하는데 여기서는 해당 위치(green arrow)에 spring ligament가 보이지 않는다. Coronal image에서 정상 spring ligament는(Fig. 1-2.06) (Fig. 1-4.03)을 참고하자.
- Spring ligament 중에 plantar aspect에 위치하는 inferoplantar longitudinal (IPL-CNL)과 medioplantar oblique (MPO-CNL) components는 보이지만 두꺼워져 있고 주변으로 edema가 있다. 정상 IPL-CNL, MPO-CNL anatomy는 (Fig. 1-4.03~04)를 참고하자.

Fig. 3-1.09 Complete Tear of Posterior Tibial Tendon

건 이상

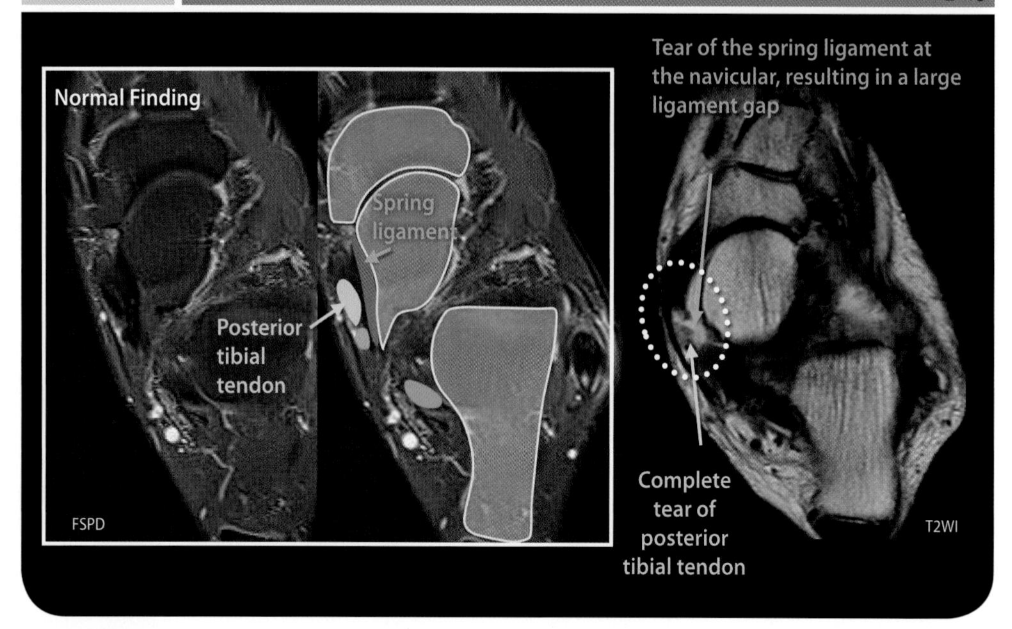

동영상 QR코드

▶ 3-1.09

Complete Tear of Posterior Tibial Tendon

- 왼쪽 이미지에서 정상 posterior tibial tendon (PTT, yellow), flexor digitorum longus (FDL, blue), flexor hallucis longus (FHL, green)가 보이는데, 오른쪽 이미지에서 PTT가 complete tear로 보이지 않는다.
- Posterior tibial tendon dysfunction으로 medial longitudinal arch의 static stabilizer인 spring ligament [superomedial (SM-CNL) ligament]도 tear가 될 수 있다. 오른쪽 이미지에서 posterior tibial tendon (yellow arrow)과 talar head 사이에 spring ligament (superomedial band, orange)가 tear되어 보이지 않는다. 왼쪽 이미지의 정상 spring ligament와 비교해보자.

Fig. 3-1.10 Complete Tear of Posterior Tibial Tendon

건 이상

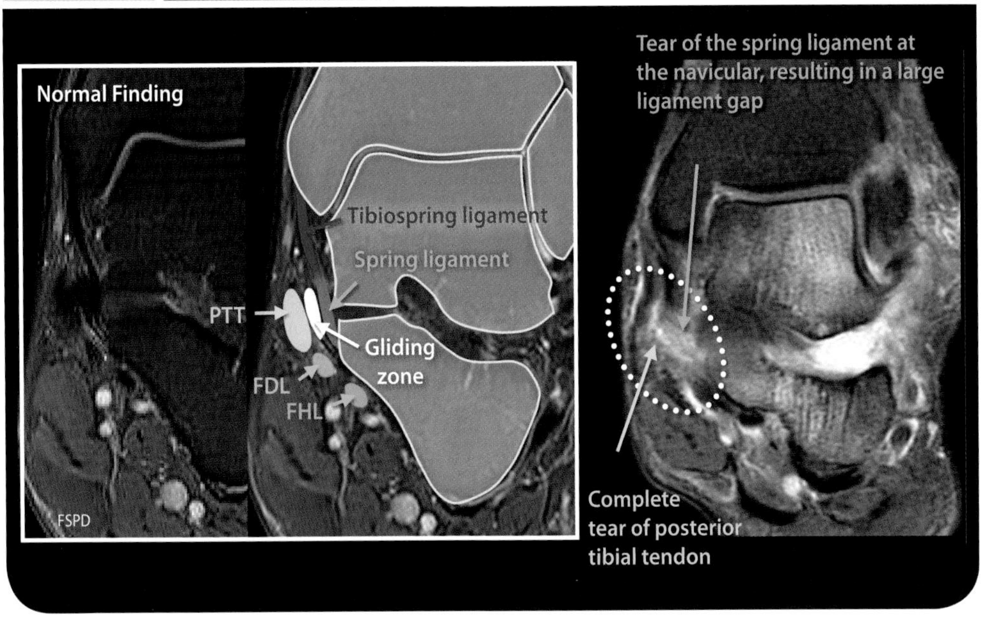

동영상 QR코드

▶ 3-1.10

Complete Tear of Posterior Tibial Tendon

- (Fig. 3-1.09)와 같은 환자이다.
- Coronal image에서 posterior tibial tendon (PTT, yellow) 및 spring ligament [superomedial (SM-CNL) ligament] (orange)의 tear (white circle)가 보인다.
- Superficial deltoid ligament 중 tibiospring ligament는 SM-CNL spring ligament에 insertion한다. 그래서 spring ligament tear가 있을 때 인접한 superficial deltoid ligament도 살펴보자. (Fig. 3-1.10)에서 tibiospring ligament는 주변 edema는 있으나 비교적 저신호강도로 유지되어 있다. (Fig. 1-2.06) (Fig. 1-4.03)에서 anatomy를 참고하자.

02

부주상골 (Accessory Navicular Bone)

1. 부주상골이 있으면 posterior tibial tendon의 변성이 더 잘 생길 수 있으며, 구조적으로 증상이 발생할 수 있다(1).

a) 부주상골 Accessory Navicular Bone (Fig. 3-2.01)

- Type Ⅰ 부주상골: Os tibiale externum (Fig. 3-2.02)
  - 2~3 mm 크기로 posterior tibial tendon 내부에 있으면서 주상골과 연결성이 없는 sesamoid bone이다.
  - 주상골 조면(tuberosity of navicular bone)에서 5 mm 정도 떨어져 있다.

- Type Ⅱ 부주상골: Os naviculare (Fig. 3-2.03)
  - 주상골과 1~2 mm 두께의 연골로 서로 연결되어 있다(cartilaginous synchondrosis).

- 주상골에서 1~2 mm 정도 떨어져 있다.
- 이 경우 posterior tibial tendon은 accessory navicular에 부착한다(8).

- Type Ⅲ 부주상골: Cornuate navicular (Fig. 3-2.04)
  - 부주상골과 주상골 조면(tuberosity of navicular bone)이 서로 붙어 있는 상태여서 주상골 조면이 크게 보인다(prominent navicular tuberosity).
  - Type Ⅱ 부주상골이 주상골에 합쳐진 상태라고 볼 수 있다.

b) 부주상골 증후군 Accessory navicular syndrome (Fig. 3-2.02~04)

- 부주상골은 성인 2~14%에서 보이는 흔한 소골(developmental ossicle)이다(12).
- 증상은 특히 type Ⅱ 주상골에서 가장 흔하고, 연골성 결합(synchondrosis)의 손상 및 불안정성과 관련이 있다.
- MRI에서는 주상골과 부주상골에 부종이 생기며 연골성 결합이 fluid sensitive sequences에서 고신호강도로 보이고 종종 외막점액낭(adventitial bursa)이 생기기도 한다(13).

Fig. 3-2.01 **Accessory Navicular Bone** 건 이상

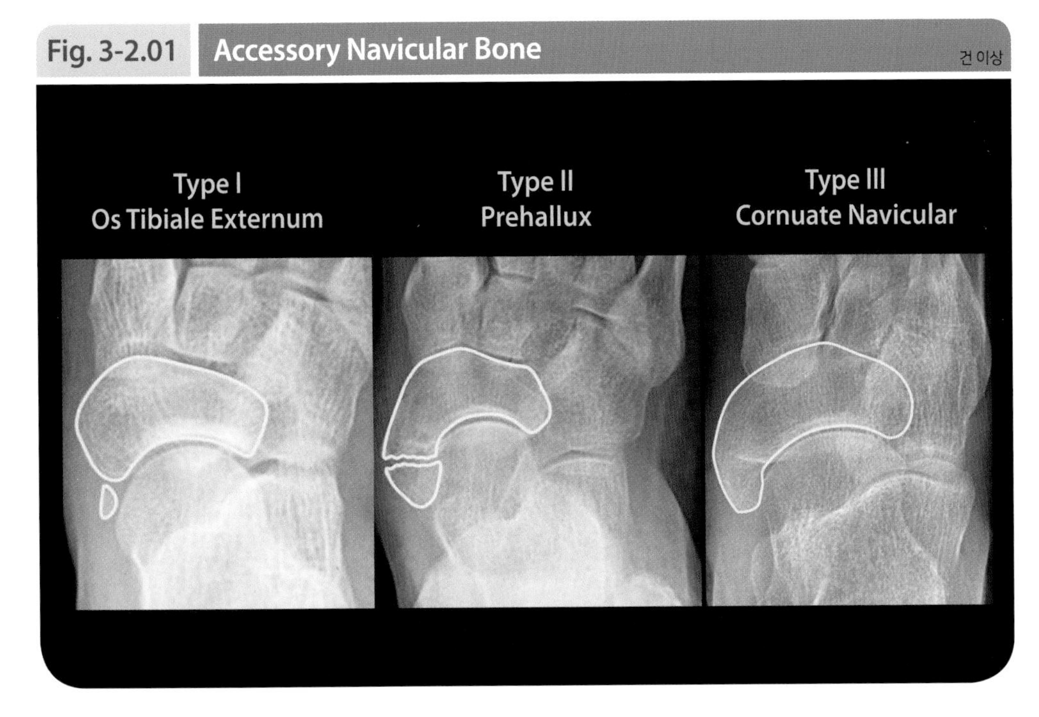

동영상 QR코드

▶ 3-2.01

Accessory Navicular Bone

- (왼쪽 이미지) Type Ⅰ accessory navicular bone은 2~3 mm 크기로 navicular에서부터 5 mm 정도 떨어져 있으며 posterior tibial tendon 안에 있는 sesamoid bone이다.
- (중간 이미지) Type Ⅱ accessory navicular bone은 삼각형 모양으로 navicular에서 1~2 mm 정도 떨어져 있고 대략 크기는 12 mm이다.
- (오른쪽 이미지) Type Ⅲ accessory navicular bone은 prominent navicular tuberosity를 보인다.

Fig. 3-2.02 Accessory Navicular Type I

건 이상

동영상 QR코드

▶ 3-2.02

Accessory Navicular Type I

- Posterior tibial tendon (yellow arrow) 내에 small accessory navicular bone (white arrow)이 있어서 type Ⅰ accessory navicular bone이다.
- Type Ⅰ accessory navicular bone 내부에 약간 고신호강도의 bone marrow edema (가운데 이미지)가 있으며 인접하여 soft tissue edema (오른쪽 이미지)가 약간 동반되어 있다. Type Ⅰ accessory navicular bone은 보통 증상이 없으나 이런 소견이 보이는 경우 증상이 동반되었을 수 있다.

Fig. 3-2.03 Symptomatic Accessory Navicular Type II 건 이상

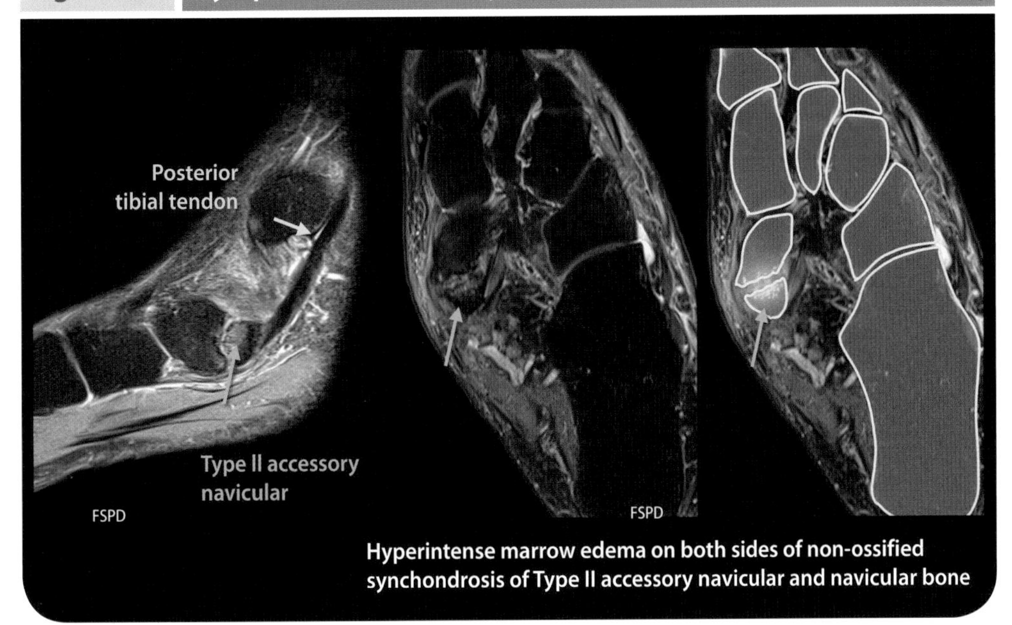

Posterior
tibial tendon
Type II accessory
navicular
FSPD
FSPD
Hyperintense marrow edema on both sides of non-ossified
synchondrosis of Type II accessory navicular and navicular bone

동영상 QR코드

▶ 3-2.03

Symptomatic Accessory Navicular Type II

- Type II accessory navicular bone이 삼각형 모양을 하고 1~2 mm 정도 fibrocartilage 혹은 hyaline cartilage의 연골성 결합(synchondrosis)으로 navicular와 연결되어있다.
- Accessory navicular bone과 그와 접하고 있는 navicular에 bone marrow 및 주변 soft tissue edema가 있어 증상이 있을 것으로 보인다.
- Accessory navicular에 insertion하는 posterior tibial tendon이 repetitive contraction을 하여서 연골성 결합에 painful shearing이 발생하고 연골성 연합이 불안정하게 되어 내부에 fluid sensitive sequences에서 고신호강도를 보이게 된다.
- 종종 연골연합 주변으로 degenerative sclerosis나 subchondral cystic degeneration이 보이기도 한다. 혹은 posterior tibial tendon의 tendinosis나 tenosynovitis도 동반한다.

Fig. 3-2.04 **Tendinopathy with Accessory Navicular Type III** 건 이상

Prominent navicular tuberosity, consistent with Type-III accessory navicular (cornuate navicular)

Tenosynovitis of the posterior tibial tendon

Spring ligament

Tendinopathy with longitudinal splitting of distal posterior tibial tendon

T2WI

FSPD

동영상 QR코드

▶ 3-2.04

Tendinopathy with Accessory Navicular Type III

- Type Ⅲ accessory navicular bone이 cornuate (horn-shaped), 혹은 enlarged navicular tuberosity로 보이는 경우를 말한다. 이 경우 type Ⅱ accessory navicular bone (Fig. 3-2.03)에서 보이는 synchondrosis는 보이지 않고 accessory navicular가 navicular에 합쳐진 상태이다.
- (Fig. 3-2.04)에서 accessory navicular bone에 부착하는 posterior tibial tendon (PTT)은 tenosynovitis 및 tendon 내부 신호강도가 증가하여 tendinosis가 있다.
- Type Ⅱ 혹은 type Ⅲ accessory navicular bone은 이처럼 PTT degeneration, tear와 관련이 있을 수 있으며, painful os navicular syndrome (accessory navicular syndrome)을 보일 수 있다.
- Type Ⅲ accessory navicular bone은 navicular prominence로 shoe irritation으로 superficial pain이 생길 수 있다.

03

후천적 성인 편평족
(Adult Acquired Flatfoot Deformity)

Adult–acquired flatfoot deformity (AAFD) comprises a wide spectrum of ligament and tendon failures.

1. 후천적 성인 편평족의 경우 posterior tibial tendon 기능이상, 스프링인대 병리 및 족근동 증후군이 일어날 수 있다(8).

a) 후천적 성인 편평족 Adult Acquired Flatfoot Deformity (Fig. 3-3.01~02)

- Posterior tibial tendon의 기능이상으로 내측 활이 유지되지 못하여(collapse of the medial longitudinal arch) 주상골이 외측으로 이동(laterally shifting navicular)하면서 거골이 노출되고(uncovering of the talus), 거골두가 내측 하방으로 움직이게 된다(inferomedial migration of talus head).

- 그래서 후족부 외반(hindfoot valgus, calcaneovalgus), 거골하 관절 외번(eversion of the subtalar joint), 거골 주상골 관절의 외전(abduction of the foot at the talonavicular joint)된다(1).

b) 후천적 성인 편평족에서 보이는 그 외 소견 (1)

- 스프링 인대 손상: (Fig. 1-4.06~07)
  - 스프링 인대 중에 상내측부(superomedial component (SM-CNL), calcaneonavicular ligament)가 strain되고, 가늘어지면서 파열된다.
- 족근동 증후군: (Fig. 1-5.05)
  - Posterior tibial tendon 기능이상이 생기면 족근동(sinus tarsi)의 인대에 스트레스가 커지게 된다.
  - 초기에는 족근동의 정상 지방 신호강도가 소실된다(effacement of sinus tarsi fat).
  - 진행되면 T1WI 저신호강도, T2WI 고신호강도의 부종, 육아조직(granulation tissue), synovitis를 보인다.
  - 만성이 되면 T1WI, T2WI에서 모두 저신호강도로 보이는 fibrosis가 생기기도 한다(9).
- Talonavicular malalignment:
  - Uncovering of the talus, plantar flexion of the talus
- 족저근막염(Plantar fasciitis): (Fig. 5-5.02~03)
  - Posterior tibial tendon 기능이상이 있는 경우 족저근막염을 보이는 경우가 있다(9).
- 삼각인대손상(Deltoid ligament failure):
  - Posterior tibial tendon 기능이상이 진행이 되면 내측측부인대복합체(삼각인대)도 손상을 받기 시작한다(14).

- 후족의 편평외반족(Hindfoot planovalgus deformity): (Fig. 2-6.01~03)
  - 후족의 외반변형이 심할수록 종골과 비골이 더 접촉하게 된다.
  - 그러면 관절외 충돌증후군이 족관절의 외측에 발생할 수 있으며, 거종골충돌(talocalcaneal impingement)과 비골하충돌(subfibular impingement)이 생기게 된다(15).

c) Radiographic Metrics of Foot Alignment (54)

A. Lateral view: assessment of longitudinal arch

1. Talus – first metatarsal angle (Meary angle)

   Angle between the long axis of the talus and the long axis of the first metatarsal

   a) Normal

      0° (parallel)

   b) Abnormal

      Mild: > 4°, Moderate: > 15°, Severe: > 30°

2. Calcaneal inclination angle

   Angle between the line at the plantar calcaneal surface and the horizontal plane

   a) Normal

      20–30°

   b) Abnormal

      Pes planus: < 18°

3. Calcaneal – fifth metatarsal angle

Angle between the line at the plantar calcaneal surface and the line at the inferior fifth metatarsal shaft

a) Normal

150 – 165°

b) Abnormal

> 170°

B. Anteroposterior view: assessment of heel valgus and forefoot abduction

1. Talocalcaneal angle (kite angle)

Angle between the line bisecting the head and neck of the talus and the line parallel to the lateral surface of the calcaneus

a) Normal

> 25–40°

b) Abnormal

> 40° (heel valgus), < 25° (heel varus)

2. Talus–first metatarsal alignment

Line drawn along the long axis of the talus, extended into the forefoot, its orientation compared with that of the first metatarsal shaft

a) Normal

Talar axis angled slightly lateral to the shaft

b) Abnormal

Talar axis angled medial to the shaft

3. Talonavicular coverage angle

Angle between the articular surface of the talar head and the articular surface of the proximal navicular bone

a) Normal

0° (parallel)

b) Abnormal

> 7°

d) 참고: Foot arch 및 alignment (8)

- 3개의 arch: Transverse, medial and lateral longitudinal arch
- Transverse arch
  - Cuneiform이 transverse arch의 꼭대기를 형성
  - Spring ligament, Lisfranc ligament, intermetatarsal ligament, intertarsal ligament가 지지

- Medial and lateral longitudinal arch
  - Navicular와 cuneiform이 apex를 형성하고, 내측이 외측보다 높다.
  - Plantar fascia, long and short plantar ligaments, posterior tibial tendon, peroneal longus tendon이 지지

- Foot alignment
  - Weight bearing radiography에서 평가한다.
  - Foot AP에서 talar axis는 1st metatarsal shaft를, calcaneus axis는 4th metatarsal shaft의 long axis와 일치한다.

Fig. 3-3.01 **Adult Acquired Flatfoot Deformity** 건 이상

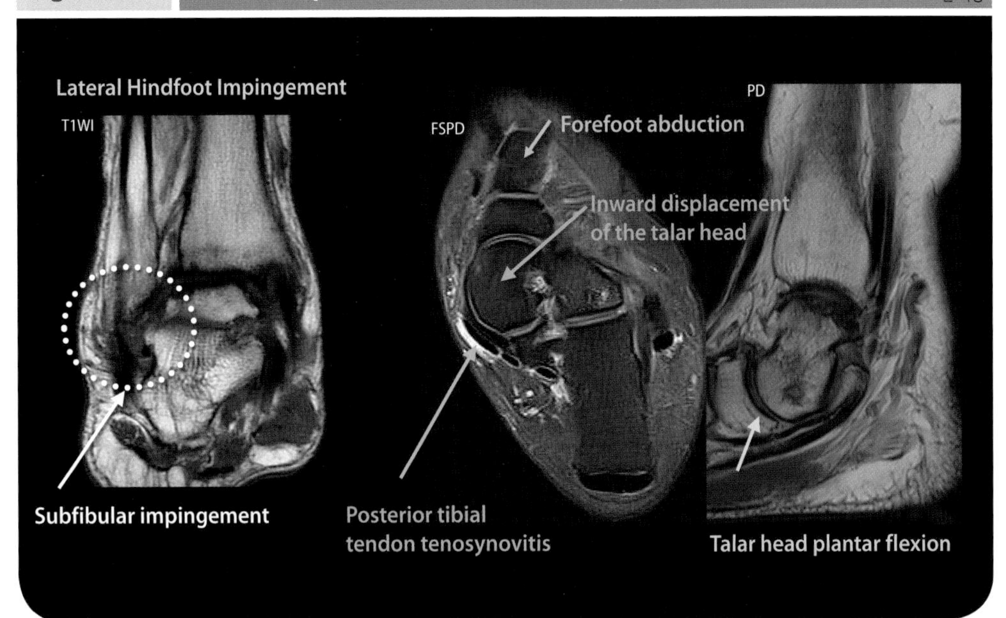

동영상 QR코드

▶ 3-3.01

Adult Acquired Flatfoot Deformity

- Posterior tibial tendon (PTT, green)에 tenosynovitis가 있으며, navicular가 외측으로 이동하면서 talus가 내측으로 노출(orange)되어 있고, talar head가 medial, plantar flexion (yellow)된 것이 보인다.
- Forefoot abduction, hindfoot valgus로 subfibular impingement (white circle)가 생겼다.
- Adult acquired flatfoot deformity에서 보이는 MRI findings는 다음과 같으며 각 이미지들을 참고하자.
- Posterior tibial tendon abnormality는 (Fig. 3-1.08~10), spring ligament abnormality는 (Fig. 1-4.07), deltoid ligament failure는 (Fig. 3-1.10), sinus tarsi syndrome은 (Fig. 1-5.05), plantar fasciitis는 (Fig. 5-5.02~03), extra-articular lateral hindfoot impingement는 (Fig. 2-6.01~03)을 참고하자.

건 이상

Fig. 3-3.02 AAFD Staging and Treatment

건 이상

Stage	Deformity	Disease Progression	Treatment
I	None	PTT tendinosis or tenosynovitis Functional tendon	Conservative treatment initially Tenosynovectomy
II			
IIA	Flexible moderate deformity (<40% of the talar head uncov-ered)	Tendinosis or a low- to moderate-grade tear of the PTT Laxity of the spring ligament	Orthoses Tendon transfer Medializing calcaneal osteotomy Subtalar arthroereisis Medial column stabilizing procedure
IIB	Flexible severe deformity (>40% of the talar head uncovered or subtalar impingement)	High-grade tear of PTT Incompetent spring ligament Sinus tarsi syndrome	Consider adding lateral column lengthening with or without spring ligament reconstruction
III	Rigid (inflexible) deformity	Subtalar osteoarthrosis Lateral hindfoot impinge-ment	Subtalar arthrodesis or triple ar-throdesis Consider adding medial ray proce-dure for plantar flexion of the first metatarsal
IV			
IVA	Flexible tibiotalar valgus	Deltoid ligament abnormality	Flatfoot reconstruction and deltoid ligament reconstruction
IVB	Rigid tibiotalar valgus	Tibiotalar osteoarthrosis	Consider adding tibiotalar fusion or ankle arthroplasty

J Foot Ankle Surg 2011;50(3):320–328

Radiographics. 2019 Sep-Oct;39(5):1437-1460

동영상 QR코드

▶ 3-3.02

AAFD Staging and Treatment

Fig. 3-3.03 **Metrics of Foot Alignment (Lateral)**

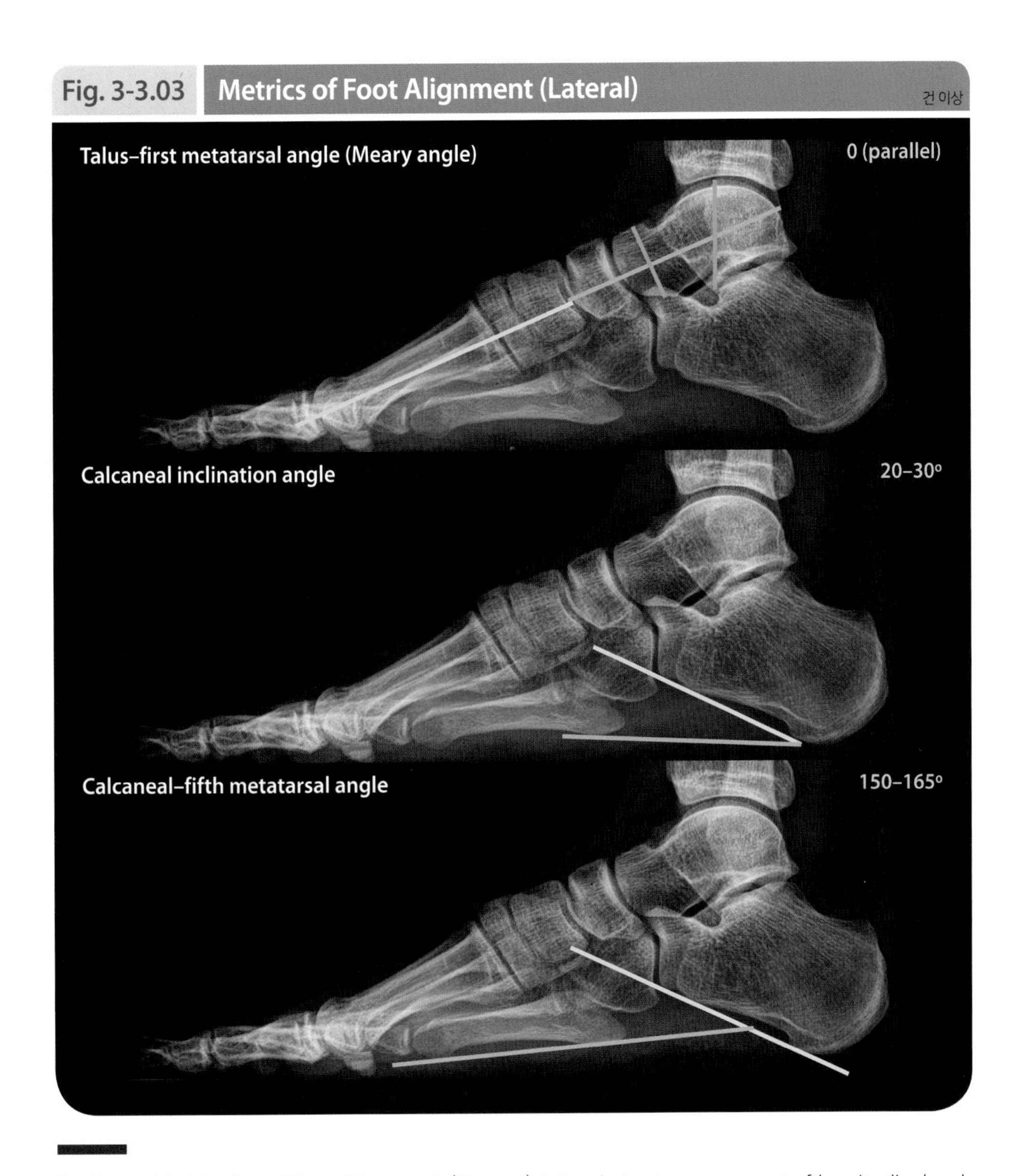

Radiographic Metrics of Foot Alignment (Normal) Lateral view: assessment of longitudinal arch

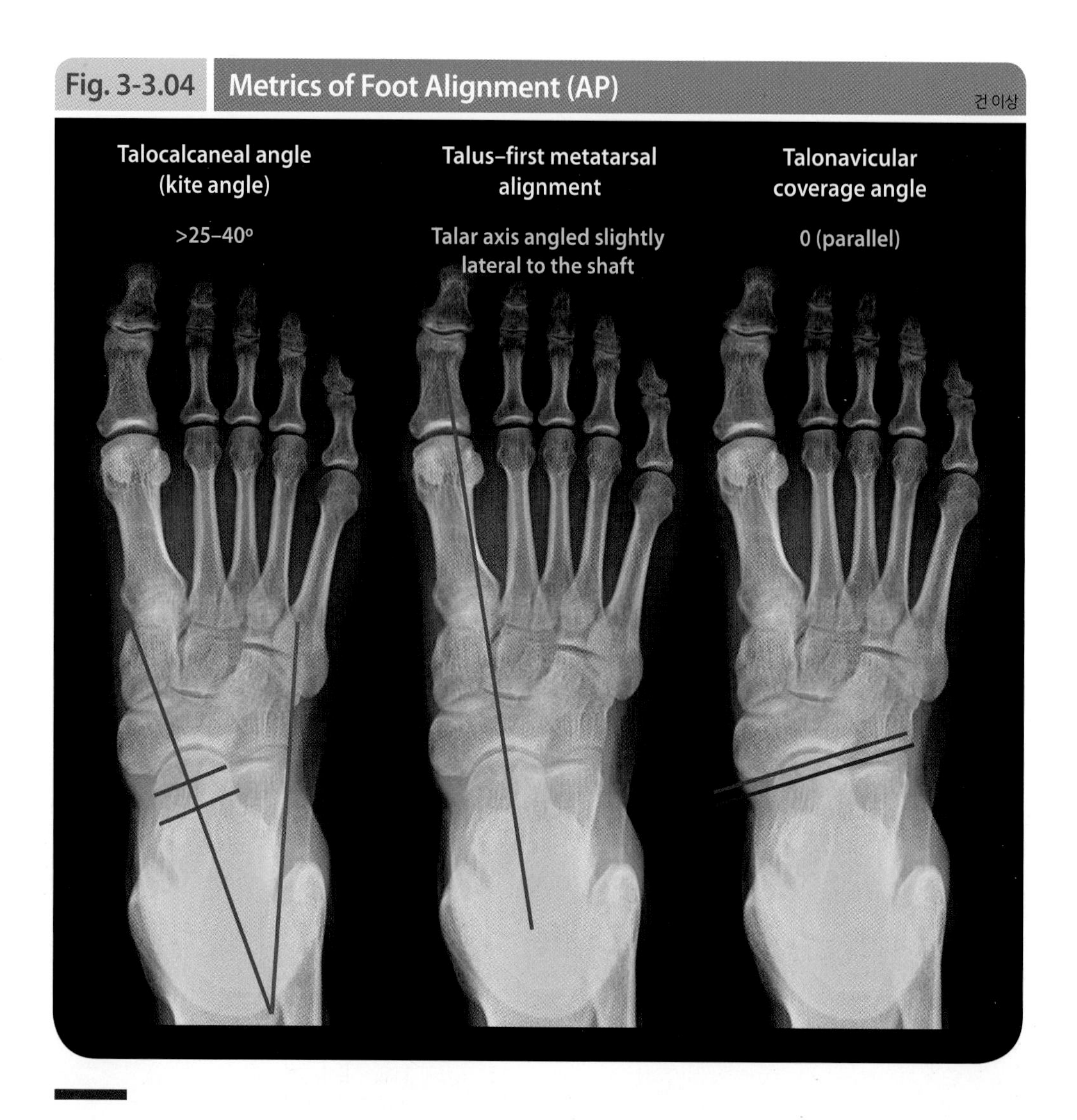

Radiographic Metrics of Foot Alignment (Normal) Anteroposterior view: assessment of heel valgus and forefoot abduction

04

비골건

(Peroneal Tendons)

A spectrum of peroneal tendon pathology includes tenosynovitis, tendinopathy, tendon tears, and tendon instability.

1. 비골건은 일차적으로 plantar flexion, 발의 외번(eversion), 이차적으로 족관절의 외측부분에서 중요한 stabilizer 역할을 한다(16) (Fig. 3-1.03).

a) 비골건 Anatomy of Peroneal Tendon (17) (Fig. 3-4.01)

- 비골건복합체[peroneal tendon (PT) complex]
  - 단비골근 및 단비골건[peroneus brevis (PB) muscle and tendon]
  - 장비골근 및 장비골건[peroneus longus (PL) muscle and tendon]
  - 비골건 건초(peroneal tendon sheath): 하비골지지띠 상방에서는 공통

건초(common sheath)를 갖고 하방에서는 각각의 건초를 가진다.

- 상비골지지띠(superior peroneal retinaculum, SPR)
- 하비골지지띠(inferior peroneal retinaculum, IPR): 하비골지지띠는 하폄근지지띠(inferior extensor retinaculum)와 연결되어 비골결절(peroneal tubercle)과 종골 외측면의 뒤쪽에 부착한다(Fig. 3-4.02).

- 단비골건(peroneus brevis tendon, PB) **(8)** (Fig. 3-4.03)
  - Retromalleolar groove에서 peroneus brevis tendon은 편평하거나 약간 초승달 모양을 하며, peroneus longus tendon보다 전방 혹은 전내측에 위치한다.
  - 다섯 번째 중족골 외측(tuberosity on the lateral aspect of the proximal fifth metatarsal bone)에 부착한다.
- 장비골건(peroneus longus tendon, PL) **(8)**
  - 종입방관절(calcaneocuboid joint)을 가로질러 cuboid canal을 지나 내측 설상골(first cuneiform)과 첫 번째 중족골(proximal first metatarsal base)의 plantar, lateral aspect에 부착한다.

Fig. 3-4.01 **Anatomy of Peroneal Tendon- (SPR level)** 건 이상

Fibular periosteum
Fibrous ridge
Peroneus longus tendon
Peroneus brevis tendon
Peroneus brevis muscle belly
Superior peroneal retinaculum
FSPD

동영상 QR코드

▶ 3-4.01

Anatomy of Peroneal Tendon- (SPR level)

- Retromalleolar groove level의 axial image에서 peroneus longus tendon (orange)과 그보다 내측에 위치한 peroneus brevis muscle 및 tendon (yellow)이 있다.
- Superior peroneal retinaculum (blue)이 peroneal tendons를 지지해주며 삼각형 모양의 작은 fibrous ridge (green)가 있어 retromalleolar groove를 더 깊게 만들어 준다.
- Superior peroneal retinaculum의 schematic image는 (Fig. 3-5.01)을 보자. Superior extensor retinaculum과의 관계는 (Fig. 1-8.03)을 참고하자.

Fig. 3-4.02 Anatomy of Peroneal Tendon- (IPR level)

건 이상

Peroneus brevis tendon
Peroneal tubercle
Peroneus longus tendon
Retrotrochlear eminence
Inferior peroneal retinaculum
T2WI

동영상 QR코드

▶ 3-4.02

Anatomy of Peroneal Tendon- (IPR level)

- Inferior peroneal retinaculum (blue)이 보이는 level이며 peroneus brevis tendon (yellow)이 peroneus longus tendon (orange)보다 앞에, 그리고 상방에 위치한다.
- Calcaneus lateral wall에 2개의 bony landmark (green)가 있는데, 앞에는 peroneal tubercle, 뒤에는 retrotrochlear eminence가 있다.
- Inferior peritoneal retinaculum은 inferior extensor retinaculum과 연결된다. (Fig. 1-8.01)을 참고하자.

Fig. 3-4.03 Anatomy of Peroneal Tendon

건 이상

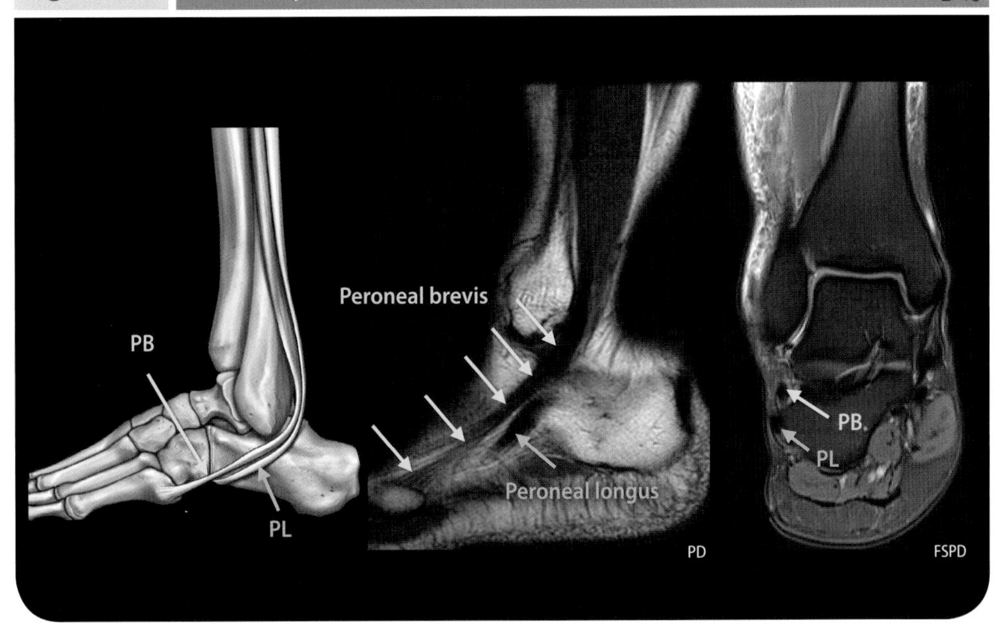

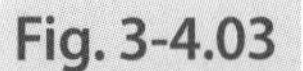

동영상 QR코드

▶ 3-4.03

Anatomy of Peroneal Tendon

- Peroneal tendons는 axial image (Fig.3-4.02)에서 주로 평가하지만 sagittal 및 coronal image에서도 확인하자.
- Peroneus brevis tendon (yellow arrows)이 sagittal image에서 fifth metatarsal bone의 외측에 부착하는 것이 보인다.
- Peroneus longus tendon은 peroneus brevis tendon보다 아래, 뒤로 주행하며 종종 내부에 os peroneum이 존재하기도 한다. Long plantar ligament보다 깊이 주행하여 first metatarsal and medial cuneiform에 부착한다. Long plantar ligament는 (Fig. 1-7.04) (Fig. 1-7.06)을 참고하자.
- Peroneal tendons보다 깊은 곳에 calcaneofibular ligament (CFL)는 lateral malleolus의 posterior margin에서 거의 수직으로 내려가서 calcaneus의 trochlear eminence 근처에 부착하는데 특히 lateral malleolus에서 많이 휘어져 내려온다. CFL과 peroneal tendons의 위치를 (Fig. 1-1.01) (Fig. 1-1.12)를 보고 참고하자.

건 이상

b) 제4 비골근/비골건 [peroneus quartus (PQ) muscle/tendon] (Fig. 3-4.04)

- 제4 비골근의 incidence는 12~22%로 흔한 accessory muscle이다(18).
- 제4 비골근은 단비골근에서 origin하여 다양한 곳에 부착하게 되는데 흔한 순서대로 retrotrochlear eminence, 단비골건/장비골건, 다섯 번째 중족골 기저부, 종골의 비골결절(peroneal tubercle of the calcaneus)부위다.
- 보통은 증상이 없지만, 비골후과구(retromalleolar groove)에서 비골건들 사이에 마찰을 일으켜서 동통이나, 비골건의 아탈구, 종축분열(longitudinal tear), 건초염을 일으킬 수 있다.
- 제4 비골근이 단비골근/건에 인접하여 있어서 단비골건 종축파열로 오인할 수 있고, 혹은 낮게 주행하는 단비골건 근육(low–lying PB muscle belly)이 제4 비골근처럼 보일 수도 있다(19).

c) 낮게 주행하는 단비골근(low–lying muscle belly of peroneus brevis) (Fig. 3-4.05)

- A low–lying PB muscle belly는 peroneus brevis 근육조직이 비골구(fibular groove)보다 15 mm 원위부까지 존재하는 것을 말한다(20).

d) 비골후과구(Retromalleolar Groove)

- 비골후과구(retromalleolar groove)는 모양에 따라 세 가지로 나뉜다.
  – concave, flat, and convex.
- Flat or convex groove, 부착부돌기(enthesophyte)는 비골건의 종축파열이나 탈구/아탈구와 관련이 있다(18).

Fig. 3-4.04 Peroneus Quartus Muscle

Peroneus quartus muscle and tendon located posteromedial to the peroneus brevis and longus tendons

Peroneus longus tendon

Peroneus brevis tendon

Peroneus quartus muscle and tendon

FSPD

FSPD

T1WI

Peroneus quartus muscle and tendon coursing toward the calcaneus

동영상 QR코드

▶ 3-4.04

Peroneus Quartus Muscle

- Peroneus brevis muscle (yellow)과 인접하고 있는 accessory muscle (white)이 보인다.
- 간혹 지금 case처럼 accessory muscle의 자체 tendon (white arrow)이 muscle 내부에 보이기도 한다.
- 이런 accessory muscle이 있으면 retromalleolar groove 안의 공간이 좁아져서 peroneal tendons가 손상될 수도 있다.
- (Fig. 3-4.05)와 비교하여 보면 low-lying peroneus brevis muscle belly로 오인할 수도 있다. Peroneus quartus muscle 내부에 자체의 tendon이 보이고 있으며 retrotrochlear eminence에 insertion (여기서 보이진 않는다)을 하여 accessory muscle임을 알 수 있다.

Fig. 3-4.05 **Low-lying Peroneus Brevis Muscle Belly** 건 이상

Peroneus brevis muscle belly extending ≥15 mm distal to the fibular tip, which can occasionally cause crowding in the retromalleolar groove, leading to peroneal tendon and superior peroneal retinaculum injuries.

Peroneus brevis tendon

17.24 mm

T2WI

PD

Peroneus brevis muscle belly

동영상 QR코드

▶ 3-4.05

Low-lying Peroneus Brevis Muscle Belly

- Peroneus brevis muscle belly (yellow arrow)가 fibular tip보다 15 mm 이상 아래로 더 내려와 있다. 이런 경우 retromalleolar groove 안의 공간이 좁아져서 peroneal tendons 혹은 superior peroneal retinaculum이 손상될 수도 있다.
- (Fig. 3-4.04)와 비교하여 보면 low-lying peroneus brevis muscle belly 와 peroneus quartus muscle이 구분이 어려울 수도 있다. 하지만 peroneus quartus muscle은 주로 retrotrochlear eminence에 insertion을 하며, 내부에 자체의 tendon이 보인다면 accessory muscle이라고 생각할 수 있다.

e) Retrotrochlear Eminence and Peroneal Tubercle (Fig. 3-4.02) (Fig. 3-4.11)

- 종골의 외측 부위에 2개의 돌기가 있다.
- 후방에는 retrotrochlear eminence가 있고, 전방에는 종골의 비골결절 (peroneal tubercle of the calcaneus)이 있다.
- 5 mm보다 커져 있다면 돌기들이 커져 있다고 볼 수 있다.
- Hypertrophy of the peroneal tubercle때문에 인접한 peroneal longus tendon에 tendinosis 혹은 tenosynovitis가 발생할 수 있다.

f) Magic Angle Artifact (Fig. 3-4.06)

- 비골건을 포함하여(Achilles tendon 제외) malleolus 후방으로 주행하는 tendon은 마술각효과를 만들기 때문에 T1WI, PD, Gradient sequence에서 고신호강도로 보여서 건증(tendinosis)으로 오인할 수 있다(21).
- 이러한 경우 Echo time이 긴(>35 msec) T2WI에서 정상적으로 저신호강도를 보이는지 평가한다(20).

Fig. 3-4.06 Magic Angle Artifact

건 이상

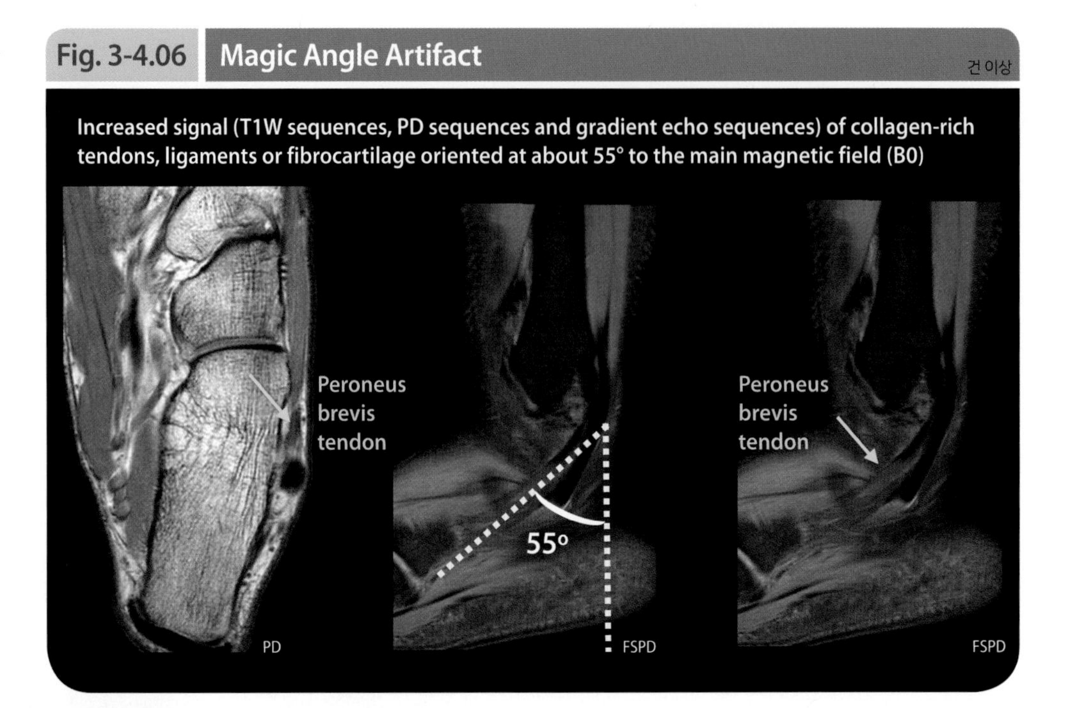
Increased signal (T1W sequences, PD sequences and gradient echo sequences) of collagen-rich tendons, ligaments or fibrocartilage oriented at about 55° to the main magnetic field (B0)
Peroneus brevis tendon
PD
55°
FSPD
Peroneus brevis tendon
FSPD

동영상 QR코드

▶ 3-4.06

Magic Angle Artifact

- T1WI, PD, Gradient sequence에서 main magnetic field에 55°로 주행하는 ligament나 tendon이 고신호강도로 보일 수 있다.
- Tendinosis로 오인할 수 있으므로, T2WI에서 신호강도를 평가하면 도움이 된다. 즉 T2WI에서도 고신호강도를 보인다고 하면 그것은 tendinosis/tear라고 보고, T2WI에서 정상 tendon과 같은 저신호강도라면 magic angle artifact라고 생각할 수 있다.

2. 퇴행성 건 열상은 노인에게서 자주 보이고, 과다사용이나, 반복적인 외상으로 만성손상이 생겨 발생한다. 기계적인 마찰 등으로 인하여 변성이 되고, 그로 인해 종축분열이 생긴다(8).

a) Tears, Tendinopathy and Tenosynovitis (Fig. 3-4.07)

- 열상은 일반적으로 급성손상에 의해 일어나고, 자발적 열상은 젊은 성인에서 스포츠로 인한 외상과 관련이 있다.
- 비골건 건증/건초염(tendinosis/tenosynovitis)은 주로 비골후과구(retromalleolar groove), 비골결절(peroneal tubercle of the calcaneus), 입방골(cuboid) 주변에서 만성 손상으로 생긴다.
- 발목의 내반 손상(inversion injury), lateral malleolus나, calcaneus 골절, 염증성 관절염도 흔한 원인이다(22).

- Peroneal tendon의 chronic longitudinal tear는 peroneal brevis tendon에서 더 흔하다.
- Longitudinal tear는 발목의 lateral collateral ligament sprain시 자주 생기고, lateral malleolus의 reactive bone marrow edema가 동반될 수 있다.

- 비골건 건초 내에 적은 양의 액체는 정상이지만, 2 mm 이상의 양은 건초염을 의미한다.

Fig. 3-4.07 Peroneal Tenosynovitis

건 이상

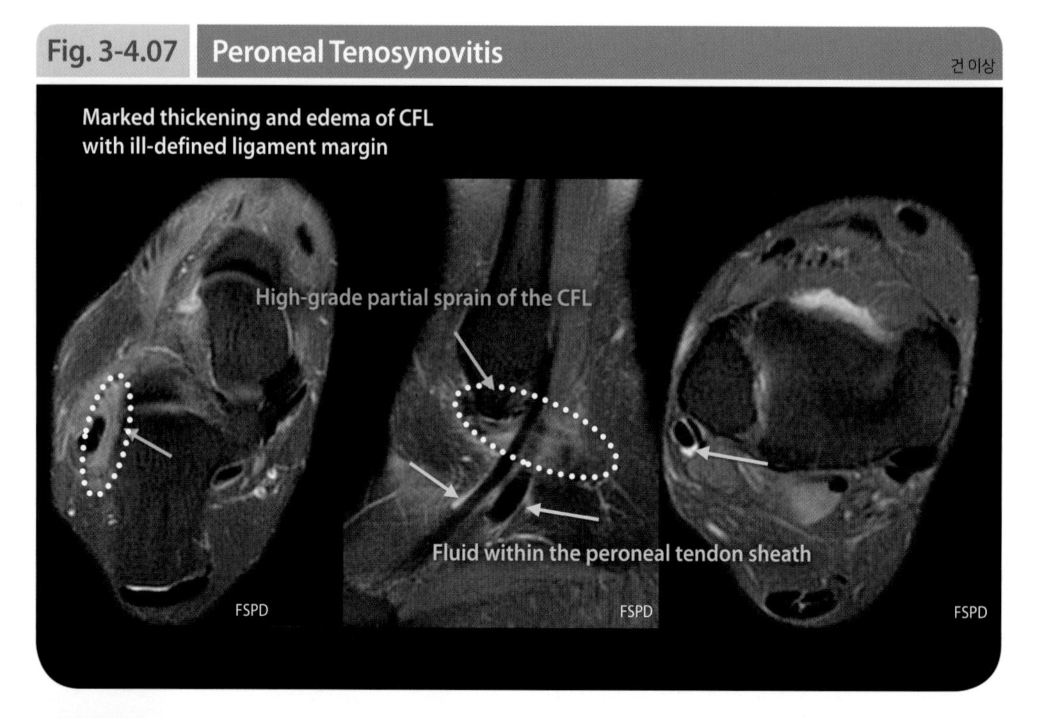

동영상 QR코드

▶ 3-4.07

Peroneal Tenosynovitis

- Lateral collateral ligament complex 손상이 있을 때 peroneal tendon이나 tendon sheath에 손상이 동반될 수 있다.
- Calcaneofibular ligament (CFL, white circle)가 peroneal tendon과 calcaneus 사이에 정상적으로 low signal intensity로 보여야 하는데 high grade partial tear로 edematous thickening을 보인다. 하지만 주변 soft tissue에 부종이 심하지 않아 acute injury가 아니라 hypertrophic scar, scar remodeling이라고 볼 수 있다. 정상 CFL sagittal image는 (Fig. 1-1.01), axial image는 (Fig. 1-1.01) (Fig. 1-1.04)에 있고 비교해보자.
- CFL tear로 인접한 peroneal tendon sheath가 손상되어 tenosynovitis (yellow)가 생겼다. 비슷한 케이스로 (Fig. 1-1.13)을 참고하자.

b) 단비골건 파열 Peroneus Brevis Tendon Tear (Fig. 3-4.08)

- 단비골건은 주로 종축 열상(longitudinal split tear) 방식으로 부분 혹은 완전파열된다.
- 반복적으로 dorsiflexion하면 비골후과구(retromalleolar groove)와 장비골건 사이에 단비골건이 끼이면서 만성 종축 열상이 생긴다.
- 만약 장비골건이 단비골건 파열 사이에 위치하면 파열된 건의 치료가 잘 되지 않는다.
- 상비골지지띠(superior peroneal retinaculum, SPR)의 손상이 있을 경우 단비골건은 반복적으로 아탈구되면서 마찰이 증가하여 파열된다(23).

- 단비골건이 파열되면서 2개의 건하(subtendons)로 나뉘어지게 되면 축상 이미지에서 "미키 마우스" 모양을 보이기도 한다(55).
  - 단비골건의 2개의 건하는 미키 마우스의 귀가 되고, 장비골건은 미키 마우스의 얼굴에 해당한다(Fig. 3-4.09).
  - 단비골건 파열의 1/3에서 장비골건도 파열이 동반된다(24).

- 단비골건이 파열된 경우 자주 동반되는 coexisting conditions
  - Low-lying muscle belly or peroneus quartus (44%),
  - Anterior talofibular ligament rupture (50%),
  - Flattened or hypertrophied PL tendon (56%),
  - Increased PL tendon signal intensity (53%),
  - Flat or convex fibular groove (78%) (25).

Fig. 3-4.08 **Longitudinal Split Tear of the PB Tendon**

건 이상

FSPD

Longitudinal split tear of the peroneal brevis tendon

FSPD

Grossly normal peroneal longus tendon between two peroneal brevis subtendons

동영상 QR코드

▶ 3-4.08

Longitudinal Split Tear of the Peroneus Brevis Tendon

- Peroneus longus tendon (orange)보다 앞에 위치한 peroneus brevis tendon (yellow)이 longitudinal tear가 되면서 2개로 나뉘어 subtendons가 되었다.
- 2개의 subtendon 사이에 peroneus longus tendon이 끼어들어가 있다.
- Peroneus brevis tendon tear가 있을 때 peroneus longus tendon 역시 degeneration이나 intrasubstance longitudinal split이 동반될 수 있으나 여기에서는 정상이다.

- Peroneus brevis tendon의 longitudinal tear가 있을 때 lateral ligament complex나 superior peroneal retinaculum의 손상이 동반되는 경우가 있어서 살펴봐야한다. (Fig. 3-5.05)를 보자.

Fig. 3-4.09 **Peroneus Brevis Tendon Tear** 건 이상

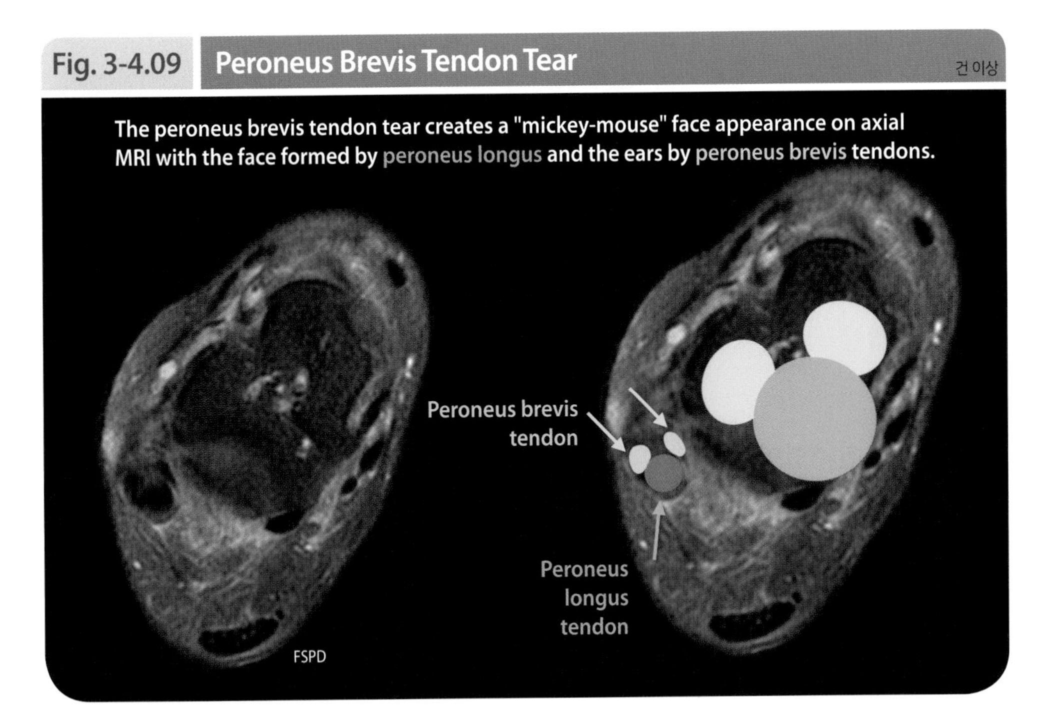

The peroneus brevis tendon tear creates a "mickey-mouse" face appearance on axial MRI with the face formed by peroneus longus and the ears by peroneus brevis tendons.
Peroneus brevis tendon
Peroneus longus tendon
FSPD

동영상 QR코드

▶ 3-4.09

Peroneus Brevis Tendon Tear

- (Fig. 3-4.08)과 유사한 이미지이나 다른 환자이다.
- Peroneus brevis tendon이 longitudinal tear가 되면 peroneus longus tendon과 함께 미키 마우스 얼굴처럼 보일 수 있다.
- Peroneus brevis tendon이 tear로 2개의 subtendon (yellow)이 되면서 미키 마우스의 귀("Mickey Mouse ears" appearance)를 만든다. Peroneus longus tendon (orange)은 미키 마우스의 얼굴에 해당한다.

c) 장비골건 파열 Peroneus Longus Tendon Tear (Fig. 3-4.10)

- 장비골건의 파열은 midfoot 주변이나, 종골의 골절, cuboid peroneus tendon groove에서 os peroneum과 관련하여 attritional tear로 생기기도 하며, 비골 후과구(retromalleolar groove)에서 단비골건과 함께 손상받기도 한다(26).
- 비골결절 비후(hypertrophic peroneal tubercle), 종골이나 입방골의 건 직하방에 골수부종(subtendinous bone marrow edema)등의 이차적인 소견도 볼 수 있다(Fig. 3-4.11).
- 완전파열이 생긴다면 retraction of the tendon fragment가 보인다(Fig. 3-4.12).

건 이상

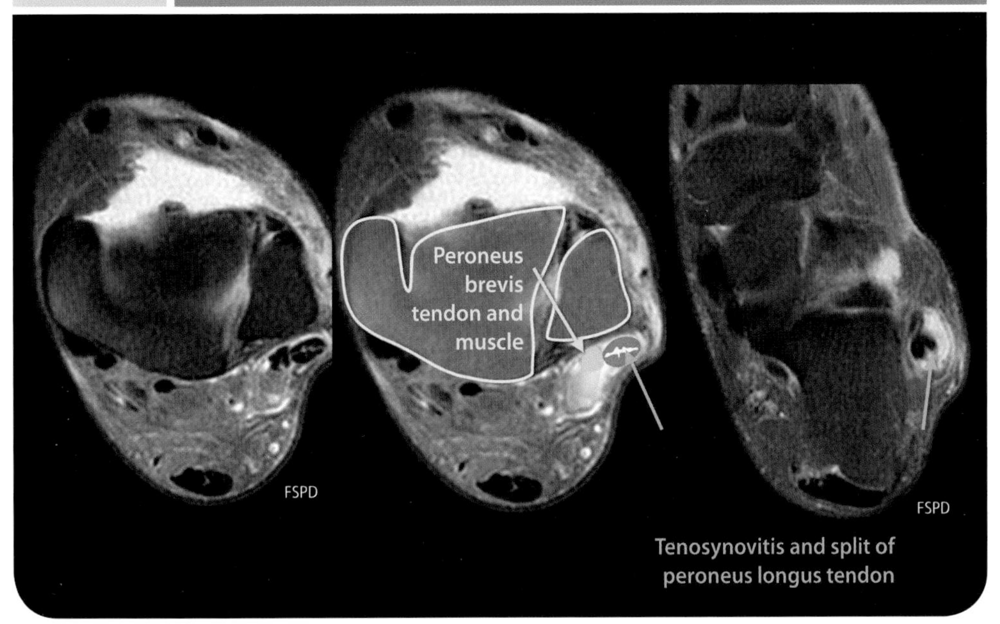

동영상 QR코드

▶ 3-4.10

Peroneus Longus Split Tear

- Peroneus longus tendon (orange) 내부에 irregular linear high signal intensity가 보이며 distal aspect까지 longitudinal tear (orange arrow)가 되었고, tenosynovitis도 보인다.
- Malleolus level에서 생긴 peroneus longus tendon tear는 peroneus brevis tendon tear와 동반이 잘 되며, isolated peroneus longus tendon tear는 midfoot level에서 주로 발생한다.

Fig. 3-4.11 Peroneal Tubercle Hypertrophy

건 이상

Peroneus brevis tendon

T2WI

Tenosynovitis of peroneus longus tendon

FSPD

Peroneal tubercle hypertrophy and Subcutaneous edema

T2WI

Peroneal tubercle hypertrophy

동영상 QR코드

▶ 3-4.11

Peroneal Tubercle Hypertrophy

- Lateral calcaneal wall에서 peroneal tubercle이 5 mm 이상 돌출(double arrow)되어있다. Peroneal tubercle hypertrophy는 coronal image에서도 잘 보인다.
- 이러한 경우 그 주변에 있는 peroneus longus tendon (orange)이 자극이 되어 tendinosis, tear, tenosynovitis가 생길 수 있으며 주변 soft tissue edema (green)가 생긴다.

- Calcaneus lateral wall에 2개의 bony landmark가 있는데, 앞에는 peroneal tubercle, 뒤에는 retrotrochlear eminence라고 하며, 정상 구조물(Fig. 3-4.02)를 참고하자.

Fig. 3-4.12 Peroneus Tendons Laceration

건 이상

Complete laceration of the peroneus longus and brevis tendons at lateral aspect of the calcaneus

FSPD FSPD FSPD

동영상 QR코드

▶ 3-4.12

Peroneus Tendons Laceration

- Peroneus longus와 peroneus brevis tendon이 complete laceration되어 superior peroneal retinaculum level에서는 tendon들이 보이지만 inferior peroneal retinaculum level에서는 tendon들이 retraction되어서 보이지 않는다. Sagittal image에서 laceration된 tendon들이 잘 보인다.

3. 통증성 비부골 증후군은 비부골과 연관하여 foot의 외측에 증상을 유발하는 상황을 말한다.

a) 통증성 비부골 증후군 Painful Os Peroneum Syndrome (27)

- 비부골(os peroneum): (Fig. 3-4.13)
  - 장비골건 내부에 위치하며, 입방골의 외측, plantar 측에 위치한다.
  - 비부골은 대략 20~30% 정도 일반촬영에서 볼 수 있다(19).

- 통증성 비부골 증후군(painful os peroneum syndrome): (Fig. 3-4.14)
  - 장비골건 내에 존재하는 비부골의 좌상(contusion)골절이나 이개(diastasis), 장비골건 파열이나 건초염 등의 다양한 원인으로 발생한다(28).
  - 비골건의 경로를 따라 부종 및 압통, 제1열을 족저굴곡할 때나 보행 시 뒤꿈치가 들릴 때 외측 족저부의 통증, 자갈 위를 걷는 듯한 불편감 등의 증상을 유발한다.
  - 만약 비부골(os peroneum)의 골절로 골편이 retraction되면 장비골건의 완전 파열을 의심할 수 있는 중요한 소견이 된다(29). Os peroneum의 fragment가 6 mm 이상 벌어지면 peroneal longus tendon의 complete tear를 시사한다(8).

Fig. 3-4.13 **Normal Os Peroneum** 건 이상

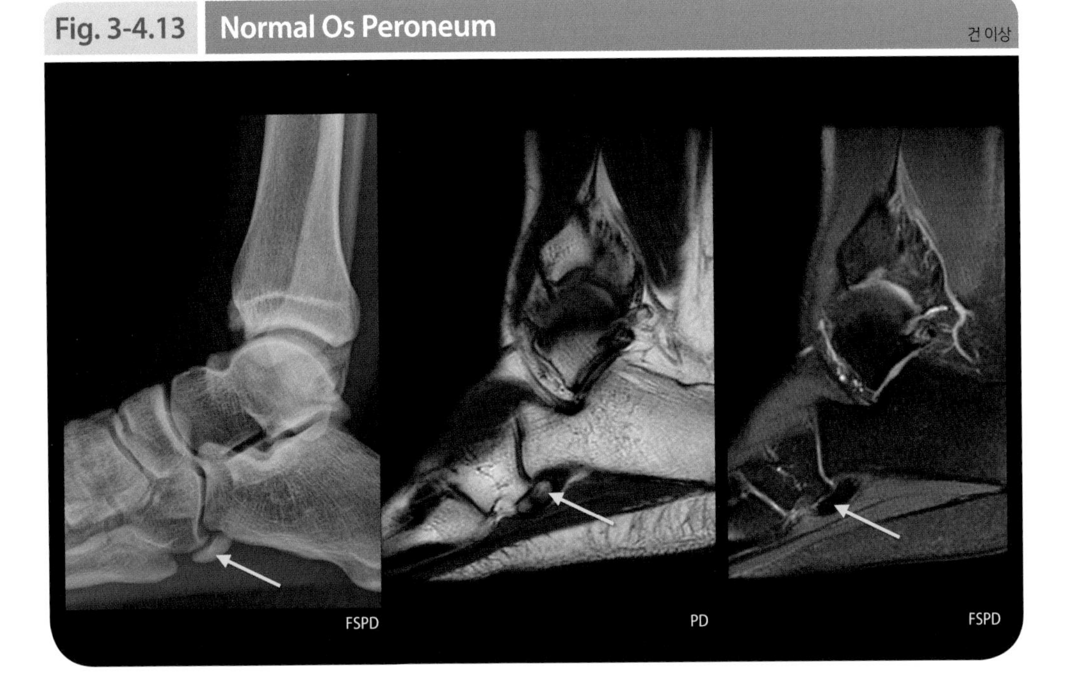

동영상 QR코드

▶ 3-4.13

Normal Os Peroneum

- Os peroneum은 cuboid bone의 lateral, plantar aspect에 small ossicle로 보이며, peroneus longus tendon 안에 위치한다.
- (Fig. 3-4.13) 케이스처럼 os peroneum이 비교적 크고 fatty marrow가 있다면 MRI에서 이를 확인할 수 있다. PD 이미지(중앙 이미지)에서 os peroneum은 고신호강도를 보이고, FSPD 이미지(오른쪽 이미지)에서 fat suppression되어서 저신호강도를 보인다. 그래서 FSPD 이미지만 보면 os peroneum과 peroneus longus tendon을 구분하기 어렵다.
- 만약 os peroneum 크기가 작다면 내부에 fat marrow가 없어서 저신호강도의 tendon과 tendon 안에 있는 저신호강도의 os peroneum이 fat suppression 하지 않은 이미지에서도 구분이 안될 수 있다.
- PD 이미지에서 os peroneum때문에 peroneus longus tendon 내부에 신호강도가 증가하였다고 그것을 tendinosis라고 오인하면 안 된다.

Fig. 3-4.14 Painful Os Peroneum Syndrome

건 이상

Os peroneum within the peroneus longus tendon in the lateral aspect of the midfoot

Edema in the adjacent soft tissues

FSPD

FSPD

동영상 QR코드

▶ 3-4.14

Painful Os Peroneum Syndrome

- Peroneus longus tendon (white arrow) 안에 os peroneum (yellow arrow)이 있으며(일반촬영), cuboid tunnel (cuboid groove for peroneus longus tendon) 주변으로 soft tissue edema와 tenosynovitis가 보인다.
- Os peroneum과 관련하여 증상이 생기면 그것을 painful os peroneum syndrome이라고 한다.
- Fat suppressed imaging만 있거나, 작은 os peroneum의 경우 peroneus longus tendon 안에 있는 os peroneum이 (Fig. 3-4.14)처럼 잘 안보인다.
- (Fig. 3-4.13) PD 이미지(중앙 이미지)에서 고신호강도를 보이는 os peroneum을 비교하여 참고하자.

05

상비골지지띠
(Superior Peroneal Retinaculum)

The superior peroneal retinaculum (SPR) functions as the primary restraint to peroneal tendon subluxation and is also a secondary restraint to anterolateral ankle instability.

1. 비골건 불안정성(Peroneal tendon instability)은 상비골지지띠의 손상(SPR injuries)으로 retromalleolar groove에 위치한 비골건이 전방으로 탈구 혹은 아탈구되는 것을 뜻한다(27).

a) 상비골지지띠(Anatomy of Superior Peroneal Retinaculum) (Fig. 3-4.01)

- 상비골지지띠는 비골건을 비골 후구(retromalleolar groove)에 위치하도록 지지하고 있고, 비골 끝에서 약 1 cm 위의 외측과(lateral malleolus)에서 시작한다.

- 비골 끝의 외측면에서 비골 후구를 깊게 만드는 작은 삼각형 모양의 섬유연골능선(fibrocartilaginous ridge)은 MRI에서 저신호강도로 보인다(8) (30).

b) 상비골지지띠 손상(Superior Peroneal Retinaculum Injury)

- Predisposing factors (16)
  - 얕은 비골 후구(retromalleolar groove), 제4 비골근(peroneus quartus), 낮게 주행하는 단비골근(low–lying muscle belly of peroneus brevis), 선천적으로 상비골지지띠가 없거나, 인대 이완(ligamentous hyperlaxity), heel valgus 등이 있다.
  - 신경근육질환(neuromuscular disease)으로 calcaneovalgus feet, acquired heel valgus가 있는 경우도 상비골지지띠 손상이 생길 수 있다.

c) Oden's Classification System (16) (Fig. 3-5.01)

- 상비골지지띠 손상은 Oden의 외과적 분류체계에 의해 네 가지 유형으로 분류한다(8) (19).
- Type Ⅰ 손상: 비골 부착부위에서 지지띠 및 골막 부착이 벗겨지거나(stripped off) 융기되는(elevated) 상태(Fig. 3-5.02~03)
  - 가장 흔하며, 골막이 일부 벗겨지거나 두꺼워지면서 false pouch를 만들면서 그 곳에 fluid가 차거나 부종이 생긴다.
  - Type I 손상으로 false pouch가 형성되어 그 안에 fluid가 있는 것을 확인할 때는 T1WI에서 저신호강도를 보는 것이 도움이 된다(19).
- Type Ⅱ 손상: 상비골지지띠가 비골 부착 부위에서 파열된 경우
- Type Ⅲ 손상: 상비골지지띠의 비골 부착 부위에서 avulsion fracture가 생기는 경우(Fig. 3-5.04)
- Type Ⅳ 손상: 상비골지지띠의 후방 부착부위에서 파열된 경우

Fig. 3-5.01 **Superior Peroneal Retinaculum Injury** 건 이상

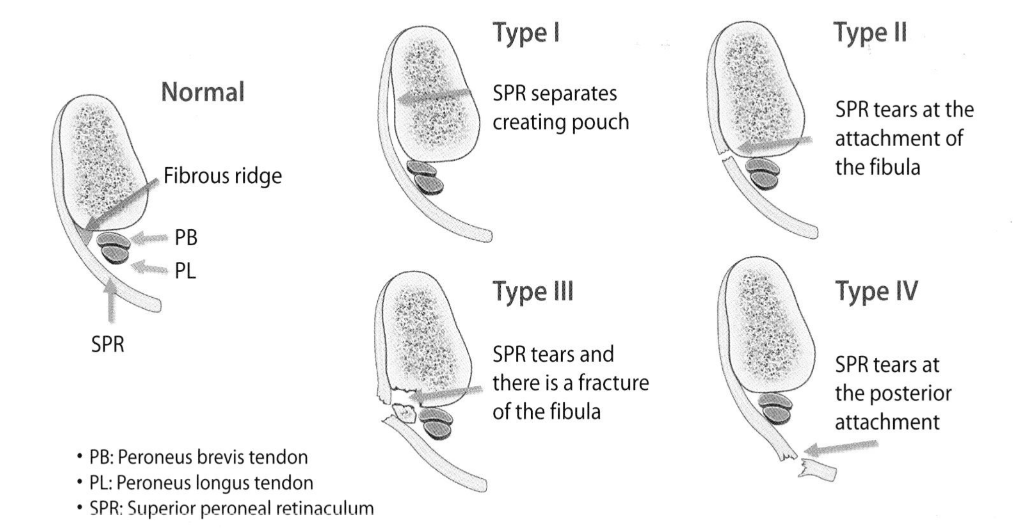

동영상 QR코드

▶ 3-5.01

Superior Peroneal Retinaculum Injury

- Superior peroneal retinaculum (SPR) injury는 Oden의 외과적 분류체계에 의해 네 가지 유형으로 분류한다.
- Type I 손상이 가장 흔하며 fibular attachment site에서 SPR 및 periosteum이 벗겨지거나(stripped off) 융기되는(elevated) 상태이다. Lateral malleolus와 SPR 및 periosteum 사이에 공간이 생겨서 그 공간(pouch)으로 peroneal tendon들이 anterior subluxation이나 dislocation이 될 수 있다. 이런 경우 MRI를 시행할 당시 peroneal tendon이 제자리에 있으면 진단이 어려울 수 있다.
- Type II는 SPR이 fibular attachment site에서 tear가 된 것이다.
- Type III는 SPR tear와 함께 avulsion fracture가 있다.
- Type IV는 SPR의 fibular attachment가 아니라 posterior attachment에서 tear가 된 것이다.

건 이상

Fig. 3-5.02 Periosteal Stripping and SPR Insufficiency

건 이상

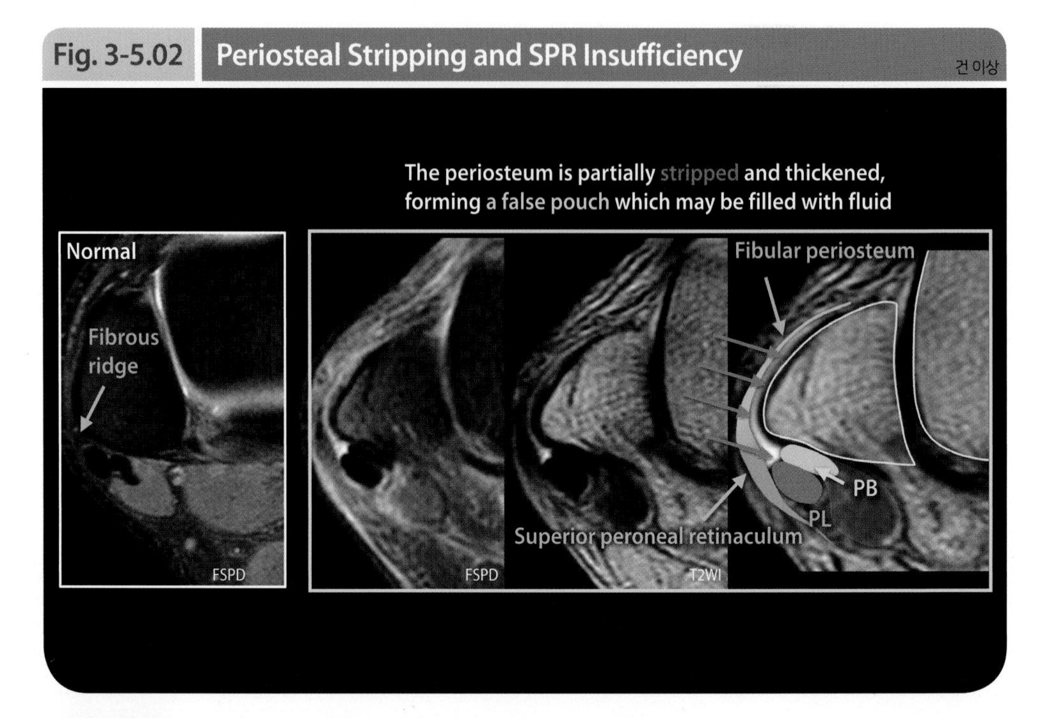

동영상 QR코드

▶ 3-5.02

Periosteal Stripping and SPR Insufficiency

- Superior peroneal retinaculum (SPR)은 tear는 없으나 SPR이 두껍고 SPR 및 periosteum이 lateral malleolus로부터 벗겨져서 그 사이에 high signal intensity (pink arrow)의 공간이 생겼다.
- Peroneus longus/brevis tendons는 MRI 검사 당시 정상 위치를 하고 있는데 이러한 경우 SPR injury 진단이 어려울 수 있다.
- 여기에서 저신호강도의 작은 삼각형 모양을 하는 fibrous ridge가 보이지 않는다.

Fig. 3-5.03 **Superior Peroneal Retinaculum Injury, Type I** 건 이상

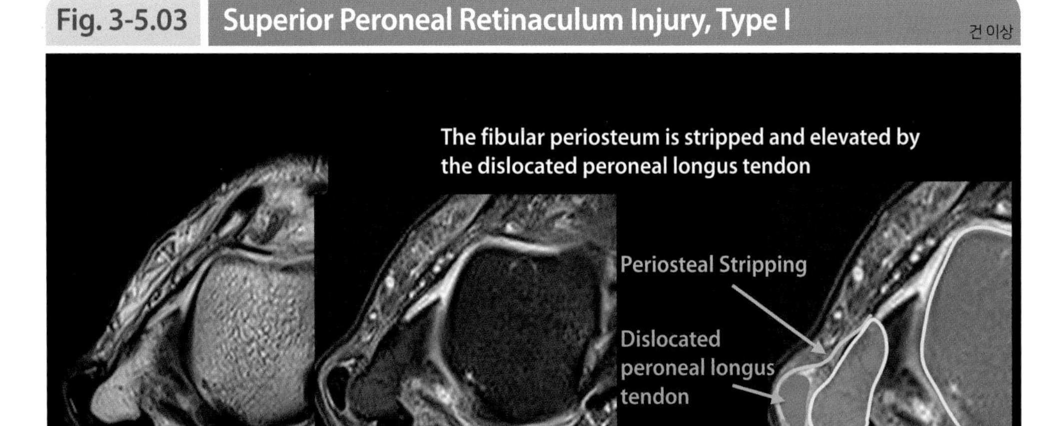

동영상 QR코드

▶ 3-5.03

Superior Peroneal Retinaculum Injury, Type I

- Superior peroneal retinaculum (SPR) injury는 Oden의 외과적 분류체계에 의해 네 가지 유형으로 분류한다. (Fig. 3-5.01)에서 분류를 알아보자. (Fig. 3-5.03)에서는 가장 흔한 Type I 손상이다.
- Superior peroneal retinaculum (SPR)의 tear는 없으나 SPR (blue) 및 periosteum (green)이 lateral malleolus로부터 벗겨져서 그 사이에 공간으로 peroneus longus tendon (orange)이 anterior dislocation되었다.
- Peroneus brevis tendon (yellow)은 정상 위치에 있다.

Fig. 3-5.04 **Superior Peroneal Retinaculum Injury, Type III** 건 이상

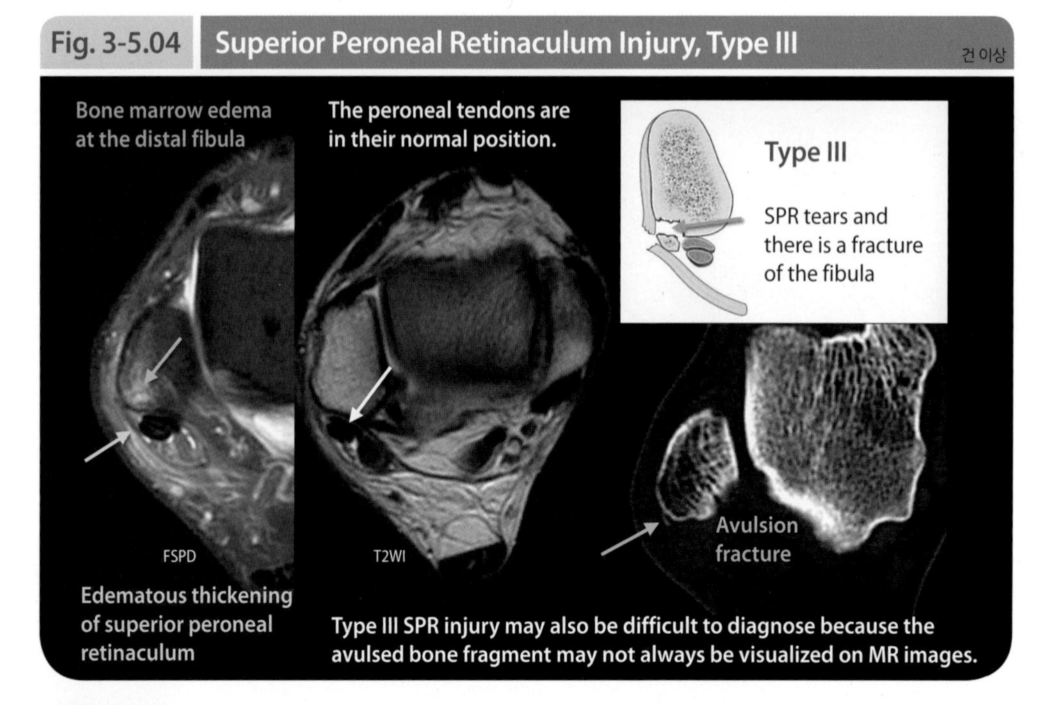

Bone marrow edema at the distal fibula
The peroneal tendons are in their normal position.
Type III
SPR tears and there is a fracture of the fibula
FSPD
T2WI
Avulsion fracture
Edematous thickening of superior peroneal retinaculum
Type III SPR injury may also be difficult to diagnose because the avulsed bone fragment may not always be visualized on MR images.

동영상 QR코드

▶ 3-5.04

Superior Peroneal Retinaculum Injury, Type III

- Superior peroneal retinaculum (SPR) injury는 Oden의 외과적 분류체계에 의해 네 가지 유형으로 분류한다. (Fig. 3-5.01)에서 분류를 알아보자.
- Superior peroneal retinaculum (SPR) 및 주변 구조물에 edema가 있다. CT scan에서 아주 작은 avulsion fracture fragment (blue arrow)가 보인다. Enthesophyte 가능성이 있으나 MRI에서 bone marrow edema가 있어서 avulsion fracture로 생각할 수 있다. 이것은 superior peroneal retinaculum injury, Type III이다.
- SPR injury때문에 lateral malleolus에 bone marrow edema가 생길 수 있으나, 작은 골편이 bone marrow edema가 있는 바로 그 곳에 보이므로 fracture의 가능성이 높다.
- MRI에서는 이런 작은 avulsion fracture fragment가 보이지 않아서 avulsion fracture를 평가하는데 CT가 MRI보다 낫다.

d) Intrasheath Subluxation (Fig. 3-5.05)

- 상비골지지띠의 손상 없이 장/단비골건 이들의 위치가 서로 아탈구되기도 한다(31).
- Type A: 비골건이나 상비골지지띠의 손상 없이 비골건 위치만 바뀌어 장비골건이 단비골건보다 내측에 깊이 위치한다.
- Type B: 단비골건이 종축 파열되면서 장비골건이 단비골건보다 더 깊게 위치하게 된다.

Fig. 3-5.05 **Intrasheath Subluxation** 건 이상

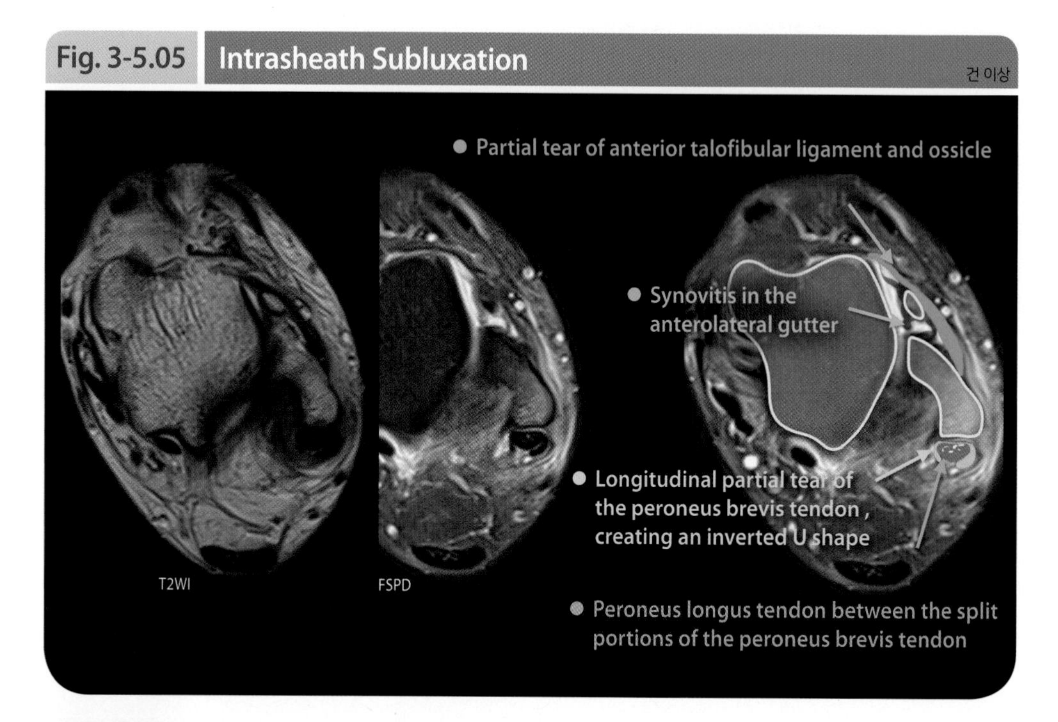

동영상 QR코드

▶ 3-5.05

Intrasheath Subluxation

- 정상에서는 retromalleolar groove에서 peroneus brevis (PB)는 편평하거나 약간 초승달 모양을 하며, peroneus longus tendon (PL)보다 전방, 내측 혹은 전내측에 위치(Fig. 3-4.01)한다.
- (Fig. 3-5.05)에서 PB (yellow)가 longitudinal tear가 되어 그 사이에 PL (orange)이 위치하고, PB보다 PL이 조금 더 전방에 위치하여 있다. 이렇게 common peroneal tendon sheath 내에서 두 tendon의 위치가 바뀌어 intrasheath subluxation되어있다.
- Superior peroneal retinaculum (SPR)이 두껍고 edema가 보인다.

- Peroneus brevis tendon의 longitudinal tear가 있을 때 lateral ligament complex injury가 동반되는 경우가 있는데 (Fig. 3-5.05)에서 anterior talofibular ligament가 partial tear, laxity를 보이고 ossicle이 보이며 anterolateral gutter에 synovitis가 있다.

06

아킬레스건 (Achilles Tendon)

Achilles tendon tears are the most common ankle tendon injuries and are most commonly seen secondary to sports−related injuries.

1. 비복근과 가자미근이 합쳐져(conjoint aponeurosis of the gastrocnemius-soleus musculotendinous unit) 아킬레스건이 되어 superior calcaneal tuberosity 약 1 cm 원위부에 부착한다.

a) Anatomy of Achilles Tendon (Fig. 3-6.01)

- 시상면에서 균일한 직경으로 보이고, 축상면에서 전면이 편평하거나 오목하게 보이며 MRI에서 모두 저신호강도로 보인다(매직각 효과는 아킬레스건에는 없다).

- 간혹 전면이 구불구불하게 보일 수 있는데, soleus muscle과 gastrocnemius muscle이 서로 꼬이면서 종골에 부착하기 때문이다(8).
- T1WI, PD 이미지에서 건 내의 점상의 증가된 신호강도는 건 내로 들어가는 힘줄 옆 조직, 혈관 결합조직 때문이다.
- 아킬레스건은 건초가 없고 성긴 결합조직(loose areolar tissue composed of a single layer of cells)인 힘줄 옆 조직(paratenon 혹은 peritenon)으로 둘러싸여 있다(32).
- 아킬레스건 내측으로 족척건(plantaris tendon)이 있다(Fig. 3-6.07).

b) 아킬레스건 부착부위에 2개의 윤활낭이 있다(33).

- 종골후 윤활낭(Retrocalcaneal bursa):
  - 아킬레스건과 종골 융기사이에 위치한다.
  - 미량의 액체는 정상이다.
- 아킬레스건 뒤 윤활낭(RetroAchilles bursa, Subcutaneous bursa):
  - 아킬레스건과 피부사이에 위치한다.
  - 국소 외상이나 염증과 연관이 있다.

c) Kager's fat pad

- 아킬레스건 전방에 삼각형 모양의 전아킬레스지방층(Kager 지방체)이 존재한다.
- Kager's fat pad의 앞에는 장족무지굴건(flexor hallucis longus tendon), 하방에는 종골의 superior border가 있다.
- 아킬레스건에 병변이 생기면 Kager's fat pad에 부종이 생길 수 있으며, 그러면서 장족무지굴건, 족관절의 posterior recess에 영향을 주기도 한다(34).

Fig. 3-6.01 **Retro-Achilles Bursa and Paratenon** 건 이상

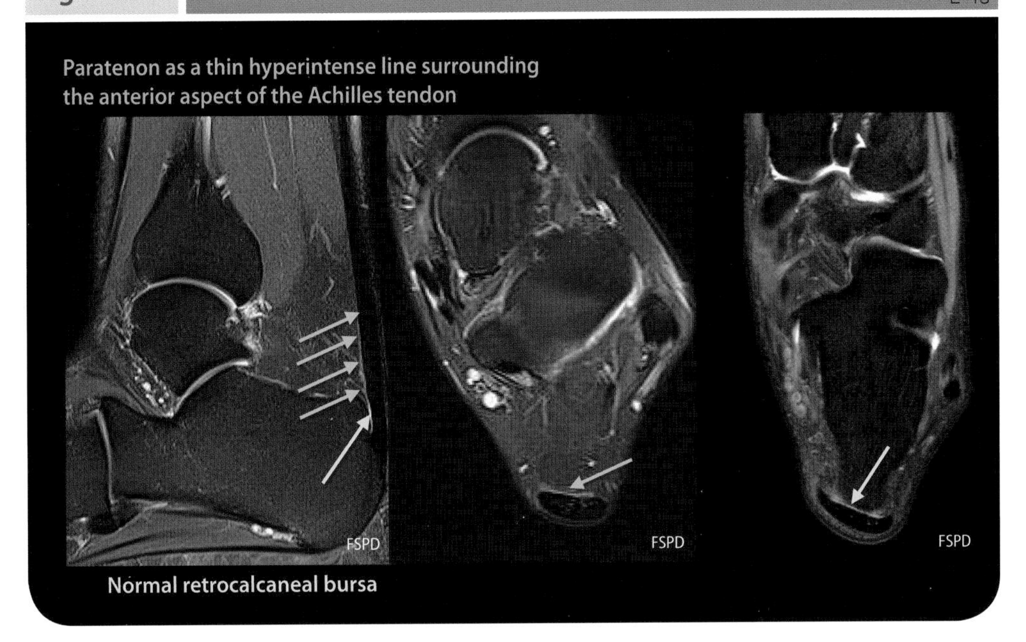

동영상 QR코드

▶ 3-6.01

Retro-Achilles Bursa and Paratenon

- Achilles tendon은 tendon sheath가 없는 대신 paratenon (green arrows)이 있고 MRI에서 thin hyperintensity line으로 Achilles tendon 앞에 보인다.
- Achilles tendon과 posterosuperior calcaneus 사이에 retrocalcaneal bursa (yellow)가 보이며 소량은 정상이다.
- (Fig. 3-6.01) 정상 Achilles tendon이며 axial image에서 Achilles tendon anterior surface는 편평하거나 약간 오목하게 보이며, sagittal image에서도 균일한 직경과 저신호강도를 보인다.

2. 아킬레스건염은 장딴지 근육의 과사용이 일차 원인이며, 혈류부족, lack of flexibility, genetic and metabolic factors 역시 원인이 된다(35).

a) Achilles Tendon Tendinosis/Tendinopathy (Fig. 3-6.02)

- 아킬레스건의 손상은 해부학적 위치에 따라 종골 부착부 상방 혹은 종골 부착부, 두 부위에서 생긴다(36).

- 비부착부 아킬레스건 변성(noninsertional Achilles tendon pathology) (50 to 75%)
  - 혈관분포가 적은 종골 부착 2~6 cm 상방에서 발생하고 달리기 선수나 점프하는 운동선수들에게서 흔하다(37).

- 부착부 아킬레스건 변성(insertional disorders, insertional tendinosis) (20 to 25%)
  - 운동부족 혹은 앉아 있는 사람에게서 발생하는 경향이 있다(8).

- 아킬레스건 건증(tendinosis)은 건의 변성을 의미하는데, 대부분의 아킬레스건 병변은 tendinosis부터 시작한다(38).

- 아킬레스건 변성은 hypoxic, mucoid, calcific, fatty degeneration이 있다.
  - Hypoxic degeneration이 파열된 아킬레스건에서 가장 흔하게 볼 수 있는 변성이다. 이는 혈관분포가 가장 적은 종골 부착부 상방 2~6 cm에서 생긴다("watershed area" or "critical zone").

- Mucoid degeneration은 mucoid때문에 T2WI에서 건이 두꺼워지면서 신호강도가 증가하고, 부분파열(interstitial tears)이 생기게 된다(39).
- 드물게 calcific degeneration이 되면 두꺼워진 건 내에 dystrophic calcification이 생기면서 cortical bone, trabeculae 등이 보인다(Fig. 3-6.03).

- 아킬레스건염 MRI 소견 (40)
  - 아킬레스건은 국소 혹은 방추형으로 두껍고 앞쪽이 볼록하다.
  - T1WI, T2WI, PDFS 이미지에서 건 내에 미만성 혹은 선상의 고신호강도 및 중등신호강도를 보이며, 부분 열상이 동반될 수 있다.

Fig. 3-6.02 Achilles Tendinopathy

건 이상

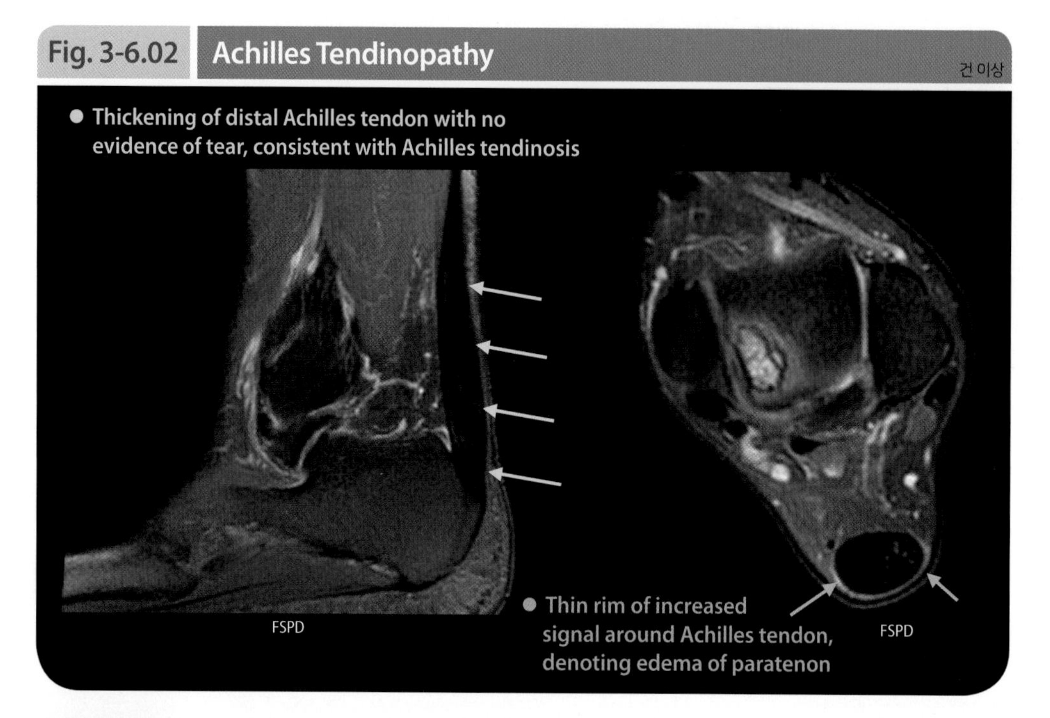

● Thickening of distal Achilles tendon with no evidence of tear, consistent with Achilles tendinosis
FSPD
● Thin rim of increased signal around Achilles tendon, denoting edema of paratenon
FSPD

동영상 QR코드

▶ 3-6.02

Achilles Tendinopathy

- Achilles tendon이 sagittal image에서 fusiform shape으로 diffuse enlargement를 보이며 axial image에서 Achilles tendon이 앞쪽으로 볼록하다. (Fig. 3-6.01)의 정상 Achilles tendon과 비교해보자.
- Achilles tendon 내에 신호강도가 약하게 증가하여 있으나 tear가 동반되지 않은 tendinosis이다.
- Achilles tendon 주변으로 paratenon (green arrow)의 신호강도가 약간 증가하였다.
- Medial talar dome에 subchondral cyst, edema가 있어 osteochondral lesion of the talus가 있다.

Fig. 3-6.03 Ossified Achilles Tendinopathy 건 이상

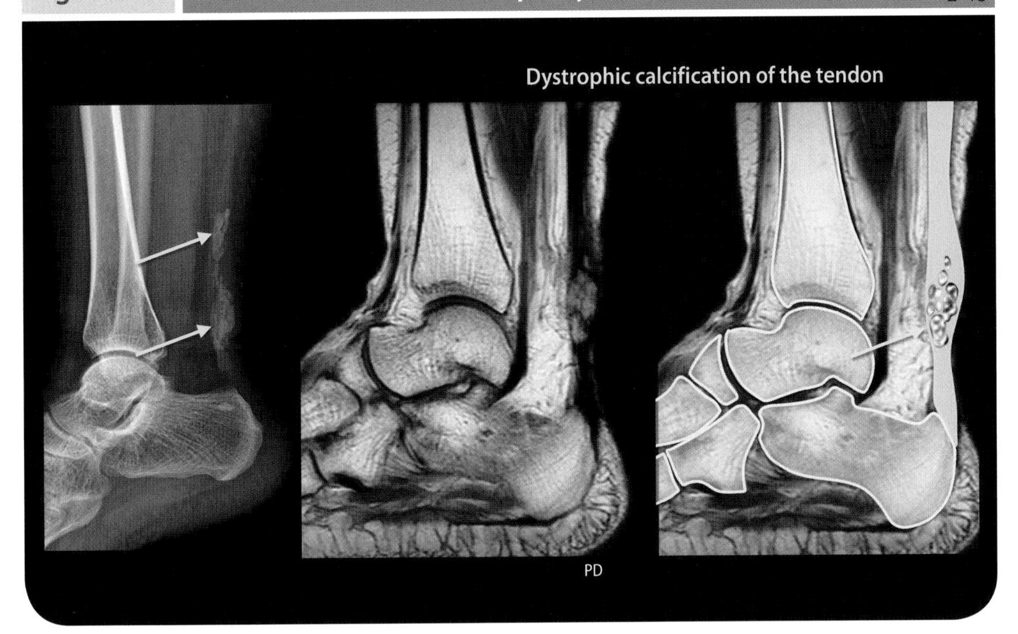

동영상 QR코드

▶ 3-6.03

Ossified Achilles Tendinopathy

- Achilles tendon 변성은 hypoxic, mucoid, calcific, fatty degeneration이 있는데 이 케이스에서는 드물게 calcification을 보이고 있다.
- Achilles tendon 내에 dystrophic calcification은 일반촬영에서 잘 보이며 크기가 크면 MRI에서도 cortical and trabecular bone pattern으로 잘 보인다.
- Achilles tendon ossification은 이전 macrotrauma (Achilles tendon rupture, 이전 수술받은 경우) 혹은 repetitive microtrauma에 의해서 생긴다.

3. 부착부 아킬레스건 변성은 여러 condition에서 볼 수 있다(41).

a) Haglund's syndrome (40) (Fig. 3-6.04)

- 종골 부착부 건 변성은 종종 종골의 Haglund 변형과 관련된다.
- Haglund 변형은 posterior tuberosity of the calcaneus가 prominence and irregularity를 보이는 것을 말한다.
- Haglund 증후군:

  Haglund 변형이 있으면서 insertional Achilles tendinopathy, 종골후 윤활낭염(retrocalcaneal bursitis), 아킬레스건뒤 윤활낭염(retroAchilles bursitis), 건 내 석회화, 종골 골수 부종 등으로 인하여 염증변화, 증상이 있는 경우를 말한다.
- 잘 맞지 않는 신발을 신을 때 발생할 수 있다.

b) Chronic traction (3)

- 아킬레스건 변성은 운동선수, 특히 육상선수에서 자주 볼 수 있는데, 이는 장딴지 근육을 반복해서 많이 사용하기 때문에 일어난다.
- 아킬레스건염과 함께 골극(bony spur, enthesophyte)이 아킬레스건 부착부위 주변에 생기게 된다.
- 건 내에 석회화/골화가 생기기도 한다.
- 골극에 부종이 보인다면 증상이 있을 가능성이 높으며, 종골후 윤활낭염(retrocalcaneal bursitis)이 동반되기도 한다(Fig. 3-6.05~06).

c) Seronegative arthropathies (41)

- 종골후 윤활낭염(retrocalcaneal bursitis)이 동반되기도 하고, 부착부위에 골미란(fluffy osseous erosions)이 생길 수 있다.

Fig. 3-6.04 Haglund's Deformity

건 이상

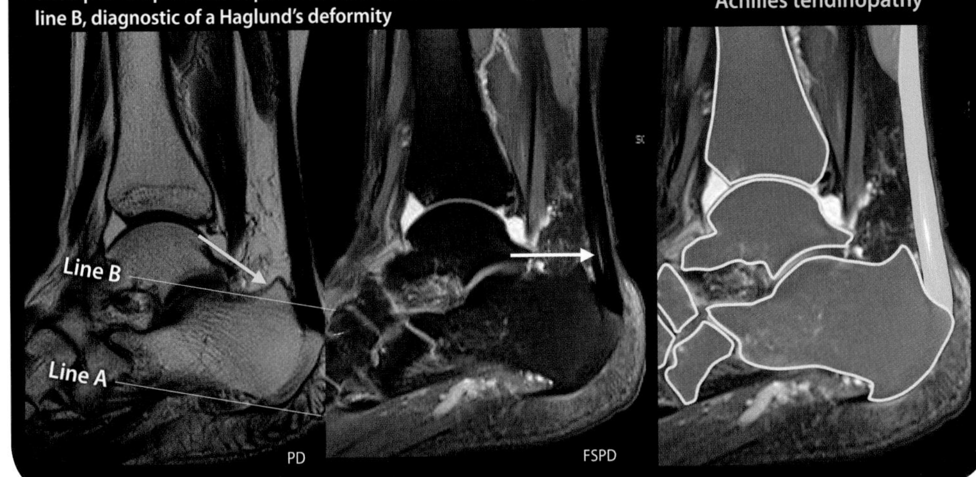
• Line A is drawn from the anterior tubercle to the medial tubercle.
• Line B parallels line A and starts at the highest point of the posterior facet of the subtalar joint surface.
• The tip of the posterior superior tubercle of the calcaneus (arrow) lies above line B, diagnostic of a Haglund's deformity
Achilles tendinopathy
Line B
Line A
PD
FSPD

동영상 QR코드

▶ 3-6.04

Haglund's Deformity

- Haglund 변형은 posterior tuberosity of the calcaneus가 돌출되고 불규칙한 것을 말한다(arrow).
- 이런 변형이 있는 경우 Achilles tendon 부착부위에 Achilles tendon 변성이 잘 생길 수 있으며 여기에서도 Achilles tendon 내에 linear signal change가 있다.

Fig. 3-6.05 **Insertional Achilles Tendinopathy**

건 이상

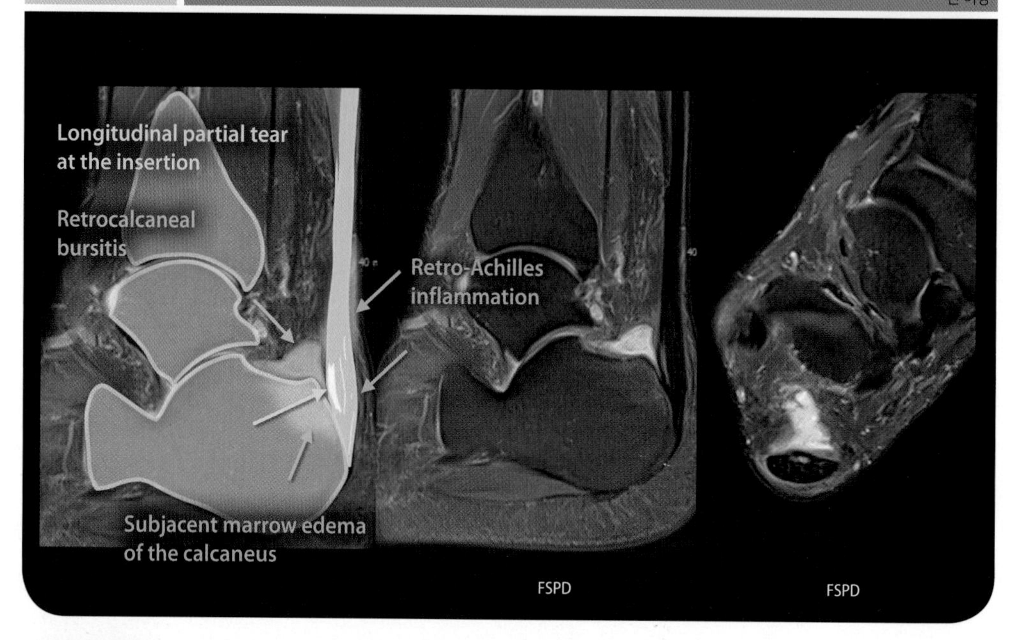

동영상 QR코드

▶ 3-6.05

Insertional Achilles Tendinopathy

- Achilles tendon thickening과 내부에 linear high signal change가 보여 tendinosis에 해당한다. 병변이 Achilles tendon attachment site이므로 insertional tendinopathy이다.
- Calcaneus 부착 부위에 bone marrow edema (green)가 약하게 보인다.
- Insertion tendinopathy가 있는 경우 Achilles tendon 앞에 retrocalcaneal bursitis (blue)가 자주 동반된다. Achilles tendon 후방의 피하지방(orange arrows)에도 edema가 보인다.
- Achilles tendon과 posterosuperior calcaneus 사이 retrocalcaneal bursa에 미량의 액체는 정상이며, (Fig. 3-6.01) 정상 이미지를 참고하자.

Fig. 3-6.06 **Insertional Achilles Tendinopathy** 건 이상

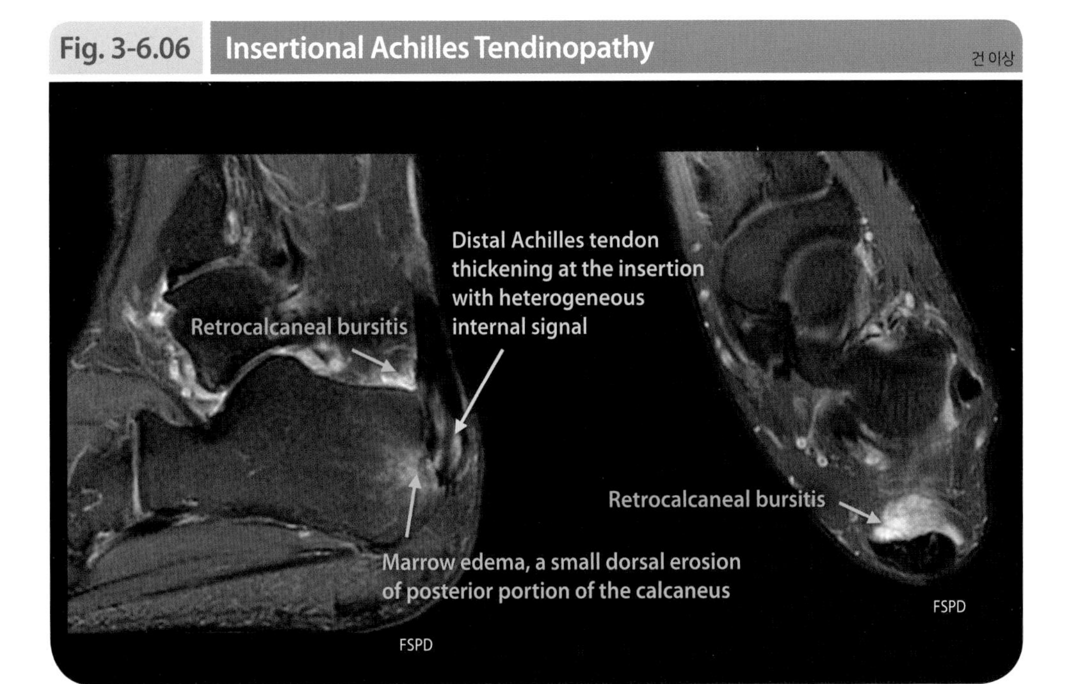

동영상 QR코드

▶ 3-6.06

Insertional Achilles Tendinopathy

- Achilles tendon 부착 부위가 두꺼워지고 내부에 high signal intensity (yellow arrow)가 보여 tendinosis에 해당한다. Tendinosis보다 조금 더 신호강도가 높은 곳은 interstitial partial tear로 보인다.
- 건이 부착하는 calcaneus에 bone marrow edema 및 small erosion (blue arrow)이 있다. Retrocalcaneal bursitis (green arrow)가 동반되었다.
- Non-insertional degenerative tendinosis와는 달리 insertional Achilles tendinitis는 조직학적으로 inflammatory process를 갖는다(48).

4. Tendon이 fusiform shape으로 두꺼워지면서 tendon 내에 high signal speckling이 보인다면 Achilles tendinitis와 early xanthoma, gout를 생각할 수 있는데, 만약 양측으로 발생한다면 xanthoma 가능성이 높다(8).

a) Achilles Tendon Xanthoma (8) (42)

- Familial hypercholesterolemia 환자에서 xanthoma cell, 세포외 콜레스테롤, 거대세포, 염증세포에 의해 발생한다.
- Achilles tendon의 AP diameter가 증가되면서 axial image에서 convex ventral margin을 보인다.
- 내부 signal change (고신호강도, diffuse and uniform stippled pattern)가 T1WI, T2WI에서 보인다.

5. 아킬레스건 주위염(peritendinitis or paratendinitis)은 아킬레스건 주변조직(전아킬레스지방층, Kager's fat pad)의 염증으로, 건은 정상 형태와 신호강도를 보이며 전아킬레스지방층이 소실되거나 붓는다(8).

a) Peritendinitis/Paratendinitis (Fig. 3-6.07)

(Peritendinitis와 paratendinitis를 같은 의미로 사용하기도 하지만 구별하기도 한다. 여기서는 이 둘을 구별하여 설명하고자 한다.)

- Achilles periteniditis (7)
  - 건 주변의 connective tissue인 paratenon에 염증이 생긴 것을 말한다.
  - T2WI에서 건 주변에 고신호강도의 병변을 볼 수 있다. Peritendinitis

에서 병변은 건을 완전히 혹은 일부만 둘러싸게 되는데, 건초염에서 보이는 것처럼 밝은 신호강도는 아니다.

- Achilles paratendinitis **(38)** (Fig. 3-6.08)
  - Achilles peritendinitis와 서로 혼용되지만 정확하게 전아킬레스지방층(Kager's fat pad)의 염증을 말한다.
  - 아킬레스건 앞쪽에 T1WI에서 정상적으로 보이는 고신호강도의 지방이 소실되고, T2WI, PDFS 이미지에서 불규칙한 고신호강도를 보이게 된다.
  - Peritendinitis, paratendinitis는 아킬레스건의 tendinosis가 동반하기도 하지만 단독으로 보이기도 한다.

b) 종골후 윤활낭염(Retrocalcaneal bursitis) (Fig. 3-6.05~06) (Fig. 3-6.09)

- 임상양상이 아킬레스건염처럼 보일 수 있다.
- 달리기 선수에서 종종 보이며, repetitive trauma가 흔한 원인이다.
- 다른 원인으로 rheumatoid arthritis, seronegative spondyloarthropathies가 있다**(43)**.
- 종골후 윤활낭염(Retrocalcaneal bursitis) MRI 소견
  - 아킬레스건과 종골융기 사이에 미량의 액체는 정상이다.
  - Craniocaudal 7 mm, transverse 11 mm, anterosuperior 1 mm 이상 커지면 윤활낭염이다**(44)**.
  - 아킬레스건 부착부와 paratenon에 염증이 생기거나 아킬레스건 파열, 아킬레스건 주위염, 석회화, 골화 등이 동반될 수 있다**(45)**.

c) 아킬레스건뒤 윤활낭염(RetroAchilles bursitis) (Fig. 3-6.09)

- 종골이나 아킬레스건 후방에 마찰에 의해서 생긴 adventitious bursitis이다.

Fig. 3-6.07 Achilles Periteninitis

건 이상

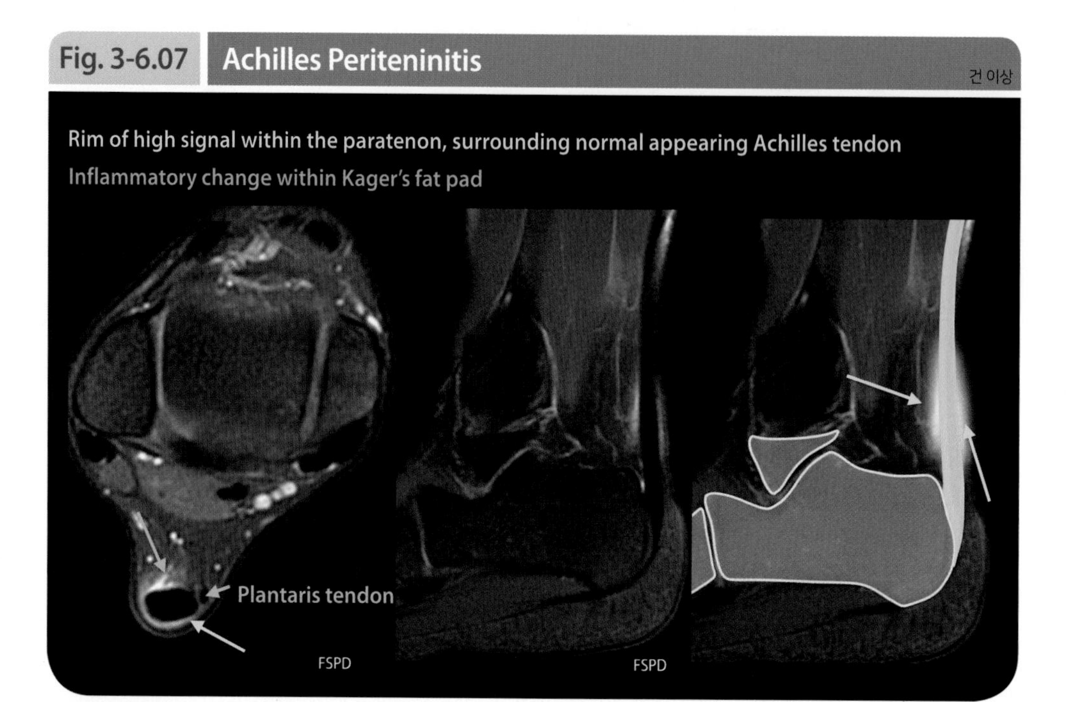

Rim of high signal within the paratenon, surrounding normal appearing Achilles tendon
Inflammatory change within Kager's fat pad
Plantaris tendon
FSPD
FSPD

동영상 QR코드

▶ 3-6.07

Achilles Peritendinitis

- Achilles tendon 주변에 tendon sheath가 있지 않고 connective tissue인 paratenon이 있다. 여기에 염증이 생긴 것을 peritendinitis라고 하며, tendon 주변에 고신호강도(yellow)를 보이게 된다. 이 경우 다른 건에서 보이는 tenosynovitis만큼 고신호강도로 보이지는 않는다.
- Achilles tendon을 따라 전방의 Kager's fat pad (green)와, 후방으로 subcutaneous fat에 edema가 보인다.
- Achilles tendon의 paratenon (green arrows)은 MRI에서 정상적으로 thin hyperintensity line으로 Achilles tendon 앞에 보인다. (Fig. 3-6.01) 정상 이미지를 참고하자.

- 정상 Plantaris tendon (blue)이 Achilles tendon의 내측에 부착하고 있다.

Fig. 3-6.08 **Achilles Paratendinitis** 건 이상

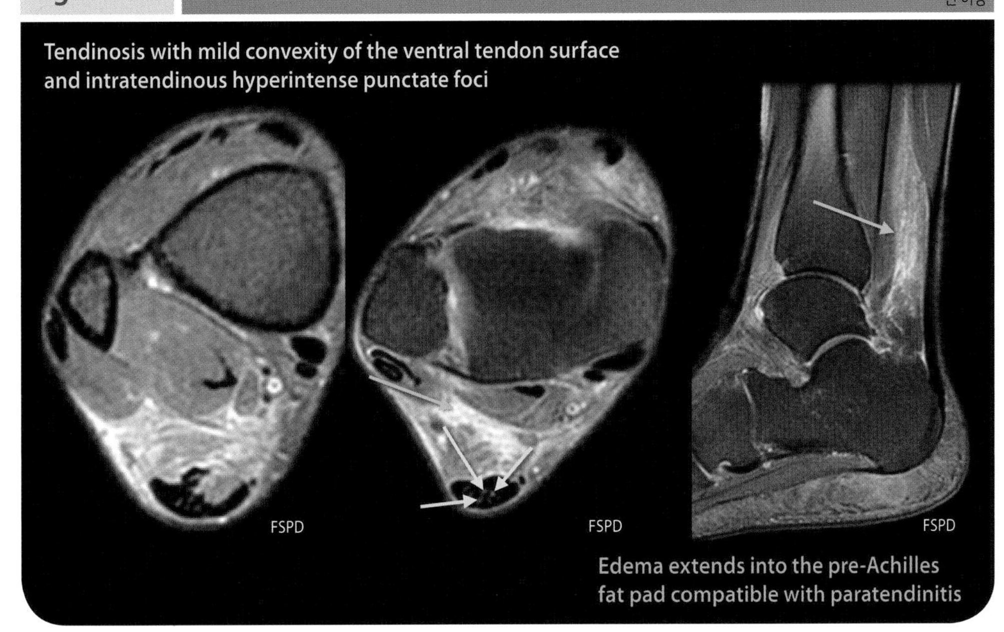
Tendinosis with mild convexity of the ventral tendon surface and intratendinous hyperintense punctate foci
FSPD
FSPD
FSPD
Edema extends into the pre-Achilles fat pad compatible with paratendinitis

동영상 QR코드

▶ 3-6.08

Achilles Paratendinitis

- 전아킬레스지방층(Kager's fat pad)에 FSPD 이미지에서 고신호강도(green)를 보이고 있어 Achilles paratendinitis에 해당한다.
- T1WI나 PD 이미지라면 Achilles tendon 전방에 Kager's fat의 고신호강도가 소실되어 저신호강도로 보이게 된다.
- Achilles tendon도 내부 고신호강도가 조금 보이고 있어 변성이 약간 동반되었다.
- FSPD 이미지에서 정상적으로 저신호강도로 보이는 Kager's fat pad와 비교해보자(Fig. 3-6.01) .

Fig. 3-6.09 Retrocalcaneal and Retro-Achilles Bursitis

건 이상

- Abnormally increased signal in region of retrocalcaneal bursa
  → Mild retrocalcaneal bursitis
- Edema and inflammation posterior to the Achilles tendon
  → Mild retro-Achilles bursitis

동영상 QR코드

▶ 3-6.09

Retrocalcaneal and Retro-Achilles Bursitis

- Calcaneus와 Achilles tendon 사이에 retrocalcaneal bursa (yellow)가 있는데 미량의 액체는 정상이다.
- Craniocaudal 7 mm, transverse 11 mm, anterosuperior 1 mm 이상 커지면 윤활낭염이다.
- Achilles tendon보다 뒤에 있으며 subcutaneous layer에 보이는 것은 retro-Achilles bursa (green)이다.

6. Achilles Tendon Tear

- 아킬레스건 열상은 25~40세에서 가장 흔하고 그 다음으로 60세 이상에서 흔하다(46).
- 건 열상은 정상 건에서는 거의 발생하진 않고 대부분 건 변성이 있는 상태에서 열상이 생긴다.
  - 대부분의 건 열상은 혈관분포가 제일 적은 곳에서 발생하고, myxoid or hypoxic degeneration이 있는 건에서 생긴다(39) (Fig. 3-6.10).
  - Haglund 변형이 있으면 mechanical irritation, degeneration때문에 건 열상이 발생하기 쉽다(47).

- Interstitial tear는 T1WI, PD, T2WI, STIR image에서 종축방향으로 선상의 고신호강도를 보인다(Fig. 3-6.11).
  - 부분 열상은 건이 부분적으로 불연속을 보이고, 건 내에 신호강도의 증가, 건의 retraction, or corkscrew appearance를 보이게 된다.
  - Tendinosis와 부분 열상이 유사하게 보여 감별이 어려울 수 있으나, fluid signal intensity를 보인다면 tendinosis보다는 tear로 생각해야 한다.

- 완전 열상은 액체, 혹은 피로 채워진 gap을 보이게 되고 근위부 및 원위부 건 말단의 수축과 부종, Kager 지방체의 탈출 등이 보인다(8) (Fig. 3-6.12).

Fig. 3-6.10 Interstitial Tear of Achilles Tendon

건 이상

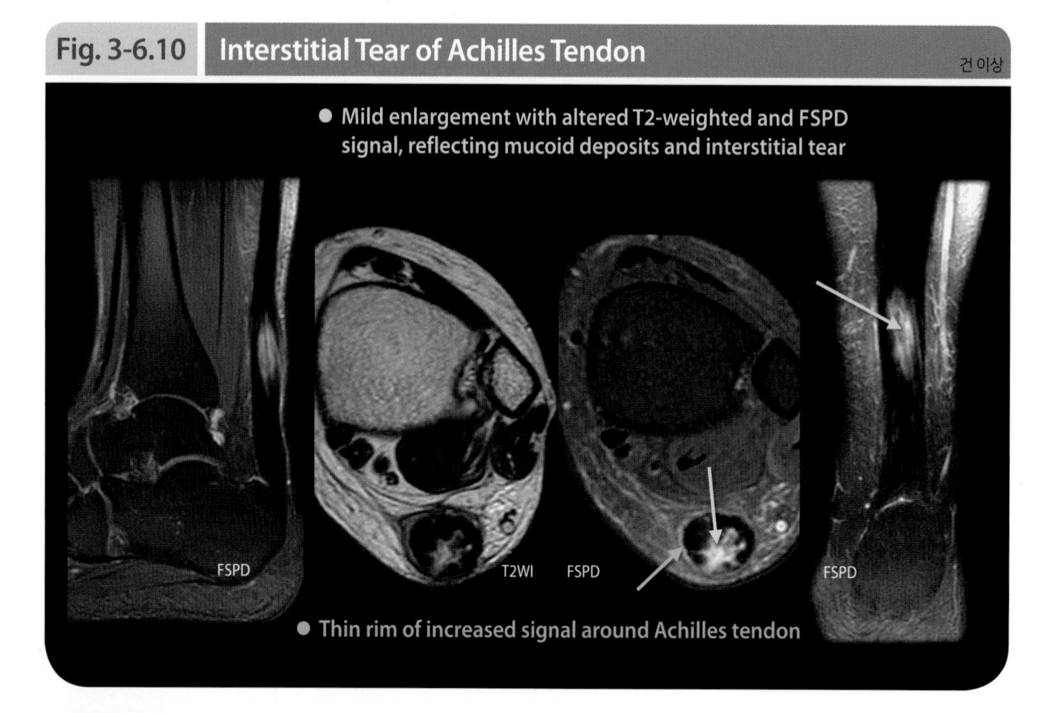

Mild enlargement with altered T2-weighted and FSPD signal, reflecting mucoid deposits and interstitial tear
FSPD
T2WI
FSPD
FSPD
Thin rim of increased signal around Achilles tendon

동영상 QR코드

▶ 3-6.10

Interstitial Tear of Achilles Tendon

- Achilles tendon 변성 중에 mucoid degeneration은 T2WI나 FSPD 이미지에서 고신호강도를 보인다.
- 건 변성 내부에 조금 더 밝은 신호는 mucoid degeneration이 진행하여 partial tear (yellow)가 된 것이다.
- Achilles tendon이 diffuse enlargement를 보이고 paratenon (green)의 신호강도도 증가하였다.

Fig. 3-6.11 Achilles Partial Tear

건 이상

Edema and small hemorrhage filling the gap (asterisk) between the retracted tendon and the small tendon at the calcaneal insertion

Distal Achilles partial rupture

FSPD

FSPD

Reactive bone marrow edema

동영상 QR코드

▶ 3-6.11

Achilles Partial Tear

- Achilles tendon이 종골에 부착하는 곳에서 partial tear가 있어서 tendon이 retraction되었고(yellow arrow), 더 근위부까지 tear가 진행되었다.
- Achilles tendon이 부착하는 calcaneus에는 reactive bone marrow edema (white arrow)가 있고, retrocalcaneal bursitis 혹은 small hemorrhage (asterisk)도 보인다.

- Medial talar dome에 subchondral lesion이 보인다.

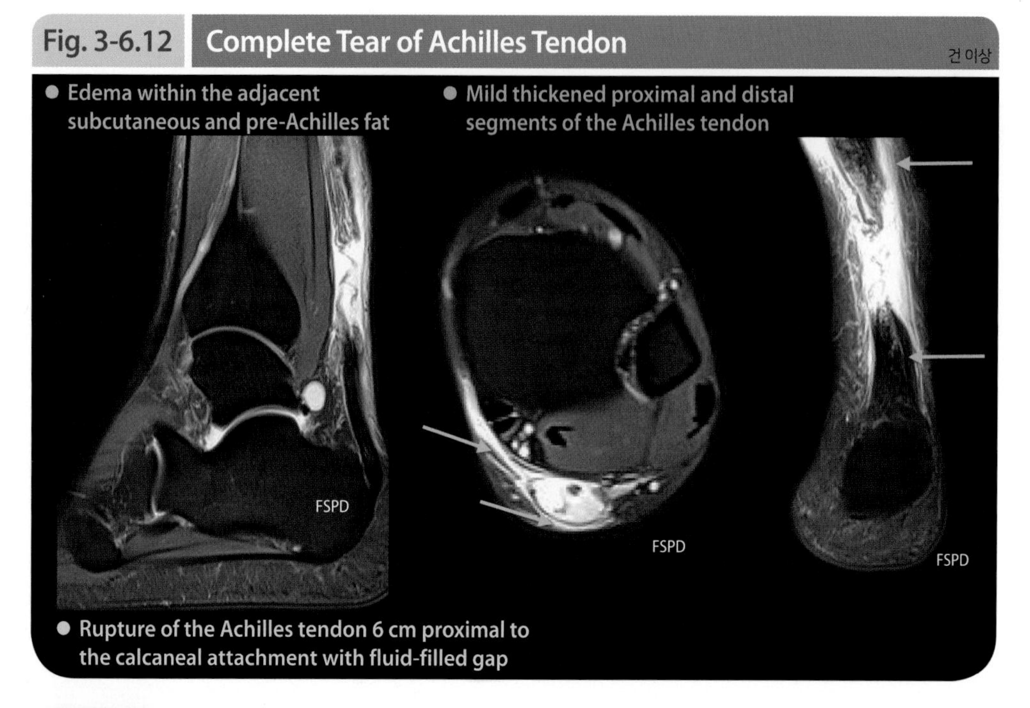

Fig. 3-6.12
Complete Tear of Achilles Tendon
건 이상
● Edema within the adjacent subcutaneous and pre-Achilles fat
● Mild thickened proximal and distal segments of the Achilles tendon
FSPD
FSPD
FSPD
● Rupture of the Achilles tendon 6 cm proximal to the calcaneal attachment with fluid-filled gap

동영상 QR코드

▶ 3-6.12

Complete Tear of Achilles Tendon

- Achilles tendon이 calcaneus 부착부위 6 cm 상방에서 complete tear가 되었고 그곳에 fluid filled gap이 보인다. Sagittal image에서 corkscrew appearance의 residual torn fibers가 보인다.
- Achilles tendon tear는 정상 tendon에서는 잘 생기지 않는데, 이 경우도 proximal 및 distal tendon이 mild thickening을 보이고 있어 건 변성이 있다.
- Achilles tendon tear를 Type I: partial ruptures ≤50%, Type II: complete rupture with tendinous gap ≤3 cm, Type III: complete rupture with tendinous gap 3 to 6 cm, Type IV: complete rupture with a defect of >6 cm (neglected ruptures)로 나누기도 한다(56).

07

장족무지굴건 (Flexor Hallucis Longus Tendon)

With chronic and repetitive injury, the flexor hallucis longus tendon may develop stenosing tenosynovitis or tendinosis.

1. 가장 흔한 장족무지굴건 이상은 건초염이다.

a) 장족무지굴건 손상 Flexor Hallucis Longus Tendon Injury

- 가장 흔한 장족무지굴건 이상은 건초염이며, 흔한 위치 세 곳은 다음과 같다(Fig. 3-7.01) (Fig. 3-10.03).
  - Fibro-osseous tunnel (first fibro-osseous tunnel) between the medial and lateral tubercles of the posterior talar process
  - Deep to the flexor retinaculum

– The level of the sesamoids within the distal hallux tunnel (third fibro-osseous tunnel)

- 장족무지굴건은 내측 및 외측 거골 결절(medial and lateral tubercles of the posterior talar process) 사이의 섬유골관을 통과할 때 가장 많이 손상된다.
  – 이 부위에서 반복적인 마찰로 인해 건초염, 건염 및 열상이 발생한다.
  – 주로 젊은 운동선수나 댄서에서 볼 수 있다.
  – 후방 충돌증후군이 장족무지굴건 건초염의 주요 원인이다.

- 족관절(ankle joint)과 장족무지굴건의 건초(sheath of the flexor hallucis longus tendon, FHL)는 정상적으로 communication이 있어 약간의 fluid가 장족무지굴건의 건초 내에 보이는 것은 정상이다. 하지만 그 양이 많으면 FHL tenosynovitis라고 본다(Fig. 2-5.04).

- 헨리씨 매듭 "(Master) knot of Henry"에서도 건초염이 생길 수 있다(Fig. 3-7.02).
  – FDL (flexor digitorum longus) tendon과 FHL tendon은 midfoot 부위에서 서로 교차하는데 이를 knot of Henry라고 한다.

- 건염이나 부분 열상이 있을 때 건이 방추형으로 두꺼워지고 건내 종축분열을 볼 수 있다.
- 완전 열상은 거골 섬유골관에서는 드물지만 중족에서는 좀 더 흔하다.

Fig. 3-7.01 **Tenosynovitis of FHL Tendon** 건 이상

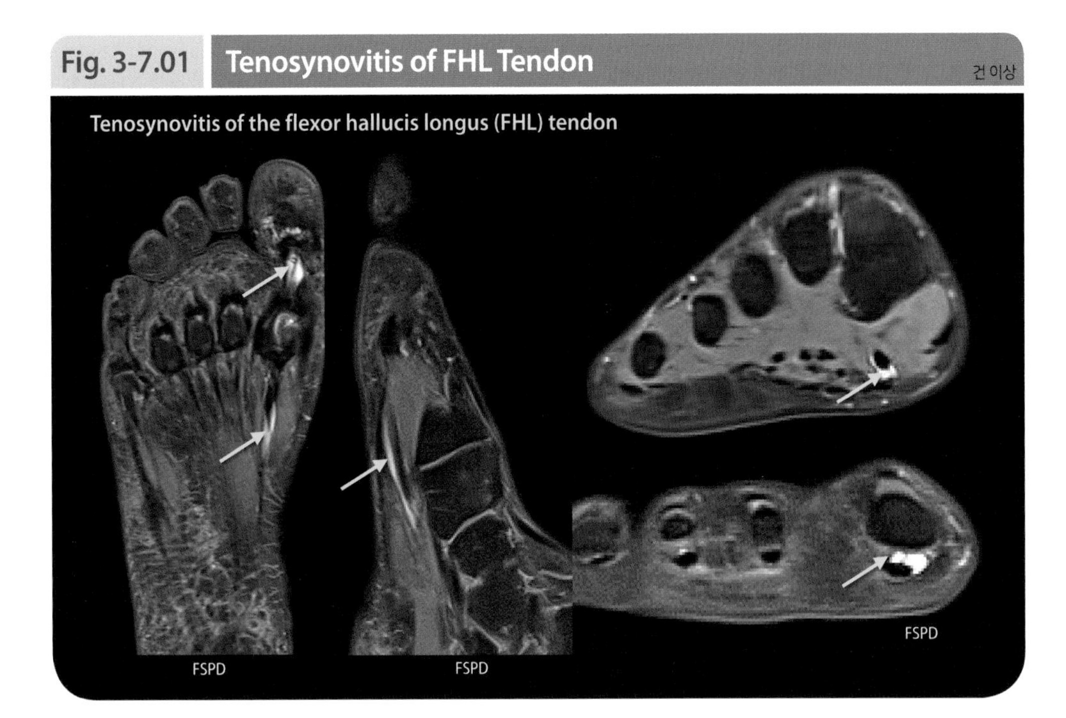

동영상 QR코드

▶ 3-7.01

Tenosynovitis of the flexor hallucis longus (FHL) tendon

- Midfoot부터 distal insertion level까지 flexor hallucis longus tendon 주변으로 fluid collection이 보여, FHL tenosynovitis이다.

Fig. 3-7.02 FHL and FDL Tenosynovitis at the Knot of Henry

건 이상

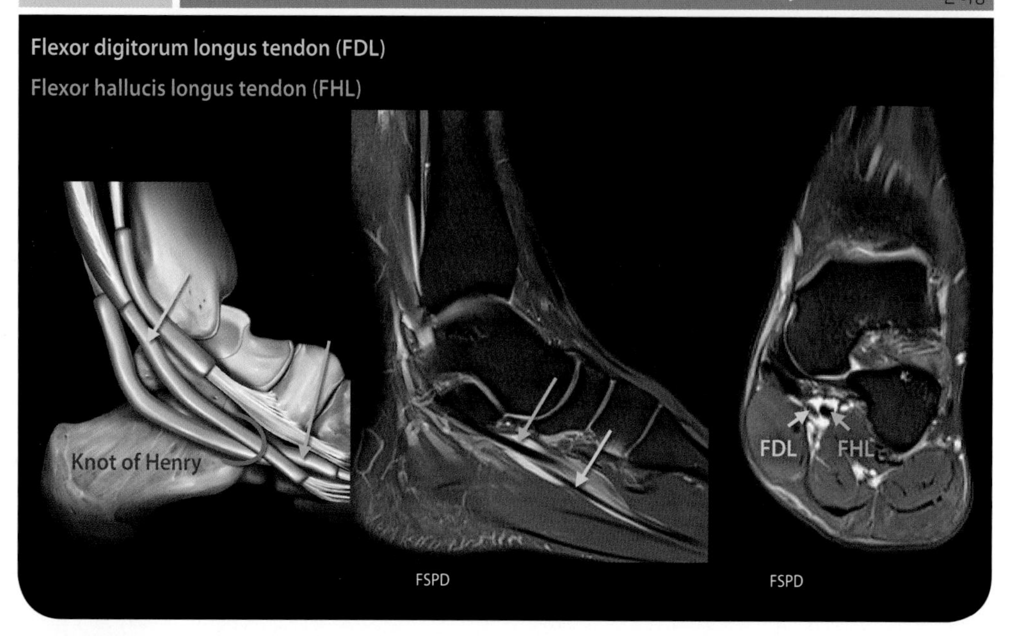

동영상 QR코드

▶ 3-7.02

FHL and FDL Tenosynovitis at the Knot of Henry

- Flexor digitorum longus tendon (FDL, yellow)이 navicular level에서 flexor hallucis longus tendon (FHL, green)보다 더 발바닥 쪽으로 비스듬하게 주행하면서 서로 교차하는데 이것은 knot of Henry라고 한다.
- 여기에 intersection tenosynovitis가 잘 생길 수 있다. 이는 coronal image에서도 잘 볼 수 있다.
- Medial plantar nerve가 abductor hallucis muscle과 quadratus plantae muscle 사이, knot of Henry 근처에 위치하므로 심한 tenosynovitis가 있다면 medial plantar nerve자극에 의한 증상이 생길 수도 있다(Fig. 5-7.04).

08

전경골건
(Tibialis Anterior Tendon)

The spectrum of injuries affecting the tibialis anterior tendon includes tenosynovitis, tendinosis, and partial and complete rupture.

1. 전경골건의 손상은 건초염, 건증, 불완전, 완전파열 등을 볼 수 있다. 완전파열 시 가벼운 족하수(foot drop)를 유발한다(48).

a) 전경골건 손상 Tibialis Anterior Tendon Injuries

- 신전건 중에 전경골건이 가장 크고 가장 내측에 있으며, 정상에서는 신전건 건초 내의 액체는 거의 볼 수 없고 보통 병적인 조건에서 관찰된다.
- 전경골건은 발의 발등굽힘에 주로 관여한다.

- 전경골동맥이 유일한 혈액 공급원이므로 다른 신전근에 비하여 허혈 상태가 잘 오는 것으로 알려져 있다.

- 젊은 운동선수에서 폄근지지띠(extensor retinaculum) 아래에 위치한 tibialis anterior tendon의 tendinosis를 종종 볼 수 있다(Fig. 1-8.03).
- 젊은 사람에서 laceration이나 penetrating injury로 인하여 급성파열을 볼 수 있다.

- 반면 자연파열은 60~70대 노인에서 minor trauma로 발생한다.
- 이러한 자연파열은 드물며 당뇨, 통풍, 류마티스 관절염과 관련되어 있거나, 기존 건 변성 상태의 환자에서 발생한다**(49)**.

- 파열은 폄근지지띠와 전경골건 부착부위인 내측설상골이나 제1중족골 기저 사이에 호발한다**(48) (50)** (Fig.1-8.04).
- Talonavicular, medial naviculocuneiform, medial tarsometatarsal joints의 골극이 있으면 파열이나 건증이 생길 수 있다**(51)**.

b) 전경골건 손상 MRI findings (Fig. 3-8.01~02)

- Enlarged tendon and sheath
- Fraying of the tendon ends
- Focal enlargement and partial tendon continuity with preserved tendon fibers in high grade partial tears
- Absence of the tendon at the tear site (empty sheath)
- Associated dorsal osteophytes in ruptures at the medial tarsometataral joint
- Inflammation of the synovial tendon sheath (may be associated with tendon

rupture or rheumatoid disease, or may be idiopathic)

- Fluid within the tendon sheath and associated hemorrhage

c) Pitfalls

- 주행방향 때문에 마술각 효과(magic angle effect)가 나타나기 쉽다.
- Tibialis anterior tendon (TAT)은 insertion site에서 splitting이 되어 보이는데, TAT가 multiple slips로 foot의 medial border에 부착하기 때문이다. 이것을 distal longitudinal split tear라고 오인하면 안된다(49).

Fig. 3-8.01 Complete Tibialis Anterior Tendon Tear 건 이상

Normal

FSPD

Tibialis anterior tendon

FSPD

Complete tibialis anterior tendon tear

PD

Thickening and retraction of the distal tendon stump

동영상 QR코드

▶ 3-8.01

Complete Tibialis Anterior Tendon Tear

- Tibialis anterior tendon은 extensor tendon 중에 가장 크고 가장 내측에 있다.
- Tibialis anterior tendon이 complete tear 되어(white arrow) distal tendon이 retraction되었다. Retraction된 distal tendon stump (yellow)가 두꺼워져 있다.

- Tibialis anterior tendon은 superior extensor retinaculum보다 깊게 주행한다. 그리고 inferior extensor retinaculum proximal limb (superomedial band)이 superficial 및 deep layers로 나뉘는데 그 사이에 tibialis anterior tendon이 주행하게 되어서 compression 될 수 있다. (Fig. 1-8.02~04)를 참고하자.

Fig. 3-8.02 Tibialis Anterior Tendon Injury 건 이상

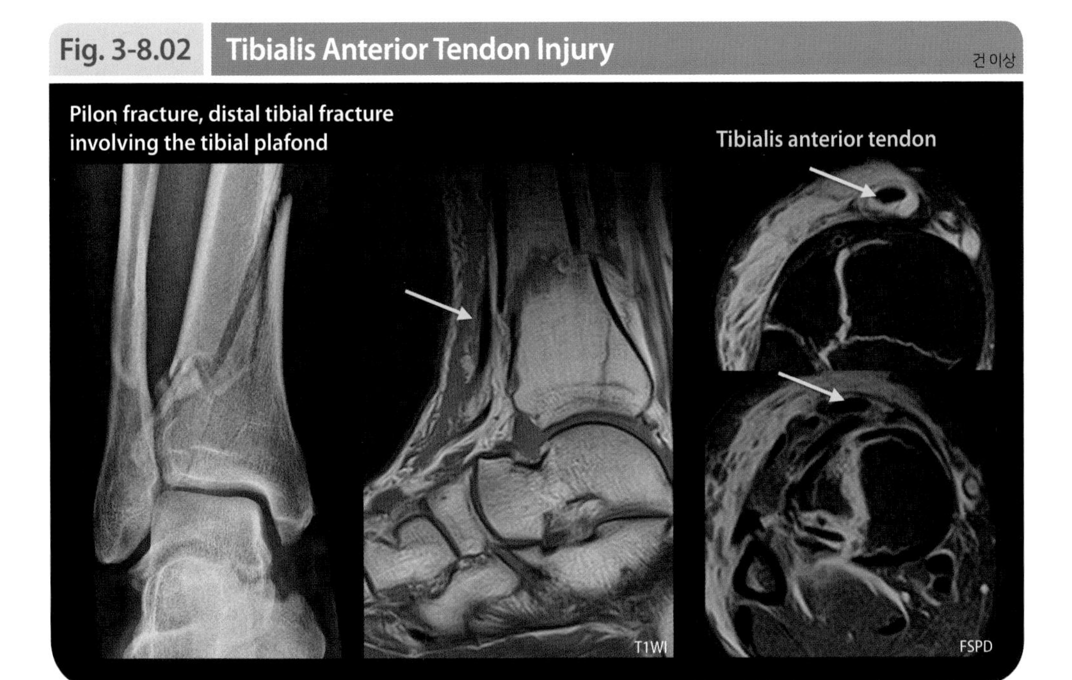

동영상 QR코드
▶ 3-8.02

Tibialis Anterior Tendon Injury

- Pilon fracture가 distal tibia에 있는데 displaced fracture에 의해서 인접한 tibialis anterior tendon에 injury가 생겨 그 하방으로 tenosynovitis가 생겼다.

09

장족무지신건/장지신건 (EHL and EDL Tendons)

Injuries to the extensor compartment of the ankle often are overlooked yet require prompt diagnosis.

1. Major components of the ankle extensor compartment at risk for injury include the anterior tibial, extensor hallucis longus, and extensor digitorum longus tendons; the extensor retinacular mechanism; and the anterior tarsal tunnel(49).

a) 장족무지신건과 장지신건 Extensor Hallucis Longus and Extensor Digitorum Longus Tendons

- 신건전 손상은 빈도 순서로 전경골건(tibialis anterior tendon, TA tendon),

장무지신건(extensor hallucis longus tendon, EHL tendon), 장지신건 (extensor digitorum longus tendon, EDL tendon)에서 생긴다(49).

- EHL tendon (extensor hallucis longus tendon)과 EDL tendon (extensor digitorum longus tendon)은 손상이 깊지 않아도 penetrating trauma와 laceration이 생기기 쉽다. 또한 손상 시 출혈이 적어 건 손상 진단을 간과할 수 있다(49).

- 건초염은 tendon sheath가 fluid로 distension된 경우를 말한다(Fig. 3-9.01).
- EHL/EDL tendon에서도 tendinosis (fusiform tendon thickening), partial tear (increased intrasubstance signal intensity with partial discontinuity), complete tear (frank fiber discontinuity)를 볼 수 있다.

- Sinus tarsi ganglion이 폄근지지띠의 근(roots of the extensor retinaculum) 사이에 있는 경우에 EDL tendon을 일부 둘러싸고 있거나 EDL tendon을 밀고 있는 양상을 보이기 때문에 건초염으로 오인할 수 있다(Fig. 3-9.02).

Fig. 3-9.01 **Pyogenic Tenosynovitis of Extensor Digitorum Longus** 건 이상

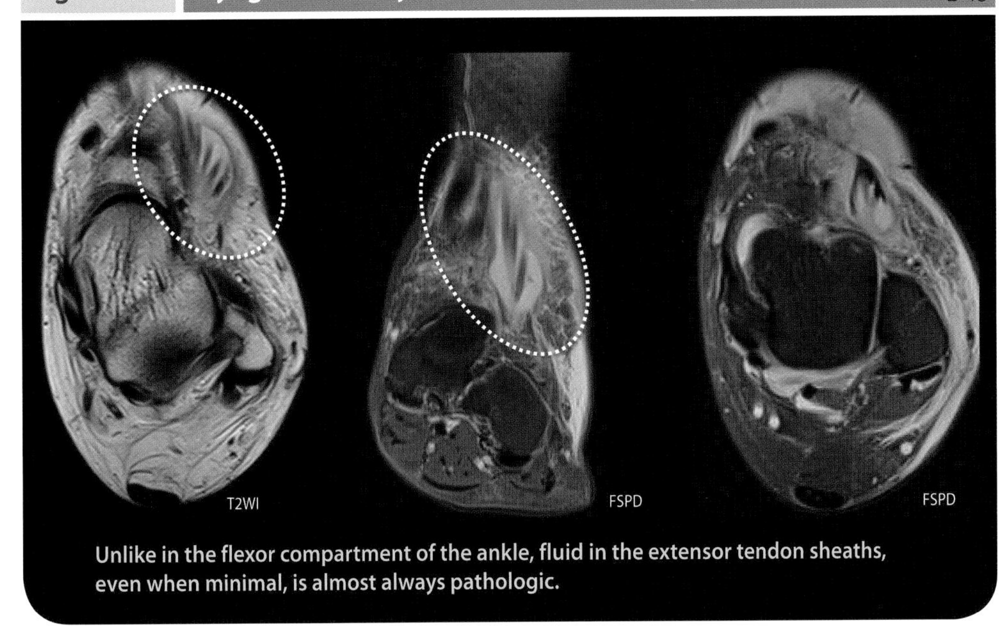

Unlike in the flexor compartment of the ankle, fluid in the extensor tendon sheaths, even when minimal, is almost always pathologic.

동영상 QR코드

▶ 3-9.01

Pyogenic Tenosynovitis of Extensor Digitorum Longus

- Extensor tendon sheath 내에 fluid는 정상에서는 거의 볼 수 없고 병적인 조건에서 관찰된다.
- Extensor digitorum longus tendon 주변으로 fluid가 보여 tenosynovitis이며, 인접한 soft tissue edema가 심하게 동반되어 있어, 임상소견을 고려하여 pyogenic tenosynovitis에 해당한다.

Fig. 3-9.02 Ganglion Mimicking Tenosynovitis

건 이상

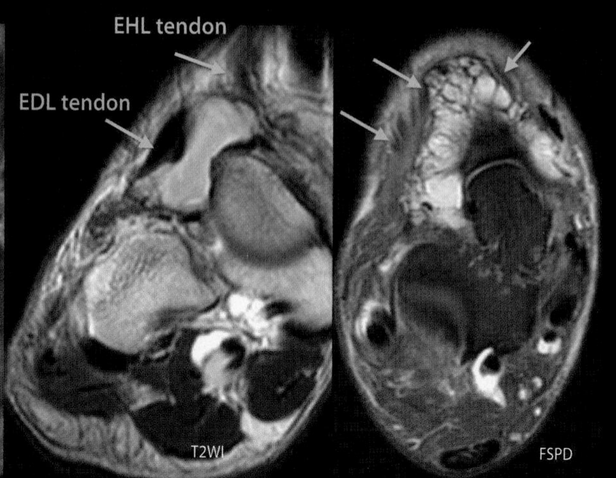

- Ganglion cyst displacing the extensor digitorum longus and extensor hallucis longus tendons
- Multilobulated mass of fluid signal intensity displacing the EHL dorsally
- A ganglion at that site could also cause entrapment of the medial branch of the deep peroneal nerve.

동영상 QR코드

▶ 3-9.02

Ganglion Mimicking Tenosynovitis

- Multiloculated ganglion cysts가 extensor digitorum longus tendon (EDL, green)보다 깊게, EDL과 extensor hallucis longus tendon (EHL, blue) 사이에 위치한다. 그리고 inferior extensor retinaculum의 roots보다 깊게 위치하면서 tarsal sinus로 extension되어 있다.
- 이런 위치의 ganglion cyst는 특히 coronal image에서 보면 extensor tendon의 tenosynovitis처럼 보일 수 있다.
- 또한 deep peroneal nerve의 medial branch를 entrapment할 수도 있다. (Fig. 5-7.02)를 참고하자.

10

Terminology

Ankle Tendons Anatomy and Terminology (8)

- 건증(tendinosis): 건 내의 변성을 의미
- 건염(tendinitis): 건의 변성과정과 더불어 임상적으로 통증이 있는 것을 의미
- 건증, 건염은 모든 건에서 공통적으로 직경이 증가하고, T1WI, PD 이미지에서 건 내부에 신호강도가 증가하고 초음파에서는 저에코로 보인다.

- 건초염(tenosynovitis): 건초의 염증이나 기계적인 자극에 의해서 생긴다
  - 건초 내에 액체축적, 활막증식, 반흔 등을 볼 수 있다.
  - 류마티스 관절염, 감염, 국소 기계적인 요인에 의해 생긴다.

- 건주위염(peritendinitis or paratendinitis): 건초가 없는 건 주변 조직에 염증이 생긴 경우 건은 정상으로 보이고 건 주위의 조직에만 변화를 보인다(52).

- 건 열상(tendon tear) (53)
  - 제1형(부분 열상): 방추형 확장(fusiform enlargement), intrasubstance degeneration, 혹은 종축분열(longitudinal split)
  - 제2형(부분 열상): partial tear, 건 직경 감소
  - 제3형(완전 열상): 건의 완전한 파열, retraction

Fig. 3-10.01 **Ankle Tendons** 건 이상

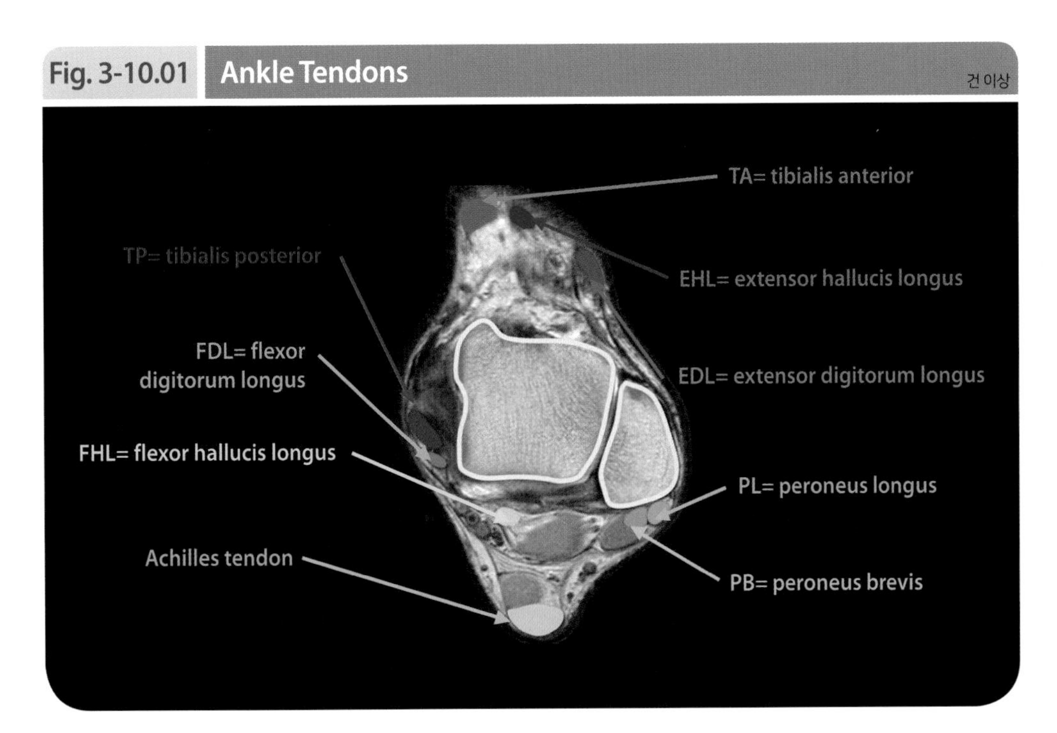

동영상 QR코드

▶ 3-10.01

Fig. 3-10.02 Ankle Tendons

건 이상

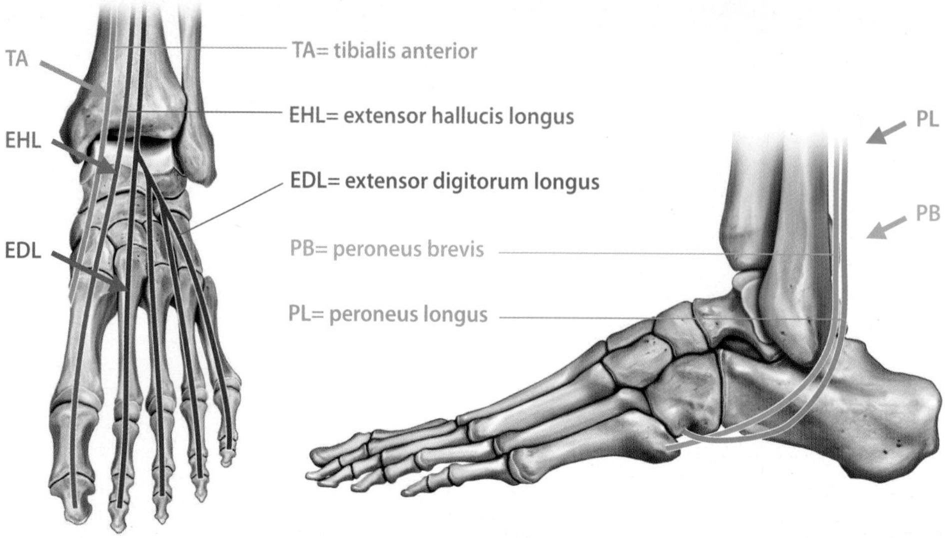

TA
EHL
EDL
TA= tibialis anterior
EHL= extensor hallucis longus
EDL= extensor digitorum longus
PB= peroneus brevis
PL= peroneus longus
PL
PB

Fig. 3-10.03 Ankle Tendons

건 이상

TP
FDL
FHL
TP= tibialis posterior
FDL= flexor digitorum longus
FHL= flexor hallucis longus

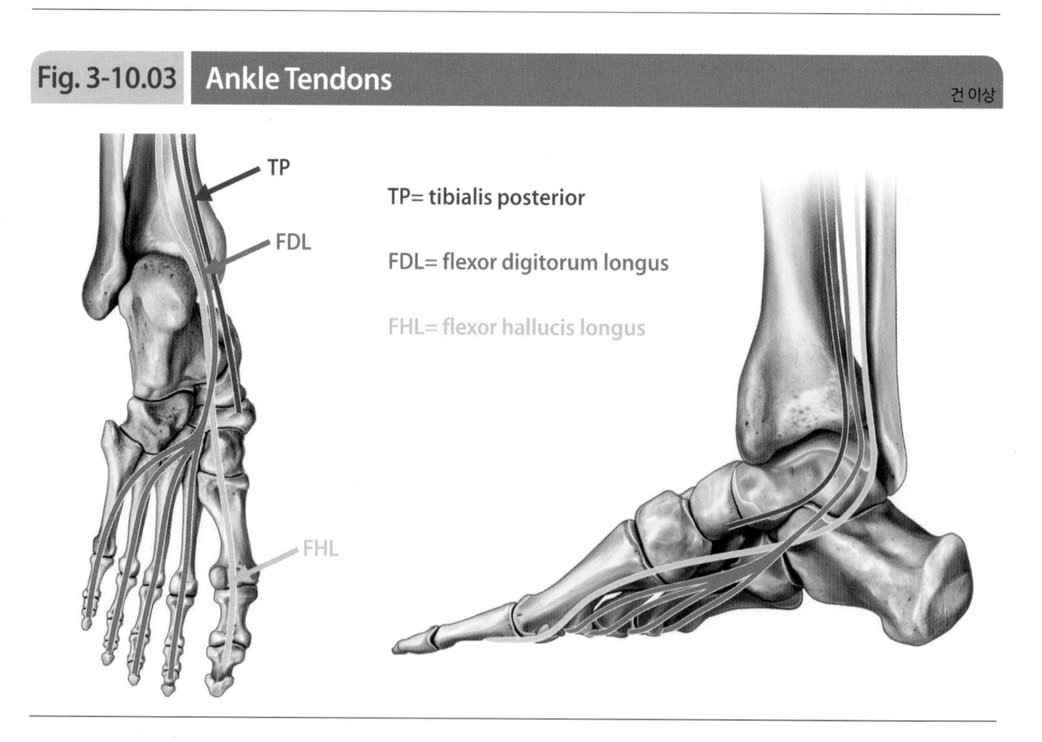

참고문헌

1. "Chhabra A, Soldatos T, Chalian M, Faridian-Aragh N, Fritz J, Fayad LM, Carrino JA, Schon L. 3-Tesla magnetic resonance imaging evaluation of posterior tibial tendon dysfunction with relevance to clinical staging. J Foot Ankle Surg. 2011 May-Jun;50(3):320."
2. "Kong A, Van Der Vliet A. Imaging of tibialis posterior dysfunction. Br J Radiol. 2008 Oct;81(970):826-36. doi: 10.1259/bjr/78613086. Epub 2008 Jun 30. PMID: 18591197."
3. "Schweitzer ME, Karasick D. MR imaging of disorders of the posterior tibialis tendon. AJR Am J Roentgenol. 2000 Sep;175(3):627-35. doi: 10.2214/ajr.175.3.1750627. PMID: 10954441."
4. "Mengiardi B, Pfirrmann CW, Zanetti M. MR imaging of tendons and ligaments of the midfoot. Semin Musculoskelet Radiol. 2005 Sep;9(3):187-98. doi: 10.1055/s-2005-921939. PMID: 16247720."
5. "Manske MC, McKeon KE, Johnson JE, McCormick JJ, Klein SE. Arterial anatomy of the tibialis posterior tendon. Foot Ankle Int. 2015 Apr;36(4):436-43. doi: 10.1177/1071100714559271. Epub 2014 Nov 19. PMID: 25411117."
6. "Uden H, Scharfbillig R, Causby R. The typically developing paediatric foot: how flat should it be? A systematic review. J Foot Ankle Res. 2017 Aug 15;10:37. doi: 10.1186/s13047-017-0218-1. PMID: 28814975; PMCID: PMC5558233."
7. "Schweitzer ME, Karasick D. MR imaging of disorders of the Achilles tendon. AJR Am J Roentgenol. 2000 Sep;175(3):613-25. doi: 10.2214/ajr.175.3.1750613. PMID: 10954440."
8. "근골격영상의학 2판 홍성환, 차장규, 채지원 공저, 범문에듀케이션, 2020년."
9. "Balen PF, Helms CA. Association of posterior tibial tendon injury with spring ligament injury, sinus tarsi abnormality, and plantar fasciitis on MR imaging. AJR Am J Roentgenol. 2001 May;176(5):1137-43. doi: 10.2214/ajr.176.5.1761137. PMID: 11312167."
10. "Collins MS, Felmlee JP. 3T magnetic resonance imaging of ankle and hindfoot tendon pathology. Top Magn Reson Imaging. 2009 Jun;20(3):175-88. doi: 10.1097/RMR.0b013e3181d47fbd. PMID: 20410804."
11. "Gray JM, Alpar EK. Peroneal tenosynovitis following ankle sprains. Injury. 2001 Jul;32(6):487-9. doi: 10.1016/s0020-1383(01)00051-1. PMID: 11476815."
12. "Knapik DM, Guraya SS, Conry KT, Cooperman DR, Liu RW. Longitudinal radiographic behavior of accessory navicular in pediatric patients. J Child Orthop. 2016 Dec;10(6):685-689. doi: 10.1007/s11832-016-0777-x. Epub 2016 Nov 2. PMID: 27807730; PMCID: PMC51458."
13. "Miller TT, Staron RB, Feldman F, Parisien M, Glucksman WJ, Gandolfo LH. The symptomatic accessory tarsal navicular bone: assessment with MR imaging. Radiology. 1995 Jun;195(3):849-53. doi: 10.1148/radiology.195.3.7754020. PMID: 7754020. "
14. "Deland JT, de Asla RJ, Sung IH, Ernberg LA, Potter HG. Posterior tibial tendon insufficiency: which ligaments are involved? Foot Ankle Int. 2005 Jun;26(6):427-35. doi: 10.1177/107110070502600601. PMID: 15960907."
15. "Donovan A, Rosenberg ZS. Extraarticular lateral hindfoot impingement with posterior tibial tendon tear: MRI correlation. AJR Am J Roentgenol. 2009 Sep;193(3):672-8. doi: 10.2214/AJR.08.2215. PMID: 19696280."
16. "Ziai P, Benca E, von Skrbensky G, Graf A, Wenzel F, Basad E, Windhager R, Buchhorn T. The role of the peroneal tendons in passive stabilisation of the ankle joint: an in vitro study. Knee Surg Sports Traumatol

Arthrosc. 2013 Jun;21(6):1404-8. doi: 10.1007."

17. "Kumar Y, Alian A, Ahlawat S, Wukich DK, Chhabra A. Peroneal tendon pathology: Pre- and post-operative high resolution US and MR imaging. Eur J Radiol. 2017 Jul;92:132-144. doi: 10.1016/j.ejrad.2017.05.010. Epub 2017 May 10. PMID: 28624011."
18. "Saupe N, Mengiardi B, Pfirrmann CW, Vienne P, Seifert B, Zanetti M. Anatomic variants associated with peroneal tendon disorders: MR imaging findings in volunteers with asymptomatic ankles. Radiology. 2007 Feb;242(2):509-17. doi: 10.1148/radiol.2422051993."
19. "Wang XT, Rosenberg ZS, Mechlin MB, Schweitzer ME. Normal variants and diseases of the peroneal tendons and superior peroneal retinaculum: MR imaging features. Radiographics. 2005 May-Jun;25(3):587-602. doi: 10.1148/rg.253045123. Erratum in: Radiographics."
20. "Rademaker J, Rosenberg ZS, Beltran J, Colon E. Alterations in the distal extension of the musculus peroneus brevis with foot movement. AJR Am J Roentgenol. 1997 Mar;168(3):787-9. doi: 10.2214/ajr.168.3.9057535. PMID: 9057535."
21. "Bencardino JT, Rosenberg ZS. Normal variants and pitfalls in MR imaging of the ankle and foot. Magn Reson Imaging Clin N Am. 2001 Aug;9(3):447-63, x. PMID: 11694420."
22. "Roster B, Michelier P, Giza E. Peroneal Tendon Disorders. Clin Sports Med. 2015 Oct;34(4):625-41. doi: 10.1016/j.csm.2015.06.003. Epub 2015 Jul 31. PMID: 26409587."
23. "Saxena A, Cassidy A. Peroneal tendon injuries: an evaluation of 49 tears in 41 patients. J Foot Ankle Surg. 2003 Jul-Aug;42(4):215-20. doi: 10.1016/s1067-2516(03)70031-3. PMID: 12907932."
24. "Schweitzer ME, Eid ME, Deely D, Wapner K, Hecht P. Using MR imaging to differentiate peroneal splits from other peroneal disorders. AJR Am J Roentgenol. 1997 Jan;168(1):129-33. doi: 10.2214/ajr.168.1.8976935. PMID: 8976935."
25. "Lamm BM, Myers DT, Dombek M, Mendicino RW, Catanzariti AR, Saltrick K. Magnetic resonance imaging and surgical correlation of peroneus brevis tears. J Foot Ankle Surg. 2004 Jan-Feb;43(1):30-6. doi: 10.1053/j.jfas.2003.11.002. PMID: 14752761."
26. "Goodwin MI, O'Brien PJ, Connell DG. Intra-articular fracture of the calcaneus associated with rupture of the peroneus longus tendon. Injury. 1993 Apr;24(4):269-71. doi: 10.1016/0020-1383(93)90186-a. PMID: 8325689."
27. "Sobel M, Pavlov H, Geppert MJ, Thompson FM, DiCarlo EF, Davis WH. Painful os peroneum syndrome: a spectrum of conditions responsible for plantar lateral foot pain. Foot Ankle Int. 1994 Mar;15(3):112-24. doi: 10.1177/107110079401500306. PMID: 7951939."
28. "Hyer CF, Dawson JM, Philbin TM, Berlet GC, Lee TH. The peroneal tubercle: description, classification, and relevance to peroneus longus tendon pathology. Foot Ankle Int. 2005 Nov;26(11):947-50. doi: 10.1177/107110070502601109. PMID: 16309609."
29. "Taljanovic MS, Alcala JN, Gimber LH, Rieke JD, Chilvers MM, Latt LD. High-resolution US and MR imaging of peroneal tendon injuries. Radiographics. 2015 Jan-Feb;35(1):179-99. doi: 10.1148/rg.351130062. Erratum in: Radiographics. 2015 Mar-Apr;35(2):651. PMI."
30. "Rosenberg ZS, Cheung YY, Beltran J, Sheskier S, Leong M, Jahss M. Posterior intermalleolar ligament of the ankle: normal anatomy and MR imaging features. AJR Am J Roentgenol. 1995 Aug;165(2):387-90. doi: 10.2214/ajr.165.2.7618563. PMID: 7618563."

31. "Raikin SM, Elias I, Nazarian LN. Intrasheath subluxation of the peroneal tendons. J Bone Joint Surg Am. 2008 May;90(5):992-9. doi: 10.2106/JBJS.G.00801. PMID: 18451390."
32. "O'Brien M. The anatomy of the Achilles tendon. Foot Ankle Clin. 2005 Jun;10(2):225-38. doi: 10.1016/j.fcl.2005.01.011. PMID: 15922915."
33. "Bianchi S, Martinoli C, Gaignot C, De Gautard R, Meyer JM. Ultrasound of the ankle: anatomy of the tendons, bursae, and ligaments. Semin Musculoskelet Radiol. 2005 Sep;9(3):243-59. doi: 10.1055/s-2005-921943. PMID: 16247724."
34. "Harris CA, Peduto AJ. Achilles tendon imaging. Australas Radiol. 2006 Dec;50(6):513-25. doi: 10.1111/j.1440-1673.2006.01622.x. PMID: 17107521."
35. "Kader D, Saxena A, Movin T, Maffulli N. Achilles tendinopathy: some aspects of basic science and clinical management. Br J Sports Med. 2002 Aug;36(4):239-49. doi: 10.1136/bjsm.36.4.239. PMID: 12145112; PMCID: PMC1724537."
36. "Kvist M. Achilles tendon injuries in athletes. Sports Med. 1994 Sep;18(3):173-201. doi: 10.2165/00007256-199418030-00004. PMID: 7809555."
37. "Hess GW. Achilles tendon rupture: a review of etiology, population, anatomy, risk factors, and injury prevention. Foot Ankle Spec. 2010 Feb;3(1):29-32. doi: 10.1177/1938640009355191. Epub 2009 Dec 15. PMID: 20400437."
38. "Lawrence DA, Rolen MF, Morshed KA, Moukaddam H. MRI of heel pain. AJR Am J Roentgenol. 2013 Apr;200(4):845-55. doi: 10.2214/AJR.12.8824. Erratum in: AJR Am J Roentgenol. 2013 Aug;201(2):462. PMID: 23521459."
39. "Kannus P, Józsa L. Histopathological changes preceding spontaneous rupture of a tendon. A controlled study of 891 patients. J Bone Joint Surg Am. 1991 Dec;73(10):1507-25. PMID: 1748700."
40. "Karjalainen PT, Soila K, Aronen HJ, Pihlajamäki HK, Tynninen O, Paavonen T, Tirman PF. MR imaging of overuse injuries of the Achilles tendon. AJR Am J Roentgenol. 2000 Jul;175(1):251-60. doi: 10.2214/ajr.175.1.1750251. PMID: 10882283."
41. "Haims AH, Schweitzer ME, Patel RS, Hecht P, Wapner KL. MR imaging of the Achilles tendon: overlap of findings in symptomatic and asymptomatic individuals. Skeletal Radiol. 2000 Nov;29(11):640-5. doi: 10.1007/s002560000273. PMID: 11201033."
42. "Rodriguez CP, Goyal M, Wasdahl DA. Best cases from the AFIP: atypical imaging features of bilateral Achilles tendon xanthomatosis. Radiographics. 2008 Nov-Dec;28(7):2064-8. doi: 10.1148/rg.287085001. PMID: 19001659."
43. "Gerster JC, Vischer TL, Bennani A, Fallet GH. The painful heel. Comparative study in rheumatoid arthritis, ankylosing spondylitis, Reiter's syndrome, and generalized osteoarthrosis. Ann Rheum Dis. 1977 Aug;36(4):343-8. doi: 10.1136/ard.36.4.343. PMID: 901."
44. "Bottger BA, Schweitzer ME, El-Noueam KI, Desai M. MR imaging of the normal and abnormal retrocalcaneal bursae. AJR Am J Roentgenol. 1998 May;170(5):1239-41. doi: 10.2214/ajr.170.5.9574592. PMID: 9574592."
45. "Schepsis AA, Jones H, Haas AL. Achilles tendon disorders in athletes. Am J Sports Med. 2002 Mar-Apr;30(2):287-305. doi: 10.1177/03635465020300022501. PMID: 11912103."
46. "Pierre-Jerome C, Moncayo V, Terk MR. MRI of the Achilles tendon: a comprehensive review of the anatomy,

biomechanics, and imaging of overuse tendinopathies. Acta Radiol. 2010 May;51(4):438-54. doi: 10.3109/02841851003627809. PMID: 20380605."

47. "Gross CE, Nunley JA 2nd. Acute Achilles Tendon Ruptures. Foot Ankle Int. 2016 Feb;37(2):233-9. doi: 10.1177/1071100715619606. Epub 2015 Nov 20. PMID: 26590377."
48. "David W. Stoller. "Magnetic Resonance Imaging in Orthopaedics and Sports Medicine.": Lippincott Williams & Wilkins; 3 edition, 2006."
49. "Ng JM, Rosenberg ZS, Bencardino JT, Restrepo-Velez Z, Ciavarra GA, Adler RS. US and MR imaging of the extensor compartment of the ankle. Radiographics. 2013 Nov-Dec;33(7):2047-64. doi: 10.1148/rg.337125182. PMID: 24224598"
50. "Ouzounian TJ, Anderson R. Anterior tibial tendon rupture. Foot Ankle Int. 1995 Jul;16(7):406-10. doi: 10.1177/107110079501600705. PMID: 7550953."
51. "Mengiardi B, Pfirrmann CW, Vienne P, Kundert HP, Rippstein PF, Zollinger H, Hodler J, Zanetti M. Anterior tibial tendon abnormalities: MR imaging findings. Radiology. 2005 Jun;235(3):977-84. doi: 10.1148/radiol.2353040617. Epub 2005 Apr 28. PMID: 15860676."
52. "Resnic D,Kang HS, Pretterklieber ML. Internal derangements of joints 2nd ed. Philadelphia: Saunders Elsevier, 2007."
53. "Rosenberg ZS, Cheung Y, Jahss MH, Noto AM, Norman A, Leeds NE. Rupture of posterior tibial tendon: CT and MR imaging with surgical correlation. Radiology. 1988 Oct;169(1):229-35. doi: 10.1148/radiology.169.1.3420263. PMID: 3420263."
54. Flores DV, Mejía Gómez C, Fernández Hernando M, Davis MA, Pathria MN. Adult Acquired Flatfoot Deformity: Anatomy, Biomechanics, Staging, and Imaging Findings. Radiographics. 2019 Sep-Oct;39(5):1437-1460. doi: 10.1148/rg.2019190046. PMID: 31498747.
55. Mohile N, Perez J, Rizzo M, Emerson CP, Foremny G, Allegra P, Greditzer HG 4th, Jose J. Chronic Lower Leg Pain in Athletes: Overview of Presentation and Management. HSS J. 2020 Feb;16(1):86-100. doi: 10.1007/s11420-019-09669-z. Epub 2019 Mar 28. PMID: 32015745; PMCID: PMC6973789.
56. Chiodo CP, Wilson MG. Current concepts review: acute ruptures of the achilles tendon. Foot Ankle Int. 2006 Apr;27(4):305-13. doi: 10.1177/107110070602700415. PMID: 16624224.

골절

(Fracture)

1. 발목 골절 (Ankle Fracture)
2. 성장판 손상 (Growth Plate Injury)
3. 종골 골절 (Calcaneal Fracture)
4. 거골 골절 (Talar Fracture)
5. 주상골 골절 (Navicular Fracture)
6. 중족골 골절 (Metatarsal Fracture)
7. 피로 골절 (Stress Fracture)

01

발목 골절
(Ankle Fracture)

Classification of ankle fractures is important in order to estimate the extent of the ligamentous injury and the stability of the joint.

1. 발목 골절의 분류는 손상을 기준으로 분류한 Lauge-Hansen 분류와 비골 골절의 양상과 위치에 따라 분류한 Danis-Weber 분류가 있다.

Lauge–Hansen system (Fig. 4-1.01~02)

- SER (Supination–external rotation) 회외–외회전
- SAD (Supination–adduction) 회외–내전
- PER (Pronation–external rotation) 회내–외회전
- PAB (Pronation–abduction) 회내–외전

- PDF (Pronation–dorsiflexion) 회내–족배굴곡

- 앞쪽의 supination 또는 pronation은 손상 당시 발의 위치를 의미하며, 뒤쪽의 내전(adduction), 외전(abduction) 또는 외회전(external rotation)은 외력의 방향, 즉 거골의 회전 방향을 말한다(1).
- 발의 supination 상태는 발목관절의 족저굴곡(plantar flexion), 후족부(hindfoot)의 내번(inversion), 그리고 발의 내전상태(adduction)를 말한다.
- 발의 pronation 상태는 발목관절의 족배굴곡(dorsiflexion), 후족부의 외번(eversion), 그리고 발의 외전(abduction)상태이다(1).

Fig. 4-1.01 Ankle Fracture with Fibular Fracture

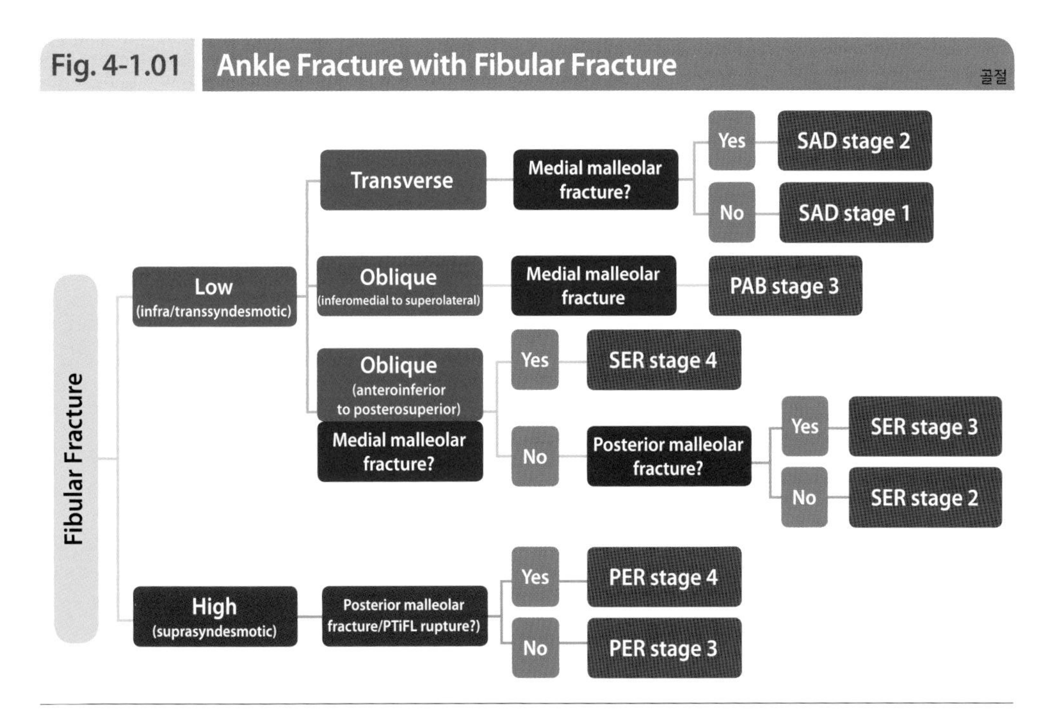

동영상 QR코드

▶ 4-1.01

Ankle Fracture with Fibular Fracture

- Fibular fracture가 동반된 ankle fracture를 Lauge-Hansen classification을 기준으로 분류한 그림이다.
- Fibular fracture가 관절면 혹은 그 이하에 있고 transverse fracture (avulsion fracture)를 보인다면 SAD (Supination-adduction)를 생각할 수 있다. 이 경우 medial malleolar fracture (push-off)가 있으면 SAD stage 2이다.
- Oblique distal fibular fracture가 있으면 PAB (Pronation-abduction)와 SER (Supination-external rotation)이다. 이때 골절 방향이 내측이 낮고 외측이 높으면 (inferomedial to superolateral fracture orientation) PAB이고, 전방이 낮고 후방이 높으면(anteroinferior to posterosuperior fracture orientation) SER이다.
- PAB에서 medial malleolar fracture (avulsion fracture)가 있고 oblique fibular fracture (low medial high lateral)가 있으면 stage 3이다.
- SER에서 distal fibular fracture (low anterior high posterior spiral fracrture)가 있고 medial malleolar fracture (혹은 deltoid ligament rupture)가 있으면 stage 4이고, medial malleolar fracture가 없으면서 posterior malleolar fracture 유무에 따라 stage 2, 3으로 나뉜다.
- Weber type C fracture (high fibular fracture)가 있으면 PER (Pronation-external rotation)이며, posterior malleolar fracture 유무에 따라 stage 3, 4로 나뉜다.

Fig. 4-1.02 No Distal Fibular Fracture

골절

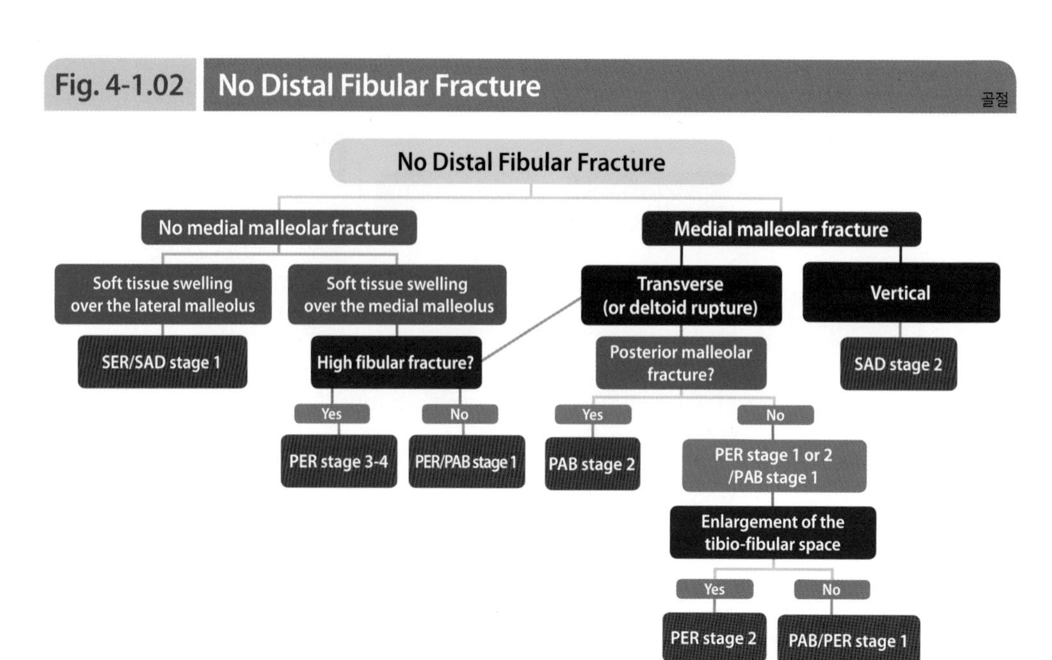

DOI: 10.1594/ecr2014/C-2340

동영상 QR코드

▶ 4-1.02

No Distal Fibular Fracture

- Lateral malleolar fracture가 없는 경우 medial malleolar fracture의 유무에 따라 Lauge-Hansen분류로 ankle fracture를 나눠본다.
- Medial 및 lateral malleolar fracture가 없으면서 medial malleolus 주변에 swelling이 있으면 pronation injury를 생각할 수 있고, PER (Pronation-external rotation) 혹은 PAB (Pronation-abduction) stage 1이다.
- Medial malleolus 주변에 swelling이 없다면 supination injury여서 SER (Supination-external rotation)과 SAD (Supination- adduction) stage 1을 생각할 수 있다. (SER stage 1은 anterior inferior tibiofibular ligament tear이며, tibio-fibular space가 정상이거나 증가할 수 있다. SAD는 lateral malleolar avulsion fracture 없이 lateral collateral ligament tear로도 SAD stage 1이라고 하며 lateral mortis의 widening이 보일 수 있다.)
- Medial malleolar fracture가 있으면 그 방향에 따라서 PAB/PER에서 보이는 transverse fracture (avulsion fracture)와 SAD stage 2에서 보이는 vertical fracture (push-off)로 나눈다.
- Distal fibular fracture 없이 medial malleolus의 transverse fracture가 있고 posterior malleolar fracture가 있으면 PAB stage 2이다.
- Medial malleolus의 transverse fracture가 있으나 posterior malleolar fracture가 없으면 distal tibiofibular syndesmosis의 손상 여부에 따라 PER stage 2 (혹은 PAB 2), 혹은 PAB 1/PER stage 1을 생각할 수 있다.

2. Lauge-Hansen system (1) (2)

a) SER: Supination–external rotation injuries (2) (Fig. 4-1.03)

- 발목관절 손상 기전 중 가장 흔하며, 약 60%를 차지한다.

- Stage 1: Tear of anterior inferior tibiofibular ligament or avulsion fracture (Tilaux fracture) (Fig. 1-3.10~11)
- Stage 2: Stage 1 +
  As lateral rotation of the talus continues, the lateral structures undergo further stress, leading to stage 2 with a spiral fracture of the fibular malleolus at the level of the joint in a low anterior, high posterior direction
- Stage 3: Stage 2 + (Fig. 1-3.06~07) (Fig. 1-3.11~12) (Fig. 4-1.04)
  Tear of the posterior inferior tibiofibular ligament or avulsion fracture posterior malleolus
- Stage 4: Stage 3 + (Fig. 1-2.12) (Fig. 4-1.05~06)
  Tear of the deltoid ligament or transverse avulsion fracture of medial malleolus

Fig. 4-1.03 Supination-External Rotation Injuries 골절

SER 2
SER 1
SER 3
SER 4
External rotation of the talus
Supination of the (hind) foot
Traction on the deltoid ligament

DOI: 10.1594/ecr2014/C-2340

동영상 QR코드

▶ 4-1.03

Supination-External Rotation Injuries

- Stage 1: Talus가 external rotation하여 talus의 외측이 lateral malleolus의 앞쪽에 부딪히면서 tibia와 fibula를 분리시켜 anterior inferior tibiofibular ligament (AITFL) tear 혹은 avulsion fracture가 생긴다.
- Stage 2: Talus의 lateral rotation이 계속 되면 1단계 손상과 함께 lateral malleolar fracture가 생기는데, fracture 방향이 앞쪽은 낮고, 뒤쪽은 높은 spiral, oblique fracture가 특징이다.
- Stage 3: 2단계 손상과 함께 posterior inferior tibiofibular ligament (PITFL) tear 혹은 posterior malleolus의 fracture를 보인다.
- Stage 4: 3단계 손상과 함께 deltoid ligament tear 혹은 medial malleolar fracture가 생긴다.

Fig. 4-1.04 Supination-External Rotation, Stage 3

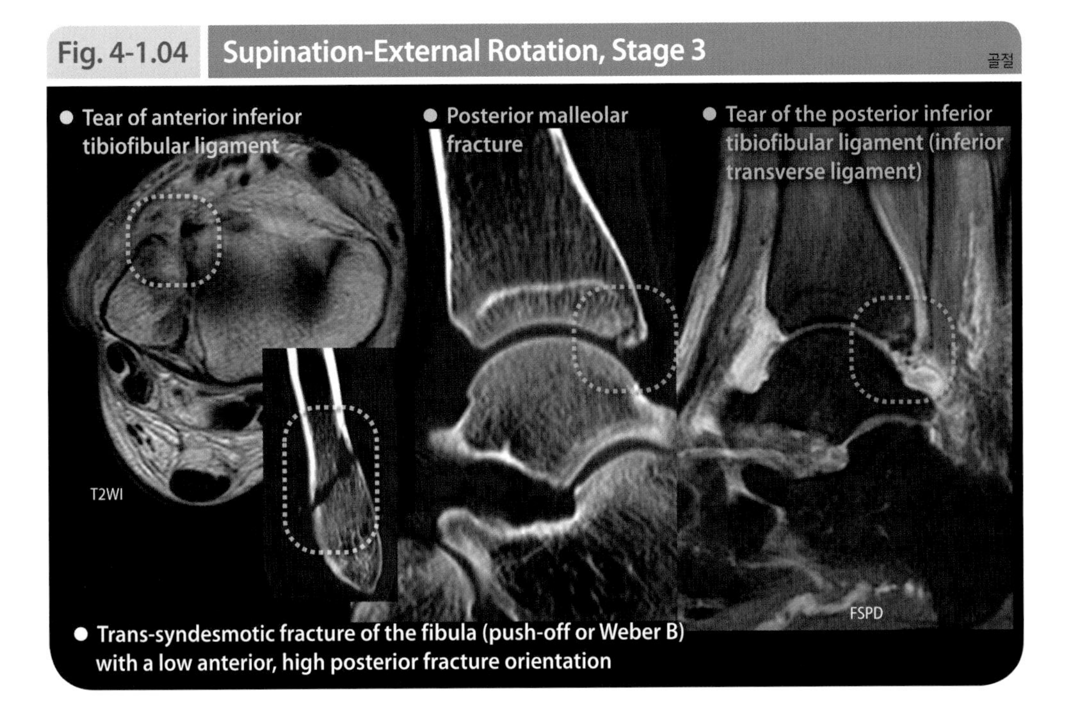

동영상 QR코드

▶ 4-1.04

Supination-External Rotation, Stage 3

- Anterior inferior tibiofibular ligament (AITFL) tear (yellow, stage 1), distal fibular fracture (anterior low, posterior high fracture orientation, white, stage 2)가 있다.
- CT scan에서 조금 더 명확하게 posterior malleolar fracture가 보인다(blue, stage 3).
- MRI에서 저신호강도 삼각형 모양의 normal inferior transverse ligament가 보이지 않고 tear 때문에 신호강도가 증가하고 irregular shape을 보인다.
- (Fig. 1-3.12)도 같은 유형의 손상이므로 참고하자.
- Normal posterior ankle ligament의 anatomy를 axial (Fig. 1-3.05), coronal (Fig. 1-3.06), sagittal (Fig. 1-3.07) image를 참고하자.

Fig. 4-1.05 Supination-External Rotation, Stage 4

골절

- Tear of anterior inferior tibiofibular ligament
- Intact posterior inferior tibiofibular ligament
- Posterior malleolar fracture
- Transverse avulsion fracture of the medial malleolus

FSPD

FSPD

동영상 QR코드

▶ 4-1.05

Supination-External Rotation, Stage 4

- Anterior inferior tibiofibular ligament (AITFL) tear (yellow, stage 1), distal fibular fracture (stage 2)가 있다.
- Posterior malleolar fracture (blue, stage 3)가 있는데 이런 경우 posterior inferior tibiofibular ligament (green)는 막상 tear가 없기도 하다.
- Medial malleolus에 avulsion fracture (orange, stage 4)가 있다.

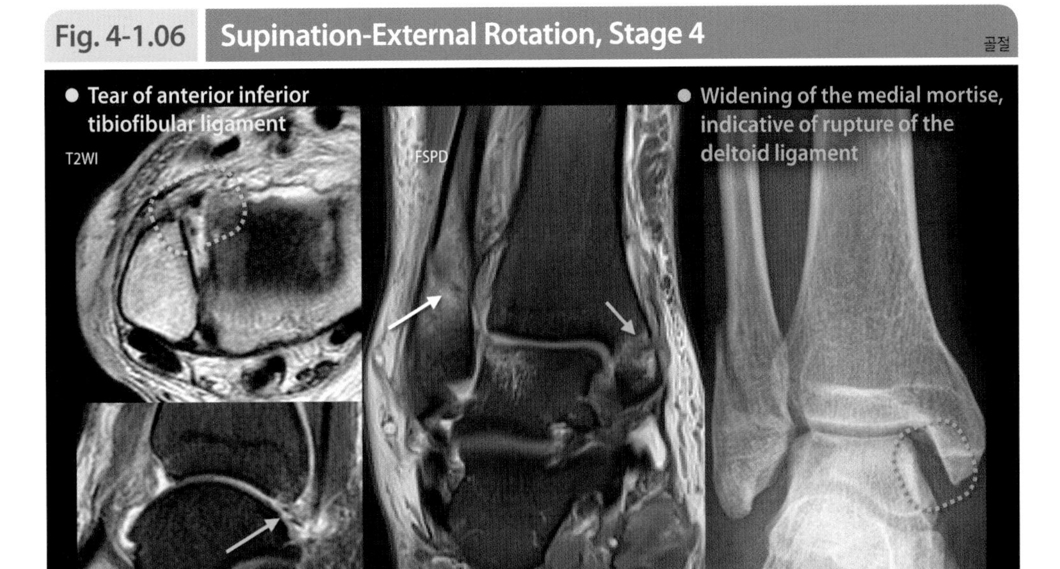

동영상 QR코드

▶ 4-1.06

Supination-External Rotation, Stage 4

- Anterior inferior tibiofibular ligament (AITFL) tear (yellow, stage 1)가 있고 MRI에서도 tibiofibular space widening이 보인다.
- Distal fibular fracture (white, stage 2)가 있고, posterior inferior tibiofibular ligament (특히 inferior transverse ligament, blue, stage 3)에 tear가 있다.
- Medial malleolar avulsion fracture (green, stage 4)가 보인다.

- 만약 medial malleolar fracture가 없다고 하더라도 widening of the medial mortis (orange dots)가 있기 때문에 deltoid ligament tear를 생각해야한다.
- (Fig. 1-2.12)도 같은 유형의 손상인데 medial malleolar fracture가 없으며 대신 widening of the medial clear space를 보이고 MRI에서 complete deltoid ligament tear가 보인다.

골절

b) SAD: Supination–adduction injuries (3) (Fig. 4-1.07~08)

- 발목관절 손상의 약 20%를 차지한다.
- Stage 1: Lateral collateral ligament tear or avulsion fracture of the lateral malleolus (transverse fracture at the level of the plafond) (Weber A)
- Stage 2: Stage 1 +

  A vertical, medially displaced fracture of the medial malleolus (vertical/push–off) or deltoid ligament injuries

c) PER: Pronation–external rotation injuries (3) (Fig. 4-1.09)

- Stage 1: Deltoid ligament rupture (occult or as medial mortise widening), or transverse avulsion fracture of the medial malleolus
- Stage 2: Stage 1 +

  Tear of the anterior inferior tibiofibular ligament (AITFL) and tibiofibular syndesmosis or tibial avulsion fracture (widening of the distal tibiofibular distance)
- Stage 3: Stage 2 +

  A spiral or oblique fibular fracture (>6 cm) at the level or above the talotibial joint (Weber C)
- Stage 4: Stage 3 + (Fig. 4-1.10)

  Involvement of the posterior inferior tibiofibular ligament (PITFL), or posterior malleolus fracture
- PAB 혹은 PER 손상의 경우 medial malleolar fracture가 보이지 않는다면 deltoid ligament injury가 있는 것을 생각해야 한다(1).

Fig. 4-1.07 Supination-Adduction Injuries 골절

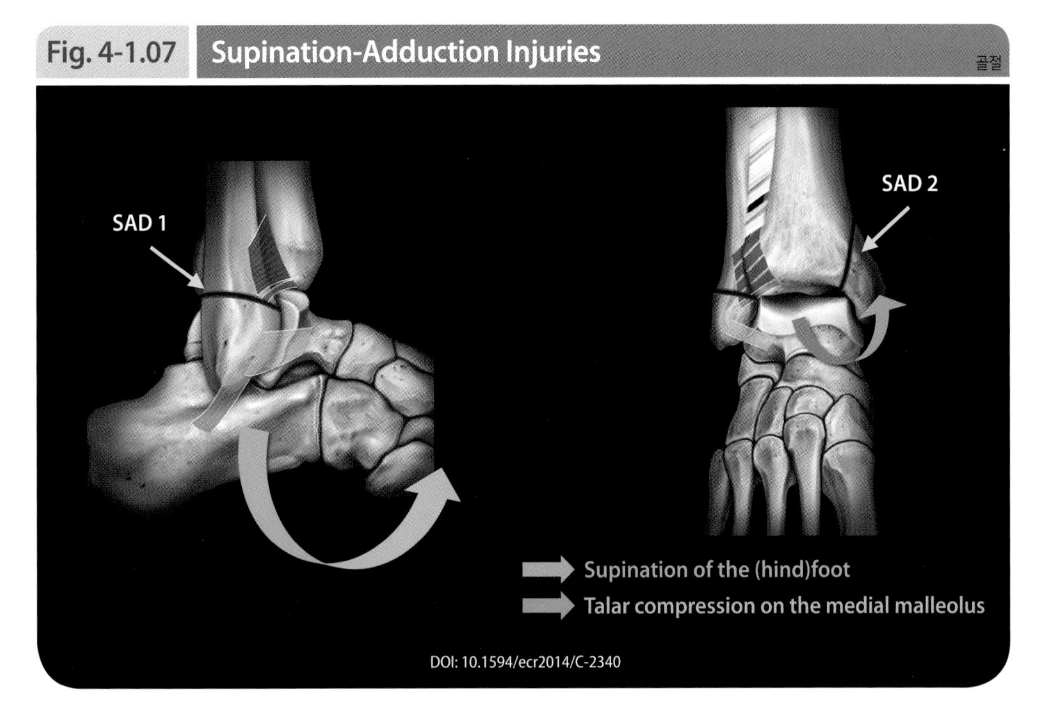

동영상 QR코드

▶ 4-1.07

Supination-Adduction Injuries

- Stage 1: Hindfoot의 adduction에 의해 lateral malleolus의 avulsion fracture (관절면 혹은 그 이하 부위에서 transverse fracture가 발생한다.) 혹은 lateral collateral ligament tear가 발생한다.
- Stage 2: 1단계 손상이 있고 adduction이 지속되어 talus가 내측으로 아탈구되면서 deltoid ligament tear 혹은 medial malleolar fracture (vertical 혹은 oblique fracture/push-off)가 된다.

Fig. 4-1.08 Supination Adduction 골절

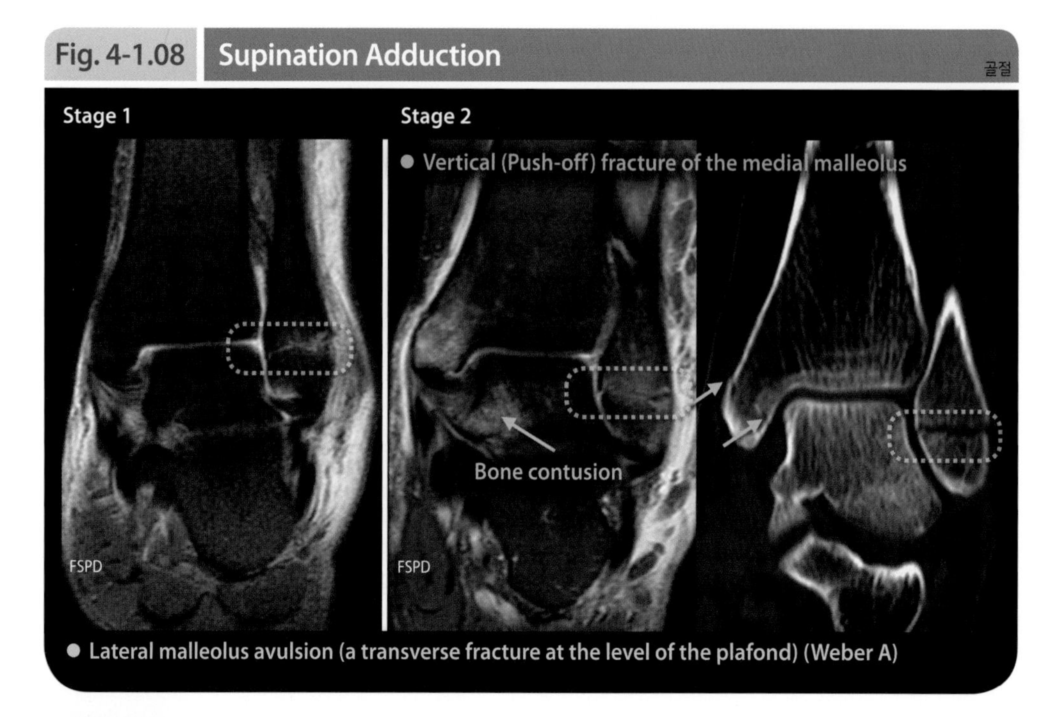

동영상 QR코드

▶ 4-1.08

Supination Adduction

- Stage 1은 lateral malleolus의 avulsion fracture (관절면 혹은 그 이하 부위)가 보이고, deltoid ligament나 medial malleolus는 정상이다.
- Stage 2에서 stage 1에서 보이는 fracture와 함께 medial malleolus의 push off fracture (green)가 있고 talus는 bone contusion에 의해서 bone marrow edema (blue)가 동반되었다.

Fig. 4-1.09 Pronation-External Rotation Injuries 골절

PER 3
PER 1
PER 2
PER 4
External rotation of the talus
Pronation of the (hind)foot
Rupture of the interosseous membrane

DOI: 10.1594/ecr2014/C-2340

동영상 QR코드

▶ 4-1.09

Pronation-External Rotation Injuries

- Stage 1: PAB (Pronation-abduction) stage 1과 똑같은 양상으로 deltoid ligament tear 혹은 medial malleolus에 avulsion fracture가 생긴다.
- Stage 2: stage 1 손상이 있으면서 anterior inferior tibiofibular ligament, tibiofibular syndesmosis tear가 된다. 역시 PAB stage 2와 구분이 어렵다.
- Stage 3: stage 2 손상과 함께 tibiofibular syndesmosis 상부의 fibula에 골절이 생기는데 주로 lateral malleolus 끝에서 8~9 cm 상방에 위치한다.
- Stage 4: stage 3 손상이 있으면서 posterior inferior tibiofibular ligament tear 혹은 avulsion fracture가 생긴다.

Fig. 4-1.10 Pronation External Rotation, Stage 4

골절

- Tear of anterior inferior tibiofibular ligament
- Spiral or oblique fibular fracture above the talotibial joint (Weber C)
- Widening of the tibiofibular space
- Transverse avulsion fracture of the medial malleolus
- Medial mortise widening
- Posterior malleolus fracture

FSPD

동영상 QR코드

▶ 4-1.10

Pronation External Rotation, Stage 4

- Medial malleolar avulsion fracture (white, stage 1)가 있으며, medial mortise widening도 보인다.
- Anterior inferior tibiofibular ligament tear (pink, stage 2)가 있고, tibiofibular space widening (blue), distal tibiofibular syndesmosis 간격이 벌어져 있다.
- Weber type C의 tibiofibular syndesmosis 상부에 fracture (green, stage 3)가 있다.
- Posterior malleolar fracture (orange, stage 4)가 마지막으로 보인다.

- 만약, tibiofibular syndesmosis 상부에 fracture가 있다면 적어도 PER stage 3 이상이고, posterior malleolar fracture 유무에 따라 stage 3, 4로 나뉘게 된다.
- 그리고 Weber type C fracture (stage 3)가 있는데 stage 1에 있어야 하는 medial malleolar fracture가 보이지 않는다면 deltoid ligament tear를 생각해야한다.

d) PAB: Pronation–abduction injuries (3) (Fig. 4-1.11)

- Stage 1: Transverse avulsion fracture of the medial malleolus or deltoid ligament rupture
- Stage 2: Stage 1 +
  Rupture of the anterior and posterior inferior tibiofibular ligaments or tibial avulsion fracture (Tillaux–Chaput fracture)
- Stage 3: Stage 2 +(Fig. 4-1.12)
  Horizontal, oblique, or comminuted fibular fracture
- PAB stage 1과 PER stage 1은 identical pathology여서 감별이 어렵고, PAB stage 2와 PER stage 2 구분 역시 어렵다.

- PAB stage 3와 SER stage 4는 비슷해 보인다. 각각의 injury mechanism과 영상소견의 차이를 비교해보자.
  - PAB stage 3: (due to push – off at the internal fibular side by the talus) Fibula에 compression 및 angulation 외력이 작용하여 fibula에 fracture가 생긴다. Distal fibular fracture는 superolateral to inferomedial orientation을 보인다.
  - SER stage 4: (due to push– off at the anterior fibular side by the talus) Talus가 외회전하면서 talus 외측이 lateral malleolus의 앞쪽에 부딪히면서 tibia와 fibula를 분리시키는 힘이 가해지게 된다. Distal fibular fracture는 anterior inferior to posterior superior orientation을 보인다.

Fig. 4-1.11 Pronation-Abduction Injuries

골절

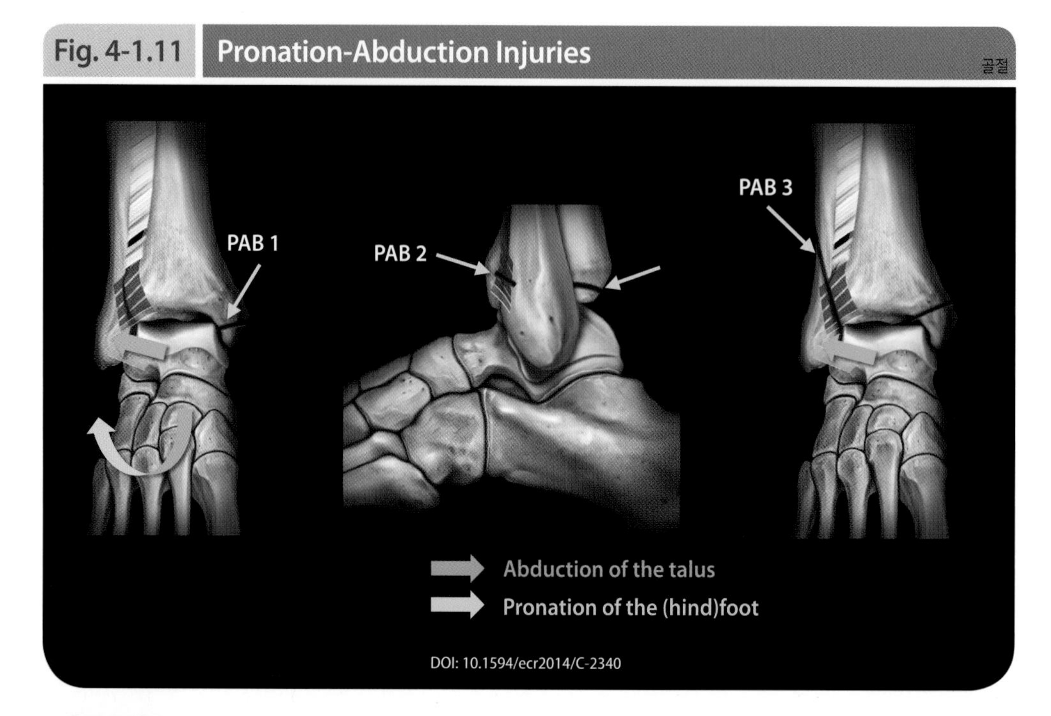

동영상 QR코드

▶ 4-1.11

Pronation-Abduction Injuries

- Stage 1: Talus가 abduction되어 deltoid ligament tear 혹은 medial malleolus avulsion fracture가 된다.
- Stage 2: 1단계 손상과 함께 anterior 및 posterior inferior tibiofibular ligament의 파열 혹은 avulsion fracture가 생긴다.
- Stage 3: 2단계 손상과 함께 fibula에 compression, angulation 외력이 작용하여 horizontal, oblique, or comminuted fibular fracture가 생긴다.

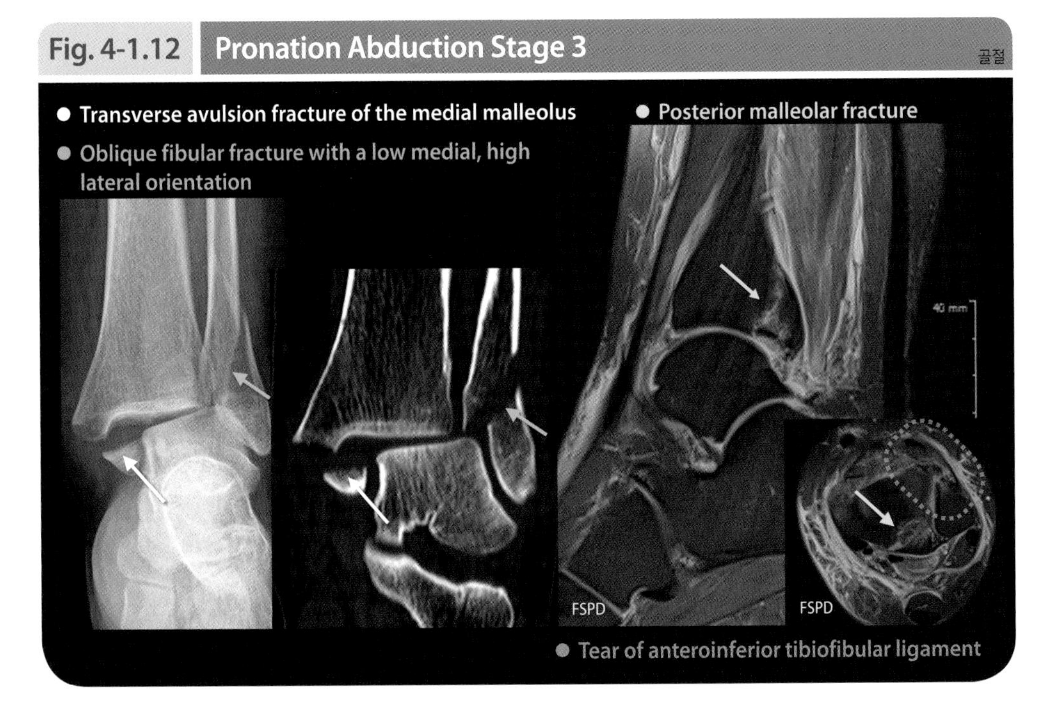

Fig. 4-1.12
Pronation Abduction Stage 3
골절
Transverse avulsion fracture of the medial malleolus
Oblique fibular fracture with a low medial, high lateral orientation
Posterior malleolar fracture
40 mm
FSPD
FSPD
Tear of anteroinferior tibiofibular ligament

동영상 QR코드

▶ 4-1.12

Pronation Abduction Stage 3

- Medial malleolus의 avulsion fracture가 있으며(white arrow, stage 1), anterior inferior tibiofibular ligament tear와 posterior malleolar fracture (yellow arrow, stage 2)가 있다.
- 그와 함께 talus가 subluxation되면서 fibula 내측을 compression하게 된다. 이러한 angulation 외력이 작용하여 fibula에 fracture (green)가 생기게 되고 골절 방향이 내측은 낮고 외측이 높아서(low medial, high lateral fracture orientation) PAB stage 3 injury에 해당한다.

e) PDF: Pronation–Dorsiflexion (1) (3)

- 종축부하에 의해 talus가 쐐기처럼 tibia의 관절면에 부딪쳐서 생기며 pilon 골절이 발생한다(Fig. 3-8.02).
- PDF Stage 1: Fracture of the medial malleolus (usually vertical)
- PDF Stage 2: Stage 1 + Fracture of the anterior margin of the distal tibia
- PDF Stage 3: Stage 2 + Supramalleolar fracture of the fibula
- PDF Stage 4: Stage 3 + Comminuted intra–articular fracture of the tibia

3. Danis-Weber 분류(1)

- Fibula의 골절 위치에 따라 분류하며, fibular fracture가 tibiofibular syndesmosis 상부에 위치할수록 손상이 커서 관절이 불안정할 가능성이 높다.
- Type A: infrasyndesmotic (lateral malleolus의 avulsion fracture, 관절면 하방에 골절)
  - Lauge–Hansen 분류 SAD
- Type B: transsyndesmotic (tibiofibular syndesmosis 부위에서 spiral 또는 oblique fracture가 생겨 tibiofibular syndesmosis의 부분 손상이 동반된다.)
  - Lauge–Hansen 분류 SER or PAB
- Type C: suprasyndesmotic (tibiofibular syndesmosis 상부에 골절)
  - Lauge–Hansen 분류 PER

02

성장판 손상 (Growth Plate Injury)

The epiphyseal plate (physis or growth plate) is the weakest part of the bone to shearing injuries.

1. 성장판 손상은 Salter-Harris classification에 따라 다섯 가지 기본형으로 나눈다(1) (3).

- 소아의 성장판은 관절막이나 인대보다 약하기 때문에 외부충격에 취약하다.
- 소아 골절의 약 15~33%에서 성장판 손상이 동반된다.

a) Salter–Harris classification (4) (Fig. 4-2.01)

- 1형(6~8.5%): 1형은 골절선이 성장판을 통과하여 골단(epiphysis)과 골간단(metaphysis)이 분리되는 형태이다(Fig. 4-2.02).
  - 대개 골막이 유지되기 때문에 골단(epiphysis)이 심하게 전위되는 경우는 드물다.
  - 단순촬영에서 성장판이 넓어진 경우에는 진단에 어려움이 없지만, 골단(epiphysis)이 저절로 정복된 경우에는 진단이 어려울 수 있다.
  - 성장판 주위 연조직의 부종 또는 성장판의 불규칙한 모양 등이 보인다.
  - 반대쪽 성장판과의 비교가 진단에 도움이 될 수 있다.

- 2형(73~75%): 2형은 가장 흔한 형태다(Fig. 4-2.03).
  - 골절선이 성장판을 따라 진행하다가 골간단(metaphysis) 쪽으로 연장되어 골간단의 일부가 골단 골편에 포함된다. 골간단 골편을 "corner 징후"라고 하며, 성장판 손상을 시사하는 소견이 된다.

- 3형(6.5~8%): 3형은 골절선이 관절면에서 수직으로 주행하여 성장판으로 연결되어 골단(epiphysis)의 일부가 떨어지는 형태이다.
- 4형(10~12%): 4형은 골절선이 관절면에서 수직으로 주행하여 성장판을 통과하고 골간단(metaphysis)으로 연장되는 형태이다.
- 5형(less than 1%): 5형은 골단(epiphysis) 또는 골간단(metaphysis)의 골절 없이 성장판이 압박되어 압궤손상(crushing injury)이 초래되는 경우이며, 골교(bony bridge 또는 bony bar) 형성에 의한 성장장애가 나타나므로 가장 예후가 좋지 않은 유형이다.

- Uniplanar fracture, smooth growth plate injury보다 multiplanar fracture, undulating growth plate를 보이면 bony bridge formation (골교, bony bar)이 더 잘 되어 조기에 성장판이 닫힌다(5).
- Distal tibia의 경우 type 1, type 2의 premature growth plate closures는 36%이고, type 3, 4도 38%여서 큰 차이가 없다(6).

- 성장판 손상의 중요한 합병증은 성장판을 가로질러 epiphysis와 metaphysis가 연결되는 bony bridge 형성에 의한 성장장애이다.
- Bony bridge의 진단과 크기를 평가하는데 MRI가 유용하다(7).

Fig. 4-2.01 **Salter-Harris Classification** 골절

Type 1

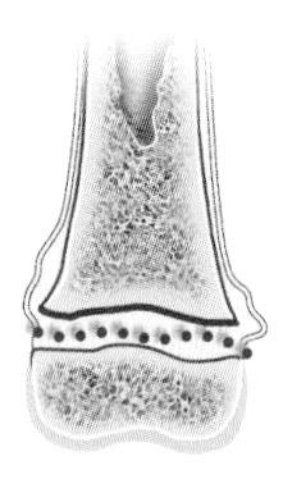

Fracture plane passes all the way through the growth plate, not involving bone

Type 2

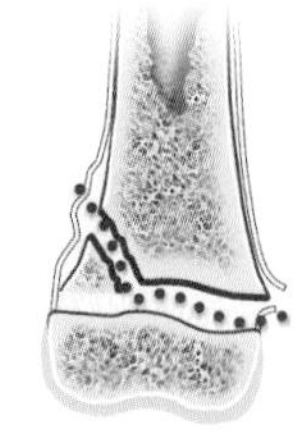

Fracture passes across most of the growth plate and up through the metaphysis

Type 3

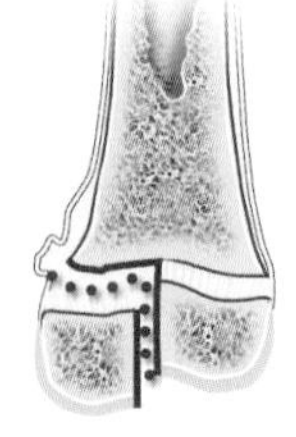

Fracture plane passes some distance along with the growth plate and down through the epiphysis

Type 4

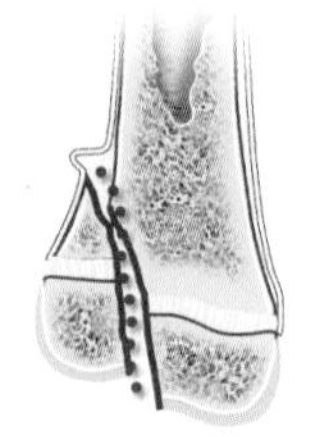

Fracture plane passes directly through the metaphysis, growth plate and down through the epiphysis

Type 5

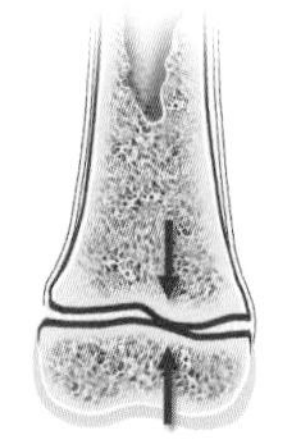

Crushing type injury does not displace the growth plate but damages it by direct compression

---

동영상 QR코드

▶ 4-2.01

Salter-Harris Classification

- 제1형: 골절이 성장판만 통과하여 epiphysis와 metaphysis가 분리되는 형태이다.
- 제2형: 골절이 성장판을 따라 진행하다가 metaphysis로 연장되어 metaphysis의 일부가 epiphysis에 붙어있다.
- 제3형: 골절선이 관절면에 수직으로 주행하여 성장판으로 연결되고 epiphysis의 일부가 떨어지는 형태이다.
- 제4형: 골절선이 관절면에 수직으로 주행하여 성장판을 통과하여 metaphysis로 연장되는 형태이다.
- 제5형: epiphysis 또는 metaphysis 골절없이 성장판이 압박되는 crushing injury를 의미한다.

Fig. 4-2.02 **Salter-Harris Fracture, Type 1** 골절

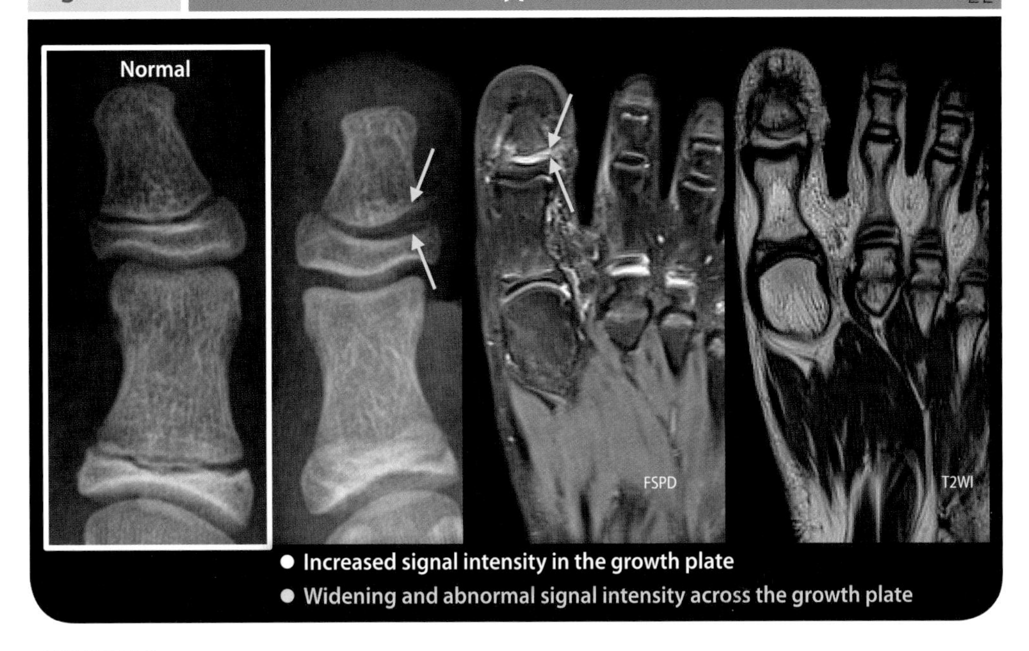

동영상 QR코드

▶ 4-2.02

Salter-Harris Fracture, Type 1

- 엄지발가락 distal phalanx의 성장판이 정상과 비교하여 widening (yellow)이 있으며 다른 성장판과 달리 FSPD 이미지에서 더 고신호강도(arrow)를 보이고 있다. 하지만 metaphysis나 epiphysis의 fracture가 보이지 않아 골절이 성장판만을 통과하였음을 알 수 있다.

Fig. 4-2.03 Salter-Harris Type 4

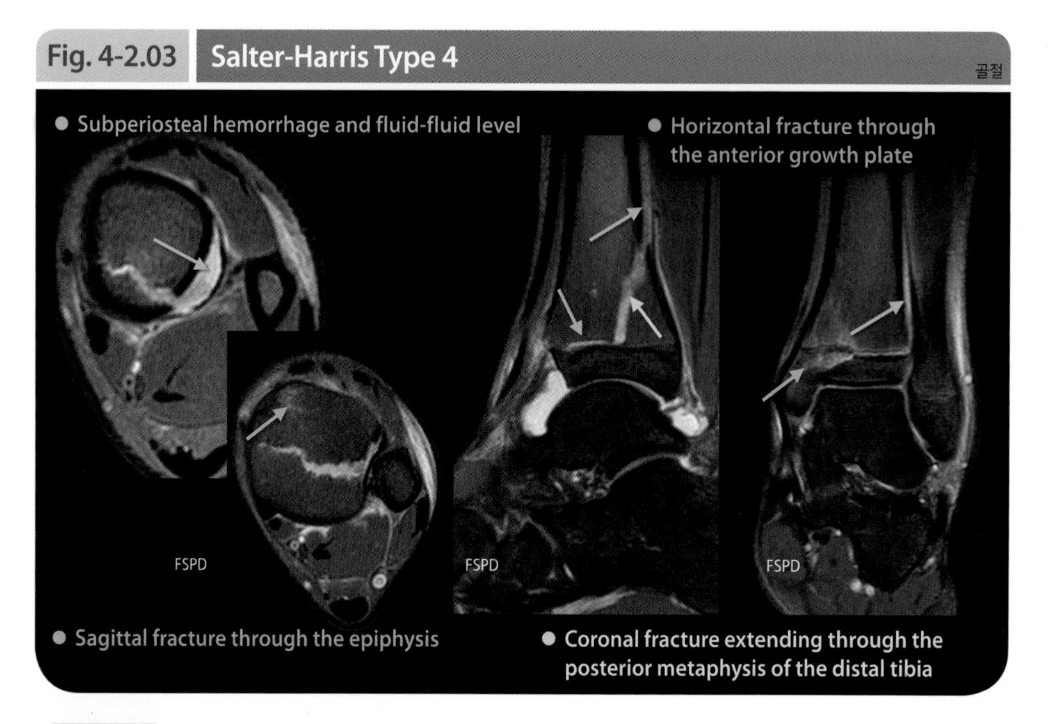

동영상 QR코드

▶ 4-2.03

Salter-Harris Type 4

- 관절면에 수직이면서 sagittal orientation을 보이는 epiphysis fracture (orange)가 성장판을 통과하여(green) coronal orientation으로 metaphysis 까지(yellow) fracture가 진행하여 Type 4 손상이다.
- 그와 동시에 subperiosteal hematoma (blue)가 distal tibia에 있고 fluid-fluid level을 보인다.

03

종골 골절
(Calcaneal Fracture)

Calcaneal fractures represent only about 2% of all fractures but 60% of fractures involving the tarsal bones (1).

1. 종골 골절은 posterior facet of the subtalar joint 침범 여부에 따라서 intraarticular and extraarticular fractures로 구분된다(Fig. 4-3.01).

- 종골은 tarsal bones 중에 가장 크고 가장 흔하게 골절이 된다(Fig. 4-3.02).
- 종골 골절은 모든 골절의 2%이지만 tarsal bone 골절의 60%이다(8).

Fig. 4-3.01 Anatomy of Ankle CT

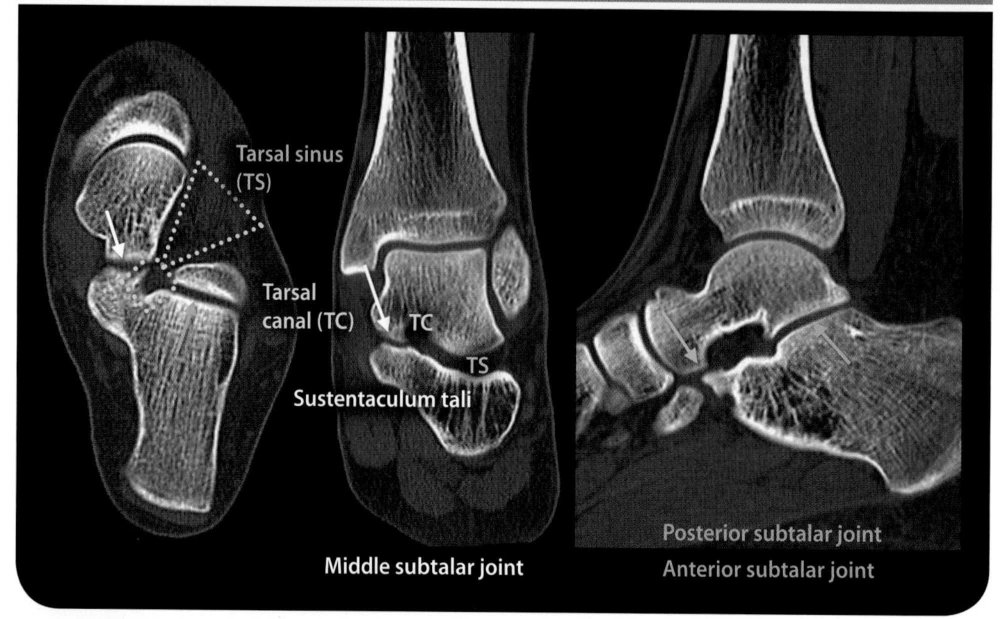

동영상 QR코드

▶ 4-3.01

Anatomy of Ankle CT

- Tarsal sinus 부위의 axial, coronal sagittal image이다.
- Calcaneus는 4개의 articular facet이 있고 앞에는 cuboid와 관절을 이루며, talus와는 anterior (green arrow), middle (white arrow), and posterior facet joints (orange arrow)를 이룬다.
- Calcaneus의 anterior facet은 middle facet의 바로 lateral aspect에 있는 작은 관절이며, middle talar facet (white)의 아래에는 calcaneus의 sustentaculum tali가 있고, posterior subtalar joint는 이 중 가장 큰 관절이다.
- Axial image에서 tarsal sinus (blue triangle)는 anterolateral aspect는 넓고 posteromedial aspect는 좁은 삼각형 모양이다. Tarsal sinus의 내측 부분은 tarsal canal (yellow)로 연결되는데 sustentaculum tali와 posterior subtalar joint (orange) 사이에 위치한다.
- Sagittal image에서 tarsal sinus는 앞쪽에 anterior subtalar joint (green), 후방에 posterior subtalar joint (orange), 상방에 talar neck, 아래에 calcaneus가 있다.

Fig. 4-3.02 **Anatomy of the Calcaneus** 골절

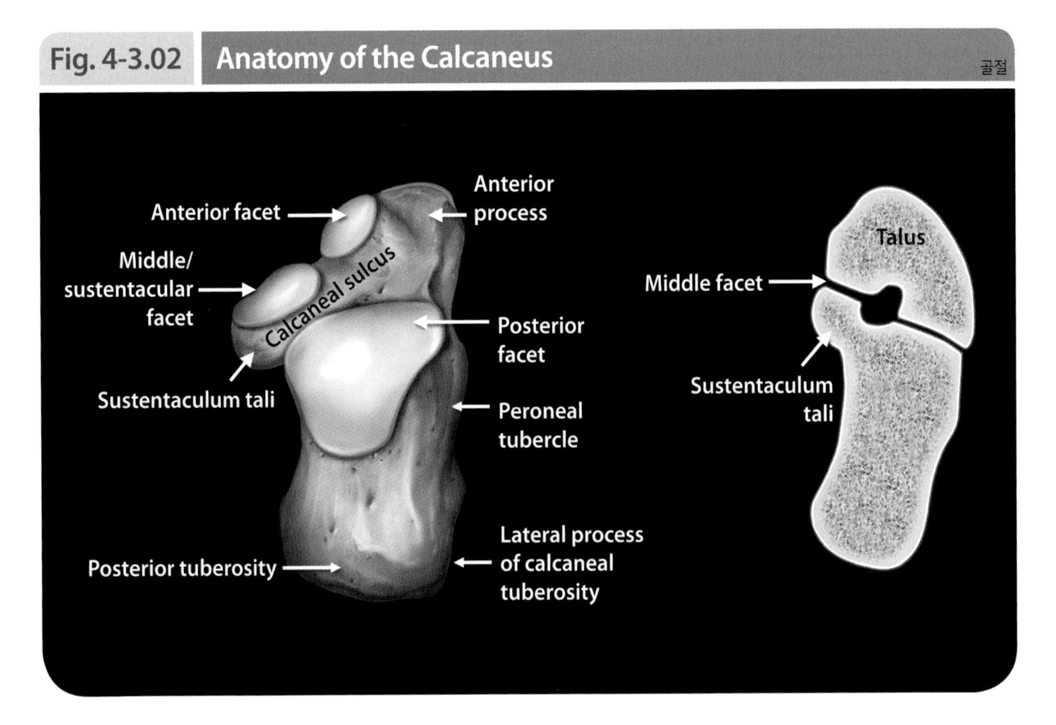

동영상 QR코드

▶ 4-3.02

Anatomy of the Calcaneus

- (왼쪽 이미지) Calcaneus superior surface anatomy이다.
- (오른쪽 이미지) Coronal image이다.
- 모두 왼쪽이 medial, 오른쪽은 lateral side이다.

골절

a) Intraarticular Fractures

- 관절내 골절은 대부분 추락에 의한 종축 압박으로 생기는데, 종골 골절의 약 75%를 차지하고, 척추의 압박 골절이 약 10%에서 동반된다(1).

- 종골 골절의 진단에서 중요한 영상지표로 Boehler 각과 Gissane 각이 있다 (8) (Fig. 4-3.03).
- Boehler 각
  - 조면(tuberosity)의 가장 위쪽 부분과 후방관절면(posterior facet)의 가장 위쪽 부분을 연결하는 선과 전방돌기(anterior process)의 가장 위쪽 부분과 후방관절면의 가장 위쪽 부분을 연결하는 선이 이루는 각이다.
  - 정상 범위는 20~40도이며, 20도 이하일 경우 후방관절면의 함몰을 의미한다.

- Gissane 각
  - 거골의 외측돌기(lateral process) 바로 아래쪽에서 종골 위쪽 면에 의해 이루어지는 각이다
  - 정상 범위는 95~105도이며 130도 이상인 경우 후방관절면의 함몰을 의미한다.

- 관절내 골절은 종축부하에 의해 거골의 외측돌기가 종골의 Gissane 각 부위에 쐐기처럼 박히면서 종골 체부에 관상면으로 일차 압박 골절선이 생기고 압박이 지속되면서 뒤쪽으로 이차 골절선이 생겨 “Y” 모양이 된다.
- 이차 골절선이 tuberosity로 연장되는 설상형(tongue type) 골절과 이차 골절선이 후상방으로 연장되는 관절함몰형(joint depression type) 골절로 분류한다(9) (Fig. 4-3.04~05).

Fig. 4-3.03 Angles of Gissane and Boehler

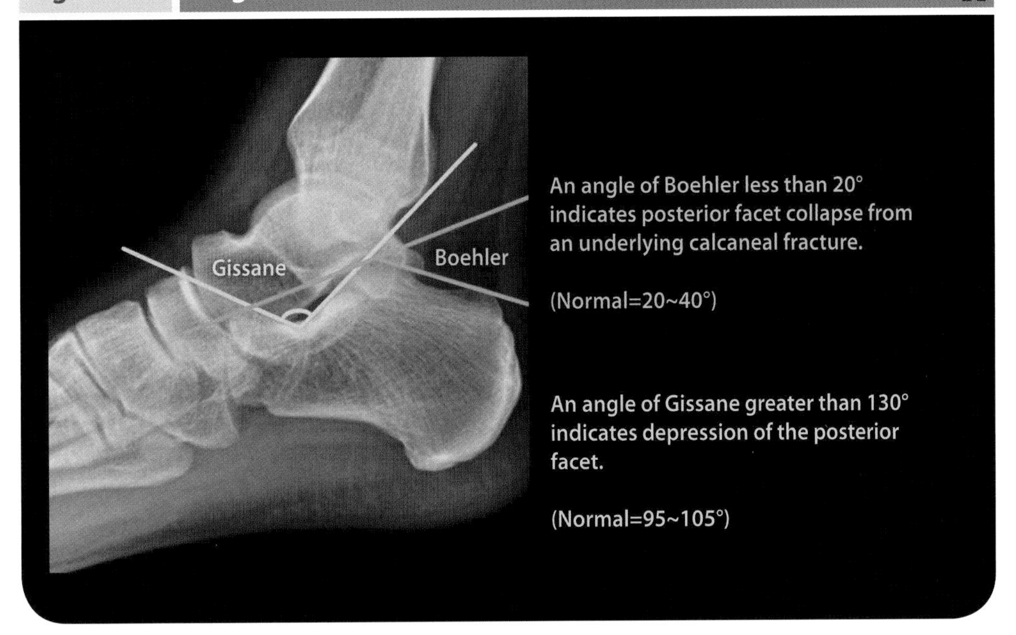

Gissane
Boehler
An angle of Boehler less than 20° indicates posterior facet collapse from an underlying calcaneal fracture.
(Normal=20~40°)
An angle of Gissane greater than 130° indicates depression of the posterior facet.
(Normal=95~105°)

동영상 QR코드

▶ 4-3.03

Angles of Gissane and Boehler

- Boehler angle: 정상범위는 20~40도이며 20도 이하면 posterior facet 함몰을 의미한다.
- Gissane angle: 정상범위 95~105도이며 130도 이상이면 posterior facet 함몰을 의미한다.

Fig. 4-3.04 Tongue Type Calcaneal Fracture

골절

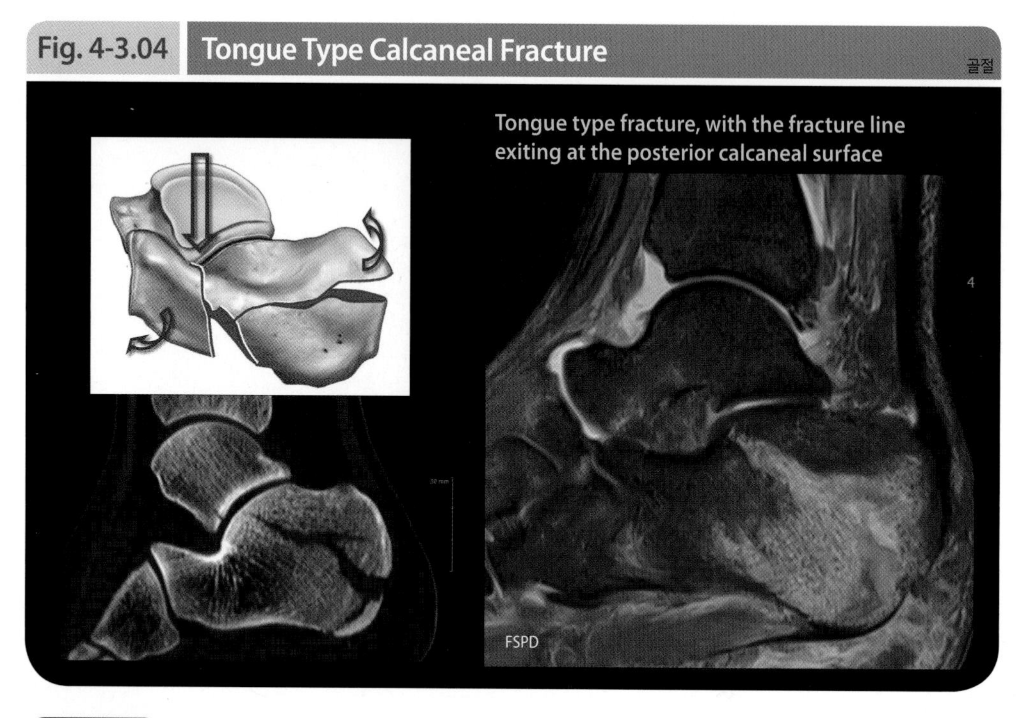

Tongue type fracture, with the fracture line exiting at the posterior calcaneal surface
FSPD

동영상 QR코드

▶ 4-3.04

Tongue Type Calcaneal Fracture

- Talus의 lateral process가 calcaneus Gissane angle 부위에 쐐기처럼 박히면서 primary fracture line이 calcaneus body를 통하여 아래로 진행(open arrow)한다.
- Axial loading이 지속되면 secondary fracture line이 생기는데 그것이 posterior calcaneal surface로 진행하면 tongue type fracture이다.

Fig. 4-3.05 **Joint Depression Type Fracture** 골절

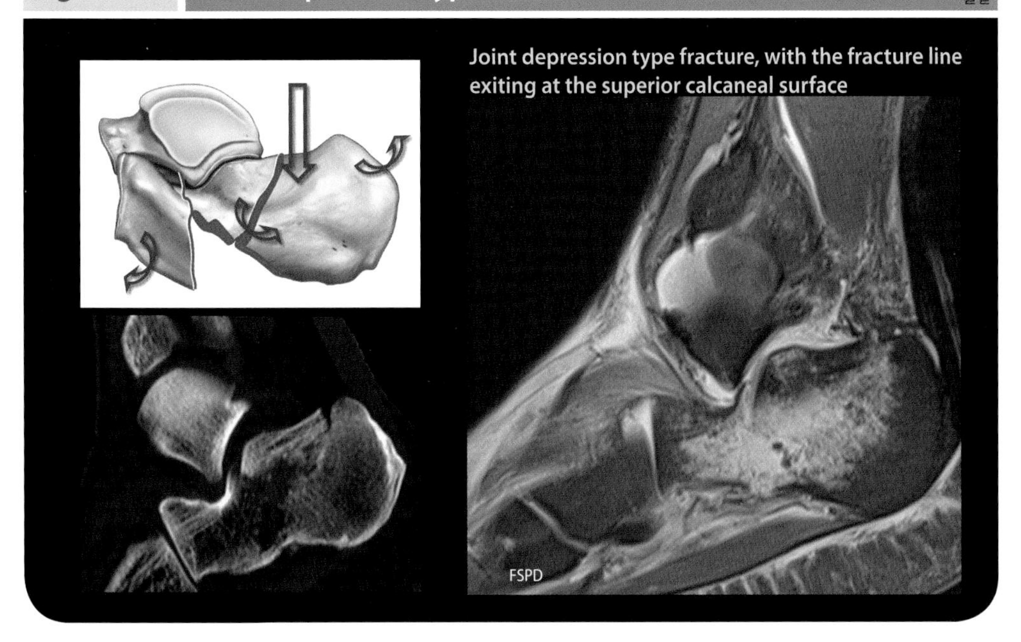

동영상 QR코드

▶ 4-3.05

Joint Depression Type Fracture

- (Fig. 4-3.04)와 마찬가지로 1차 골절선까지는 같으나 2차 골절선이 조금 더 수직으로 진행하고 posterior facet 뒤로, superior calcaneal surface로 진행하면 joint depression type fracture이다.

골절

b) Sanders 분류(1) (10)

- 관절내 골절의 분류는 Sanders 분류를 가장 많이 이용한다.
- Sanders 분류 I형은 전위가 2 mm 이하인 비전위 골절이며, II~IV형은 전위 골절이다(Fig. 4-3.06).
- 전위 골절은 후방관절면의 외측에서 내측으로 A (외측), B (중간), C (내측) 3개의 가상선을 그려서 골절선의 수와 위치에 따라 구분한다(Fig. 4-3.07).

- II형은 1개의 골절선에 의해 후방관절면이 2개로 나눠지는 two part fracture를 말하며, 골절선의 위치에 따라 IIA, IIB, 그리고 IIC형으로 세분한다(Fig. 4-3.08~09).
- III형은 2개의 골절선에 의해 후방관절면이 3개로 나눠지는 three part fracture이며, 2개의 골절선의 위치에 따라 IIIAB, IIIAC, 그리고 IIIBC형으로 나눠진다.
- IV형은 3개 이상의 골절선에 의해 후방관절면이 4개 이상으로 나눠지는 분쇄 골절이다.

Fig. 4-3.06 **Sanders Classification** 골절

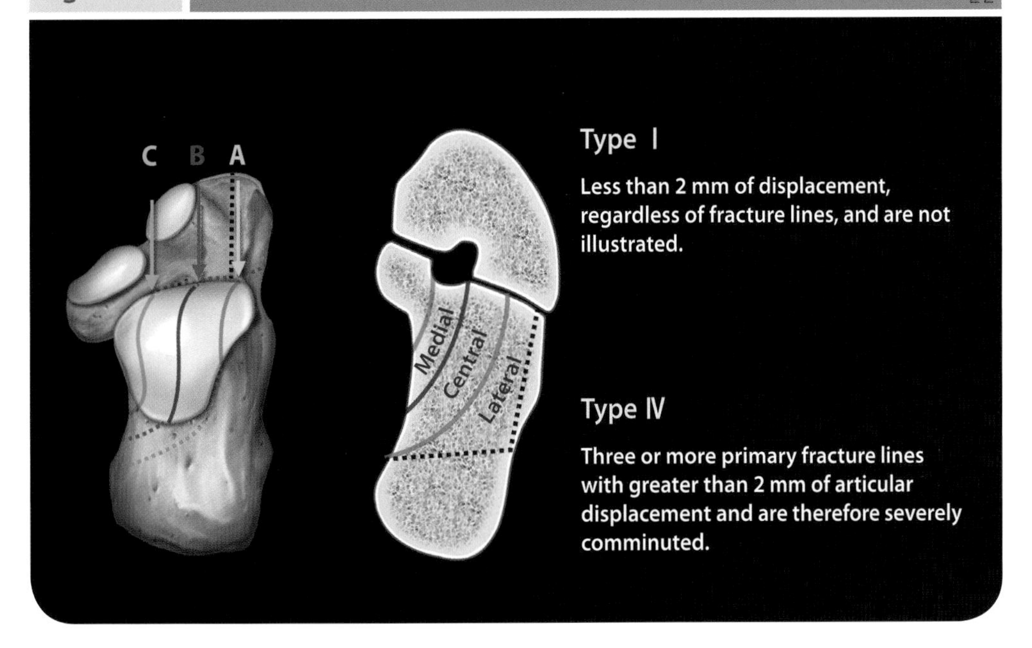

C B A
Medial
Central
Lateral
Type Ⅰ
Less than 2 mm of displacement, regardless of fracture lines, and are not illustrated.
Type Ⅳ
Three or more primary fracture lines with greater than 2 mm of articular displacement and are therefore severely comminuted.

동영상 QR코드

▶ 4-3.06

Sanders Classification

- Sanders 분류 Ⅰ형은 전위(displacement)가 2 mm 이하인 비전위 골절이다.
- Ⅳ형은 3개 이상의 골절선에 의해 posterior facet이 4개 이상으로 나눠지는 분쇄 골절이다.
- Ⅱ~Ⅲ형은 외측에서 내측으로 A, B, C 가상선을 긋고 골절선의 수와 위치에 따라 구분한다. (Fig. 4-3.07)을 보자.

골절

Fig. 4-3.07 **Sanders Classification** 골절

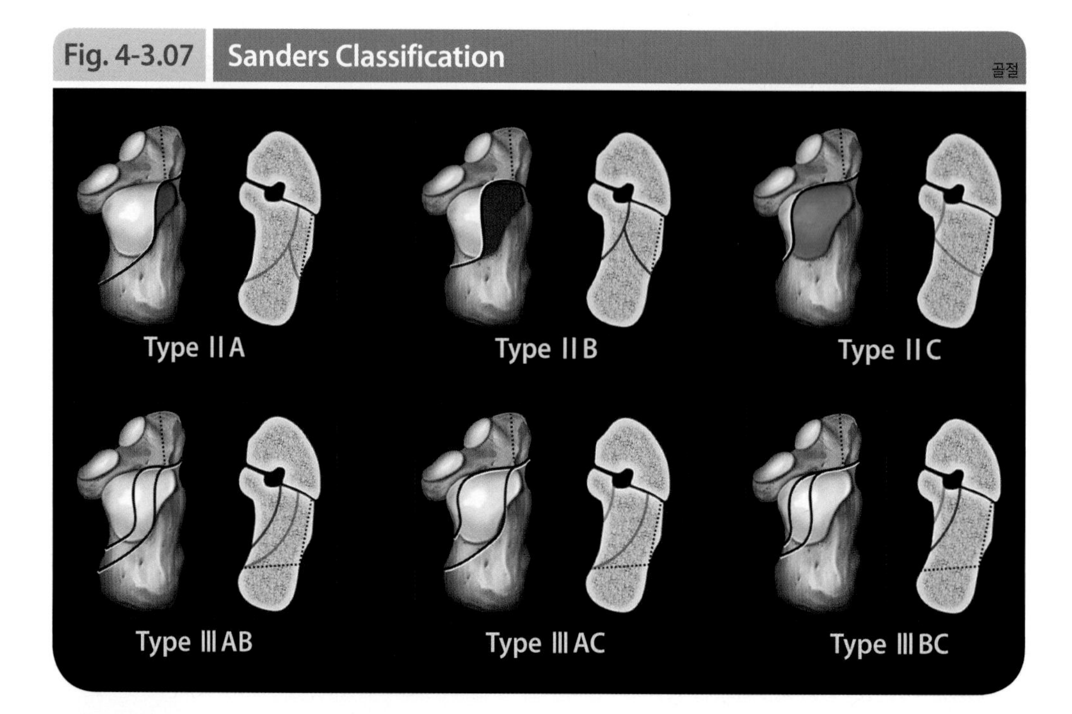

동영상 QR코드

▶ 4-3.07

Sanders Classification

- Ⅱ형은 1개의 골절선에 의해 posterior facet이 2개로 나눠지는 two part fracture이며 fracture의 위치에 따라 lateral aspect부터 medial aspect 순서로 ⅡA, ⅡB, ⅡC로 나뉜다.
- Medial aspect의 fracture일수록 수술적으로 management 및 evaluation이 더 어렵기 때문에 medial aspect의 fracture를 C로 구분한다.
- Ⅲ형은 2개의 골절선에 의해 3개로 나뉘어지는 three part fracture이며, 골절선이 가장 lateral aspect부터 medial aspect까지, ⅢAB, ⅢAC, ⅢBC로 나뉜다.

Fig. 4-3.08 **Sanders Type IIA Fracture** 골절

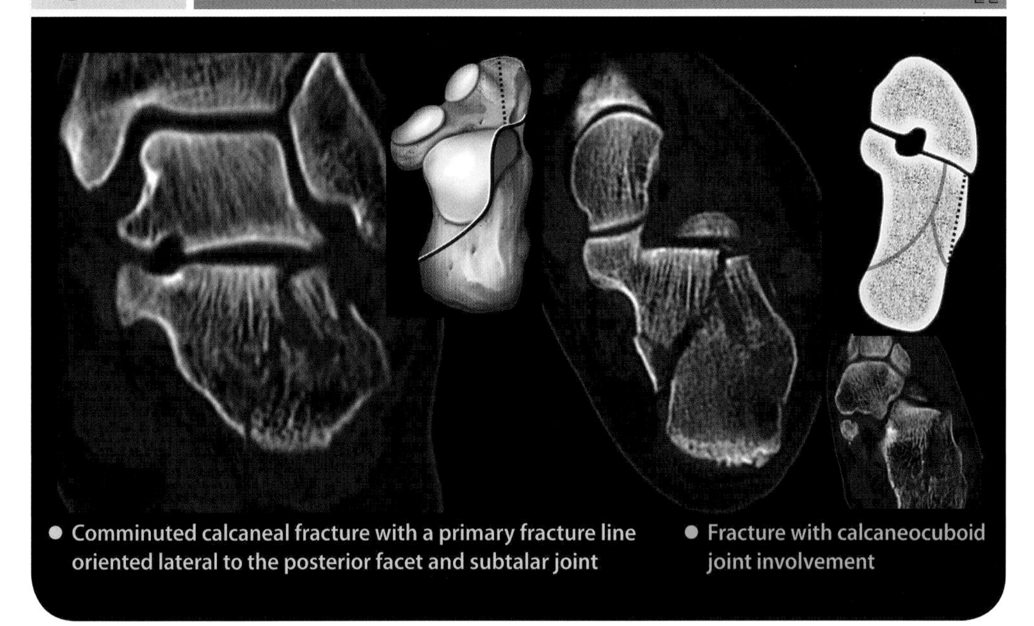

- Comminuted calcaneal fracture with a primary fracture line oriented lateral to the posterior facet and subtalar joint
- Fracture with calcaneocuboid joint involvement

동영상 QR코드

▶ 4-3.08

Sanders Type IIA Fracture

- Calcaneus fracture를 평가할 때는 posterior facet에 수직, 수평방향으로 얻은 이미지로 평가해야 한다.
- 그렇게 얻은 CT scan에서 primary fracture line이 하나이며, posterior facet의 lateral aspect에 있고 calcaneocuboid joint를 침범하고 있다.

Fig. 4-3.09 Sanders Type IIIAC Fracture

골절

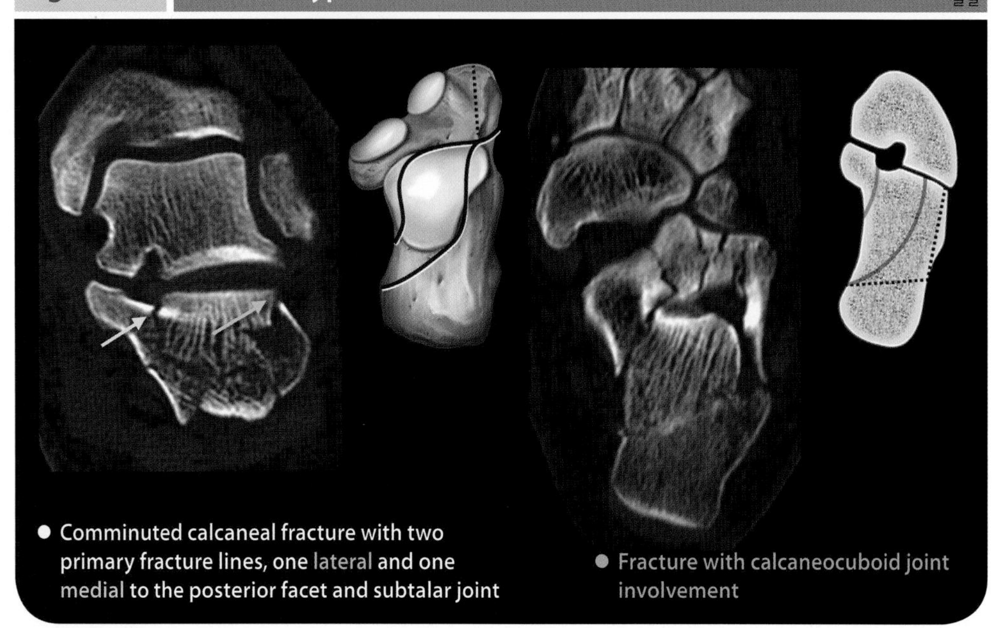

- Comminuted calcaneal fracture with two primary fracture lines, one lateral and one medial to the posterior facet and subtalar joint
- Fracture with calcaneocuboid joint involvement

동영상 QR코드

▶ 4-3.09

Sanders Type IIIAC Fracture

- Posterior subtalar joint를 지나가는 2개의 primary fracture line을 갖는 comminuted intraarticular calcaneal fracture이다. 하나는 lateral (A, blue), 하나는 medial (C, yellow) aspect에 있다.
- Fracture가 calcaneocuboid joint를 침범하고 있다.

c) Extraarticular Fractures (8)

- 관절외 골절은 후방관절면을 침범하지 않은 골절로, 해부학적 위치에 따라 A, B, C형으로 나눈다(8).
- A형은 전방돌기(anterior process) 골절(Fig. 1-7.07~08),
- B형은 재거돌기(sustentaculum tali), 비골활차(peroneal trochlea), 외측돌기(lateral process)를 포함한 종골의 체부골절,
- C형은 조면(tuberosity)과 내측돌기(medial tubercle) 골절을 포함한다(Fig. 4-3.10).

d) Complication (8) (Fig. 4-3.11)

- Wound infection: 특히 open calcaneal fracture의 경우 necrotizing fasciitis가 생길 수 있다(11).
- Tendon injury: Peroneal tendon이 fracture fragment 사이에 entrapment될 수 있다. 그리고 이러한 entrapment는 fracture reduction을 방해한다(12).
- Skin necrosis: Osteoporosis가 있는 환자에게서 calcaneal tuberosity의 avulsion fracture가 생기면 Achilles tendon을 덮는 skin은 thin layer이므로 necrosis가 될 수 있다(13).

Fig. 4-3.10 Fracture of medial process of calcaneal tuberosity

골절

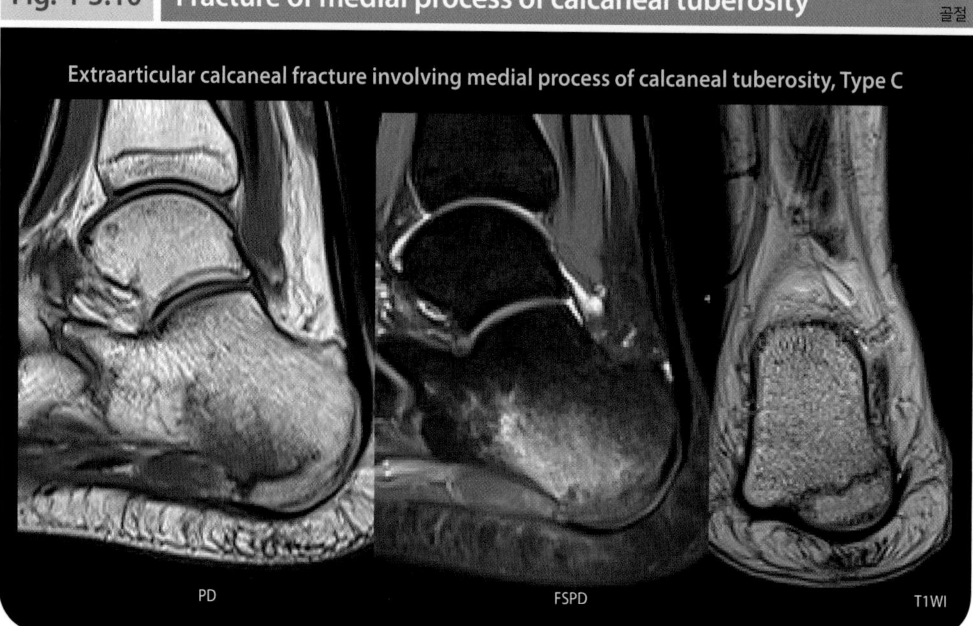

Extraarticular calcaneal fracture involving medial process of calcaneal tuberosity, Type C
PD
FSPD
T1WI

동영상 QR코드

▶ 4-3.10

Fracture of medial process of calcaneal tuberosity

- Extraarticular fracture는 posterior subtalar joint를 침범하지 않는 골절로 해부학적인 위치에 따라 A, B, C형으로 나눈다. A형은 anterior process이며, B형은 body, C형은 posterior tuberosity와 medial tubercle을 포함한 fracture이다.
- 여기서는 그 중 C형이며 calcaneus의 medial process of calcaneal tuberosity만 fracture가 있다.

Fig. 4-3.11 Peroneal Tendons Dislocation 골절

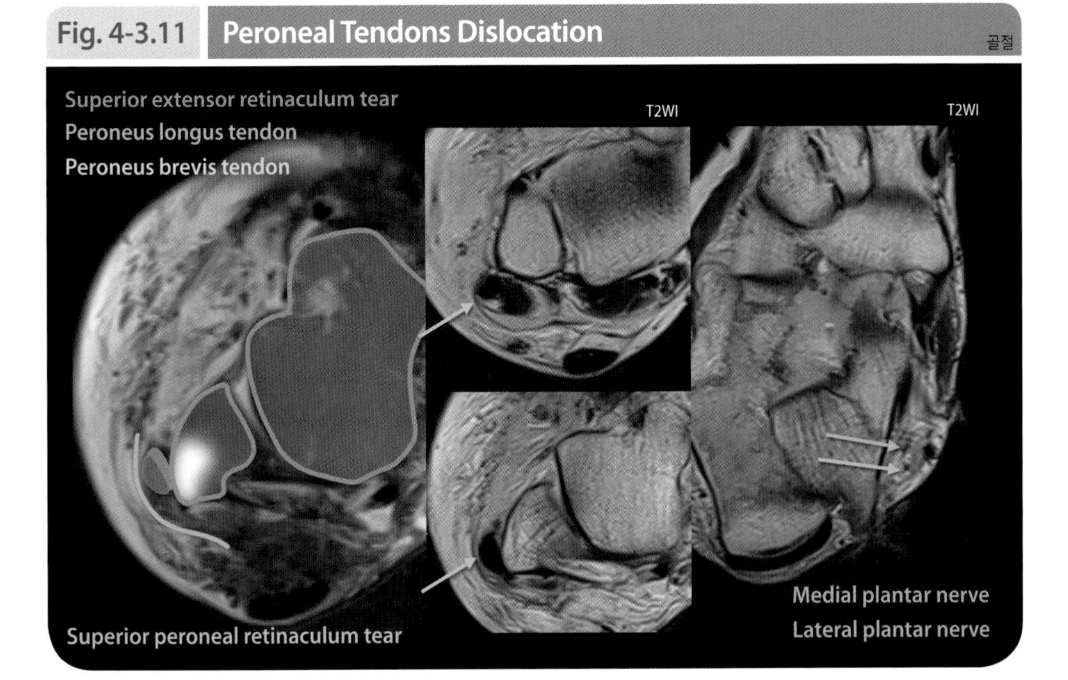

동영상 QR코드

▶ 4-3.11

Peroneal Tendons Dislocation

- Intra-articular calcaneal open fracture 환자이다.
- Superior peroneal retinaculum (SPR, blue)이 tear되어 peroneal tendons가 anterior dislocation을 보인다. 정상 SPR 및 peroneal tendons의 anatomy와 injury는 (Fig. 3-4.01) (Fig. 3-5.01~04)를 참고하자.
- SPR은 superior extensor retinaculum (SER, pink)과 연결되는데 SER 및 inferior extensor retinaculum도 tear가 되었다. (Fig. 1-8.01)을 참고하자.
- Fracture가 tarsal tunnel로 향하여서 neurovascular bundle의 injury를 살펴봐야 하는데, 여기에서 fracture는 medial plantar nerve (orange), lateral plantar nerve (green)와 떨어져 있다. 정상 tarsal tunnel anatomy는 (Fig. 5-7.01) (Fig. 5-7.03~04)를 보자.

골절

04

거골 골절

(Talar Fracture)

Talar fractures are associated with high energy traumatic injuries, including falls and motor vehicle accidents.

1. 거골은 2/3가 연골로 둘러싸여 있고 근육의 부착이 없기 때문에 혈류공급이 충분하지 않아 골절과 관련된 거골원개(talar dome)의 무혈성괴사가 잘 동반된다(14).

a) Talar Fractures (15)

- 거골 골절은 talar head, neck, body, lateral process, posterior process로 구분하며, 경부 골절이 50%를 차지한다.
- 거골 골절은 high–energy traumatic injuries (falls and motor vehicle

accidents)와 관련이 있다.

- Talar neck fractures
  - 거골 경부 골절은 대개 발이 과도하게 dorsiflexion되어 거골 경부가 경골 전방에 충돌하면서 발생한다.
  - 1형: Non-displaced fracture
  - 2형: Subtalar joint의 아탈구 또는 탈구를 동반한 골절
  - 3형: Body가 subtalar joint 및 ankle joint에서 탈구된 경우
  - 4형: 3형 손상과 함께 head가 talonavicular joint에서 아탈구 또는 탈구된 경우
  - Osteonecrosis는 Hawkins-Canale classification 2형에서 20~30%, 3형에서 80~100%에서 발생한다**(16) (17)** (Fig. 4-4.01~02).

- Lateral process fractures (=snowboarder's fractures) (Fig. 4-4.03)
  - Inversion, dorsiflexion, and compressive force가 작용하여 발생한다.

- Posterior process fractures **(3)**
  - 후방 돌기 골절은 os trigomum과의 감별이 필요하다.
  - Irregular separation을 보이면 fracture라고 본다.

- Plantar talar head injury **(18)** (Fig. 4-4.04)
  - Plantar talar head contusion이나 osteochondral fracture의 경우 여러 동반 손상이 있다. Transverse tarsal joint complex 손상이 가장 흔하며, 그 외 lateral collateral ligament injury도 자주 동반된다.

b) Talar insufficiency fracture (Fig. 4-4.05)

- MRI는 talar insufficiency fracture를 진단하는데 도움이 된다(19).
  - Subchondral insufficiency fracture of the talus는 드문 편이며, talar head와 talar dome에 생긴다(20).
  - MRI에서 linear low signal intensity의 fracture line이 talus의 subchondral region을 따라서 있고 fracture 주변으로 bone marrow edema가 보인다.
  - 전형적으로 talonavicular joint 관절면에 평행한 골절선이 보인다.

Fig. 4-4.01 **Talar Osteonecrosis** 골절

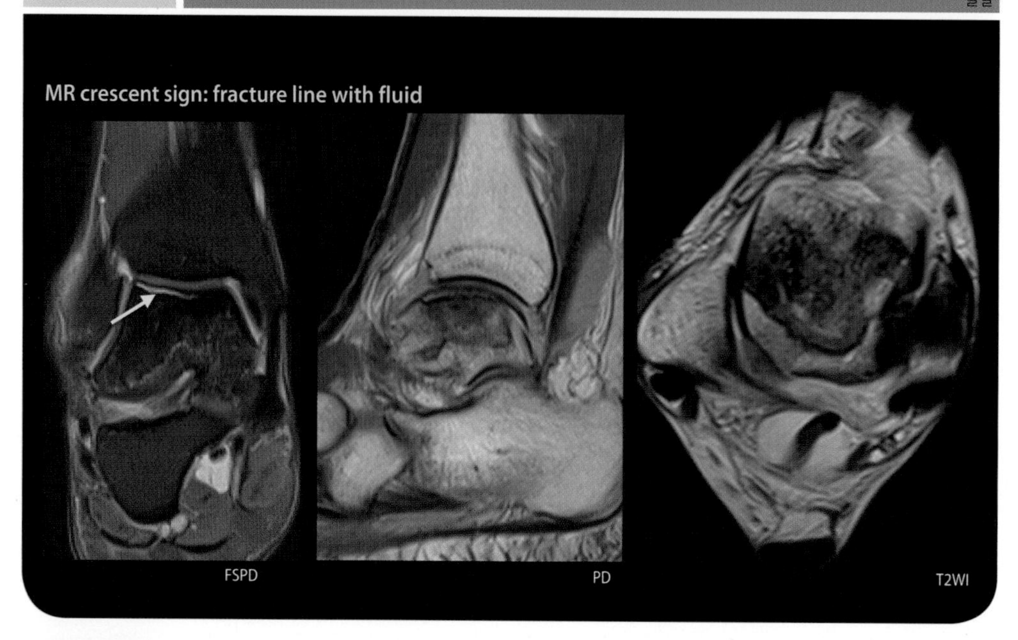

동영상 QR코드

▶ 4-4.01

Talar Osteonecrosis

- 주로 Talar neck fracture나 dislocation 후 합병증으로 osteonecrosis가 생긴다. Talar osteonecrosis는 일반촬영에서 음영이 상대적으로 증가하지만 진단이 어렵다.
- MRI에서는 subchondral fracture line 사이로 들어간 물에 의해 FSPD 이미지(T2WI에서도 유사하다)에서 고신호강도를 보여 MR crescent sign을 보이게 된다.
- Osteonecrosis가 더 진행하게 된다면 talar dome의 붕괴, 관절연골의 파괴, 이차적 골관절염이 발생하게 된다.

Fig. 4-4.02 **Osteonecrosis** 골절

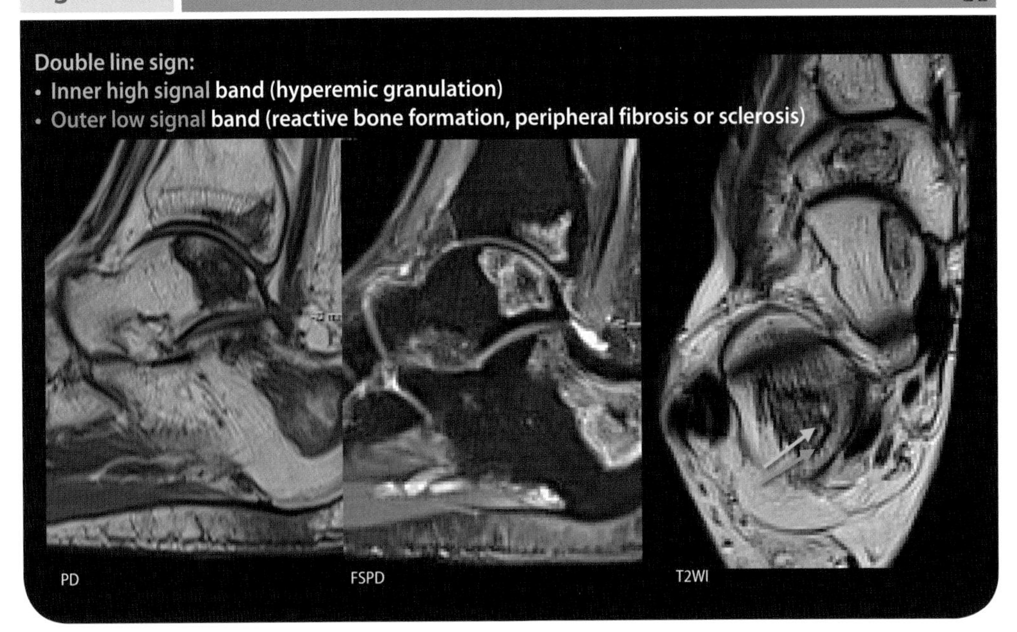

Double line sign:
• Inner high signal band (hyperemic granulation)
• Outer low signal band (reactive bone formation, peripheral fibrosis or sclerosis)
PD
FSPD
T2WI

동영상 QR코드

▶ 4-4.02

Osteonecrosis

- Distal tibia, talar dome, calcaneus, talar head, navicular에 지도 모양의 선에 의해 둘러싸인 병변이 보인다.
- 이 선은 PD 이미지에서 저신호강도를 보이며(T1WI에서도 마찬가지로 저신호강도), FSPD 이미지에서 고신호강도(FST2WI에서도 고신호강도)로 관찰되며, 내부는 fatty marrow의 신호강도를 포함하고 있는 전형적인 osteonecrosis이다.
- 주로 Femoral head의 osteonecrosis에서 언급되는 double line sign이 T2WI에서 보인다.
- Double line sign이란 내측의 고신호강도의 띠와 외측의 저신호강도의 띠가 겹쳐진 것을 말한다. Inner hyperemic granulation tissue (내측의 과혈류성 육아조직)와 outer reactive bone formation, peripheral fibrosis/sclerosis (외측의 반응성 신생골 형성과 섬유성 증식)에 의한 테두리를 말한다.

Fig. 4-4.03 Lateral Talar Process Fracture

골절

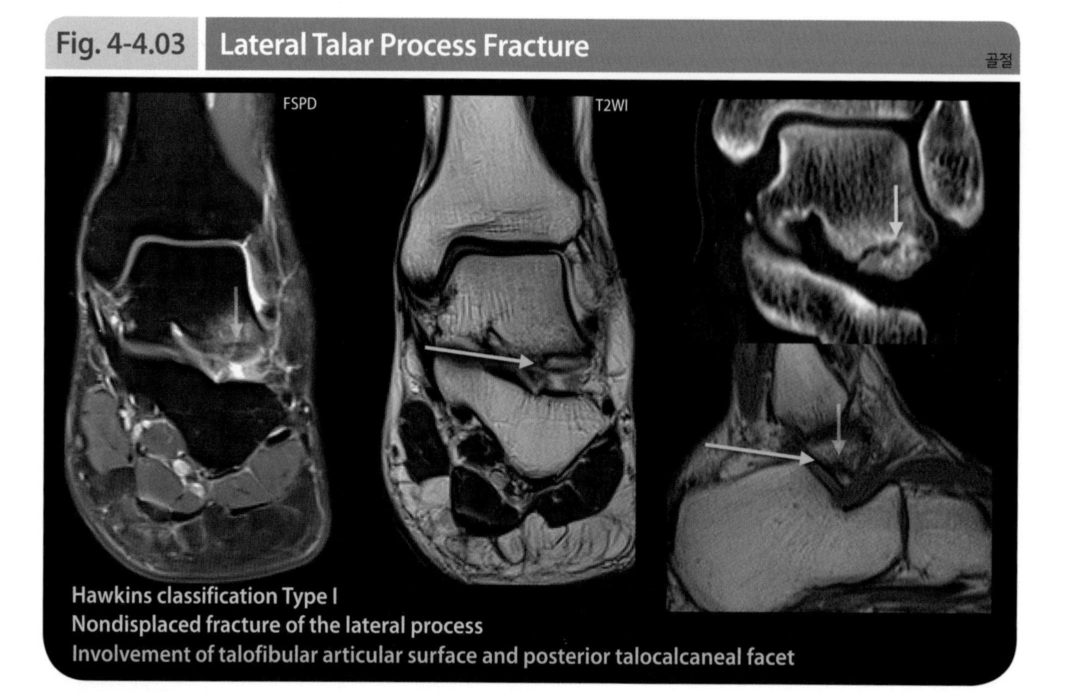

Hawkins classification Type I
Nondisplaced fracture of the lateral process
Involvement of talofibular articular surface and posterior talocalcaneal facet

동영상 QR코드

▶ 4-4.03

Lateral Talar Process Fracture

- Lateral talar process fracture는 Hawkins criteria에 따라 세 가지로 나눈다.
  : simple (Type I, most common), comminuted (Type II), and chip (Type III, the region of the sinus tarsi) (15)
- (Fig. 4-4.03)은 Type I fracture이다. Coronal image에서 talofibular articular surface까지 1개의 fracture line이 보인다. Sagittal image에서 posterior subtalar joint의 침범이 보인다.

Fig. 4-4.04 **Talar Head Bone Contusion**

골절

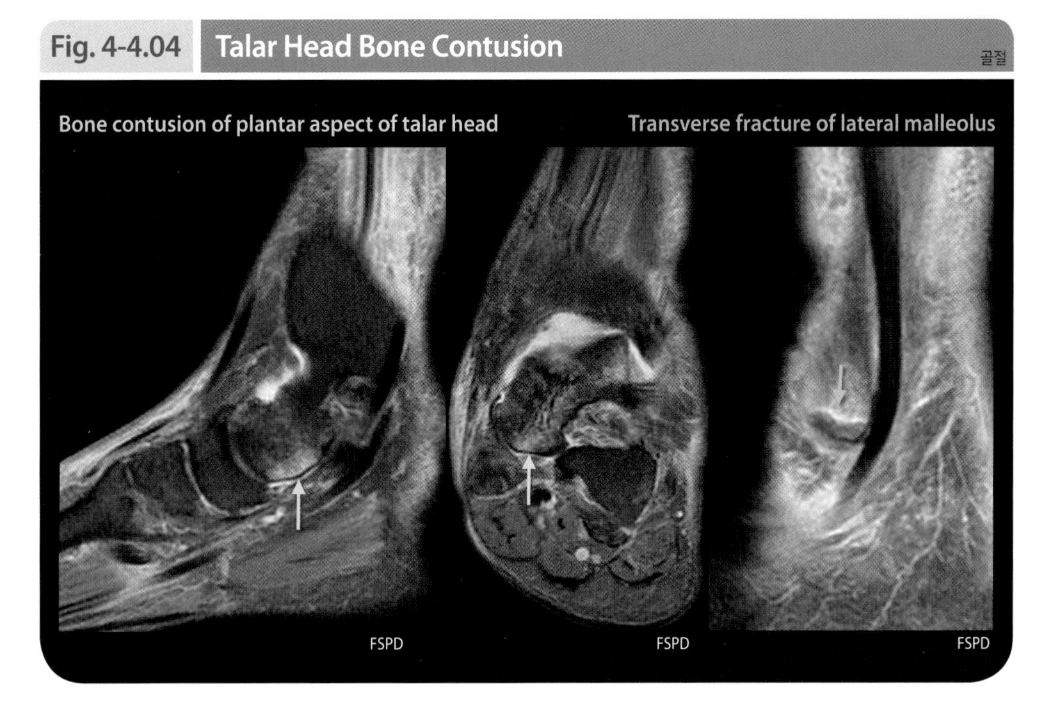

동영상 QR코드

▶ 4-4.04

Talar Head Bone Contusion

- Plantar talar head bone contusion (yellow arrow)이 보이며 간혹 osteochondral fracture를 보이기도 한다.
- Plantar talar head bone contusion이 있는 경우 여러 손상이 동반될 수 있고, 주로 transverse tarsal joint complex 손상이 가장 흔하다.
- 여기서는 lateral malleolus의 transverse fracture (green arrow)가 있다.

골절

Fig. 4-4.05 Collapsed Insufficiency Fractures

골절

Subchondral insufficiency fracture with associated extensive bone marrow edema

Discontinuous subchondral fracture line parallel to the articular surface

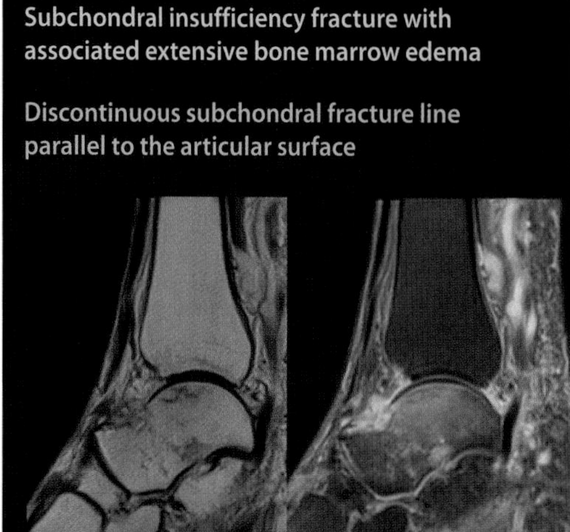

Images obtained 6 months later

Subchondral collapse with distal fibular fracture

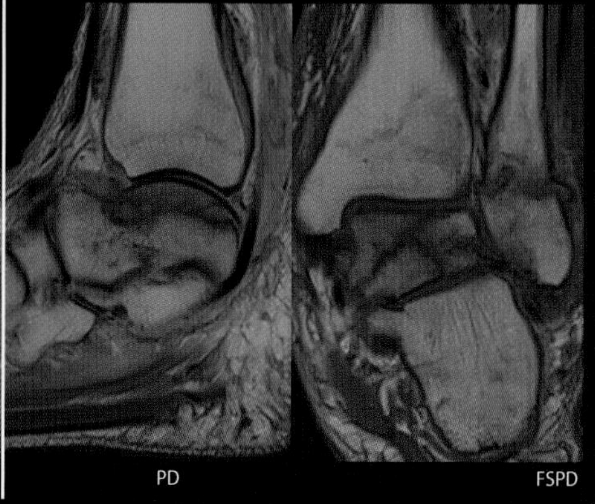

동영상 QR코드

▶ 4-4.05

Collapsed Insufficiency Fractures

- Stress fracture는 두 가지 경우가 있으며, 고령의 여성, 골다공증이나 과체중이 있는 경우에는 insufficiency fracture가 생기고, 활동적인 젊은 남자에게 fatigue fracture가 생긴다.
- (가장 왼쪽 이미지)관절면에 인접한 subchondral bone plate와 평행한 불규칙한 모양의 저신호강도의 띠(yellow, fracture line)가 보이며 그 주변으로 diffuse bone marrow edema가 보인다.
- Insufficiency fracture와 osteonecrosis 감별이 필요하다. 여기에서 osteonecrosis에서 보이는 T2WI의 double line sign이 보이지 않고 저신호강도의 띠는 관절면에 평행한 방향이며 bone marrow edema는 저신호강도 띠의 proximal과 distal aspect에 모두 보여 insufficiency fracture에 해당한다.

- (오른쪽 2개 이미지) Irreversible subchondral insufficiency fracture로 6개월 후 talus가 collapse되면서 talar body, distal fibula, calcaneus (여기에 보이지 않음)까지 insufficiency fracture가 새롭게 보인다. 만약 subchondral insufficiency fracture에서 prominent contour deformity, subchondral fluid-filled fracture cleft가 보인다면 subchondral bone plate가 collapse되기 쉽고 예후가 좋지 않다.

05

주상골 골절 (Navicular Fracture)

Navicular fractures include fractures of the tuberosity, body avulsion, and stress fractures.

1. 주상골의 가운데는 혈류량이 적어서 stress fracture나 nonunion이 잘 생길 수 있다.

a) Navicular Fractures

- Navicular fractures는 avulsion fracture (ligamentous capsular avulsion fracture), 혹은 navicular long axis의 수직방향으로 발생한 fracture (tuberosity or body)가 있다(3).
- Navicular fractures는 avulsion fracture, tuberosity, body, stress fracture,

네 가지 type이 있다(3).

- Avulsion fractures: (Fig. 1-7.03) (Fig. 1-7.05) (Fig. 1-7.08) (Fig. 3-1.01)
  - Avulsion fracture는 주로 dorsal talonavicular ligament, naviculocuneiform ligament, 혹은 posterior tibial tendon (PTT) insertion의 dorsal lip에 생긴다.
- Tuberosity fractures: (Fig. 4-5.01~02)
  - Tuberosity fractures는 tuberosity의 크기에 따라 골절의 크기가 다양할 수 있지만 전위는 잘 되지 않는다.
  - Fracture edges는 sharp 혹은 jagged 양상을 보인다.
- Body fractures:
  - Body fractures에서 horizontal and nondisplaced fractures를 가장 흔하게 볼 수 있으며 간혹, crush injuries가 있기도 한다.
- Stress fractures: (21) (Fig. 4-5.03~04)
  - Stress fractures는 보통 혈류가 적은 central third of the navicular (sagittal plane)에 생긴다.
  - Fracture healing이 되어도 medullary cysts, cortical notching이 지속적으로 보일 수 있다.

- Müller–Weiss Disease (22) (Fig. 4-5.05)
  - Navicular fracture는 아니지만 40~60대 여자에서 생기는 adult onset osteonecrosis이다.
  - Navicular의 lateral aspect가 collapse되어 comma shaped deformity를 보이며 fragmentation을 보이기도 한다.
  - Navicular가 medial 혹은 dorsal aspect로 protrusion되며 pes planovarus를 보인다.

Fig. 4-5.01 **Navicular Tuberosity Fracture** 골절

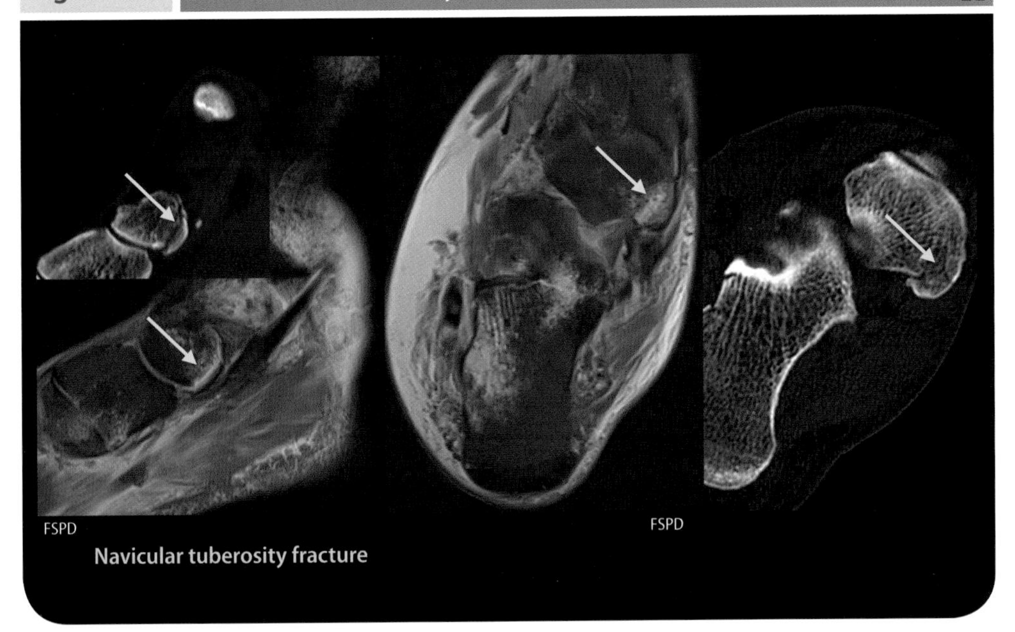

Navicular tuberosity fracture

동영상 QR코드

▶ 4-5.01

Navicular Tuberosity Fracture

- Posterior tibial tendon (PTT)은 주로 navicular tuberosity에 insertion을 하는데 여기에 생긴 avulsion fracture이다. 이런 경우 보통 displacement가 되지 않는다. PTT는 navicular insertion 후 작은 slip들이 talus를 제외한 거의 모든 midfoot, hindfoot에 부착하기 때문에 displacement가 잘 생기지 않는 것으로 생각된다.
- 정상 PTT는 (Fig. 3-1.01~02)를 참고하자.
- Type Ⅱ accessory navicular bone처럼 보일 수 있으나, fracture이기 때문에 sharp and/or jagged fracture edge를 보인다.
- (Fig. 3-2.01) (Fig. 3-2.03)에서 Type Ⅱ accessory navicular bone과 비교하여보자.

Fig. 4-5.02 **Fracture of Accessory Navicular** 골절

- Diastasis of accessory navicular bone fragments

FSPD

PD

- Thickening and increased signal intensity within the posterior tibial tendon with mild tenosynovitis
- Fracture of type II accessory navicular bone

동영상 QR코드

▶ 4-5.02

Fracture of Accessory Navicular

- Type II accessory navicular bone에 fracture와 diastasis가 보인다.
- Posterior tibial tendon (PTT)이 fracture된 Type II accessory navicular bone에 부착된 것이 sagittal image에서 잘 보인다.
- PTT는 인접한 flexor digitorum longus (FDL) tendon에 비해서 1.5~2배 이상(정상 PTT는 FDL보다 1.5~2배 정도 두껍다) 두꺼우며 약간 증가된 신호강도를 보이고 있어 tendinosis와 tenosynovitis가 동반되었다. (Fig. 3-1.03) (Fig. 3-10.01)을 참고하자.

Fig. 4-5.03 Navicular Stress Fracture 골절

T2WI

FSPD

- Marrow edema and linear fracture in the navicular bone
- Linear fracture extending somewhat obliquely from the dorsal cortex to the lateral cortex of the navicular bone

동영상 QR코드

▶ 4-5.03

Navicular Stress Fracture

- Navicular stress fractures는 보통 central third에 생긴다.
- Fracture line과 주변으로 bone marrow edema가 보인다.
- Navicular stress fracture는 delayed union 혹은 complete fracture 가능성이 높은 high risk fracture이므로 정확한 진단이 중요하다.

Fig. 4-5.04 **Navicular Stress Reaction** 골절

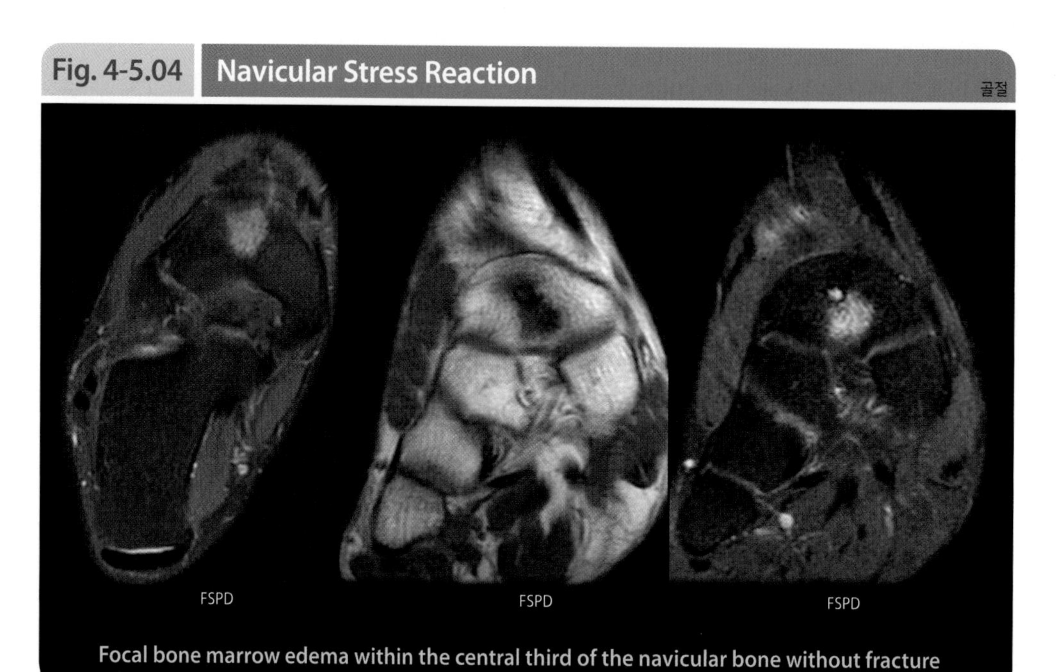

Focal bone marrow edema within the central third of the navicular bone without fracture

동영상 QR코드

▶ 4-5.04

Navicular Stress Reaction

- Stress fracture로 진행되기 전에 bone marrow edema만 있는 것을 stress reaction이라고 한다. 이 case에서도 fracture line이 보이지 않지만 stress fracture가 생기는 전형적인 위치인 central third에 bone marrow edema가 있다.
- Stress reaction (혹은 stress response)으로 시작하여 점차 incomplete fracture, complete fracture로 진행하기 때문에 특히 high risk stress fracture의 stress reaction MRI 소견에 익숙해지는 것이 필요하다.
- 하지만 bone marrow edema가 있다고 하여 그것이 모두 임상적으로 증상이 있지 않다. 그래서 clinical correlation이 중요하다.

Fig. 4-5.05 Müller-Weiss Disease

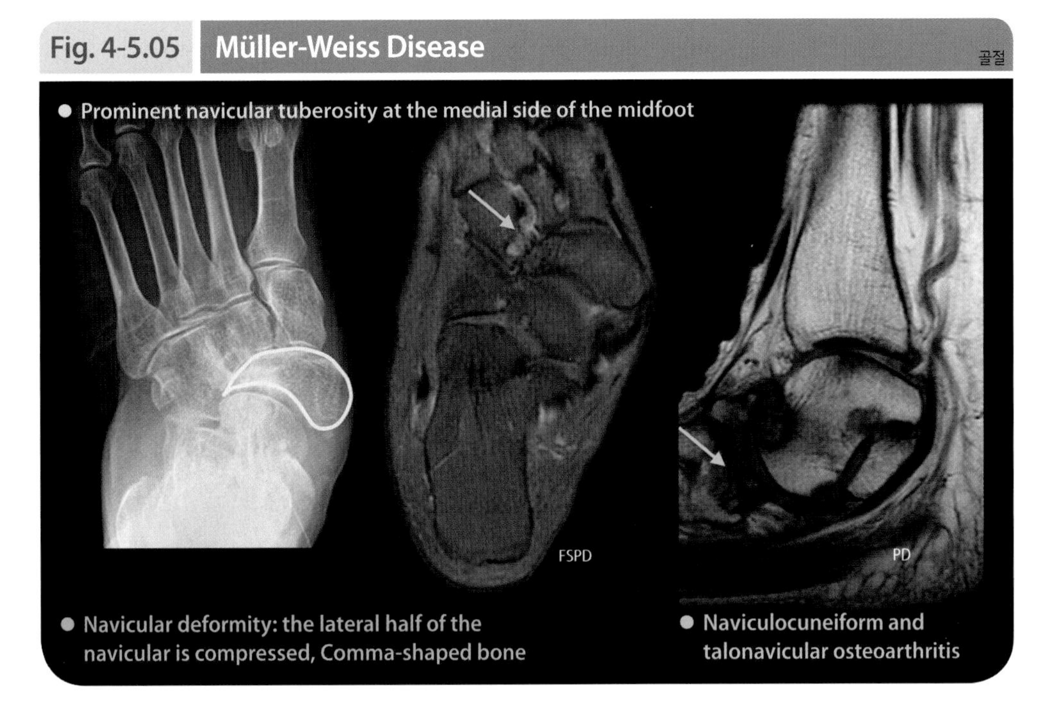

● Prominent navicular tuberosity at the medial side of the midfoot
FSPD
PD
● Navicular deformity: the lateral half of the navicular is compressed, Comma-shaped bone
● Naviculocuneiform and talonavicular osteoarthritis

동영상 QR코드

▶ 4-5.05

Müller-Weiss Disease

- Navicular의 lateral aspect가 collapse되어 comma shaped deformity를 보이며 navicular가 medial 혹은 dorsal aspect로 protrusion되었다. Lateral cuneonavicular 그리고 talonavicular joint에 degenerative change가 동반되었다.
- 점차 lateral subluxation of talar head with talocuneiform neoarticulation, pes planovarus가 생길 수 있다.

06

중족골 골절
(Metatarsal Fracture)

Metatarsal fractures are the most common fractures in the foot.

1. Jones 골절은 제5 중족골의 간부(diaphysis)와 간단부(metaphysis) 사이에 생기는 골절로, 지연유합 또는 불유합이 잘 생긴다. 주로 피로 골절이 원인이 되며, 15~21세 사이의 운동선수에서 주로 발생한다(1).

a) Metatarsal Fractures

- Metatarsal fracture는 foot에서 발생하는 가장 흔한 골절이다.
- Acute by trauma, 혹은 stress or insufficiency fracture로 인하여 생긴다.

- Fracture types은 stress, head, neck, midshaft, base, first, central (second through fourth), or fifth metatarsal fractures로 나뉜다(3).

- 제5 중족골 기저부(base)의 avulsion fracture는 소아에서 흔하며, 정상 apophysis (골단, 골돌기)와의 구분이 필요하다(Fig. 4-6.01).
  - 제5 중족골 기저부 apophysis의 ossification center는 8세 경에 나타나서 12~15세에 metatarsal base에 융합된다.
  - 견열 골절은 transverse fracture로 보이는 반면에 apophysis는 5th metstarsal bone과 평행하게 시상면으로 보인다.

b) Proximal fifth metatarsal fractures (3) (Fig. 4-6.02~03)

- Proximal fifth metatarsal fracture는 metatarsal fractures 중에 가장 흔하다(3).
  - Tuberosity avulsion fractures (2).
  - Jones fractures at the junction of the metaphysis and diaphysis (1).
  - Diaphyseal stress fractures.

- Avulsion fracture of the tuberosity가 가장 흔한 type이다.
- Inversion injury에 의해서 peroneus brevis tendon이 contraction되면서 골절이 된다.
- Jones fracture 및 distal diaphyseal stress fractures는 nonunion이 될 수 있다.

Fig. 4-6.01 **Fracture and Apophysis** 골절

- The apophysis of the proximal 5th metatarsal lies laterally and is oriented longitudinally parallel to the shaft.
- Fracture oriented transversally as compared to the longitudinal orientation of an unfused apophysis

Jones fracture

unfused apophysis

동영상 QR코드

▶ 4-6.01

Fracture and Apophysis

- 5th metatarsal bone base의 apophysis의 ossification center는 8세 경에 나타나서 12~15세에 metatarsal base에 융합된다.
- Avulsion fracture는 transverse fracture (lucent line perpendicular to 5th metatarsal bone)로 보이는 반면에 apophysis의 성장판은 시상면(normal apophysis, lucent line along 5th metatarsal bone)으로 보인다.
- 이 환자는 unfused apophysis (yellow)를 보이면서 Jones fracture (green)가 동반되었다.

Fig. 4-6.02 5th Metatarsal Fractures

골절

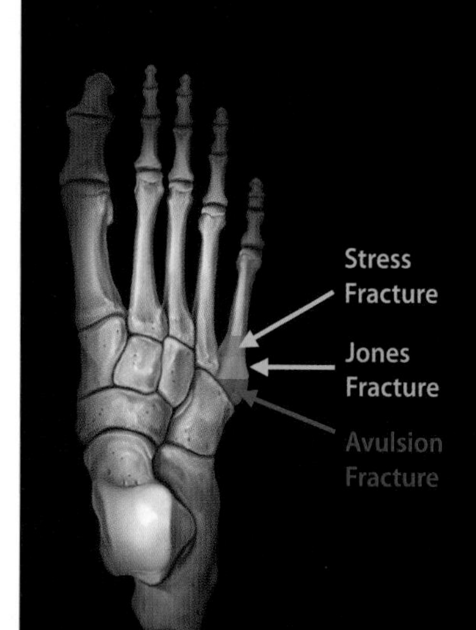

Stress fracture :
- The junction of base and 5th metatarsal shaft
- No supportive structures such as ligaments, tendon or plantar fascia

Jones fracture :
- Fracture at the junction of the metaphysis and diaphysis
- Poor vascularity -> high complication risk

Avulsion fracture :
- Metatarsal tuberosity
- Insertion site of peroneus brevis tendon

동영상 QR코드

▶ 4-6.02

5th Metatarsal Fractures

- Jones fracture는 5th metatarsal bone의 diaphysis와 metaphysis 사이에 생기는 골절로, delayed union, nonunion이 잘 생긴다.
- Stress fracture는 metatarsal shaft와 base의 경계에서 주로 생기며 Jones fracture보다 distal aspect에 위치하고 드물다.
- Avulsion fracture는 metatarsal tuberosity에 생기는 transverse fracture이고 제일 흔하다.

Fig. 4-6.03 **5th Metatarsal Fractures** 골절

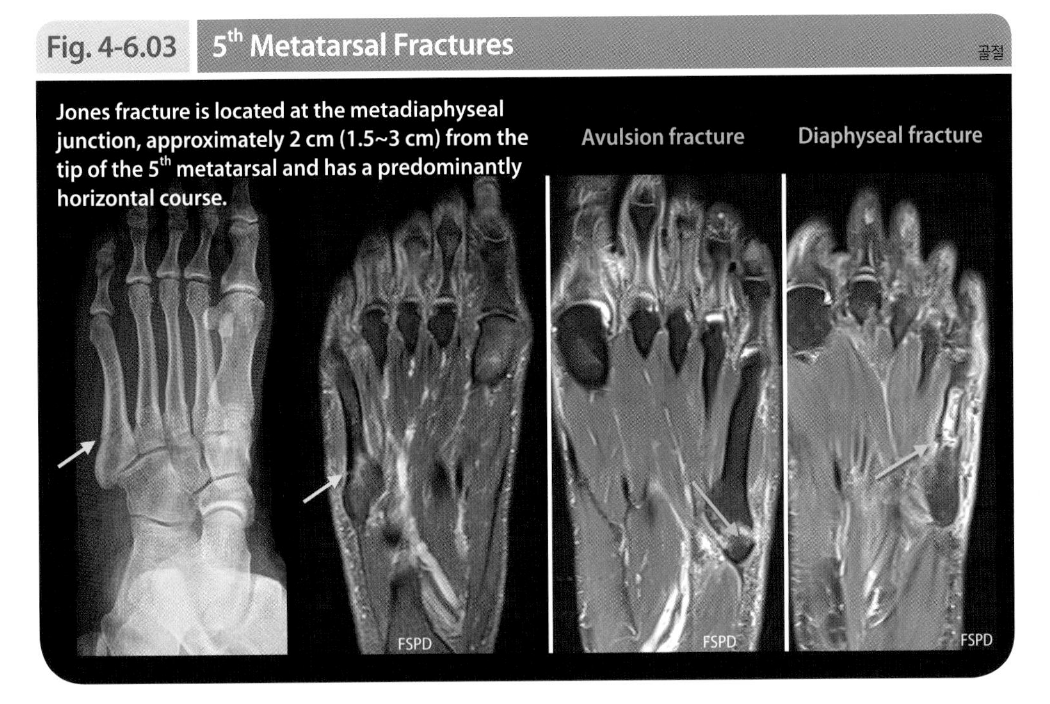

Jones fracture is located at the metadiaphyseal junction, approximately 2 cm (1.5~3 cm) from the tip of the 5th metatarsal and has a predominantly horizontal course.
Avulsion fracture
Diaphyseal fracture
FSPD
FSPD
FSPD

동영상 QR코드

▶ 4-6.03

5th Metatarsal Fractures

- Jones fracture는 metadiaphyseal junction에 생기는데, 대략 5th metatarsal tip에서 2 cm (1.5~3 cm) 원위부에 생기고, 주로 horizontal course를 보인다.
- Avulsion fracture는 5th metatarsal styloid (base)에 생긴다.

07

피로 골절
(Stress Fracture)

Stress fractures refer to fractures occurring in the bone due to a mismatch of bone strength and chronic mechanical stress placed upon the bone.

1. 피로 골절 vs 부전 골절(Fatigue Fracture vs Insufficiency Fracture) (23)

a) 긴장 골절(stress fracture)은 피로 골절(fatigue fracture)과 부전 골절(insufficiency fracture)로 나누며, 피로 골절을 긴장 골절과 혼용하여 사용하기도 한다

- 피로 골절(fatigue fracture) (Fig. 4-7.01) (Fig. 4-7.03) (Fig. 4-7.05)
  - 피로 골절은 정상골에 반복적이며 과도한 부하가 가해져서 생긴다.
  - 피로 골절은 젊은 사람, 특히 운동선수나 군인에서 주로 생기며, tibia,

metatarsal bone, calcaneus, 그리고 대퇴골 경부(femoral neck) 등 하지에서 많이 발생하지만, 상지, 늑골 등 다양한 부위에서 생길 수 있다.

- 부전 골절(insufficiency fracture) (Fig. 4-7.02)
  - 부전 골절은 정상보다 약해진 골에 정상적인 부하가 가해져서 생긴다.
  - 비정상골에 부하가 반복적으로 가해져서 피로 골절과 부전 골절이 함께 생길 수도 있다.
  - 부전 골절은 폐경 이후의 골다공증 여성에서 주로 생기지만, 류마티스 관절염, 골연화증, 신장성 골형성장애(renal osteodystrophy) 등의 대사성 골질환, 스테로이드 치료, 그리고 방사선조사 등의 다양한 골질환이 원인이 된다.
  - 부전 골절은 sacrum, pelvis 또는 하지에 주로 생기며, 골다공증에 의한 척추의 압박 골절도 부전 골절의 예이다(1).

2. Stress injury (24)

- Stress injury는 stress reaction부터 stress fracture까지 스펙트럼으로 볼 수 있다.
  - Stress fracture가 발생하기 전에, 흔히 stress reaction으로 painful condition을 보인다(Fig. 4-5. 03~04).
  - 이러한 stress reaction (혹은 stress response)으로 시작하여 점차 stress incomplete fracture, complete fracture로 진행하게 된다.
  - 하지만 bone marrow edema가 있다고 하여 그것이 모두 임상적으로 중요한 소견은 아니다. 그래서 clinical correlation이 중요하다.

3. Stress Fractures

- 피로 골절은 초기에 단순촬영에서 정상으로 보이거나 진단이 모호하여 15% 정도의 낮은 진단 예민도를 보이며 시간이 흐르면 bone reaction으로 30~70%에서 보이게 된다.
  - 피질골의 피로 골절: 경골 또는 중족골처럼 피질골의 피로 골절에서는 피질골을 가로지르는 횡상의 불완전 골절선이 보이거나 골막 및 골내막 신생골 형성, 피질골 비후 또는 골수경화 소견이 보인다(24) (Fig. 4-7.05).
  - 해면골의 피로 골절: 종골 또는 대퇴골 경부처럼 해면골(cancellous bone)의 피로 골절에서는 골소주에 직각 방향으로 증가된 음영의 띠가 보인다(Fig. 4-7.03).
- MRI는 피로 골절의 초기 진단에 매우 민감하고 유용한 검사이다. 피로 골절은 MRI에서 골절선이 골수에서 피질골로 연결된 저신호강도의 띠로 보이고, 골수, 골막, 그리고 주위 근육에 부종이 동반된다(25).
- T2WI, STIR에서 bone marrow edema가 있으면서 그 내부에 discrete linear fracture line을 볼 수 있다.
- 피로 골절의 초기에는 저신호강도의 골절선은 보이지 않고 부종만 보일 수 있다(Fig. 4-5.04).

4. Stress fractures를 low 혹은 high risk로 구분을 하면 치료계획(return to play)에 도움이 된다(26) (27).

- Low risk fractures (Fig. 4-7.03~04)
  - Low risk fractures는 posteromedial tibia, calcaneus, third and fourth metatarsals가 있다.

- High risk fractures (Fig. 4-7.05)
  - High risk fractures는 tensile stress, poor vascularity를 보이는 곳에 잘 발생한다.
  - Delayed union 혹은 complete fracture가 생길 수 있어서 aggressive management가 필요하다.
  - High risk fracture에는 anterior tibial cortex, medial malleolus, talar neck, dorsal navicular cortex, proximal metaphysis of the fifth metatarsal, and sesamoids of the great toe가 있다.

5. Pathologic Fracture (1) (29)

- Pathologic fracture는 보통 focal neoplasm (benign or malignant)에서 생긴 골절을 말한다.

- Stress fracture는 repetitive activity를 하는 젊은 환자에게서 생기며 특징적인 위치가 있다.
- Pathologic fracture는 나이가 많고, 특별한 repetitive activity가 없는 경우 발

생한다. 역시 특징적인 위치(subtrochanteric femur, junction of the humeral head and metaphysis, vertebral bodies)에서 생긴다.

- MRI는 benign과 malignant fracture를 구분하는데 도움이 된다.
  - Richard A. Marshall에 따르면 가장 중요한 차이는 fracture 주변의 margin과 T1WI에서 병변의 균일함 정도라고 말한다.
  - Benign fractures는 T1WI에서 acute edema와 출혈이 정상 fatty marrow 사이에 있어서 병변의 경계가 명확하지 않다(gradual band like transition to normal marrow). 그리고 골수 및 주위 근육의 부종이 단순촬영에서의 병변보다 넓게 보이기 때문에 침습적인 병변, 병적 골절로 오인할 수 있다.
  - 하지만 pathologic fracture는 infiltrative tumor가 포함되어 있다면 T1WI에서 조금 더 homogenous, well-defined convex margins를 갖는 병변을 보인다.

- CT도 benign과 malignant fracture를 구분하는데 도움이 된다.
  - Fracture line이 cortical bone부터 cancellous bone까지 이어지는 경우 benign fracture를 의미한다.
  - 많은 pathologic fracture는 trabecular bone이 erosion되면서 fracture space로 infiltration하기 때문에 분명한 골절선이 보이지 않는다.

Fig. 4-7.01 Metatarsal Stress Fracture 골절

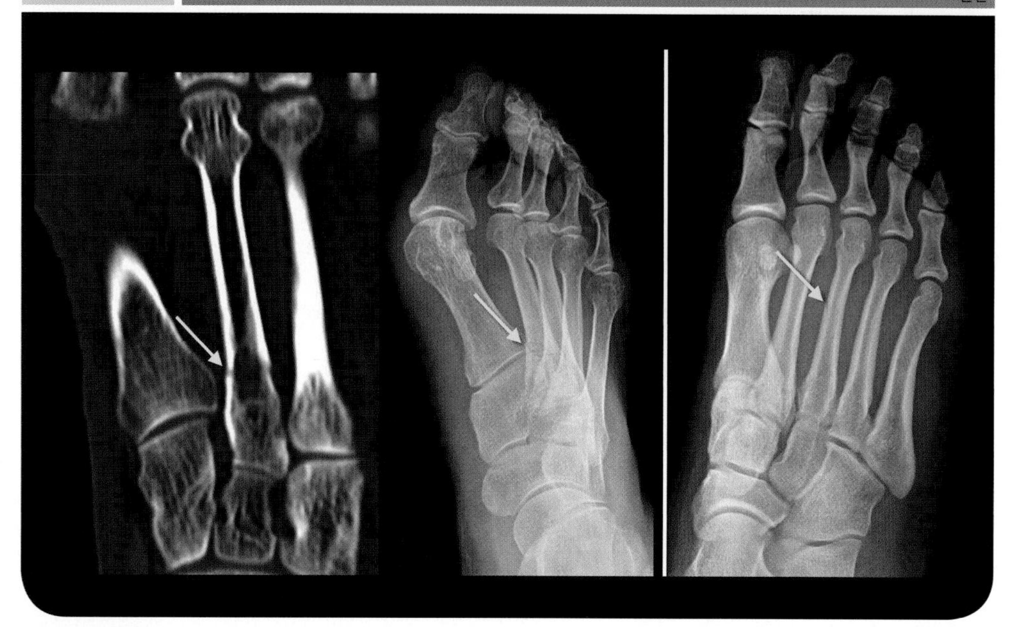

동영상 QR코드

▶ 4-7.01

Metatarsal Stress Fracture

- Stress fracture는 초기에 단순촬영에서 정상으로 보이거나 진단이 모호하다.
- 보통 cortex를 가로지르는 transverse incomplete fracture로 보인다.
- 시간이 흐르면 bone reaction으로 callus formation이 되어 cortical thickening, sclerosis로 더 잘 보이게 된다.
- 여기서도 CT나 일반촬영에서 lucent fracture line으로 보인다(왼쪽 이미지: 2nd proximal metatarsal bone, 오른쪽 이미지: 3rd metatarsal bone shaft).

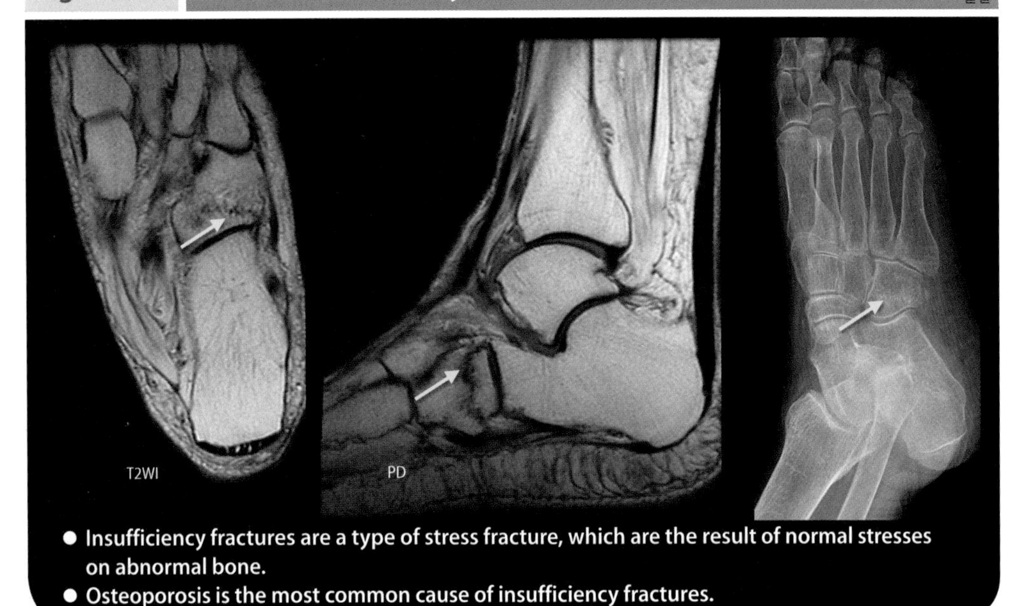

Fig. 4-7.02 **Cuboid Insufficiency Fracture** 골절

- Insufficiency fractures are a type of stress fracture, which are the result of normal stresses on abnormal bone.
- Osteoporosis is the most common cause of insufficiency fractures.

동영상 QR코드

▶ 4-7.02

Cuboid Insufficiency Fracture

- 80세 여자환자로 일반촬영에서 심한 osteoporosis를 보인다.
- Cuboid bone에 불규칙한 fracture line이 보이며, 심한 osteoporosis로 인하여 insufficiency fracture가 발생하였다.

Fig. 4-7.03 Calcaneal Stress Fracture

골절

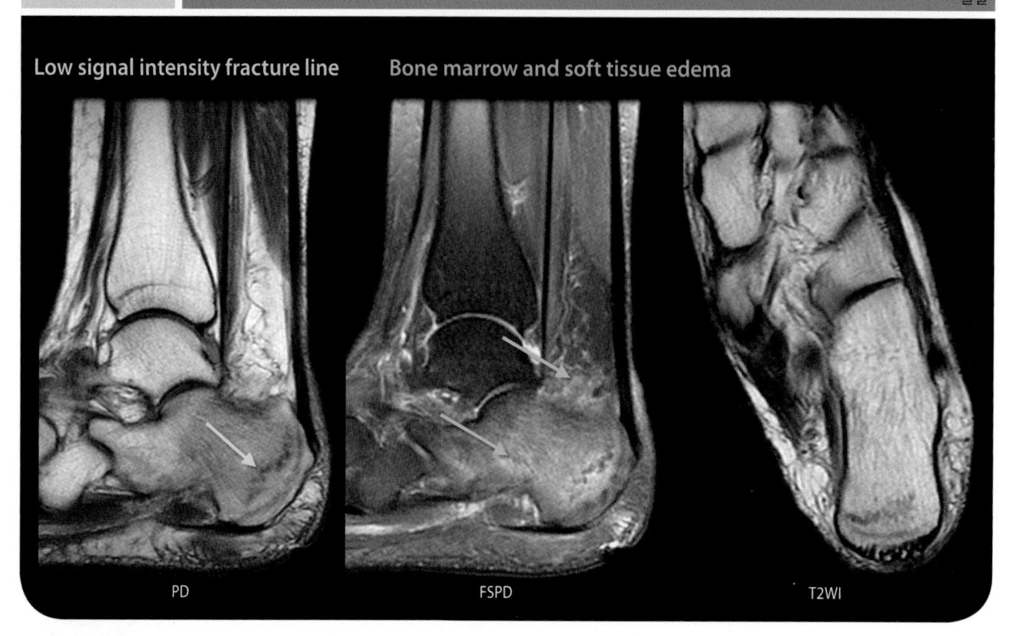

동영상 QR코드

▶ 4-7.03

Calcaneal Stress Fracture

- Diffuse bone marrow edema가 있으며 그 중심에 저신호강도의 irregular fracture line (yellow arrow)이 보인다. Calcaneus의 cancellous bone에 생긴 피로 골절은 골소주(bony trabecular)에 직각 방향으로 생긴다.
- 심한 bone marrow edema와 더불어 주변 soft tissue edema (green arrow)도 같이 보인다. 모든 stress fracture는 이와 비슷한 MRI 소견을 보인다.
- Calcaneus는 low risk stress fracture이다.

Fig. 4-7.04 **Tibial Stress Fracture** 골절

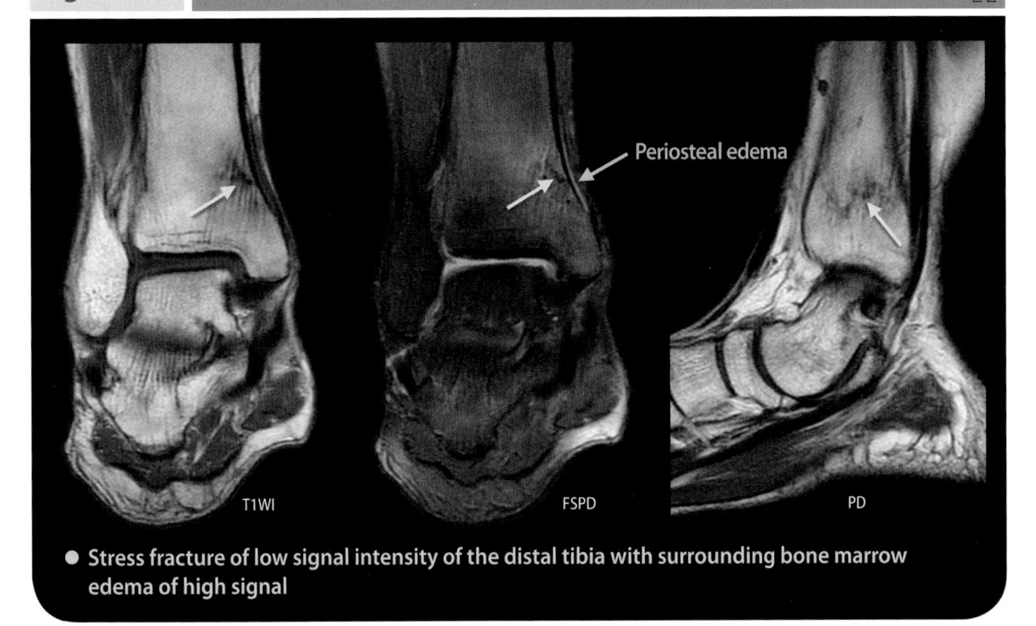

● Stress fracture of low signal intensity of the distal tibia with surrounding bone marrow edema of high signal

동영상 QR코드

▶ 4-7.04

Tibial Stress Fracture

- (Fig. 4-7.03)과 같은 양상을 보인다.
- Bone marrow edema가 있으며 그 내부에 irregular stress fracture line이 저신호강도로 보인다.
- Periosteal edema (green)도 동반되었다.

골절

Fig. 4-7.05 Medial Malleolus Vertical Fracture

골절

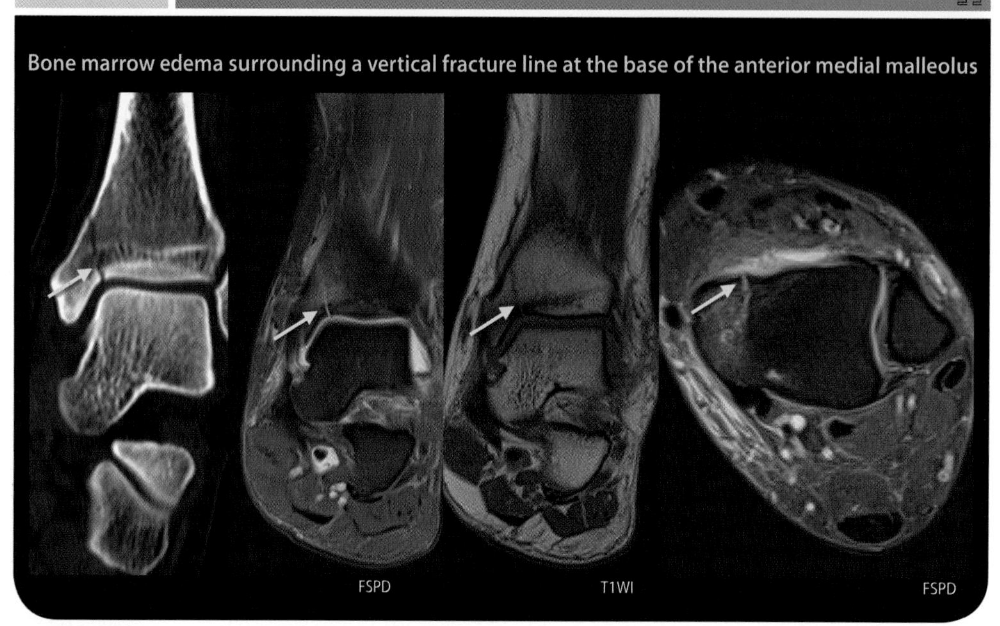

Bone marrow edema surrounding a vertical fracture line at the base of the anterior medial malleolus

동영상 QR코드

▶ 4-7.05

Medial Malleolus Vertical Fracture

- Medial malleolus의 stress fracture는 delayed union 및 complete fracture가 생길 수 있는 high risk fracture이다.
- 일반촬영에서 정상으로 보일 수 있어서 MRI가 유용하게 사용된다.
- Medial malleolus anterior base에서 vertical orientation으로 fracture line이 있다.

참고문헌

1. "근골격영상의학 2판 홍성환, 차장규, 채지원 공저, 범문에듀케이션, 2020년."
2. "Okanobo H, Khurana B, Sheehan S, Duran-Mendicuti A, Arianjam A, Ledbetter S. Simplified diagnostic algorithm for Lauge-Hansen classification of ankle injuries. Radiographics. 2012 Mar-Apr;32(2):E71-84. doi: 10.1148/rg.322115017. PMID: 22411951."
3. "David W. Stoller. "Magnetic Resonance Imaging in Orthopaedics and Sports Medicine.": Lippincott Williams & Wilkins; 3 edition, 2006."
4. "Nguyen JC, Markhardt BK, Merrow AC, Dwek JR. Imaging of Pediatric Growth Plate Disturbances. Radiographics. 2017 Oct;37(6):1791-1812. doi: 10.1148/rg.2017170029. PMID: 29019753."
5. "Mizuta T, Benson WM, Foster BK, Paterson DC, Morris LL. Statistical analysis of the incidence of physeal injuries. J Pediatr Orthop. 1987 Sep-Oct;7(5):518-23. doi: 10.1097/01241398-198709000-00003. PMID: 3497947."
6. "Ecklund K, Jaramillo D. Patterns of premature physeal arrest: MR imaging of 111 children. AJR Am J Roentgenol. 2002 Apr;178(4):967-72. doi: 10.2214/ajr.178.4.1780967. PMID: 11906884."
7. "Peterson HA, Burkhart SS. Compression injury of the epiphyseal growth plate: fact or fiction? J Pediatr Orthop. 1981;1(4):377-84. doi: 10.1097/01241398-198112000-00004. PMID: 7334116."
8. "Badillo K, Pacheco JA, Padua SO, Gomez AA, Colon E, Vidal JA. Multidetector CT evaluation of calcaneal fractures. Radiographics. 2011 Jan-Feb;31(1):81-92. doi: 10.1148/rg.311105036. PMID: 21257934."
9. "Seipel RC, Pintar FA, Yoganandan N, Boynton MD. Biomechanics of calcaneal fractures: a model for the motor vehicle. Clin Orthop Relat Res. 2001 Jul;(388):218-24. PMID: 11451123."
10. "Sanders R, Fortin P, DiPasquale T, Walling A. Operative treatment in 120 displaced intraarticular calcaneal fractures. Results using a prognostic computed tomography scan classification. Clin Orthop Relat Res. 1993 May;(290):87-95. PMID: 8472475."
11. "Heier KA, Infante AF, Walling AK, Sanders RW. Open fractures of the calcaneus: soft-tissue injury determines outcome. J Bone Joint Surg Am. 2003 Dec;85(12):2276-82. PMID: 14668494."
12. "Anglen JO, Gehrke J. Irreducible fracture of the calcaneus due to flexor hallucis longus tendon interposition. J Orthop Trauma. 1996;10(4):285-8. doi: 10.1097/00005131-199605000-00010. PMID: 8723408."
13. "Hess M, Booth B, Laughlin RT. Calcaneal avulsion fractures: complications from delayed treatment. Am J Emerg Med. 2008 Feb;26(2):254.e1-4. doi: 10.1016/j.ajem.2007.04.033. PMID: 18272135."
14. "Summers NJ, Murdoch MM. Fractures of the talus: a comprehensive review. Clin Podiatr Med Surg. 2012 Apr;29(2):187-203, vii. doi: 10.1016/j.cpm.2012.01.005. Epub 2012 Feb 21. PMID: 22424484."
15. "Melenevsky Y, Mackey RA, Abrahams RB, Thomson NB 3rd. Talar Fractures and Dislocations: A Radiologist's Guide to Timely Diagnosis and Classification. Radiographics. 2015 May-Jun;35(3):765-79. doi: 10.1148/rg.2015140156. PMID: 25969933."
16. "Pearce DH, Mongiardi CN, Fornasier VL, Daniels TR. Avascular necrosis of the talus: a pictorial essay. Radiographics. 2005 Mar-Apr;25(2):399-410. doi: 10.1148/rg.252045709. PMID: 15798058."
17. "Long NM, Zoga AC, Kier R, Kavanagh EC. Insufficiency and nondisplaced fractures of the talar head: MRI appearances. AJR Am J Roentgenol. 2012 Nov;199(5):W613-7. doi: 10.2214/AJR.11.7313. PMID: 23096206."
18. "Gorbachova T, Wang PS, Hu B, Horrow JC. Plantar talar head contusions and osteochondral fractures: associated findings on ankle MRI and proposed mechanism of injury. Skeletal Radiol. 2016 Jun;45(6):795-803. doi:

10.1007/s00256-016-2358-y. Epub 2016 Mar 11."

19. "Lee S, Saifuddin A. Magnetic resonance imaging of subchondral insufficiency fractures of the lower limb. Skeletal Radiol. 2019 Jul;48(7):1011-1021. doi: 10.1007/s00256-019-3160-4. Epub 2019 Jan 31. PMID: 30706108."
20. "Niek van Dijk C. Anterior and posterior ankle impingement. Foot Ankle Clin. 2006 Sep;11(3):663-83. doi: 10.1016/j.fcl.2006.06.003. PMID: 16971256."
21. "Harris G, Harris C. Imaging of tarsal navicular stress injury with a focus on MRI: A pictorial essay. J Med Imaging Radiat Oncol. 2016 Jun;60(3):359-64. doi: 10.1111/1754-9485.12435. Epub 2016 Jan 8. PMID: 26748622."
22. "Samim M, Moukaddam HA, Smitaman E. Imaging of Mueller-Weiss Syndrome: A Review of Clinical Presentations and Imaging Spectrum. AJR Am J Roentgenol. 2016 Aug;207(2):W8-W18. doi: 10.2214/AJR.15.15843. Epub 2016 May 4. PMID: 27145453."
23. "Linklater J. MR imaging of ankle impingement lesions. Magn Reson Imaging Clin N Am. 2009 Nov;17(4):775-800, vii-viii. doi: 10.1016/j.mric.2009.06.006. PMID: 19887302."
24. "Messiou C, Robinson P, O'Connor PJ, Grainger A. Subacute posteromedial impingement of the ankle in athletes: MR imaging evaluation and ultrasound guided therapy. Skeletal Radiol. 2006 Feb;35(2):88-94. doi: 10.1007/s00256-005-0049-1. Epub 2005 Dec 15. PMID."
25. "Quirk R. Common foot and ankle injuries in dance. Orthop Clin North Am. 1994 Jan;25(1):123-33. PMID: 7904737."
26. "Hamilton WG, Geppert MJ, Thompson FM. Pain in the posterior aspect of the ankle in dancers. Differential diagnosis and operative treatment. J Bone Joint Surg Am. 1996 Oct;78(10):1491-500. doi: 10.2106/00004623-199610000-00006. PMID: 8876576."
27. "van Dijk CN, Lim LS, Poortman A, Strübbe EH, Marti RK. Degenerative joint disease in female ballet dancers. Am J Sports Med. 1995 May-Jun;23(3):295-300. doi: 10.1177/036354659502300307. PMID: 7661255."
28. "Badillo K, Pacheco JA, Padua SO, Gomez AA, Colon E, Vidal JA. Multidetector CT evaluation of calcaneal fractures. Radiographics. 2011 Jan-Feb;31(1):81-92. doi: 10.1148/rg.311105036. PMID: 21257934."
29. Marshall RA, Mandell JC, Weaver MJ, Ferrone M, Sodickson A, Khurana B. Imaging Features and Management of Stress, Atypical, and Pathologic Fractures. Radiographics. 2018 Nov-Dec;38(7):2173-2192. doi:10.1148/rg.2018180073. PMID: 30422769.

기타 중요병변

(Important Miscellaneous Diseases)

1. 거골의 골연골병변 (Osteochondral Lesions of the Talus)
2. Morton 신경종 (Morton Neuroma)
3. Morton 신경종 감별질환 (Morton Neuroma mimics)
4. 제1중족지관절 병변 (1st MTP Joint)
5. 족저근막 병변 (Plantar Fascia Disorders)
6. 족근골 융합 (Tarsal Coalition)
7. 신경병증 (Nerves of the Foot and Ankle)
8. 류마티스 관절염, 통풍 (Arthropathy)
9. 연조직감염 (Soft tissue infection)

01

거골의 골연골병변
(Osteochondral Lesions of the Talus)

거골의 골연골병변(osteochondral lesion of talus, OLT)은 거골의 관절연골과 연골하골에 영향을 미치는 병변이다(1).

1. 거골의 골연골병변(osteochondral lesion of talus, OLT)은 박리뼈연골염(osteochondritis dissecans), 경연골 골절(transchondral fracture), 골연골 골절(osteochondral fracture), 거골원개 골절(talar dome fracture) 등을 포함한다(1).

a) 거골의 골연골병변 Osteochondral Lesions of the Talus (OLT)

- 직접외상이나 반복적인 미세외상으로 talar dome이 허혈 상태가 되면 골연골병변이 발생한다.

- 보통 내측에 60~62%, 외측에 34~40% 빈도로 발생한다.
- 10~30%에서 양측에 발생한다.
  - 외측 병변: 발의 dorsiflexion, tibia의 internal rotation과 함께 inversion
    Talar dome의 anterior 혹은 middle portion
    더 얇고 wafer 과자 모양
    90%이상 외상과 관련
    외측에 발생한 경우 골편이 전위되기 쉬우며 증상이 더 심함
  - 내측 병변: 발의 plantar flexion, tibia의 external rotation과 함께 inversion
    Talar dome의 posterior 혹은 middle one third
    더 깊고 컵 모양(3) (4)
- MRI findings (18)
  - Subchondral bone marrow edema, hyperemia, 혹은 subchondral cyst가 보인다.
  - Articular cartilage가 thinning, bowing, disruption을 보일 수 있다.
  - T1WI에서 talus의 bony defect는 저신호~중등도신호강도로 보인다.
  - T1WI, FSPD 이미지에서 subchondral bone 주변으로 peripheral low signal intensity의 reactive bone sclerosis가 보인다.
  - T2WI에서 fragment–subchondral bone interface의 high signal line (rim sign)은 unstable lesion을 의미하지만, edema때문에 unstable lesion처럼 보일 수 있다.
  - Fragment가 displacement되어 loose body로 보일 수 있다.

- 골연골병변은 경골이나 비골에서도 드물지 않게 보이며, 거골의 병변과 유사하다(5). 골연골병변은 거골에서 가장 흔하게 생기지만, 그 이외에 talar head, tibial plafond, cuboid, navicular, subtalar joint, metatarsal heads에서 볼 수 있다(6) (Fig. 5-1.01).

Fig. 5-1.01 Osteochondral Lesion of the Distal Tibia 기타 중요

● Osteochondral lesion involving the central tibial plafond with impaction of the articular surface and subjacent reactive marrow edema.

동영상 QR코드

▶ 5-1.01

Osteochondral Lesion of the Distal Tibia

- Central tibial plafond에 cartilage lesion, subchondral cyst가 있고 인접하여 subjacent reactive marrow edema가 있다.
- Osteochondral lesion은 직접적인 외상이나 microtrauma로 talar dome에 가장 흔하게 생긴다.
- 하지만 distal tibial plafond에도 똑같은 모양의 병변을 볼 수 있으며, 그 외에 talar head, cuboid, navicular, subtalar joint, metatarsal head에서 볼 수 있다.

b) Anderson 분류(7) (Fig. 5-1.02)

- 거골의 골연골병변에 관하여 MRI에 근거한 Anderson 분류가 이용되어 왔다.
  - 제1기: 연골하 소주 압박(방사선 사진: 정상, MRI: 골수부종) (Fig. 5-1.01)
  - 제2기: 골편의 불완전 분리(Fig. 5-1.04)
  - 제2A기: 연골하낭종(Fig. 5-1.05~06)
  - 제3기: 분리되었으나 전위되지 않은 골편(Fig. 5-1.07)
  - 제4기: 전위된 골편
- 그 외 Berndt–Harty 분류가 있다(Fig. 5-1.08).

c) High–resolution MR imaging of talar osteochondral lesions (OLT) with new classification (70)

- Griffith 등은 이전에 평가하기가 힘들었던 osteochondral lesion을 고해상도 MRI를 사용하여 새로운 분류를 제시하고 있다.
- Standard MRI에서 articular cartilage swelling, indistinct articular surface로 보이는 병변은 고해상도 MRI에서 osteochondral junction separation, cartilage fracture 등으로 보인다.
- 고해상도 MRI에서는 osteochondral junction separation, cartilage hypertrophy, bone:bone separation with or without cartilage fracture 등을 평가할 수 있다. 새로운 분류를 통해 arthroscopy 시행을 결정하거나 치료 계획, 추적검사 등을 정하는 데 도움을 준다고 한다.
- 가장 흔한 유형은(45%) overlying cartilage fracture를 동반한 osteochondral junction separation이다(Fig. 5-1.09).

Fig. 5-1.02 Anderson Classification 기타 중요

Osteochondral Injury of Talus According to Anderson	
Stage 1	Subchondral trabecular compression (radiographically occult but seen on MR imaging)
Stage 2	Incomplete separation of the fragment
Stage 2A	Formation of a subchondral cyst
Stage 3	Unattached, undisplaced fragment
Stage 4	Displaced fragment

Radiol Clin N Am 46 (2008) 995–1002

동영상 QR코드

▶ 5-1.02

Anderson Classification

Osteochondral lesion of the talus는 몇 가지 분류법이 있다. 일반촬영에 근거한 Berndt-Harty 분류(1959년)와 MRI에 근거한 Anderson 분류(1989년)가 이용된다.

MRI는 bone marrow edema와 cartilage 평가가 가능하여 occult lesion이나 osteochondral lesion의 stability, viability를 평가하는데 도움이 된다.

Fig. 5-1.03 **Stage 1 Lesion (Anderson Classification)** 기타 중요

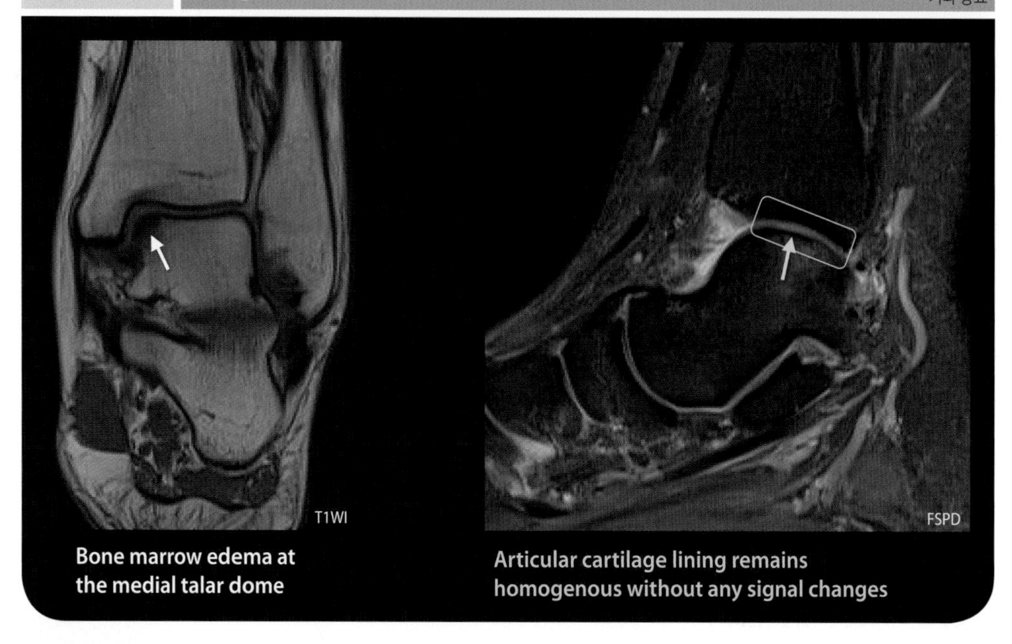

T1WI
FSPD
Bone marrow edema at the medial talar dome
Articular cartilage lining remains homogenous without any signal changes

동영상 QR코드

▶ 5-1.03

Stage 1 Lesion (Anderson Classification)

- Medial talar dome이 subchondral trabecular compression이 되어 bone marrow edema가 생긴다. 이러한 병변은 T1WI에서 저신호강도, FSPD에서 고신호강도를 보인다.
- Subchondral cyst는 동반되어 있지 않다.
- 여기서는 cartilage가 정상으로 보이지만, MRI를 더 고해상도로 얻게 되면 cartilage fracture, osteochondral separation을 볼 수도 있다.

Fig. 5-1.04 **Stage 2 Lesion (Anderson Classification)** 기타 중요

FSPD

FSPD

Incomplete separation of osteochondral fragment

동영상 QR코드

▶ 5-1.04

Stage 2 Lesion (Anderson Classification)

- Medial talar dome의 osteochondral lesion이 incomplete separation되어 stage 2이다.

Fig. 5-1.05 Stage 2A Lesion (Anderson Classification)

기타 중요

FSPD

FSPD

Cartilage lesion

Subchondral cyst at the medial talar dome

Minimal collapse of the subchondral bone

동영상 QR코드

▶ 5-1.05

Stage 2A Lesion (Anderson Classification)

- Medial talar dome에 subchondral cyst (yellow, stage 2A)가 보인다.
- Cyst 주변으로 bone marrow edema가 보이며, reactive sclerosis (이 경우 모든 시퀀스에서 저신호강도를 보인다)가 생길 수도 있다.
- 관절연골에 국소적으로 고신호강도(white)를 보이는 cartilage lesion이 있다.
- Sagittal image에서 talar dome의 contour가 약간 변형되어, minimal collapse of the subchondral bone (orange)을 보인다.

- 정상 talus는 medial central portion이 mild upward prominence를 보이고, lateral central portion도 그 정도는 덜하지만 upward prominence를 보인다. 이런 medial 혹은 lateral talar dome이 collapse를 하게 되면 osteochondral separation 및 cartilage fracture가 생기게 된다.

Fig. 5-1.06 **Stage 2A Lesion (Anderson Classification)** 기타 중요

Cartilage lesion

Subchondral cyst and edema at the lateral talar dome

FSPD T1WI FSPD

동영상 QR코드

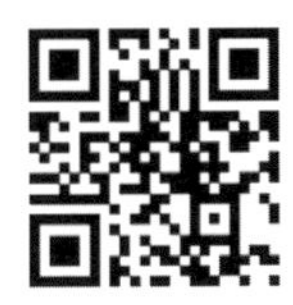

▶ 5-1.06

Stage 2A Lesion (Anderson Classification)

- Lateral talar dome의 chondral contour (white arrow)가 swelling을 보이며 irregular 하고 subchondral plate의 step-off가 의심된다.
- Subchondral cysts 및 edema가 있으며, 병변 주변에 reactive sclerosis로 저 신호강도의 테두리가 보인다.
- 만약 고해상도 MRI였다면 osteochondral junction separation, cartilage fracture, cartilage flap이 보일 수 있다. 혹은 CT arthrography를 통해서도 subchondral cyst와 joint space가 cartilage lesion을 통해 서로 연결되는 것이 보일 수 있다.

- 보통 medial talar dome의 OLT (osteochondral lesion of the talus)가 cup 모양을 하며 병변이 깊고 lateral talar dome은 병변이 얕다. 그런데 여기서는 lateral talar dome이지만 병변의 양상이 medial talar dome처럼 병변이 깊고 cup 모양이다.

Fig. 5-1.07 **Stage 3 Lesion (Anderson Classification)** 기타 중요

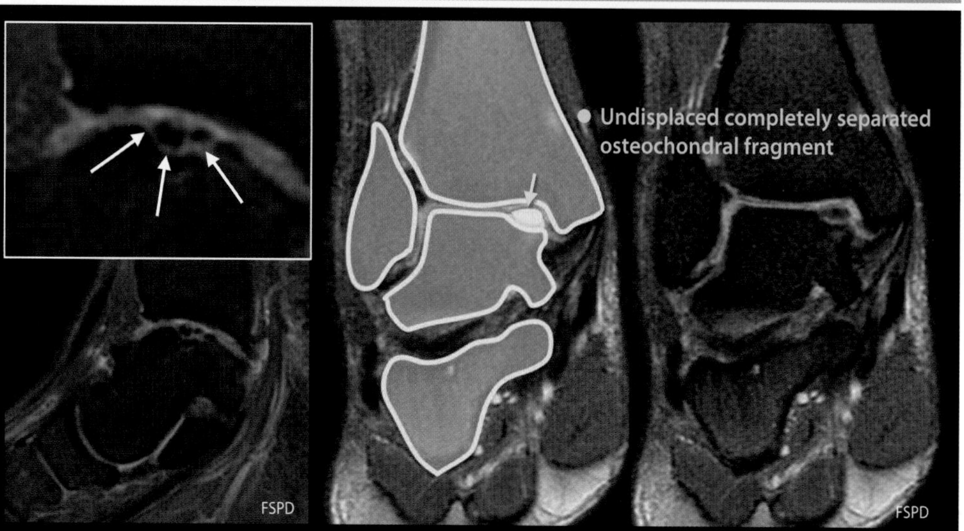

- Separation line passing through the residual bony component of the osteochondral lesion.
- The separation gap is partially filled with granulation-type tissue.

동영상 QR코드

▶ 5-1.07

Stage 3 Lesion (Anderson Classification)

- Osteochondral lesion이 talar dome에서 완전히 떨어졌으나 fragment가 displacement되지 않으면 stage 3에 해당한다.
- Separation gap은 FSPD 이미지에서 고신호강도의 가는 테두리(thin rim, white arrows)로 보인다.
- Osteochondral lesion이 complete separation되면, separation gap (white arrows)은 granulation tissue 혹은 joint fluid로 채워지게 된다.

Fig. 5-1.08 **Berndt and Harty Classification** 기타 중요

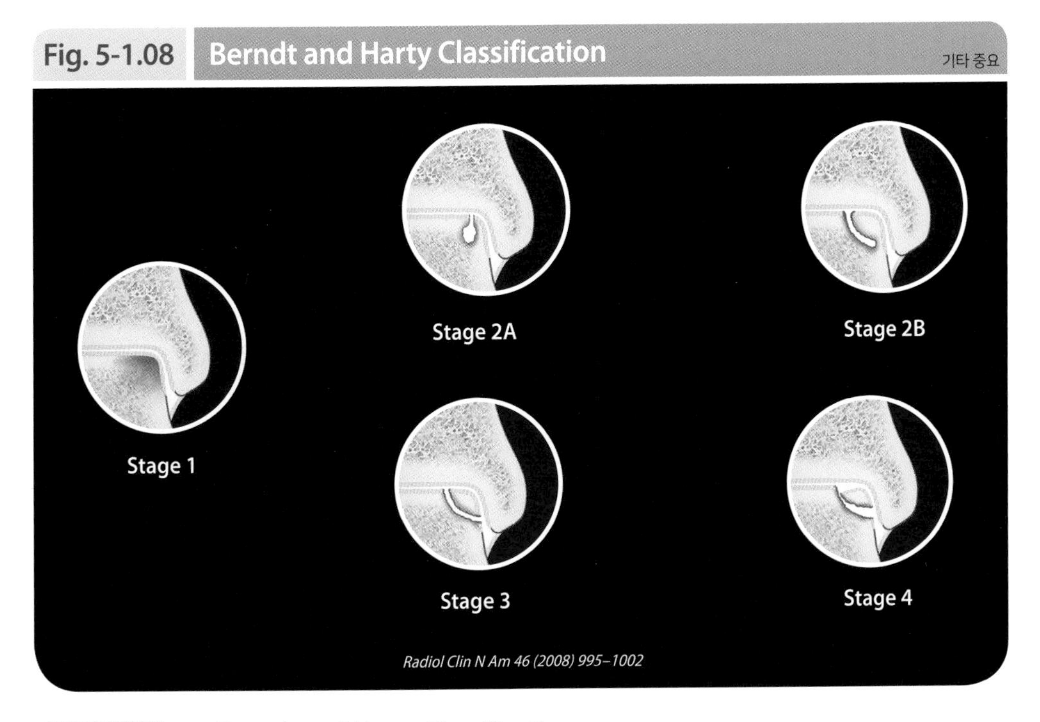

동영상 QR코드

▶ 5-1.08

Berndt and Harty Classification

- Stage 1: 일반촬영에서는 정상이지만 MRI에서 subchondral edema를 보인다.
- Stage 2A: Subchondral cyst가 있고 주변에 bone marrow edema가 있다.
- Stage 2B: Incomplete separation된 osteochondral lesion이 있다.
- Stage 3: Osteochondral lesion이 완전히 떨어졌으나 displacement를 보이지 않는다. Separation된 osteochondral lesion과 talus사이에 joint fluid나 granulation type tissue (fluid signal intensity보다는 저신호 강도이다. PD 이미지에서 isointense로 보인다)가 생긴다.
- Stage 4: 전위된 fragment를 보인다.

Fig. 5-1.09 Osteochondral Lesion (Virtual Image)

기타 중요

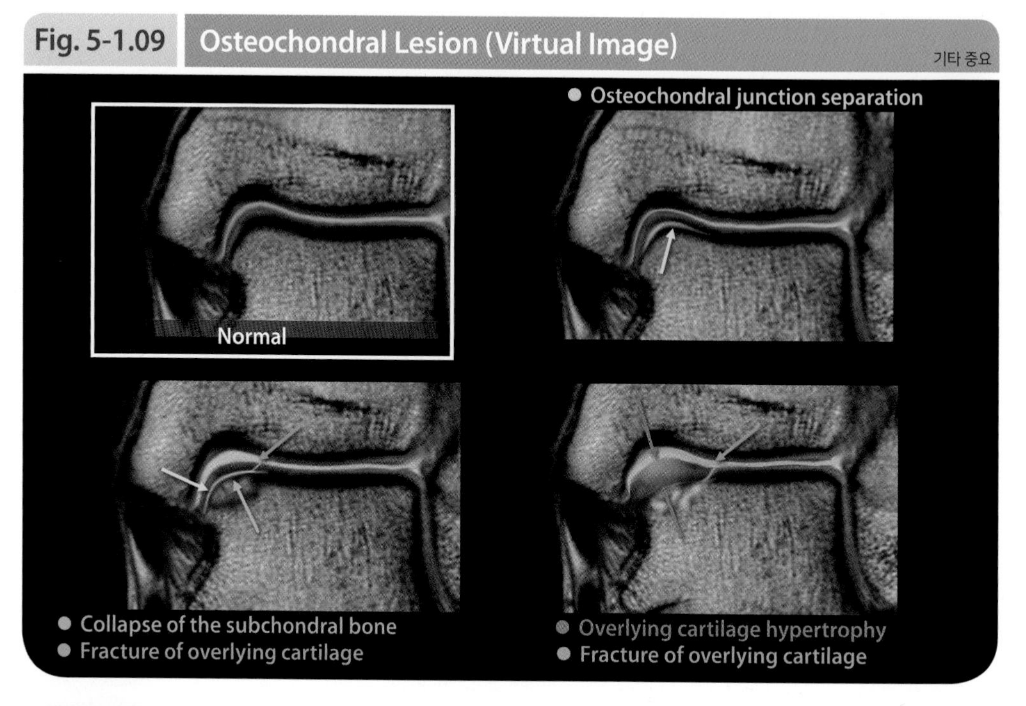

동영상 QR코드

▶ 5-1.09

Osteochondral Lesion (Virtual Image)

- 고해상도 MRI를 통해 OLT (osteochondral lesion of the talus)를 아래와 같이 구체적으로 표현할 수 있게 된다. 가상의 이미지이지만 참고하자.
- Bone marrow: Edema / Subchondral cystic change
- Articular Cartilage: Thinning / hypertrophy / fracture
- Collapse of subchondral bone area +/− separation
- Separation of osteochondral lesion from the adjacent bone, with or without displacement
- Loose body

- 좌측 상단 이미지 : 정상
- 우측 상단 이미지 : medial talar dome이 mild collapse되면서 osteochondral separation (yellow arrow)이 되었다.
- 좌측 하단 이미지: medial talar dome이 collapse (blue arrow)되어 osteochondral separation이 되면서 cartilage fracture (green arrow)가 동반되었다.
- 우측 하단 이미지: medial talar dome이 collapse되면서 cartilage fracture 및 cartilage hypertrophy (pink arrows)가 보인다.

d) Value of MR imaging

- MRI는 병변 부위 연골의 integrity를 분석할 수 있다(Fig. 5-1.10). 관절면에 이상이 있고 연골면에 관절액이 축적되거나, 연골면을 침식하는 소견은 작은 열이나 갈라진 틈을 나타낸다(4).
- MRI는 방사선 사진에서 보이지 않는 occult lesion이나, 병변의 안정성 여부 및 viability를 평가하는데 유용하다(4).

- Unstable osteochondral lesion (6)
  - T2WI에서 분리된 골연골 골편과 talus 사이의 고신호강도(joint fluid와 비슷한 신호강도)는 unstable lesion이라고 평가할 수 있는 가장 신뢰도 높은 소견이며, 관절액을 시사한다(Fig. 5-1.10).
  - 하지만 unstable lesion을 진단하는데 위의 기준으로 한다면 false negative case가 많아진다.
  - 특히 아이들은 fragment가 detachmenet를 보이는 경우가 드물다. 그래서 소아의 경우 stability 평가가 어려운데, skeletal maturity를 보이며, 나이가 더 많을수록 unstable lesion의 가능성이 높다고 보기도 한다(71).

- 불안정한 병변은 치료하지 않으면 관절염으로 진행될 수 있다.

- 괴사된 골편은 모든 시퀀스에서 저신호강도로 보이고 조영증강이 되지 않는다(Fig. 5-1.11).

기타 중요병변

Fig. 5-1.10 **Modified Outerbridge Grade IV**

기타 중요

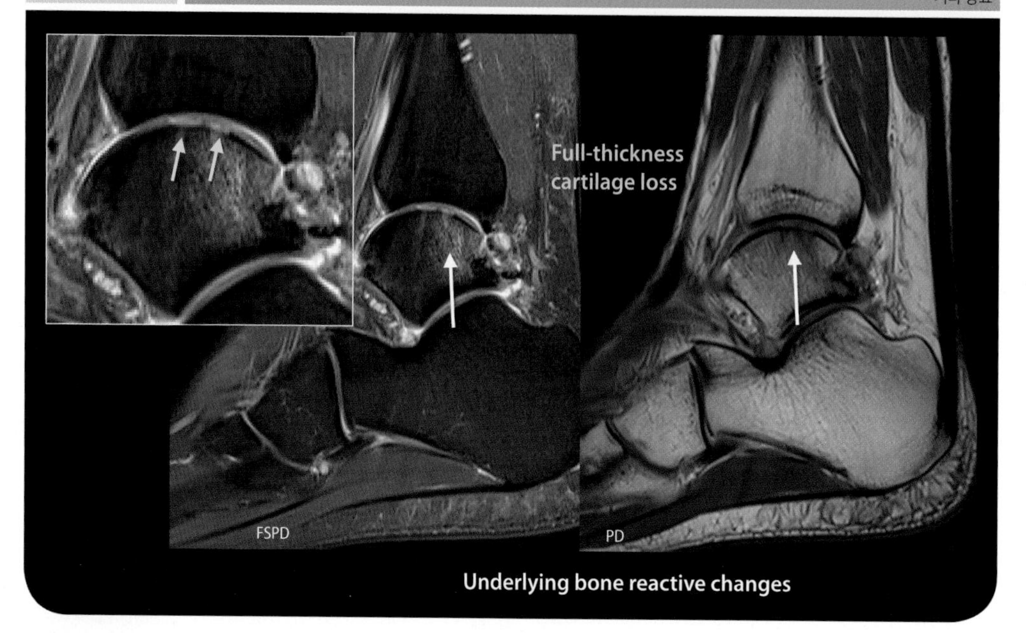

동영상 QR코드

▶ 5-1.10

Modified Outerbridge Grade IV

- Cartilage의 integrity를 평가하는데 MRI가 유용하며 chondromalacia를 Modified Outerbridge를 이용하여 grading을 한다.
- Grade I: focal areas of hyperintensity with normal contour.
  (arthroscopically: softening or swelling of cartilage)
- Grade II: blister-like swelling/fraying of articular cartilage extending to surface.
  (arthroscopically: fragmentation and fissuring within soft areas of articular cartilage)
- Grade III: partial-thickness cartilage loss with focal ulceration
  [arthroscopically: partial thickness cartilage loss with fibrillation (crab-meat appearance)]
- Grade IV: full-thickness cartilage loss with underlying bone reactive changes
  (arthroscopically: cartilage destruction with exposed subchondral bone)

Fig. 5-1.11 **Unstable Osteochondral Lesion** 기타 중요

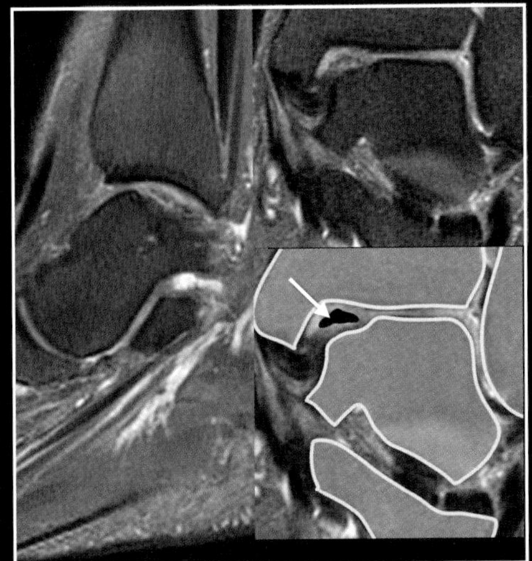

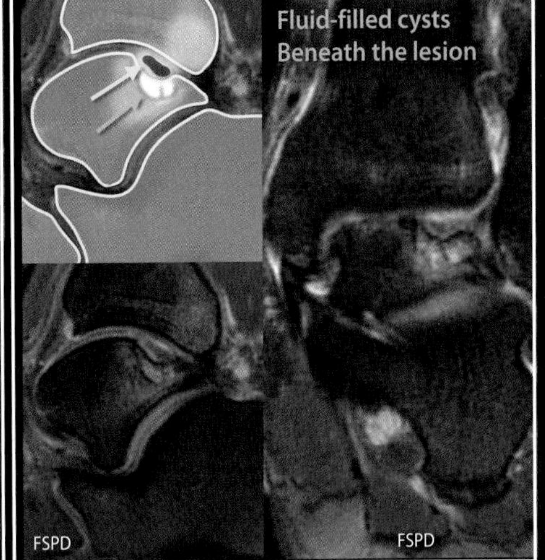

Complete separation of the osteochondral lesion with mild displacement

High-signal-intensity rim at the interface between the fragment and the adjacent bone

동영상 QR코드

▶ 5-1.11

Unstable Osteochondral Lesion

- Osteochondral lesion의 stability와 viability 여부를 MRI로 알 수 있다.
- Osteochondral fragment와 talus 사이의 고신호강도는 unstable lesion이라고 평가할 수 있는 가장 신뢰할 수 있는 소견이다. 이는 joint fluid나 granulation tissue를 의미하며 만약 stability 평가가 어려우면 MR arthrography를 시행할 수도 있다.
- 괴사된 bone fragment는 모든 sequence에서 저신호강도를 보이며 조영증강이 되지 않는다.

2. 거골의 골연골 병변은 연골하 무혈관 괴사(subchondral avascular necrosis), 일과성 골다공증(transient osteoporosis) 및 골관절염과 감별이 필요하다.

- AVN vs OLT (osteochondral lesion of the talus)
  - 연골하 무혈관 괴사(AVN)는 보통 고관절과 같은 큰 관절에서 발생하지만, talus, navicular, metatarsal heads에서도 생긴다.
  - AVN과 OLT (osteochondral lesion of the talus)는 서로 유사하게 보이지만 OLT는 연골면의 열이나 갈라짐 틈이 보이는 반면 AVN은 연골면에 병변이 생기진 않는다(6) (Fig. 4-4.02).
  - Talus의 early AVN은 talar head, body까지 조금 더 diffuse hyperemia, edema를 보인다. 그에 비해 OLT는 그보다 edema가 덜 심하며, 병변으로부터 퍼지는(radiation) 양상으로 보인다(18).
  - 하지만 AVN, OLT 모두 진행하게 되어 end stage가 되면 관절면이 collapse 된다(8).

- Osteoarthritis vs OLT (osteochondral lesion of the talus)
  - OLT와 관절염도 역시 유사하게 보이나 관절염은 관절의 양쪽에 모두 병변이 생기며, eburnation, osteophytes, asymmetric joint space narrowing 등이 동반된다(6) (Fig. 5-1.12).

- ABC vs OLT (osteochondral lesion of the talus)
  - Talus에 blood가 차 있는 expansile cystic lesion을 보이며 다양한 양의 혈액, 액체, 섬유성 조직을 가진다. 출혈의 시간에 따라 다양한 신호강도를 보이며 fluid–fluid level, T1WI, T2WI 고신호강도 부분이 있다(4).

Fig. 5-1.12 Osteoarthritis 기타 중요

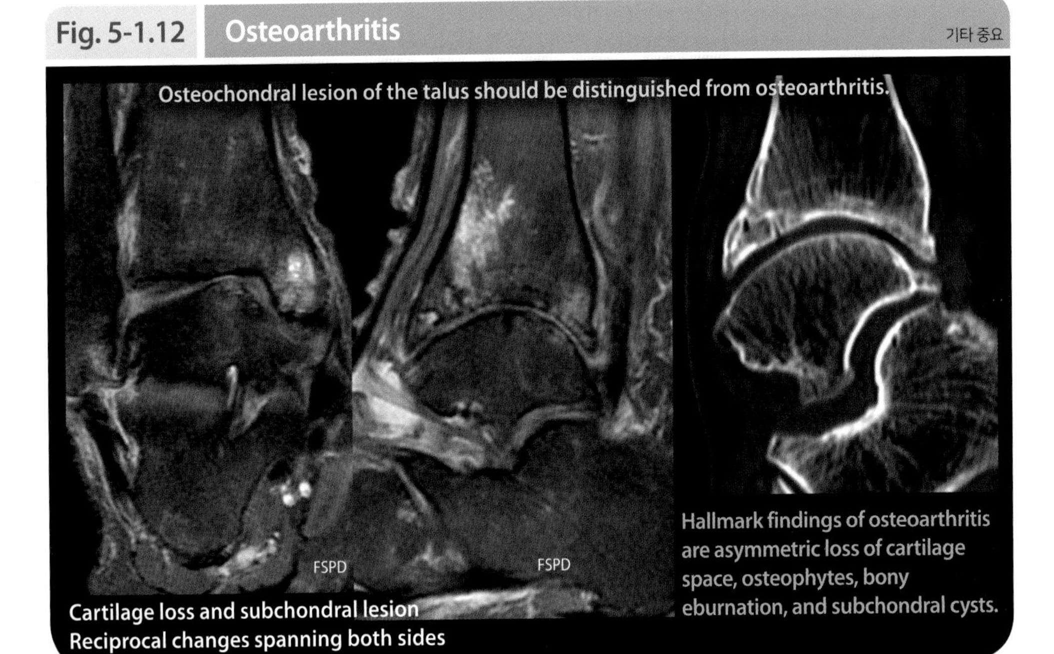

Osteochondral lesion of the talus should be distinguished from osteoarthritis.
FSPD
FSPD
Cartilage loss and subchondral lesion
Reciprocal changes spanning both sides
Hallmark findings of osteoarthritis are asymmetric loss of cartilage space, osteophytes, bony eburnation, and subchondral cysts.

동영상 QR코드

▶ 5-1.12

Osteoarthritis

- Talar dome에 chondral loss 및 subchondral edema/sclerosis/cysts가 보이는데 OLT (osteochondral lesion of the talus)가 아니라 osteoarthritis다.
- 병변이 한쪽만 있는 것이 아니라 talar dome과 tibial plafond에 reciprocal changes를 보이고, joint space narrowing, eburnation과 osteophytes도 있어서 osteoarthritis이다.
- Tibiotalar joint osteoarthritis를 OLT라고 판단하면 안된다.

Fig. 5-1.13 Aneurysmal Bone Cyst of Talus

기타 중요

- Multilocular lesion in the body of the talus with fluid-fluid level
- Fluid-fluid level: giant cell tumors, chondroblastoma, simple bone cysts and telangiectatic osteosarcomas

T2WI FSPD FSPD

- The cysts show a variable signal, with a surrounding rim of low T1 and T2 signal
- Intralesional hypointense septa

동영상 QR코드

▶ 5-1.13

Aneurysmal Bone Cyst of Talus

- Talus의 body에 cyst가 보이면 감별 질환 중 aneurysmal bone cyst of talus도 생각할 수 있다.
- Well defined multiloculated cystic lesion이 talus에 있고 fluid-fluid layering을 보인다.
- 내부의 cysts는 다양한 신호강도(areas of blood of variable age)를 보이고 주변에 T1WI, T2WI에서 저신호강도의 rim을 보인다.
- Fluid-fluid layering은 aneurysmal bone cyst의 특징적인 소견에 해당하지만 giant cell tumors, chondroblastoma, simple bone cysts, telangiectatic osteosarcoma에서도 secondary aneurysmal bone cyst를 볼 수 있다.

02

Morton 신경종
(Morton Neuroma)

Morton's neuroma is not actually a tumor, but a thickening of the tissue that surrounds the digital nerve leading to the toe.

1. Morton Neuroma

가장 흔한 원인은 심부횡중족골간인대(deep transverse metatarsal ligament)에 의한 신경포착(nerve entrapment) 혹은 신경 허혈이다(9).

a) Morton Neuroma

- Medial and lateral plantar nerves의 terminal branches가 서로 합쳐져서 interdigital nerve (족지간신경)가 된다(10).

- Morton 신경종 혹은 족지간신경종(interdigital neuroma)은 족지간신경이 국소적으로 비대해진 것으로 중족골 통증(metatarsalgia)을 야기한다.
- 가장 흔한 원인은 심부횡중족골간인대(deep transverse metatarsal ligament)에 의한 신경 포착 혹은 신경 허혈이다(Fig. 5-3.01).
- 조직학적으로 neural proliferation, axon과 sheath의 dense fibrosis를 보인다. 초기에는 endoneural 그리고 neural edema를 보이다가 진행하면 perineural 그리고 epineural fibrosis와 hypertrophy, endoneural vascular hyalinization을 보인다(9) (18).

- 가장 흔한 위치는 제3족지간공간이며 다음으로 제2족지간공간에 호발하며, 다발성으로 생길 수 있다(4).
- 중년 여성에서 가장 흔하며, 굽이 높거나 좁은 구두를 신는 것과 연관성이 있다(11).
- 환자의 80% 이상에서 무지외반(hallux valgus) 혹은 편평족(flat foot)과 같은 forefoot의 변형이 동반된다.

b) 초음파(4) (12)

- 중족 골두 위치에서 발바닥 혹은 발등 쪽에 transducer를 위치하고 횡축 스캔하면 방추형 혹은 원형의 종괴로 보인다.
- Morton 신경종은 저에코, 무에코 혹은 혼합형일 수 있다.
- Metatarsal head 위치에서 정상 plantar digital nerve의 크기는 직경 1~2 mm인데, 3 mm 이상이고 muscle과 비교하여 저에코 음영이 보이면 비정상으로 간주한다.
- 탐촉자를 발바닥에 대고 전족의 내측 및 외측면에 힘을 주어 중족 골두를 쥐어짜면 클릭과 함께 족저면으로 움직이는 신경종을 볼 수 있다(Sonographic Mulder sign).

c) MRI (4) (9) (Fig. 5-2.01)

- Morton 신경종은 중족 골두 사이, neurovascular bundle에 중심을 두고 위치한다.
- 병변은 방추형, 원형 혹은 아령 모양의 경계가 분명한 종괴로 보인다.
- T1WI, T2WI에서 저신호~중등신호강도, STIR, FSPD 이미지에서 중등도~고신호강도를 보인다.
- 대부분 미만성으로 조영증강이 되지만 다양하게 보이기 때문에 일반적으로 조영증강검사를 하지는 않는다.
- 크기가 5 mm 보다 크면 증상을 일으키는 것으로 알려져 있으나 반드시 크기와 증상이 일치하는 것은 아니다(13).
- MRI 검사 시 prone position에서 plantar flexion 상태로 검사하면 neuroma가 더 잘 보인다.

d) Morton neuroma vs intermetatarsal bursitis

- Morton 신경종과 달리 intermetatarsal bursitis는 심부횡중족골간인대(deep transverse metatarsal ligament)보다 dorsal aspect에 위치하며, T2WI에서 고신호강도이다(Fig. 5-3.05~06).
- 초음파에서 bursitis는 compressible soft tissue structure이다.

기타 중요병변

Fig. 5-2.01 **Morton Neuroma**

기타 중요

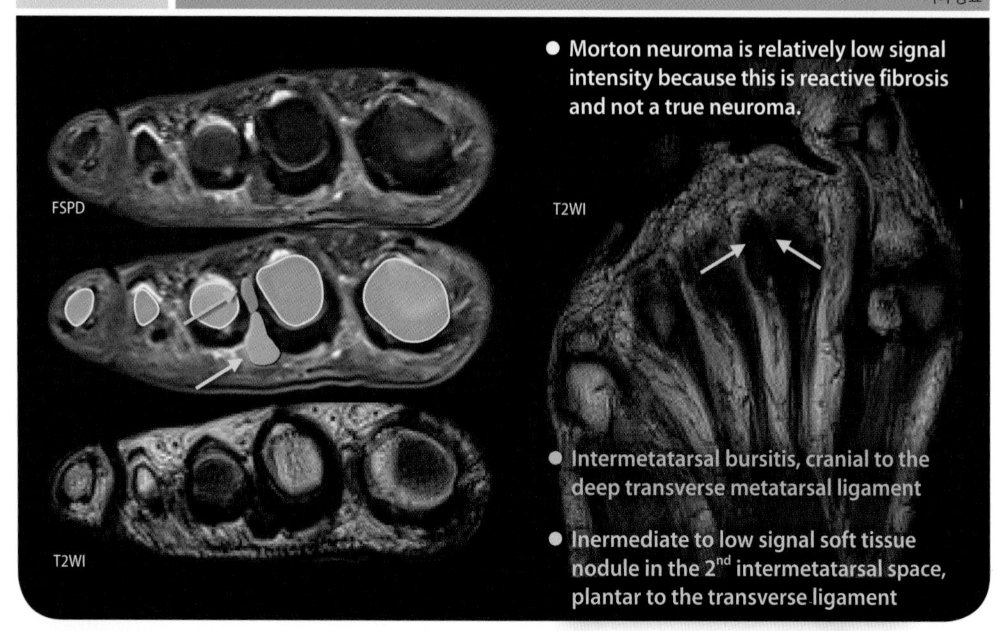

FSPD
T2WI
T2WI
● Morton neuroma is relatively low signal intensity because this is reactive fibrosis and not a true neuroma.
● Intermetatarsal bursitis, cranial to the deep transverse metatarsal ligament
● Inermediate to low signal soft tissue nodule in the 2nd intermetatarsal space, plantar to the transverse ligament

동영상 QR코드

▶ 5-2.01

Morton Neuroma

- 2nd interdigital space, metatarsal heads 사이에 저신호강도의 Morton neuroma (yellow)가 있다. 이는 FSPD 이미지에서는 intermediate signal intensity, T2WI에서 저신호강도를 보인다.
- 중요한 감별질환 중 intermetatarsal bursitis가 있으며, 병변의 위치와 신호강도의 차이로 서로 구분할 수 있다.
- 위치가 deep transverse metatarsal ligament보다 깊으면(plantar aspect) Morton neuroma이고, dorsal aspect에 있으면 intermetatarsal bursitis이다.
- 신호강도가 low signal intensity라면 Morton neuroma이고, FSPD 이미지 혹은 T2WI에서 fluid에 해당하는 고신호강도이면 intermetatarsal bursitis이다.
- Morton neuroma 환자 중에 intermetatarsal bursitis가 같이 동반되는 경우도 있다.

03

Morton 신경종 감별질환

(Morton Neuroma mimics)

A variety of disorders present with central forefoot pain.

1. Central forefoot pain을 일으키는 다양한 질환들이 있다.

- Traumatic lesions (acute or chronic repetitive injuries)
- Inflammatory and infective disorders
- Nonneoplastic soft–tissue lesions
- Benign tumors to malignant lesions

a) Anatomy of Lesser MTP joint (4) (Fig. 5-3.01~02)

- Lesser MTP joint는 static stabilizing structures (plantar plate, collateral ligament complexes, and joint capsule)와 dynamic stabilizers (flexor and extensor muscles and tendons)가 있다.

- 족저판(plantar plate, PP) (14) (72~73)
  - Plantar plate는 lesser MTP joint 안정성에 가장 중요한 역할을 한다.
  - Broad, thick, trapezoidal fibrocartilaginous band like structure로 20 mm in length, 8 to 13 mm in width and 2 to 5 mm in thickness이다.
  - 중족골 경부에서 proximal phalanx base까지 연결되어 있으며 중족지관절(MTP joint)의 발바닥 쪽을 이룬다.
  - Lesser MTP joint plantar plate는 deep transverse metatarsal ligament, proper collateral ligament (PCL), accessory collateral ligament (ACL), plantar fascia, intermetatarsal ligaments, interosseous tendons, extensor hood and sling, fibrous sheath of the flexor tendons와 연결된다.
  - Plantar plate의 가장 lateral insertion과 proper collateral ligament (PCL) insertion은 서로 섞이는데 그 위치가(lateral conjoint insertion of the PP and PCL) 가장 손상을 잘 받는 곳이다.

- Medial and lateral collateral ligament complexes
  - 각각의(medial and lateral) collateral ligament complex는 두 가지(proper and accessory collateral ligaments)로 구성된다.
  - Proper collateral ligament (PCL), 혹은 main collateral ligament (MCL): dorsal tubercle of the metatarsal head에서 origin하여 base of the proximal phalanx에 insertion한다.
  - Accessory collateral ligament (ACL): dorsal tubercle of the metatarsal head에서 origin하여 peripheral margin of the plantar plate에 insertion한다.

Fig. 5-3.01 Lesser Metatarsophalangeal Joints

기타 중요

Lateral
Medial
Extensor digitorum brevis (EDB)
Extensor digitorum longus (EDL)
Joint capsule
Proper collateral ligament (PCL)
Accessory collateral ligament (ACL)
Plantar plate (PP)
Intermetatarsal bursa (B)
Deep transverse metatarsal ligament (DTML)
Neurovascular bundle
Flexor digitorum brevis (FDB)
Flexor digitorum longus (FDL)

동영상 QR코드

▶ 5-3.01

Lesser Metatarsophalangeal Joints

- 2nd~5th metatarsophalangeal joints의 anatomy를 살펴보자.
- Plantar plate (PP, sky-blue, 족저판)는 broad, thick, trapezoidal fibrocartilaginous bandlike structure로 MTP joint의 발바닥 쪽에 있다.
- Plantar plate는 deep transverse metatarsal ligament (DTML), flexor tendon sheath, medial and lateral collateral ligaments (ACL, accessory ligament)와 서로 연결되어 있다.
- DTML보다 dorsal aspect에 intermetatarsal bursa (B, blue)가 있고, 그보다 plantar aspect에 plantar digital neurovascular bundle이 있다.
- Medial and lateral joint capsule, flexor digitorum brevis, flexor digitorum longus, extensor digitorum brevis, extensor digitorum longus tendons의 위치도 확인하자.

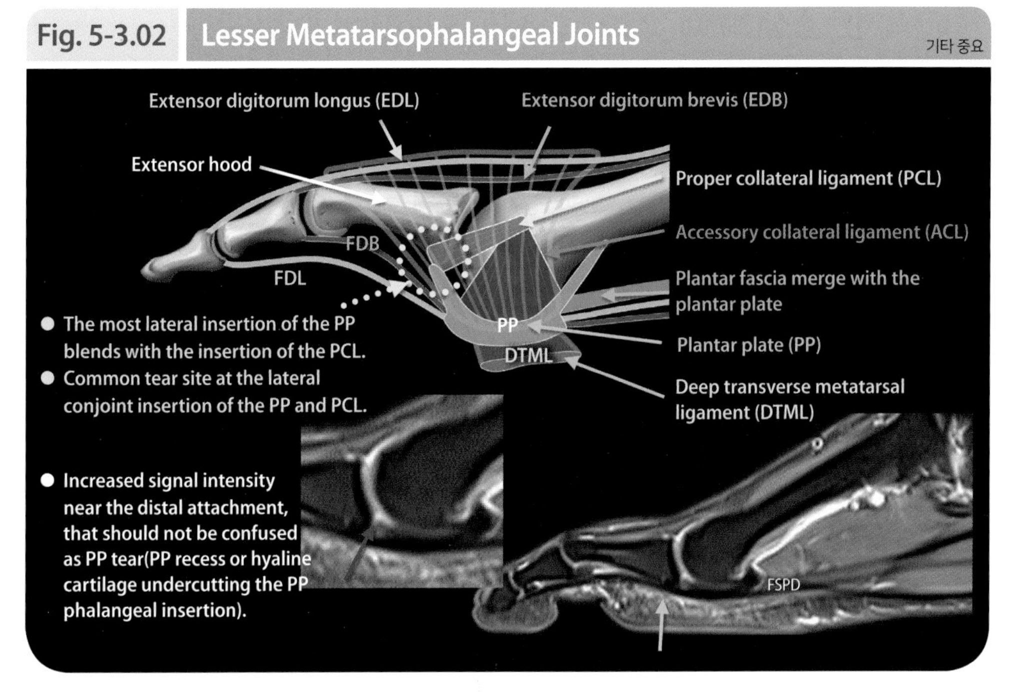
Extensor digitorum longus (EDL)
Extensor digitorum brevis (EDB)
Extensor hood
Proper collateral ligament (PCL)
Accessory collateral ligament (ACL)
FDB
FDL
Plantar fascia merge with the plantar plate
The most lateral insertion of the PP blends with the insertion of the PCL.
Common tear site at the lateral conjoint insertion of the PP and PCL.
PP
Plantar plate (PP)
DTML
Deep transverse metatarsal ligament (DTML)
Increased signal intensity near the distal attachment, that should not be confused as PP tear(PP recess or hyaline cartilage undercutting the PP phalangeal insertion).
FSPD

Fig. 5-3.02 Lesser Metatarsophalangeal Joints 기타 중요

동영상 QR코드

▶ 5-3.02

Lesser Metatarsophalangeal Joints

- Sagittal image에서 보면 plantar plate는 metatarsal neck의 plantar surface에서 기시하여 proximal phalanx base에 부착하고 plantar fascia의 distal part (green)가 plantar plate와 연결되어 있다.
- 주의해야 할 것은 plate plate가 proximal phalanx에 attachment 하는 곳에 신호강도가 약간 증가(red arrow)하여 보이는데 그것은 plantar plate recess 혹은 hyaline cartilage가 undercutting되었기 때문이다. 이것을 plate plate tear라고 오인하면 안 된다.
- 그리고 plantar plate는 두 가지 collateral ligament [accessory collateral ligament (ACL), proper collateral ligament (PCL)]중에 ACL과 연결된다.
- Plantar plate와 PCL이 서로 blending되면서 conjoint insetion으로 proximal phalanx에 부착하게 되는데 medial과 lateral side 중에 lateral side plantar plate에서 tear (blue circle)가 잘 생긴다.
- Extensor hood가 extensor tendon sheath에서부터 fan처럼 펼쳐져 있다.

b) 족저판 손상(Plantar Plate Injury)과 불안정한 소중족지관절(Lesser Metatarsophalangeal Joint Instability) (Fig. 5-3.03)

- 족저판 손상은 중족골통증(metatarsalgia) 환자의 40%에서 보이고, 90%에서는 두 번째 metatarsophalangeal joint에 생긴다(15).
- 족저판 손상, pericapsular fibrosis, collateral ligament injury, lesser metatarsophalangeal joint instability는 forefoot pain을 야기하며 병리기전이 서로 겹치며 유사한 증상을 보인다(16).
- 손상이 반복적으로 지속되어 소중족지관절(lesser metatarsophalangeal joint instability)이 불안정해지면 synovitis가 생기면서 족저판이 degenerative tear가 되고, medial and lateral collateral ligament 손상도 생긴다(16).
- 족저판(plantar plate) 손상과 불안정한 소중족지관절(lesser metatarsophalangeal joint instability)때문에 joint capsule이 두꺼워지고 fibrosis가 되면 MRI에서 intermetatarsal fat이 소실되면서 Morton neuroma처럼 보이게 된다(15).

- MRI finding of Lesser Metatarsophalangeal Joint Instability
  - 해부학적으로 명확하게 구분이 되는 것은 아니지만 족저판은 내측, 외측으로 나뉘는데, 손상은 외측에서 더 많이 발생한다.
  - 외측 족저판이 attritional mechanical overload로 인해 손상을 받으면 파열이 주로 proximal phalanx 부착부에서 생기며 점차 내측으로 진행하게 된다(17).
  - Collateral ligament tear는 인대의 불연속성, T1WI 중등신호강도, T2WI에서 고신호강도를 보인다. 혹은 그로 인하여 metatarsophalangeal joint가 아탈구되기도 한다.
  - Collateral ligament inury가 족저판 근처에 있다면 accessory ligament tear로 볼 수 있으며, 보다 dorsal fiber의 손상이라면 proper ligament tear라고 생각할 수 있다(18).

Fig. 5-3.03 Low Grade Plantar Plate Injury 기타 중요

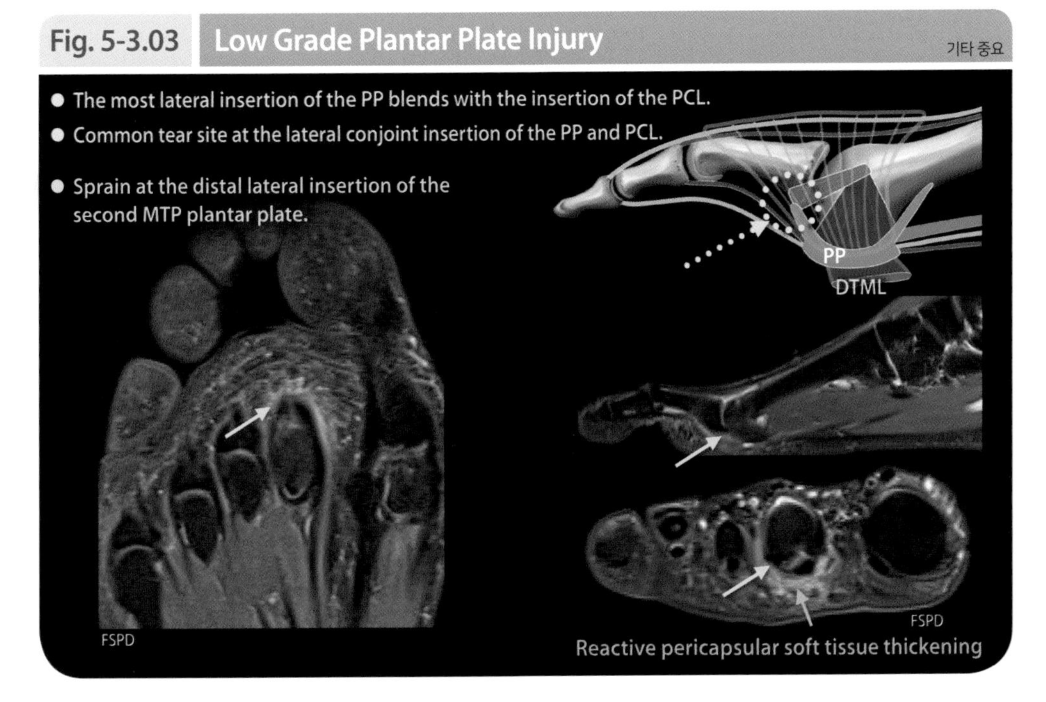

The most lateral insertion of the PP blends with the insertion of the PCL.
Common tear site at the lateral conjoint insertion of the PP and PCL.
Sprain at the distal lateral insertion of the second MTP plantar plate.
PP
DTML
FSPD
FSPD
Reactive pericapsular soft tissue thickening

동영상 QR코드

▶ 5-3.03

Low Grade Plantar Plate Injury

- Plantar plate (PP)와 PCL (proper collateral ligament)이 서로 blending되어 proximal phalanx에 부착하는데 그중 lateral side plantar plate에서 tear (blue circle)가 잘 생긴다.
- 2nd MTP joint의 plantar plate distal insertion의 lateral aspect (yellow)에 low grade injury를 받아 medial side platar plate에 비하여 약간 고신호강도를 보이며, 주변에 soft tissue edema (green)가 보인다. 만약 high grade plantar plate tear가 있다면 yellow로 표시한 곳이 더 밝은 고신호강도로 보이게 될 것이다.
- Plantar plate injury는 주로 lateral aspect에 eccentric reactive pericapsular soft tissue edema 및 thickening이 보이기 때문에 간혹 Morton neuroma로 오인할 수 있다.

기타 중요병변

c) 점액낭(Bursa)

- Submetatarsal adventitious bursitis (중족골 아래 외막점액낭염) (Fig. 5-3.04)
  - Submetatarsal adventitious bursitis가 생기면 걸을 때 pain과 tenderness를 야기할 수 있으며, 중족 골두 아래에 만져지기도 한다. High pressure와 friction으로 피하지방에 중족골 아래에 점액낭이 발생한다(19).
  - Adventitious bursa는 T2WI에서 고신호강도로 보이며, 초음파에서는 plantar fat pad에 compressible hypoechogenicity를 보인다(16).

- Intermetatarsal bursitis (중족골간 윤활낭염) (16)
  - 임상적으로 Morton neuroma와 유사하다.
  - 소량의 fluid collection이 intermetatarsal bursa에 정상적으로 존재하며, 첫 번째~세 번째 intermetatarsal bursa의 transverse diameter가 3 mm 이하면 정상으로 본다(20) (Fig. 5-3.05).

  - 초음파 소견, MRI 신호강도 및 해부학적인 위치로 Morton neuroma와 intermetatarsal bursitis를 감별한다.
  - Intermetatarsal bursa는 T1WI에서 저신호, T2WI, PD에서 고신호를 peripheral enhancement를 보인다(Fig. 5-3.06).
  - 초음파에서 Morton 신경종은 non-compressible solid mass이지만 중족골간 윤활낭염은 compressible hypoechoic soft tissue이다.
  - 심부횡중족골간인대(deep transverse metatarsal ligament)보다 dorsal aspect에 생긴 병변은 intermetatarsal bursitis이며, plantar aspect에 생기면 Morton neuroma에 해당한다(Fig. 5-2.01~03).

Fig. 5-3.04 Submetatarsal Adventitious Bursitis 기타 중요

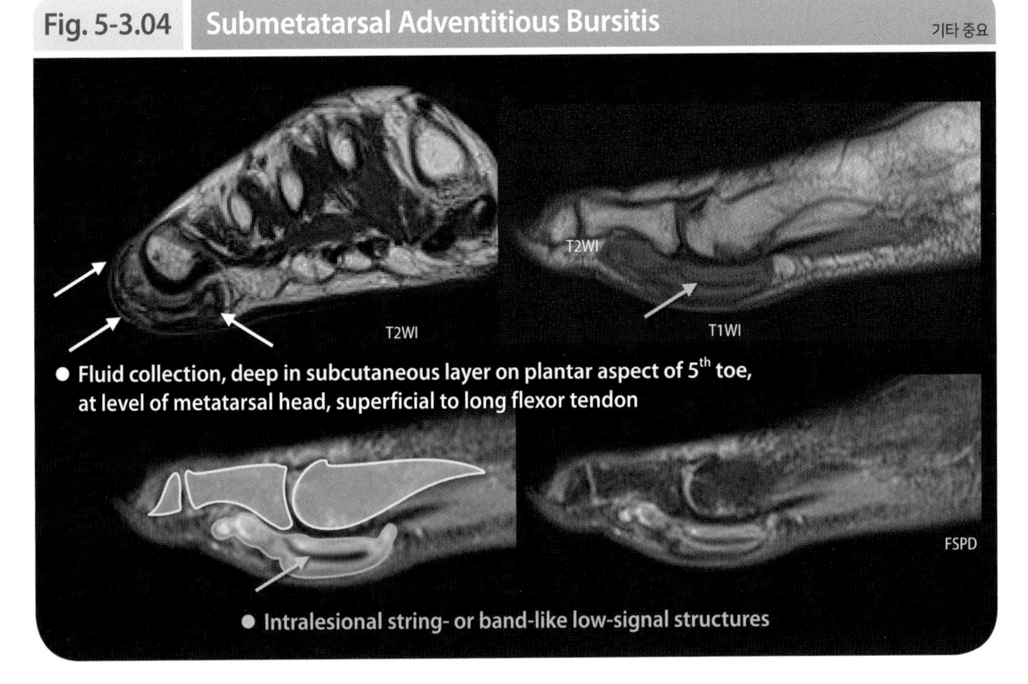

T2WI
T2WI
T1WI
● Fluid collection, deep in subcutaneous layer on plantar aspect of 5th toe, at level of metatarsal head, superficial to long flexor tendon
FSPD
● Intralesional string- or band-like low-signal structures

동영상 QR코드

▶ 5-3.04

Submetatarsal Adventitious Bursitis

- Fluid collection이 plantar aspect of 5th toe의 피하지방에 있다.
- High pressure와 friction으로 피하지방에 외막점액낭염(adventitious bursitis)이 발생한다.
- T1WI에서 저신호강도, T2WI, FSPD에서 불균일하게 고신호강도를 보인다.
- Bursa 내에 band와 같은 저신호강도가 보이는데 이것은 fibrous collagen bundles, fibrin-lined papillary projections 등으로 생각된다.

Fig. 5-3.05 **Physiologic Fluid in the Intermetatarsal Bursa** 기타 중요

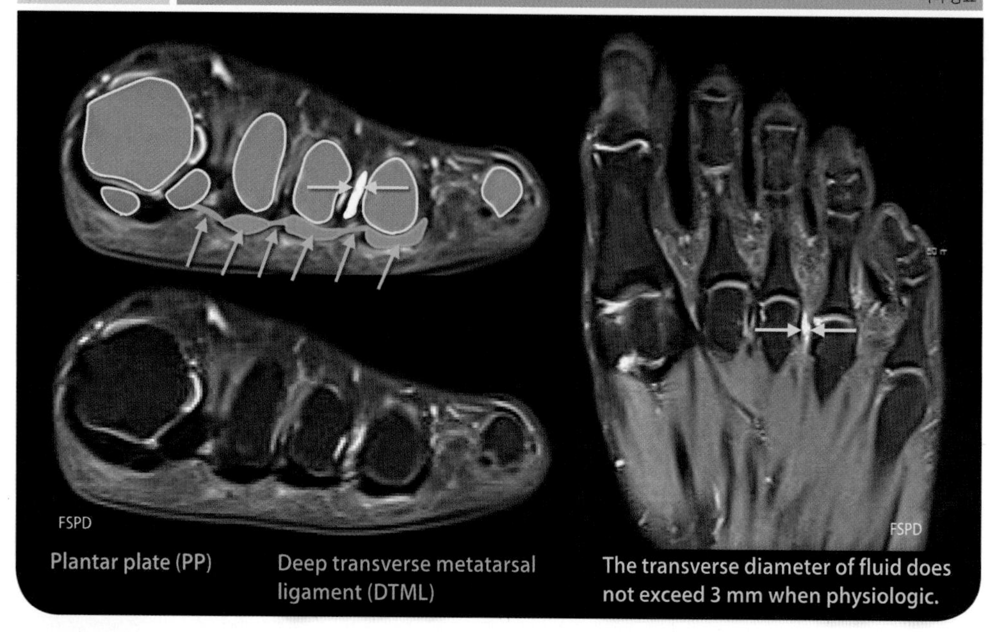

Plantar plate (PP) Deep transverse metatarsal ligament (DTML) The transverse diameter of fluid does not exceed 3 mm when physiologic.

동영상 QR코드

▶ 5-3.05

Physiologic Fluid in the Intermetatarsal Bursa

- Lesser MTP joint plantar plate (blue)는 deep transverse metatarsal ligament (DTML, green)와 연결된다(Fig 5-3.01).
- DTML보다 dorsal aspect에 intermetatarsal bursa가 있고, 그보다 plantar aspect에 plantar digital neurovascular bundle이 있다. (Fig 5-3.01)을 참고하자.
- 정상적으로 intermetatarsal bursa에 physiologic fluid가 보일 수 있다.
- Transverse diameter of fluid (yellow)가 3 mm를 넘지 않는다면 정상이다.

Fig. 5-3.06 **Intermetatarsal Bursitis** 기타 중요

Third interspace with high signal intensity on FSPD images, with its epicenter dorsal to deep transverse metatarsal ligament.

FSPD FSPD FSPD

동영상 QR코드

▶ 5-3.06

Intermetatarsal Bursitis

- Intermetatarsal bursa의 transverse diameter가 3 mm 이하면 정상으로 본다.
- Morton neuroma나 plantar plate tear가 있을 때 흔히 intermetatarsal bursitis가 동반한다.
- 병변의 중심이 deep transverse metatarsal ligament보다 dorsal aspect 에 위치하고, 신호강도가 FSPD에서 fluid처럼 고신호강도라면 intermetatarsal bursitis이며 이것이 Morton 신경종과 다른 점이다.

d) 긴장 골절(Stress Fracture) (Fig. 4-6.01) (Fig. 4-7.01) (Fig. 5-3.07)

- 긴장 골절(stress fracture)은 피로 골절(fatigue fracture)과 부전 골절(insufficiency fracture)로 나뉜다(4).
- 피로 골절은 정상골에 반복적으로 과도한 부하가 가해져서 생기며, 부전 골절은 정상보다 약해진 골에 정상적인 부하가 가해져서 생긴다.

- 긴장 골절은 초기에 단순촬영에서 정상으로 보이거나 진단이 모호하나 시간이 지나면서 골절선이나 골막 및 골내막 신생골 형성, 피질골 비후 또는 골수경화소견이 보이게 된다(16).
- MRI는 긴장 골절 초기 진단에 매우 민감하고 유용한 검사이다.
- 골절선이 골수에서 피질골로 연결된 저신호강도 띠로 보이고, 골수, 골막 그리고 주위 근육에 부종이 동반되어 보인다(21) (Fig. 4-7.01~04).
- STIR 또는 PDFS 이미지에서 골수 및 주위 근육의 부종이 단순촬영에서의 병변보다 넓게 보여 침습적인 병변으로 오인할 수 있다(4).

- Stress fracture 중에 tibial stress fractures는 Fredericson grading system을 사용하기도 한다. Stress fracture가 진행하면서 변하는 MRI 소견을 참고하자(22).
  - Grade 1 손상: periosteal edema only,
  - Grade 2 손상: high signal intensity on T2WI in the marrow
  - Grade 3 손상: low signal intensity on T1WI along with grade 2 changes
  - Grade 4 손상: intracortical signal change with or without a cortical fracture line

Fig. 5-3.07 **Metatarsal Fracture** 기타 중요

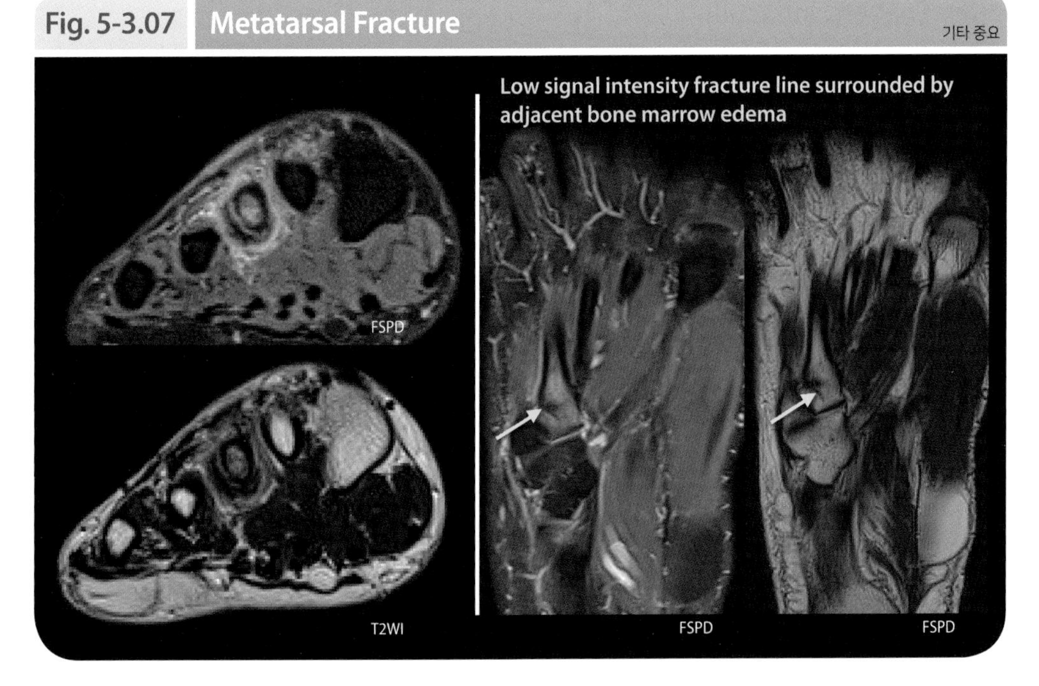

동영상 QR코드

▶ 5-3.07

Metatarsal Fracture

- 왼쪽 coronal image에서 3rd metatarsal bone에 bone marrow edema, extensive adjacent soft tissue edema가 있으며 cortical/periosteal thickening 및 signal change가 보인다.
- 오른쪽에서는 incomplete stress fracture가 4th metatarsal lateral side에 보이며 bone marrow edema가 있다.

e) Freiberg Infraction (Fig. 5-3.08)

- Freiberg 균열 골절(Freiberg disease, or osteonecrosis of the metatarsal head)은 중족골통증(metatarsalgia)을 보이는 환자에서 중족골두(metatarsal head)가 압착되거나 붕괴된 모양을 보이는 질환으로, 전형적으로 두 번째 중족골두에서 가장 많이 발생하며, 세 번째, 네 번째 중족골두 순으로 보인다.
- 임상소견으로 국소 통증, 압통, 부종, 움직임 제한 등이 있다(4) (23).

- 일반촬영 소견(4)
  - I : metatarsal head flattening and decreased subchondral bone density
  - II : metatarsal head sclerosis, fragmentation, and deformation, with cortical thickening
  - III : metatarsophalangeal osteoarthrosis with intra-articular loose bodies

- MRI findings
  - 초기에 T1WI에서 저신호강도, T2WI나 STIR에서 고신호강도를 보인다.
  - 초기 소견은 비특이적이지만, 시간이 지날수록 중족골두가 flattening을 보이며, T2WI에서 저신호강도의 sclerosis (경화)를 보이게 된다(16).
  - 성장판의 조기폐쇄, 관절 내 유리체, 중족골두의 변형 및 비대, 이차 퇴행관절염이 흔한 합병증이다(4).

Fig. 5-3.08 Freiberg Infraction

기타 중요

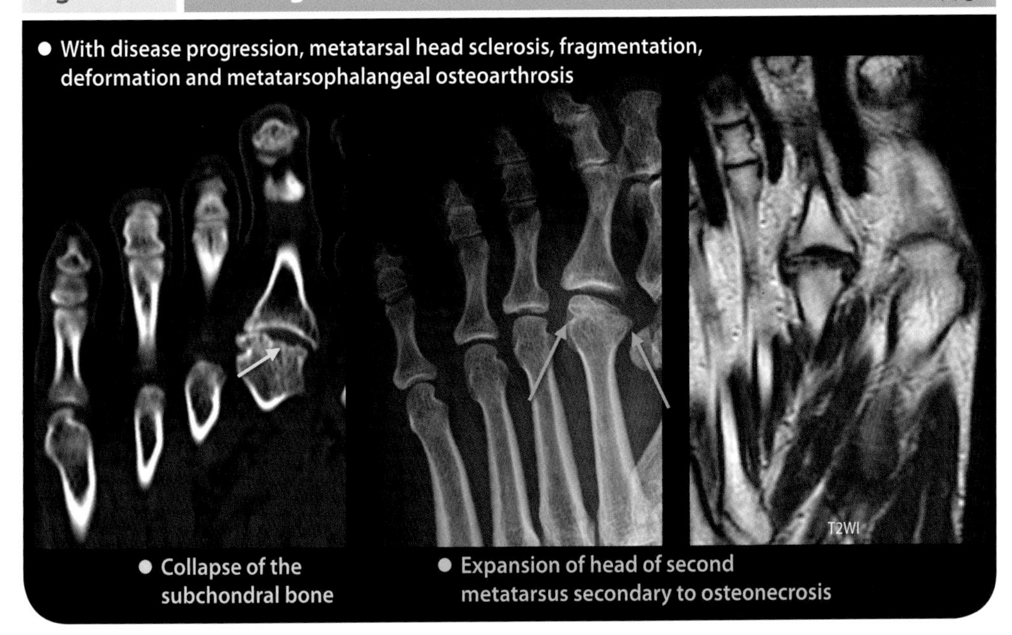

● With disease progression, metatarsal head sclerosis, fragmentation, deformation and metatarsophalangeal osteoarthrosis
T2WI
● Collapse of the subchondral bone
● Expansion of head of second metatarsus secondary to osteonecrosis

동영상 QR코드

▶ 5-3.08

Freiberg Infraction

- 2nd metatarsal head가 collapse되고 expansion이 되면서 secondary osteoarthritis가 생겼다.
- Freiberg infraction은 초기에 T1WI에서 metatarsal head에 저신호강도를 보이며 T2WI, STIR에서 고신호강도를 보인다.
- 병이 진행하면 metatarsal head가 collapse되고 fragmentation, sclerosis가 되어 T2WI에서 저신호강도를 보이게 된다.
- 그리고 최종적으로 MTP joint의 osteoarthritis가 생긴다.

f) 표피양 낭종(Epidermoid Cyst) (Fig. 5-3.09)

- 초음파에서 경계가 좋고 내부에 debris로 인하여 다양한 에코를 보이는 hypoechoic 결절로, posterior acoustic enhancement를 보인다.
- Color Doppler signal이 내부에 보이지 않는다.
- MRI에서는 경계가 분명한 종괴이며 약하게 wall enhancement를 보인다. T1WI에서 근육과 비슷하거나 약간 높은 신호강도를 보이고, T2WI에서는 근육보다 높은 신호강도를 보인다(24).

Fig. 5-3.09 Epidermoid Cyst 기타 중요

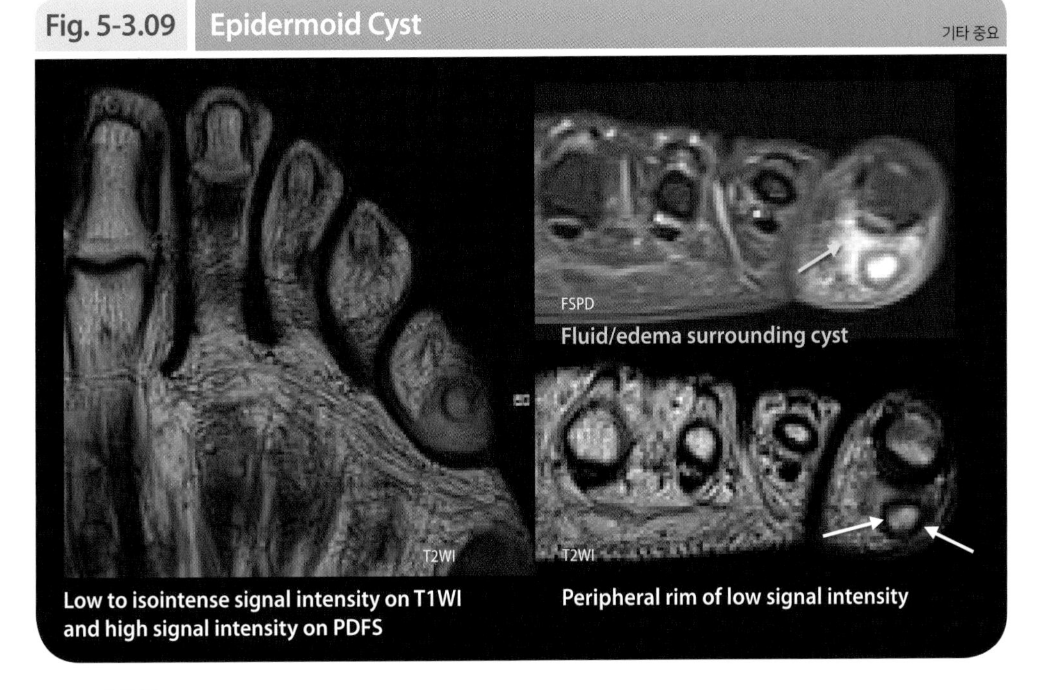

FSPD
Fluid/edema surrounding cyst
T2WI
T2WI
Low to isointense signal intensity on T1WI and high signal intensity on PDFS
Peripheral rim of low signal intensity

동영상 QR코드

▶ 5-3.09

Epidermoid Cyst

- Well-defined oval lesion이 5th toe의 planar aspect에 보이며, 가운데는 T1WI에서 저신호강도에서 중등신호강도를 보이고, FSPD에서 고신호강도를 보인다.
- 주변으로는 모든 시퀀스에서 저신호강도의 테두리가 보인다.
- Epidermoid cyst 주변으로 soft tissue edema가 보이고 inflammation이 동반되었다.

04

제1중족지관절 병변
(1st MTP Joint)

Turf toe is a sprain of the big toe joint resulting from injury during sports activities.

1. 제1중족지관절은 osseous components, plantar plate complex, collateral ligaments로 구성되며, 여러 원인에 의해 손상을 받는다.

; Acute trauma (athletic injuries), degenerative osteoarthropathy, inflammatory arthropathies (rheumatoid arthritis), crystalline arthropathies (gout), or less commonly infection (25).

a) Plantar plate complex (26) (Fig. 5-4.01~03)

- 소중족지관절(lesser metatarsophalangeal joint)과 달리 제1중족지관절은 하나의 dominant fibrocartilaginous capsular thickening이 있지 않다.

- 대신에 제1중족지관절의 plantar plate complex는 functional unit으로 hallux sesamoids를 감싸는 fibrocartilaginous pad, plantar capsule, intersesamoid ligament, paired metatarsosesamoid, sesamoid phalangeal ligaments (SPLs), musculotendinous structures로 이루어진다.

Fig. 5-4.01 1st MTPJ Anatomy (Plantar aspect) 기타 중요

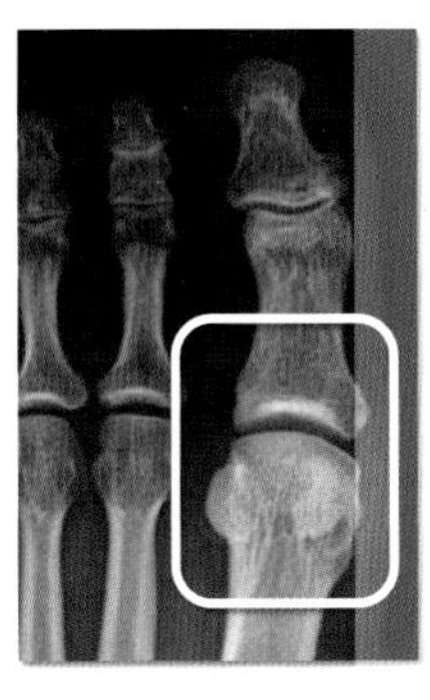

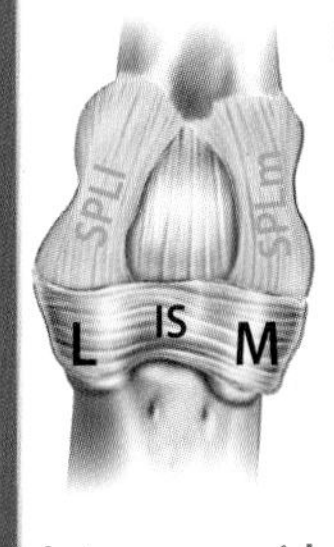

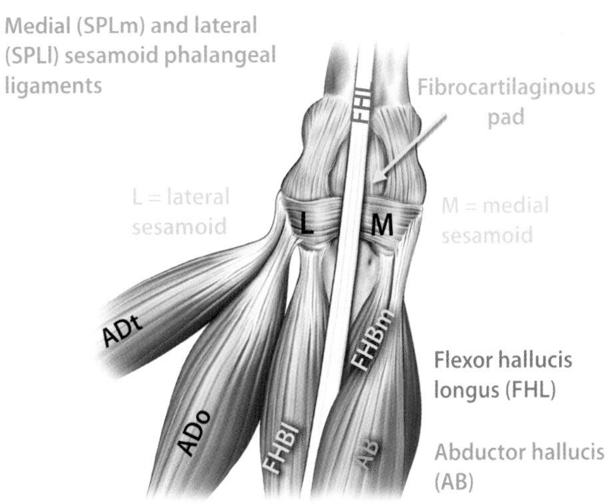

동영상 QR코드

▶ 5-4.01

1st MTPJ Anatomy (Plantar aspect)

- 1ST MTP joint의 musculotendinous structures를 보자.
- 외측으로는 adductor hallucis의 2개의 heads, 즉 oblique (ADo) and transverse (ADt) heads가 있다.
- 내측으로 abductor hallucis tendon (AB)이 medial sesamoid와 medial capsuloligamentous structures에 insertion한다.
- Flexor hallucis brevis의 2개의 heads, 즉 lateral (FHBl)과 medial (FHBm) heads가 있고, 각각 lateral과 medial sesamoid에 insertion한다.
- 2nd~5th MTP joint에서 보이는 plantar plate의 구조물과는 달리 1st MTP joint는 하나의 dominant fibrocartilaginous capsular thickening이 있지 않다.
- 대신에 제1중족지관절의 plantar plate complex는 functional unit으로 hallux sesamoids를 감싸는 fibrocartilaginous pad, plantar capsule, intersesamoid ligament, paired metatarsosesamoid (MTSL), sesamoid phalangeal ligaments (SPLs), musculotendinous structures로 이루어진다.
- SPLs는 capsule and fibrocartilaginous pad와 연결되고 이는 intersesamoid ligament (IS)와 연결된다.

Fig. 5-4.02 1st Metatarsophalangeal Joint Anatomy

기타 중요

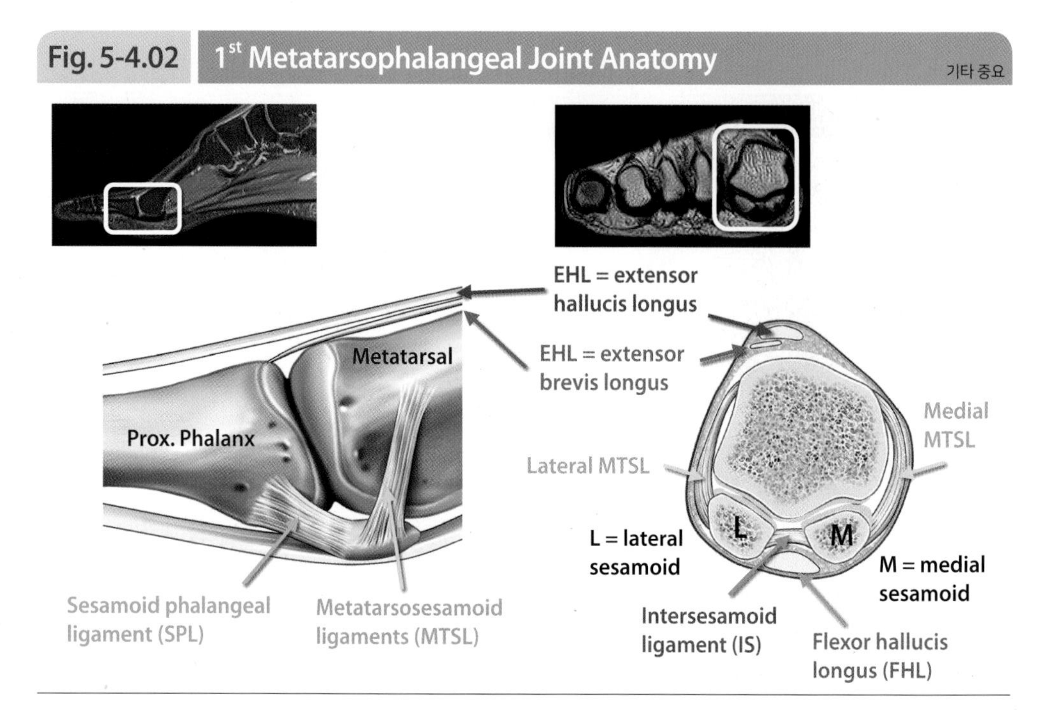

동영상 QR코드

▶ 5-4.02

1st MTPJ Anatomy (Plantar aspect)

- Sesamoid phalangeal ligament (SPL)와 metatarsosesamoid ligaments (MTSL)는 sesamoids에 부착하고 sesamoids 사이에 intersesamoid ligament (IS)가 있다.
- Flexor hallucis longus (FHL)는 sesamoids 사이에 intersesamoid ligament (IS)보다 planter aspect에 위치하며, distal phalanx plantar base에 부착한다.
- EHB (extensor hallucis brevis)는 proximal phalanx (PP) dorsal base에, EHL (extensor hallucis longus)은 distal phalanx dorsal base에 부착한다.
- EHB는 EHL보다 더 깊게 그리고 더 lateral aspect에 위치한다.

Fig. 5-4.03 1st MTPJ Anatomy

기타 중요

동영상 QR코드

▶ 5-4.03

1st MTPJ Anatomy

- Medial 및 lateral sesamoid가 있고, 그 사이에 intersesamoid ligament (IS, blue)가 있다.
- Sesamoid phalangeal ligament (SPL, orange)는 1st MTP joint에 있는 인대 중에 가장 두껍고 hyperextension시 sesamoid가 proximal subluxation되는 것을 막아준다. Sagittal image에서 가장 잘 보이고 가장 흔히 손상을 받는다.
- Metatarsosesamoid ligaments (MTSL, yellow)는 sesamoid와 metatarsal neck을 연결하며 MTSL은 SPL에 비해 얇다.

기타 중요병변

2. 전통적으로 turf toe (잔디 발가락)는 제1중족지관절이 hyperextension 된 상태에서 axial force를 받을 때 생긴 손상을 말한다(27).

a) 잔디 발가락(Turf Toe) (Fig. 5-4.04)

- Sesamoid phalangeal ligaments (SPLs)는 제1중족지관절의 가장 두꺼운 인대이며, 걷거나 뛸 때 hyperextension (dorsiflexion) 동안 tensile force에 대한 main restraints이다.
- SPLs는 turf toe에서 가장 흔히 손상을 받게 된다(26).

- Grade I (26)
  - Grade I turf toe injuries: mild sprains
  - MRI에서 sesamoids의 골절이나 diastasis없이 sesamoids 주변 구조물 (SPLs and MTSLs)과 capsulotendinous structures의 mild edema를 보인다.

- Grade II (26)
  - MRI에서 plantar plate complex, 특히 sesamoid phalangeal ligaments (SPLs)의 partial disruption을 보인다.

- Grade III (26)
  - Plantar structures (특히 sesamoid phalangeal ligaments)의 full-thickness tear로 제1중족지관절이 불안정해진다. 종종 SPLs 파열로 인하여 sesamoids가 1st MTP joint line과 비교하여 proximal displacement 되기도 한다.
  - Sesamoid fracture or diastasis를 보이기도 한다.

Fig. 5-4.04 Turf Toe

기타 중요

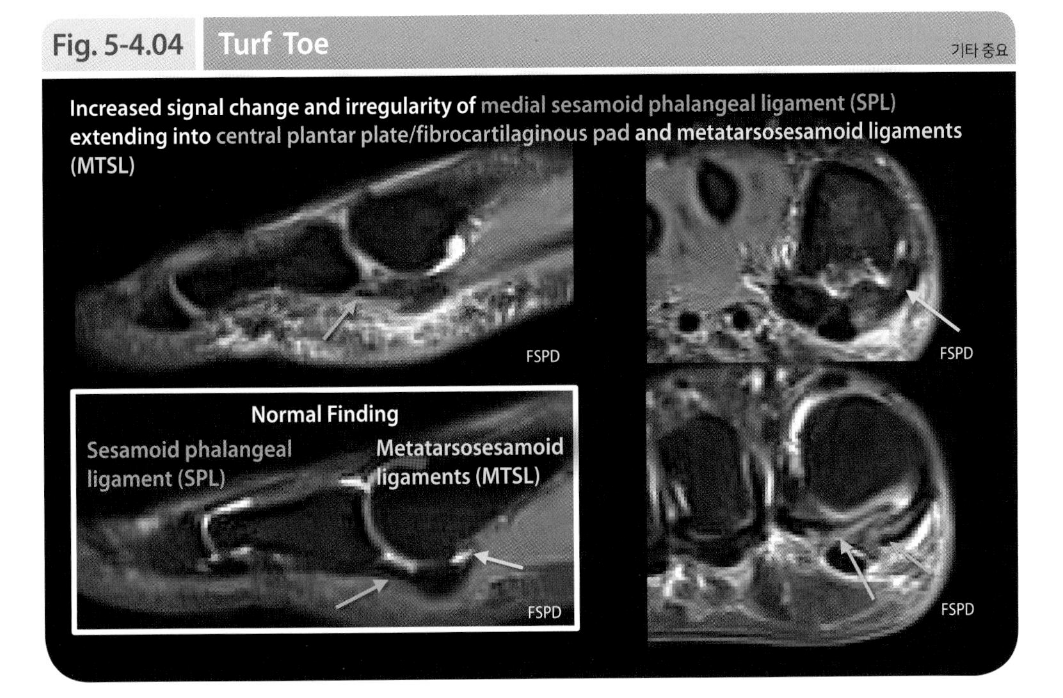

동영상 QR코드

▶ 5-4.04

Turf Toe

- Sesamoid phalangeal ligaments (SPLs)는 제1중족지관절의 가장 두꺼운 인대이며, 걷거나 뛸 때 hyperextension (dorsiflexion) 동안 tensile force에 대한 main restraints이다.
- 왼쪽 아래 정상과 비교하면 왼쪽 위 sagittal image에서 medial sesamoid phalangeal ligament (SPL, orange)의 신호강도가 증가하고 불분명한 경계를 보인다.
- 오른쪽은 short axis images로 위의 이미지는 sesamoid bone level이며, metatarsosesamoid ligaments (MTSL, yellow)가 보인다. Medial MTSL의 신호강도가 약간 증가하고 주변에 edema가 보인다. Medial sesamoid의 bone marrow edema도 동반되었다. (Fig. 5-4.03) 정상 이미지와 비교해보자.
- 오른쪽 아래 이미지는 sesamoid bone보다 distal aspect의 이미지이며, central plantar plate/fibrocartilaginous pad (blue arrow) 및 SPL (orange arrow)이 보이며, 신호강도가 증가하여 있다.

기타 중요병변

3. Sesamoids에는 종자골염(sesamoiditis), acute fracture, diastasis of components of a bipartite sesamoid, avascular necrosis 등이 생길 수 있다.

a) Sesamoids Injuries

- 종자골염(Sesamoiditis) **(26)** (Fig. 5-4.05)
  - 종자골염은 painful inflammatory condition인 급성기에는 T2WI, PDFS에서 고신호강도의 골수부종을 보인다.
  - 만성기가 되면 sclerosis가 생겨서 osteonecrosis와의 감별이 어렵다**(26)** (Fig. 5-4.06).

- Sesamoid fractures and traumatic diastasis of a bipartite sesamoid **(26)**
  - 종자골의 골절이나, bipartite sesamoid의 분리(diastasis)는 내측 종자골에서 더 흔하게 발생하고 골절과 bipartite sesamoid의 구분이 어려울 수 있다.
  - Jagged irregular edges를 보이며 nonsclerotic margin을 보인다면 골절로 볼 수 있다(Fig. 5-4.06).
  - 반면 bipartite sesamoid는 smooth rounded margins를 보이며, bony margins 사이의 “waist”가 보이게 된다(Fig. 5-4.05).

- Osteochondritis and avascular necrosis **(18)** (Fig. 5-4.06).
  - Fragmentation이 보이기도 하며, lateral sesamoid에서 더 잘 생긴다.
  - Acute/subacute phase에는 다양한 신호강도를 보이나 chronic phase에서는 FSPD에서 저신호강도를 보인다.

Fig. 5-4.05 Bipartite Sesamoid and Sesamoiditis 기타 중요

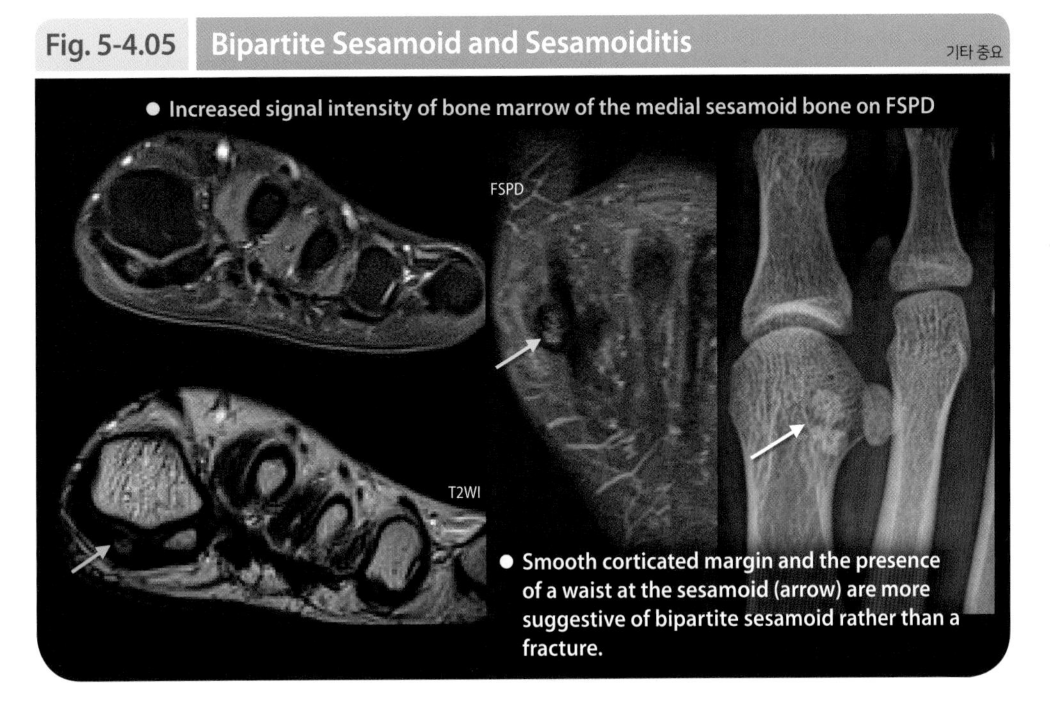

● Increased signal intensity of bone marrow of the medial sesamoid bone on FSPD
FSPD
T2WI
● Smooth corticated margin and the presence of a waist at the sesamoid (arrow) are more suggestive of bipartite sesamoid rather than a fracture.

동영상 QR코드

▶ 5-4.05

Bipartite Sesamoid and Sesamoiditis

- Bipartite sesamoid는 medial sesamoid에서 더 자주 발생한다. Smooth margins (rounded edges)를 보이고, FSPD에서 내부에 신호강도가 증가하지 않으며, 주변 soft tissue나 capsular structure가 정상이다.
- Sesamoiditis (종자골염)는 급성기에는 painful inflammatory condition으로 T2WI, FSPD에서 고신호강도, T1WI에서 저신호강도의 bone marrow edema를 보인다. 그리고 종종 주변 soft tissue change (tenosynovitis, synovitis, bursitis, effusion)등이 동반된다.
- 이 case에서는 medial bipartite sesamoid를 보이면서 FSPD에서 내부에 bone marrow edema 및 주변에도 약간의 edema가 보이고 있다.

Fig. 5-4.06 **Sesamoid Fracture and Osteonecrosis** 기타 중요

Decreased signal change/sclerosis of the lateral sesamoid bone

Jagged, irregular margins without sclerotic edge

Fracture and diastasis

T2WI

FSPD

동영상 QR코드

▶ 5-4.06

Sesamoid Fracture and Osteonecrosis

- Lateral sesamoid가 serrated and irregular edges를 보이며 nonsclerotic margin을 보여 bipartite sesamoid보다 골절로 보는 것이 더 타당하다. 주변 soft tissue edema도 보인다.
- Lateral sesamoid fracture fragment는 T2WI, FSPD에서 저신호강도를 보여, 위치(lateral sesamoid)와 신호강도(저신호강도)를 고려하여 osteonecrosis 가능성이 있다.
- Sesamoiditis가 만성기가 되면 sclerosis가 생겨서 osteonecrosis와의 감별이 어렵다.

4. Hallux valgus deformity typically begins with medial metatarsal head migration and lateral sesamoid subluxation followed by progressive valgus drift of the proximal phalanx.

a) 무지외반증(Hallux Valgus) (Fig. 5-4.07)

- Medial capsular structures, 특히 dorsal capsule, medial sagittal band, collateral ligament가 신전되어 부분 파열이 발생한다.
- Medial sagittal band가 파열되면 extensor tendon이 lateralization된다.
- 무지외반증이 더 심해지면 골극(prominent osteophytosis)으로 plantar plate complex, extensor tendons, lateral caspuloligamentous structures, adductor hallucis tendons가 손상되기도 한다(28).
- Dorsal osteophytes, tendon lateralization으로 특히 EHB (extensor hallucis brevis tendon)가 tendinosis, partial tearing, or tenosynovitis가 생긴다(29).

- Predislocation syndrome (30) (Fig. 5-4.08)
  - Predislocation syndrome은 소중족지관절(lesser MTPJs)에 inflammatory process가 생기는 것으로 특히 제2중족지관절에 생긴다.
  - Periarticular edema (adhesive capsulitis)를 보이고, 점차 족저판(plantar plate)의 파열이나 탈구가 된다.

Fig. 5-4.07 Hallux Valgus 기타 중요

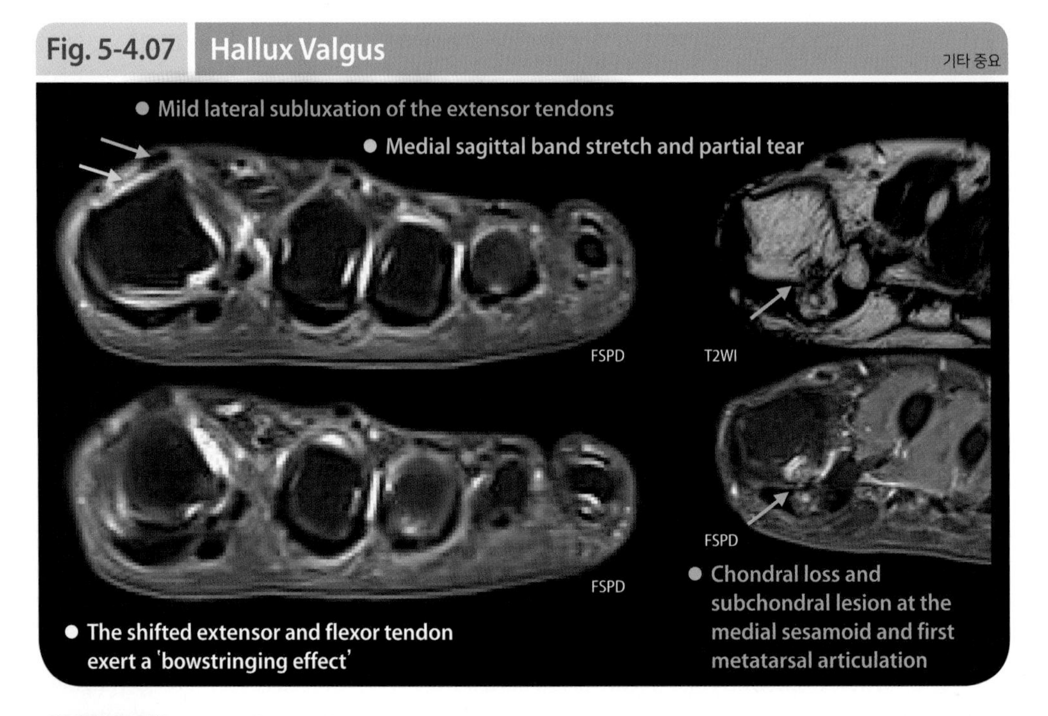

Mild lateral subluxation of the extensor tendons
Medial sagittal band stretch and partial tear
FSPD
T2WI
FSPD
FSPD
Chondral loss and subchondral lesion at the medial sesamoid and first metatarsal articulation
The shifted extensor and flexor tendon exert a 'bowstringing effect'

동영상 QR코드

▶ 5-4.07

Hallux Valgus

- Hallux valgus는 standing dorsoplantar radiography에서 1st metatarsal과 proximal phalanx of the 1st toe 사이의 각도가 15°를 넘는 경우를 말한다.
- First metatarsal에 비해서 first proximal phalanx가 lateral subluxation된다.
- Hallux sesamoids는 lateral subluxation되며 1st MTP joint는 secondary osteoarthritis가 생긴다.
- First MTP joint의 medial soft tissue swelling (synovial thickening and bursitis, bunion)이 생긴다.
- Medial capsular structures, 특히 dorsal capsule, medial sagittal band, collateral ligament가 신전되어 부분 파열이 발생한다. Medial sagittal band (yellow)가 부분 파열되면서 extensor tendon이 lateralization이 된다.
- Sesamoid가 lateral subluxation되면서 medial sesamoid and first metatarsal articulation에 osteoarthritis가 생겨서 chondral loss와 subchondral lesion이 보인다.

Fig. 5-4.08 Predislocation Syndrome 기타 중요

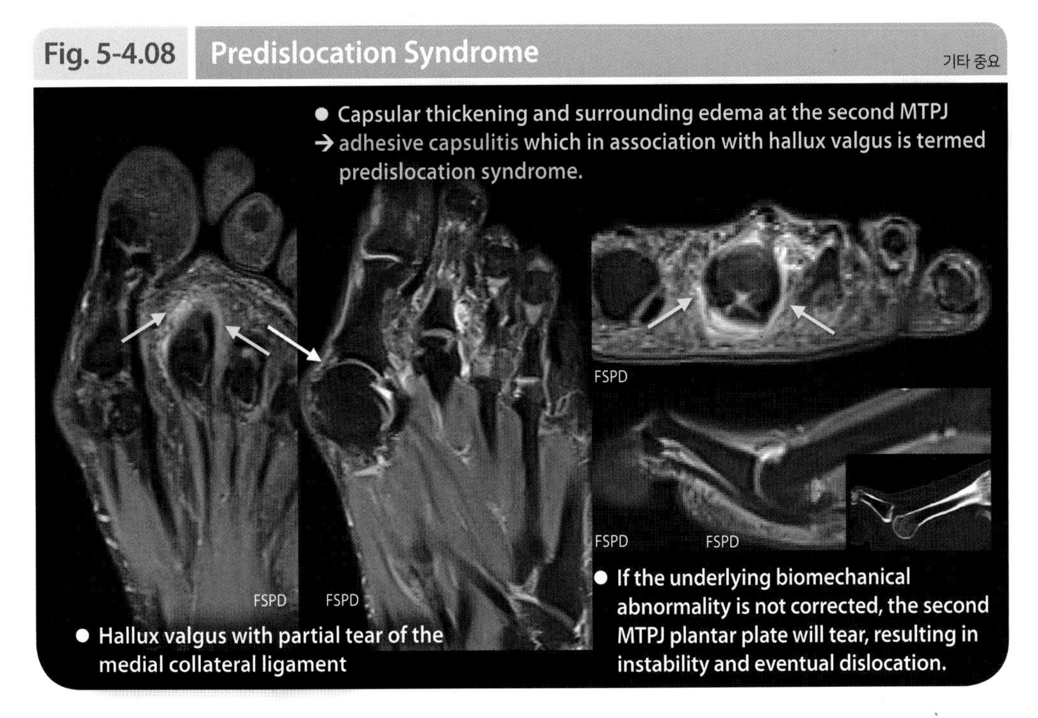
● Capsular thickening and surrounding edema at the second MTPJ
→ adhesive capsulitis which in association with hallux valgus is termed predislocation syndrome.
FSPD
FSPD
FSPD
FSPD
FSPD
● If the underlying biomechanical abnormality is not corrected, the second MTPJ plantar plate will tear, resulting in instability and eventual dislocation.
● Hallux valgus with partial tear of the medial collateral ligament

동영상 QR코드

▶ 5-4.08

Predislocation Syndrome

- Predislocation syndrome은 초기엔 pericapsular edema를 보이다가 진행이 되면 plantar plate, capsule이 파열되어 metatarsophalangeal joint instability, subluxation/dislocation (오른쪽 아래 CT scan)이 된다.
- 여기서는 2nd MTP joint에 capsular thickening and surrounding edema가 보이고 아직은 plate plate injury는 없다.

- Predislocation syndrome 이외에 hallux valgus 환자에서 1st interspace에 intermetatarsal bursitis, neuroma가 동반되기도 한다.

기타 중요병변

Fig. 5-4.09 1st MTPJ Plantar Structures -1

기타 중요

1st MTPJ Plantar Structures -1	
Osseous structures	
Sesamoids First metatarsal Proximal phalanx	• Sclerosis or fracture (T1WI) and bone marrow edema(FSPD or FS T2WI) • Morphology: axial (hallux valgus), sagittal (dorsal subluxation) and metatarsosesamoid joints in coronal plane.
Sesamoid ligament system and capsule	
ISL (intersesamoid ligament)	• The ISL forms a link between the sesamoids.
MTSLs (metatarsosesamoid ligament)	• The MTSLs or suspensory ligaments are part of the plantar plate complex • It is difficult to differentiate the MTSLs from the capsule and adjacent tendons
SPLs (sesamoid phalangeal ligament)	• The SPLs are the thickest first MTPJ ligaments and are the main restraints to proximal sesamoid subluxation • SPLs are also the most commonly injured when hyperextension occurs
Capsule	• The joint capsule is an important component of the first MTPJ and is reinforced by the plantar fibrocartilaginous pad.
Fibrocartilage pad	• The plantar plate is broadly referred to as fibrocartilaginous thickening of the plantar capsule encasing the sesamoids and extending from the first metatarsal head to the base of the proximal phalanx.

1st MTPJ Plantar Structures -1

Fig. 5-4.10 1st MTPJ Plantar Structures -2

기타 중요

1st MTPJ Plantar Structures -2	
Musculotendinous system	
Paired FHB tendons Abductor hallucis tendon Adductor hallucis tendon (oblique head) Adductor hallucis tendon (transverse head) FHL tendon	• The medial and lateral tendons of the FHB attach to the proximal and plantar surfaces of the medial and lateral sesamoids, respectively. • The sesamoids also fortify the apparatus of the abductor hallucis and adductor hallucis muscles and tendons. • Adductor tendons in relation to MTSLs and collateral ligaments • FHL in relation to ISL and sesamoid ligament • Muscle atrophy is best demonstrated at coronal T1W imaging
Medial and lateral collateral ligaments	
	• Lateral ligament is typically thinner compared with medial ligament. • Discontinuity of structure (complete or partial) and high signal intensity in ligament or along its course suggest the spectrum of failure.
Extensor tendons	
EHL and EHB tendons Medial and lateral sagittal bands	• The extensor mechanism of the first toe consists of the extensor hallucis longus (EHL) and extensor hallucis brevis (EHB) tendons • Both tendons are anchored by the extensor hood, which consists of medial and lateral sagittal bands. These bands are contiguous with the joint capsule and extend from the tendons to the sesamoids.

1st MTPJ Plantar Structures -2

05

족저근막 병변 (Plantar Fascia Disorders)

Plantar fascia (PF) disorders cause pain and disability and may curtail the performance of athletic activities, work−related duties, or routine tasks (31).

1. 족저근막(Plantar fascia, PF, plantar aponeurosis)은 발의 longitudinal arch를 유지시키는 강한 connective tissue structure이다(4) (31).

a) Anatomy of plantar fascia

- 족저근막은 3개의 bundles로 구성된다: central, lateral and medial components (Fig. 5-5.01)

Fig. 5-5.01 Anatomy of the Plantar Fascia

기타 중요

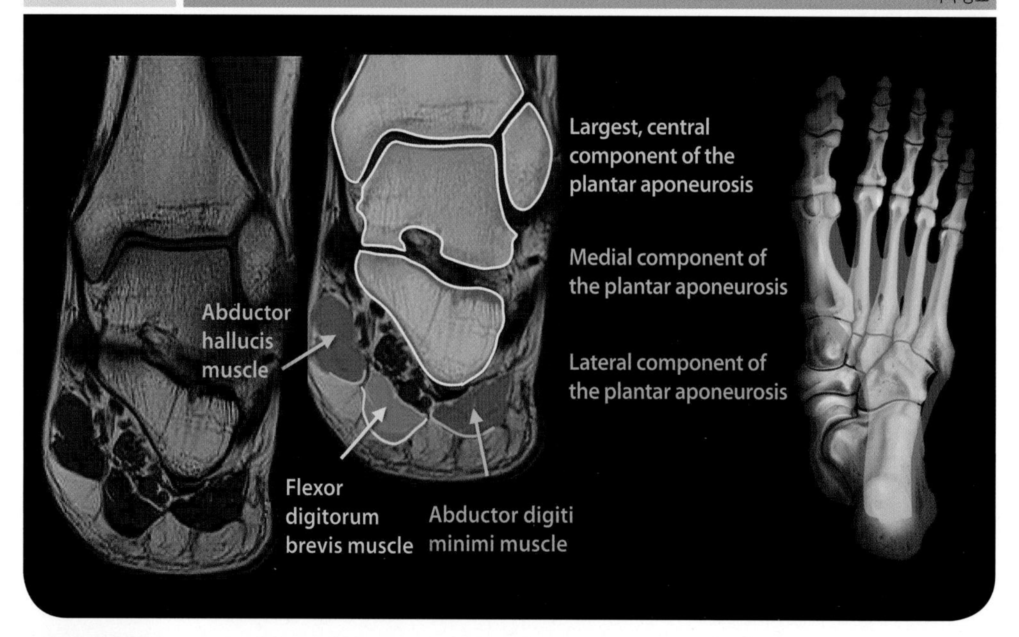

동영상 QR코드

▶ 5-5.01

Anatomy of the Plantar Fascia

- 족저근막은 3개의 bundles로 구성된다.
- Central component:
  족저근막 중에 가장 크다. 단지굴근(flexor digitorum brevis)의 fascia가 두꺼워진 것으로 plantar medial calcaneal tuberosity에서 시작하여 발끝 쪽으로 가면서 부채꼴로 넓어지며 5개로 나뉘어 각 발가락으로 연결된다. (Fig. 5-3.02)를 참고하자.
- Lateral component:
  소지외전근(abductor digiti minimi muscle)의 fascia가 두꺼워진 것 lateral process에서 5th metatarsal base로 주행한다.
- Medial component:
  가장 얇다. 무지외전근(abductor hallucis muscle)의 fascia가 두꺼워진 것으로 flexor retinaculum과 합쳐진다.

2. 족저근막염(plantar fasciitis)은 족저근막의 염증으로, 발뒤꿈치 동통의 가장 흔한 원인이고, 종골 골극, 종골에 인접한 족저근막의 염증성 변화 혹은 두꺼워진 근막과 관련된다. 피하 지방의 부종이 족저근막 표재 및 심부에 보일 수 있다(4).

a) 족저근막염(Plantar fasciitis) (32)

- 원인 (4)
  - 족저근막 부착부위의 미세외상으로 인하여 족저근막염이 생기며 inflammatory nature라기보다 degenerative change로 생각된다(33).
  - 치유되지 않는다면 만성염증으로 진행할 수 있다.
  - Medial calcaneal nerve 혹은 abductor digiti minimi muscle을 담당하는 lateral plantar nerve entrapment (Baxter's neuropathy)도 통증의 원인으로 알려져 있다(Fig. 5-7.09). Posterior tibial nerve의 세 가지 분지 중 하나인 lateral plantar nerve에서 나온 첫 번째 분지가 inferior calcaneal nerve (Baxter nerve)이다(Fig. 5-7.01) (Fig. 5-7.04).
  - 염증성 관절염, flat foot 등도 원인이 될 수 있다.

- 족저근막의 central bundle의 근위부 1/3지점, 내측 종골 융기 부착부에서 흔하게 생긴다.
- 통증은 아침에 심하고 활동에 의해 악화된다.

- Plantar calcaneal spurs, (also known as calcaneal enthesophytes)가 족저근막염의 원인이라고 보여졌으나 비특이적이고 증상이 없는 사람들도 spurs가 보인다(34).

- 초음파(4) (35)
  - 일반적으로 종골 부착부 근막의 두께가 4 mm보다 두껍고 근막의 에코가 감소하면 족저근막염이라 진단한다.
  - Fascia 주위 fluid나 fascia 내에 calcification, calcaneus enthesophyte 등이 보인다.
  - Doppler 초음파에서 fascia와 주변으로 hyperemia를 볼 수 있다.

- MRI findings in plantar fasciitis (36) (Fig. 5-5.02~03)
  - Increased T2/STIR signal intensity of the proximal plantar fascia
  - Plantar fascial thickening, fascia tear
  - Edema of the adjacent fat pad and underlying soft tissues
  - Bone marrow edema within the medial calcaneal tuberosity

- Achilles tendinopathy와 족저근막염 증상이 유사할 수 있는데 아킬레스건의 paratenon과 족저근막 사이에 close anatomic connection 때문이다.
- Plantar fasciitis는 종종 spondyloarthritis에서 보이는 enthesopathy 혹은 류마티스 관절염과 관련된다.

Fig. 5-5.02 Plantar Fasciitis 기타 중요

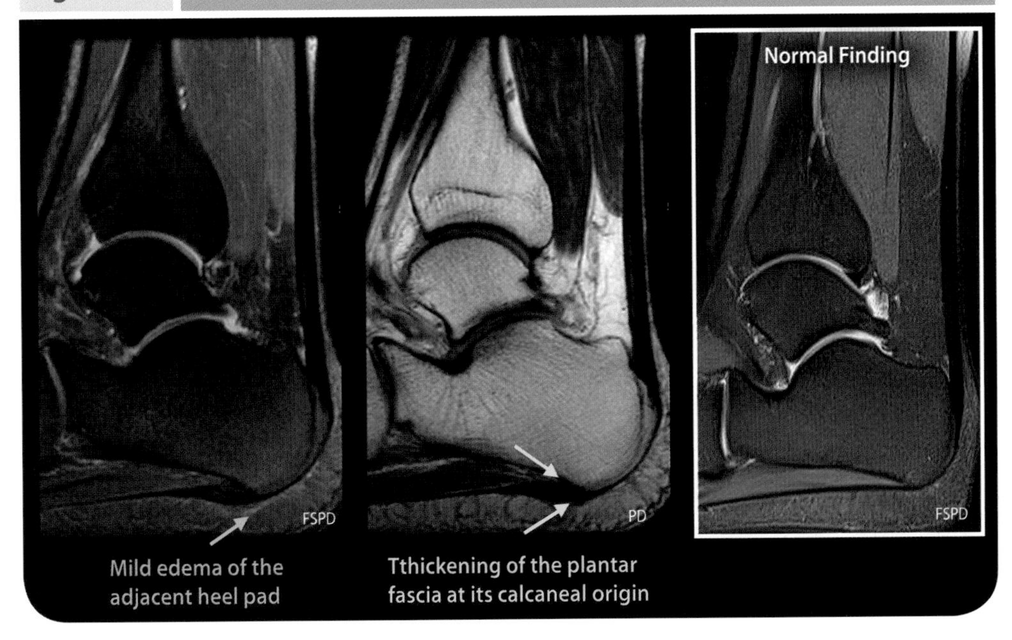

동영상 QR코드

▶ 5-5.02

Plantar Fasciitis

- Plantar fasciitis는 plantar fascia 부착부위의 미세외상, overuse로 인하여 microtear가 되는 degenerative change이다. 치유되지 않는다면 만성염증으로 진행할 수 있다
- MRI에서 두꺼워진 plantar fascia, fascia tear, plantar fascia 주변의 부종, plantar fascia 자체의 신호강도 증가, overlying calcaneus의 bone marrow edema를 볼 수 있다.
- 여기에서는 정상 이미지와 비교하여 calcaneal insertion 근처 plantar fascial thickening이 보이며, 약간 adjacent fat pad and underlying soft tissues의 edema (green arrow)가 보인다.

Fig. 5-5.03 Advanced Plantar Fasciitis

기타 중요

FSPD FSPD T2WI

PD

Adjacent bone marrow edema

Thickening and signal increase at plantar fascia

Increased signal change, edema of flexor digitorum brevis muscle

동영상 QR코드

▶ 5-5.03

Advanced Plantar Fasciitis

- Plantar fasciitis가 진행되면 fascia tear가 된다. 심한 족저근막염과 외상으로 인한 부분파열은 이미지 소견이 상당히 겹친다.
- Plantar fascia가 아주 두꺼워지면서 신호강도가 증가하고, 인접한 calcaneus에 bone marrow edema (yellow)가 있고, plantar fascia의 central component인 flexor digitorum brevis muscle (blue circle)도 edema가 보인다.

b) 족저근막 파열(Plantar Fascia Tear) (Fig. 5-5.04)

족저근막염과 외상성 부분파열은 이미지 소견이 상당히 겹친다(35).

- 족저근막 파열은 흔하진 않으며, 부분 혹은 완전 파열이 있다.
- 외상성 파열은 runners나 jumpers 같은 운동선수들이 발을 forcible plantar flexion 하면서 생기게 된다.
- 특히 종골 부착부위에서 발생하며, 만성적으로 overuse를 원인으로 본다(37).
- Spontaneous ruptures는 이전 족저근막염이 있었거나 스테로이드 주사를 받은 환자에게서 발생할 수 있다(38).

- MRI findings (39)
  - 저신호강도의 족저근막은 파열이 되면 fluid-sensitive sequences에서 고신호, T1WI에서 중등신호를 보이며, 완전 파열이 되어 retraction되기도 한다.
  - 근막 파열 주위 연부조직에 fluid sensitive sequences에서 고신호강도는 출혈이나 염증, 부종과 연관이 있다.

Fig. 5-5.04 **Plantar Fascia Tear**

기타 중요

FSPD

FSPD

- Edema of flexor digitorum brevis muscle
- Thickening and edema of the plantar fascia and surrounding soft tissues edema
- Disruption and retraction of the plantar fascia at the calcaneal attachment

동영상 QR코드

▶ 5-5.04

Plantar Fascia Tear

- Plantar fascia의 central cord가 calcaneal attachment에서 complete tear가 되어 retraction되었다.
- Plantar fascia thickening, intrafascial hyperintensity, superficial and deep perifascial edema, calcaneal tuberosity edema 그리고 flexor digitorum brevis muscle의 부종이 동반된 것이 보인다.

3. 발바닥에 soft tissue mass가 fascia와 연결이 되어 있고, T2WI에서 low signal intensity의 fibrous component를 보인다면 fibromatosis를 생각한다.

a) 발바닥 섬유종증(Plantar Fibromatosis) (Fig. 5-5.05)

- 발바닥 섬유종증(Plantar fibromatosis or Ledderhose disease)은 발바닥 근막에 생기는 비종양성 섬유모세포증식(nonneoplastic fibroblastic proliferation)이다(4).
- 족저근막의 원위부 2/3지점, central bundle에 주로 발생하지만 근위부도 잘 발생한다.
- 섬유종증은 여러 개, 양측성으로 생길 수 있으며 보통 크기는 3 cm 이하이다(35).

- MRI findings (4) (32)
  - Fibrous nature때문에 T1, T2WI에서 저신호강도를 보이는 경계가 좋은 혹은 침윤성 형태의 종괴이다.
  - T2WI에서 low signal intensity는 collagen을, high signal intensity는 hypercellular component를 나타낸다.
  - 공격성에 따라 T2WI에서 고신호강도 혹은 조영증강 되기도 한다.

Fig. 5-5.05 **Plantar Fibromatosis**

기타 중요

FSPD
T2WI
T1WI
T2WI

Fusiform thickening of the plantar fascia, not involving the calcaneal origin

Accordion-like arrangement

Isointense to muscle on T1WI

동영상 QR코드

▶ 5-5.05

Plantar Fibromatosis

- Plantar fibromatosis는 plantar fascia의 distal 2/3, central bundle에 여러 개 양측성으로 생길 수 있다.
- 발바닥에 fusiform shape의 soft tissue mass가 fascia와 연결되어 있고, plantar fascia의 long axis를 따라 생긴다.
- T2WI에서 low signal intensity의 fibrous component를 보인다면 fibromatosis를 생각한다.
- Plantar fibroma의 central area는 FSPD, STIR에서 intermediate to increased signal intensity를 보인다.

06

족근골 융합
(Tarsal Coalition)

Tarsal coalition describes the complete or partial union between two or more bones in the midfoot and hindfoot.

1. 족근골융합(Tarsal Coalition) (4)

- 족근골융합(Tarsal coalition)은 2개 혹은 그 이상의 족근골이 융합된 것으로 원시 중배엽의 분화 및 분절의 실패로 일어난다(40).
- Acquired tarsal coalition은 관절염, 감염, 외상 등과 관련된다.
- 유병률은 대략 1~33%이며, 50~60%에서 양측성을 보인다.
  - 족근골 융합은 골성(osseous, synostosis), 연골성(cartilaginous, synchondrosis), 혹은 섬유성(fibrous, syndesmosis)으로 나뉜다(Fig. 5-6.01).

- 골성 융합은 완전한 골성막대(bony bridging)가 보여 진단이 쉽고, 섬유성, 연골성 융합은 다양한 정도로 joint space narrowing, cortical irregularity and sclerosis를 보인다.

- Cartilaginous coalition, fibrous coalition 모두 irregular joint space narrowing, coalition 주변으로 bone marrow edema를 보인다.
- Cartilaginous coalition은 T1WI에서 intermediate, FST2WI에서 intermediate to hyperintense signal을 보이지만, fibrous coalition은 T1WI, FST2WI에서 hypointense signal을 갖는다(74).

- 족근골 융합의 90% 정도가 종주상골융합(calcaneonavicular coalition)과 거종골융합(talocalcaneal coalition)이다. 그 외 입방주상골(cubonavicular), 종골입방(calcaneocuboid), 주상골-내측설상(navicular-first cuneiform) 융합이 있다(41) (Fig. 5-6.02~03).
- 증상없이 우연히 발견되기도 하지만 10~20대에 증상을 호소하며, 거골하관절 및 중족근골관절(midtarsal joint) 움직임이 제한되고, 비골근 경련, 통증을 호소한다.
- 비골경직(peroneal spastic) 편평족의 흔한 원인이고 휜발(cavus foot)변형과도 관련된다(4) (43).

Fig. 5-6.01 Talocalcaneal Coalition 기타 중요

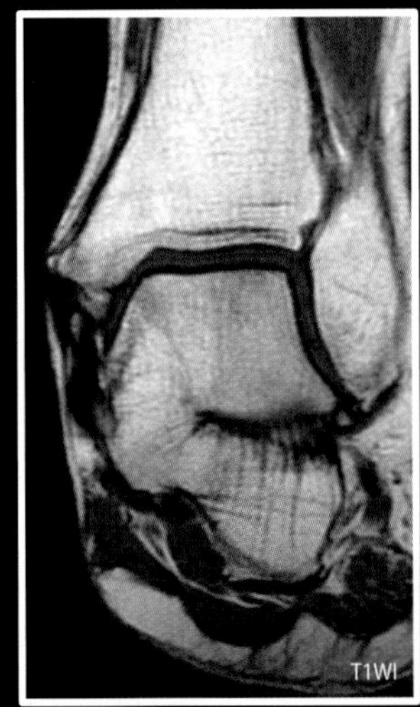

Solid osseous fusion at the medial facet of the subtalar joint

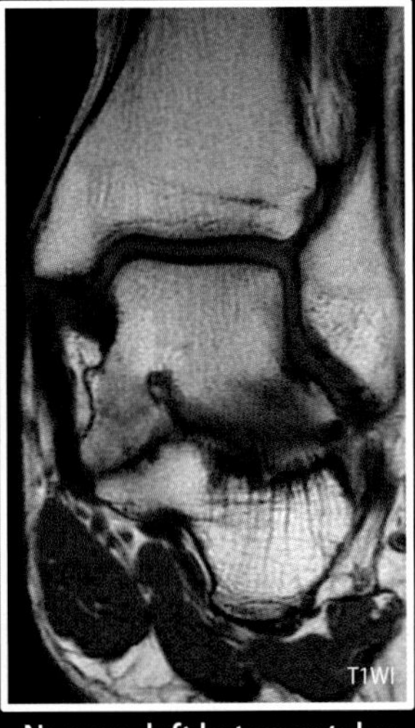

Narrow cleft between talus and sustentaculum tali

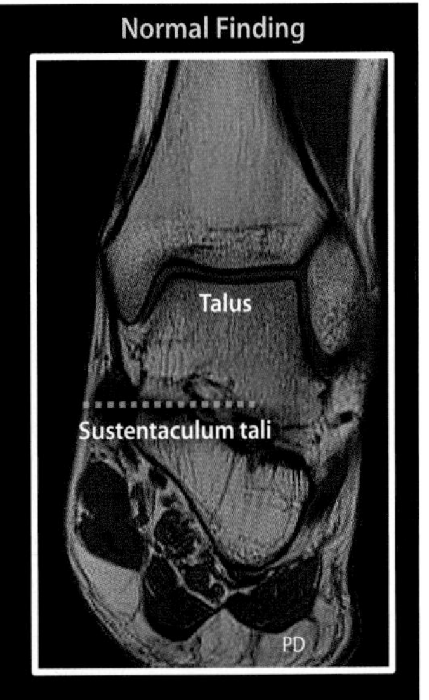

동영상 QR코드

▶ 5-6.01

Talocalcaneal Coalition

- Talocalcaneal coalition은 골성(osseous, synostosis), 연골성(cartilaginous, synchondrosis), 혹은 섬유성(fibrous, syndesmosis)으로 나뉜다.
- 골성 융합은 완전한 골성막대(bony bridging)가 보여 진단이 쉽다.
- 섬유성, 연골성 융합은 다양한 정도로 joint space narrowing, cortical irregularity and sclerosis를 보인다. 이 둘의 감별은 어렵고, non-osseous 혹은 fibrocartilaginous coalition으로 합쳐 부른다.

기타 중요병변

Fig. 5-6.02 Naviculocuboid Coalition

기타 중요

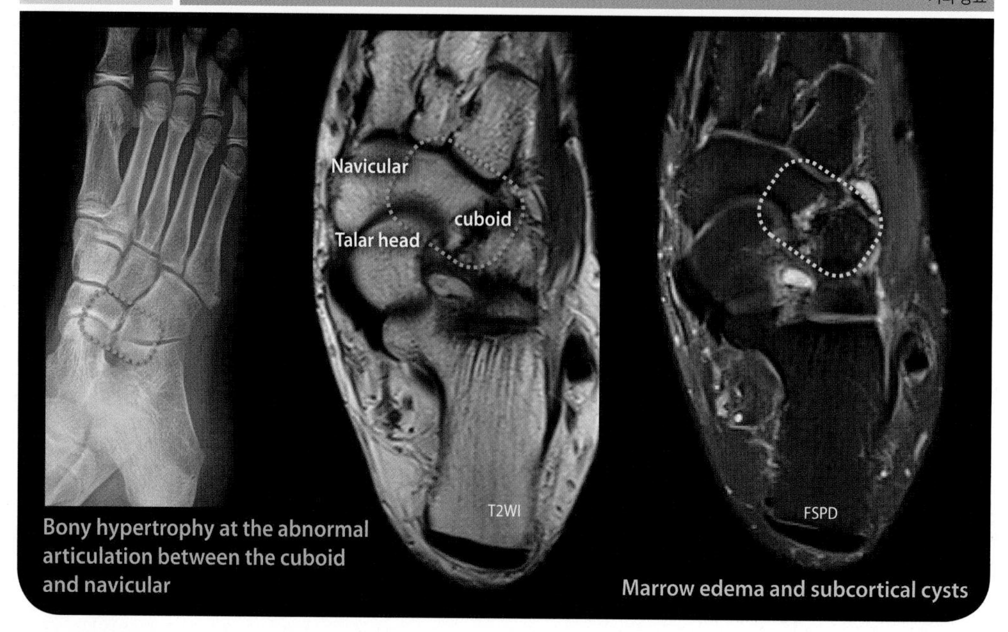

Bony hypertrophy at the abnormal articulation between the cuboid and navicular

Marrow edema and subcortical cysts

동영상 QR코드

▶ 5-6.02

Naviculocuboid Coalition

- Cuboid-navicular joint space의 narrowing과 두 bone 사이에 sclerosis, irregularity, 관절면의 widening, interdigitation이 보인다.
- 일반촬영과 CT 이미지에서 osseous coalition인 경우라면 bony bar를 보이고, 이 case처럼 non-osseous coalition인 경우는 joint space narrowing and irregularity of the bony margins, minimal marginal reactive osseous changes를 보인다.
- MRI에서 osseous coalition은 fused articulation에 bone marrow signal이 연속된다(bony bar). Cartilaginous coalition은 joint space가 intermediate T1 signal and intermediate-to-hyperintense T2 signal을 보인다. Fibrous coalition은 모든 시퀀스에서 joint space가 low-signal intensity를 보인다.

Fig. 5-6.03 **Naviculocuneiform Coalition** 기타 중요

Subchondral cysts and bone marrow edema are useful clues for diagnosis of coalition.

동영상 QR코드

▶ 5-6.03

Naviculocuneiform Coalition

- Coalition은 생기는 위치가 다르지만 MRI 소견은 비슷하다.
- Joint space narrowing, subchondral cysts and irregularity, bone marrow edema를 보면 coalition 진단에 도움이 된다.
- (Fig. 5-6.02) Naviculocuboid coalition 설명을 참고하자.

2. 거골하 융합(Subtalar Coalition) (4) (Fig. 5-6.04~05)

- 거골하융합(거종골융합, talocalcaneal coalition, subtalar coalition)은 주로 middle subtalar articular surface에 발생하지만 드물게 posterior and anterior subtalar articular facets에도 생긴다(42).
- Middle subtalar articular surface에 생긴 골성 융합은 쉽게 진단할 수 있으나, 섬유성/연골성 융합은 때론 진단이 어려울 수도 있다.
- 비골성(non–osseous) 융합은 dysmorphic talus와 sustentaculum tali 사이에 irregular cleft를 보이고, sclerosis, subchondral cysts가 보인다(42).

a) C – Sign

- Talus의 inferomedial border와 sustentaculum tali가 비정상적으로 인접하게 되어, 측면사진에서 C징후가 보이게 된다.
- Coalition 없는 편평족에서도 C징후가 보이기도 한다(4) (43).

b) Dysmorphic Sustentaculum Tali (형태이상의 재거돌기) (41)

- 거종골융합이 있을 때 sustentaculum tali 하방 윤곽이 커지고 둥글어진다.
- Coalition이 있으면 middle subtalar joint가 coronal image에서 downward, medial sloping을 보인다.
- Hypoplastic 혹은 aplastic sustentaculum tali를 보이기도 한다.

c) Blunted Lateral Process of Talus (거골 외측돌기가 넓어지고 무딤)

- 거골의 외측돌기가 정상적인 삼각형 모양이 아니라 넓어지고 무딘 형태를 보이게 된다(42).

d) Talar Beak (골부리)

- 관절면의 widening을 보이며 거골두 상방으로 튀어나온 부리형태를 볼 수 있다.
- 정상 족관절의 전방 피막이 붙는 거골능선(talar ridge)이나 talar osteophyte 등과 감별이 필요하다(44).

e) 중관절면(middle facet)의 소실(4)

- 거골과 종골 사이의 골성융합으로 인해 중관절면이 소실되거나 비골성 융합 시 불규칙한 관절면과 함께 관절 공간이 좁아진다.

f) 후거골하관절(posterior subtalar joint) 공간이 좁아짐(4)

g) Tarsal tunnel syndrome and other tendon injuries

- 거종골융합이 있는 환자에서 골융기 혹은 동반된 결절종에 의해 족근관 증후군(tarsal tunnel syndrome)이 발생할 수 있다(42).
- 그리고 medial plantar nerve (내족저신경)뿐 아니라 높은 빈도순으로 flexor hallucis longus tendon (장족무지굴건), flexor digitorum longus tendon (장지굴건), and posterior tibial tendon (후경골건)도 손상 받을 수 있다(45).

Fig. 5-6.04 **Talocalcaneal Coalition**

기타 중요

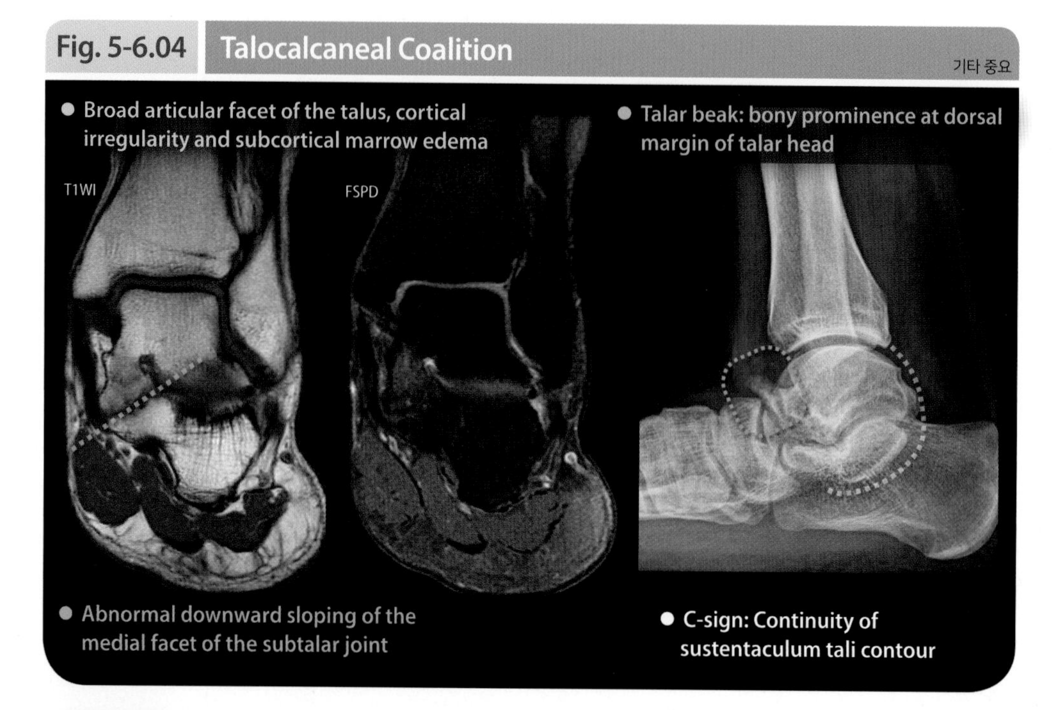

● Broad articular facet of the talus, cortical irregularity and subcortical marrow edema
T1WI
FSPD
● Talar beak: bony prominence at dorsal margin of talar head
● Abnormal downward sloping of the medial facet of the subtalar joint
● C-sign: Continuity of sustentaculum tali contour

동영상 QR코드

▶ 5-6.04

Talocalcaneal Coalition

- Coalition으로 coronal image에서 dysmorphic sustentaculum tali의 inferior aspect가 커지면서 middle subtalar joint가 downward, medial sloping된 것이 보인다. Coalition 주변에 bone marrow edema가 보인다.
- Talus의 inferomedial border와 sustentaculum tali가 비정상적으로 인접하게 되어, 측면사진에서 C-징후(white dots)가 보이게 된다.
- Talar beak (blue dots)가 보인다.

Fig. 5-6.05 Talocalcaneal Coalition

기타 중요

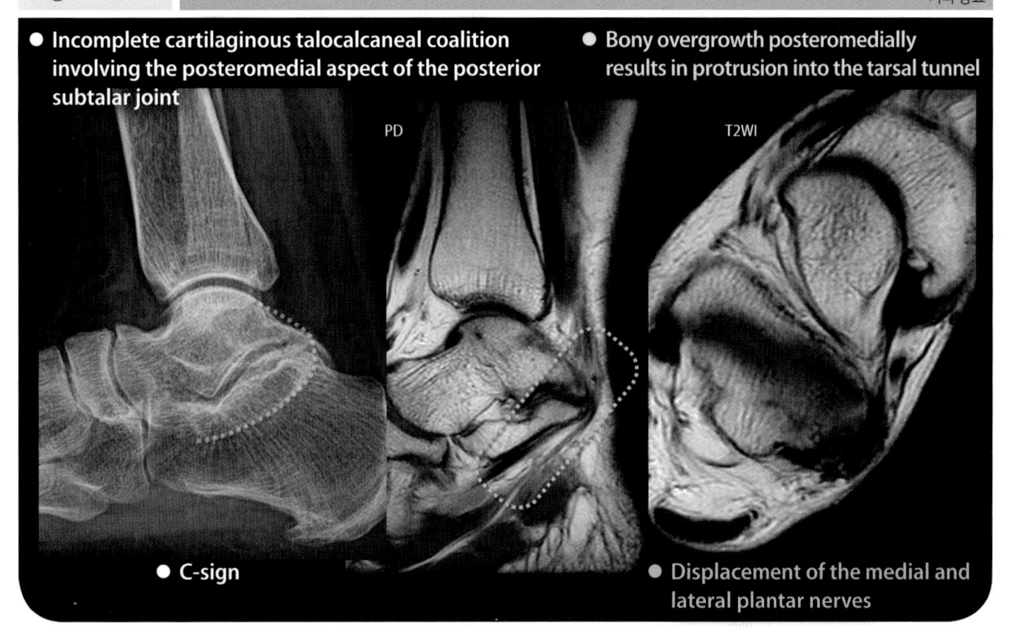

Incomplete cartilaginous talocalcaneal coalition involving the posteromedial aspect of the posterior subtalar joint
Bony overgrowth posteromedially results in protrusion into the tarsal tunnel
PD
T2WI
C-sign
Displacement of the medial and lateral plantar nerves

동영상 QR코드

▶ 5-6.05

Talocalcaneal Coalition

- Talocalcaneal coalition은 주로 middle subtalar articular surface에 발생하지만(Fig. 5-6.04) 여기서는 coalition이 posterior subtalar joint의 posteromedial aspect에 생겼다. 측면사진에서 C-징후(yellow dots)가 보인다.
- Coalition으로 인한 bony overgrowth가 tarsal tunnel로 향하고 있어서 medial and lateral plantar nerves를 compression한다. Tarsal tunnel anatomy는 (Fig. 5-7.03)을 참고하자.
- Talocalcaneal coalition이 있으면 medial and lateral plantar nerves, flexor hallucis longus tendon, flexor digitorum longus tendon, posterior tibial tendon도 손상 받을 수 있다.

기타 중요병변

3. 종주상골융합(Calcaneonavicular Coalition) (4) (Fig. 5-6.06)

- 종주상골융합(calcanonavicular coalition)은 종골의 전방돌기와 주상골 사이의 bony bar, anteater nose 징후, elongated navicular 징후가 보이고, 주상골과 종골은 비정상적으로 근접하고, 관절면은 불규칙하다(4).
- 표준 방사선촬영에서 대부분 진단이 가능하고 45도 내측경사영상이 가장 유용하다.

a) Anteater Sign

- 종골의 전방돌기(anterior process of calcaneus)는 정상적으로 삼각형 모양이나, 융합이 있는 경우 개미핥기(Anteater)의 주둥이처럼 사각형 모양으로 길어지게 된다.
- 길어지고 blunted tip을 보이는 calcaneus anterior process가 주상골의 외측과 비정상적으로 근접하게 된다.

b) Elongated Navicular Sign (Reverse Anteater) (46)

- Navicular가 약간 더 외측으로 확대되고 외측부의 전상방 용적이 내측부보다 작아진다.
- 방사선촬영 AP view에서 보인다.
- Talar head hypoplasia: secondary sign

c) MRI findings (41)

- 관절면 주변으로 joint space narrowing 관절면의 widening, 연골하 낭종이나 골수 부종이 보이면 족근골 융합을 생각해 봐야한다.
- 비골성 융합: 연골성 융합은 FSPD에서 관절면에 선상의 고신호강도를, 섬유성 융합은 저신호강도를 보인다.
- 골성 융합: 종골과 주상골 사이에 골수의 연속성을 보인다.

Fig. 5-6.06 Calcaneonavicular Coalition

기타 중요

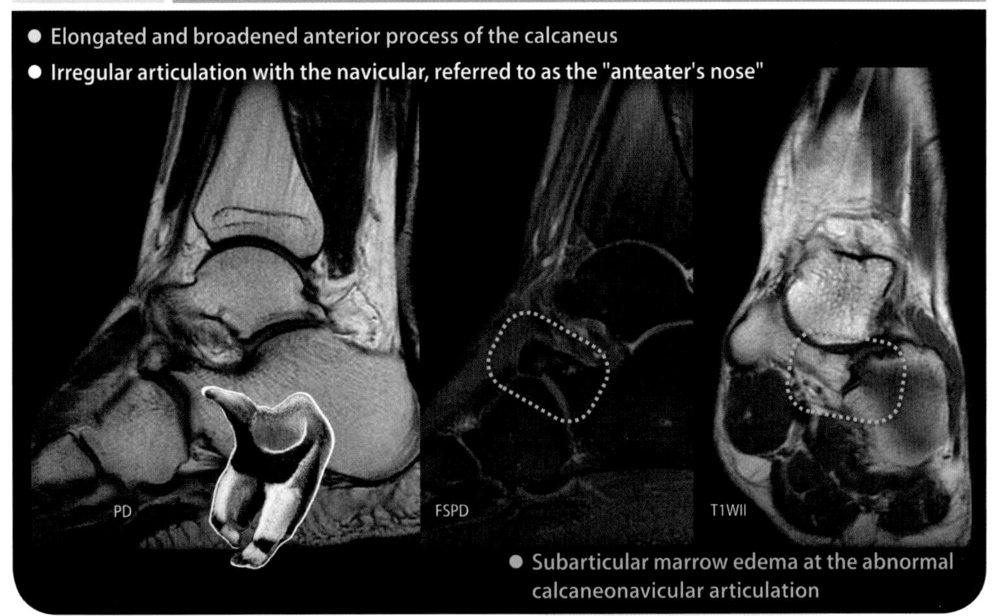

● Elongated and broadened anterior process of the calcaneus
● Irregular articulation with the navicular, referred to as the "anteater's nose"
PD
FSPD
T1WII
● Subarticular marrow edema at the abnormal calcaneonavicular articulation

동영상 QR코드

▶ 5-6.06

Calcaneonavicular Coalition

- Anterior process of calcaneus와 navicular가 비정상적으로 근접하고 관절면이 불규칙하다.
- Anterior process of the calcaneus가 사각형 모양으로 길어지고(anteater sign), navicular가 약간 더 외측으로 확대된다.

07

신경병증
(Nerves of the Foot and Ankle)

Tarsal tunnel syndrome refers to an entrapment neuropathy of the tibial nerve or of its branches within the tarsal tunnel.

1. Ankle joint 및 foot은 posterior tibial nerve, peroneal nerve와 그 branch가 담당하고, sural nerve는 외측 ankle joint와 발의 감각을 담당한다.

a) Posterior Tibial Nerve (4) (Fig. 5-7.01)

- Posterior tibial nerve는 tarsal tunnel을 통과하면서 medial plantar nerve, lateral plantar nerve, medial calcaneal nerve 3개로 분지한다.
- Lateral plantar nerve의 첫 번째 분지는 inferior calcaneal nerve (Baxter nerve)이다.

b) Peroneal nerve (4) (Fig. 5-7.02)

- Peroneal nerve는 fibular head 부위에서 superficial과 deep peroneal nerves로 분지된다.

- Deep peroneal nerve:
  - Extensor digitorum longus (EDL), extensor hallucis longus (EHL) muscle 사이에 위치한다.
  - Anterior tibial artery와 함께 주행하며, medial branch (주로 감각 담당), lateral branch (동작 담당)로 나뉜다.
  - Medial branch는 dorsalis pedis artery의 내측으로 EHL tendon과 extensor hallucis brevis (EHB) muscle 사이로 주행한다.

- Superficial peroneal nerve:
  - Extensor tendon과 extensor retinaculum 표면에서 주행한다.

Fig. 5-7.01 **Posterior Tibial Nerve in the Tarsal Tunnel** 기타 중요

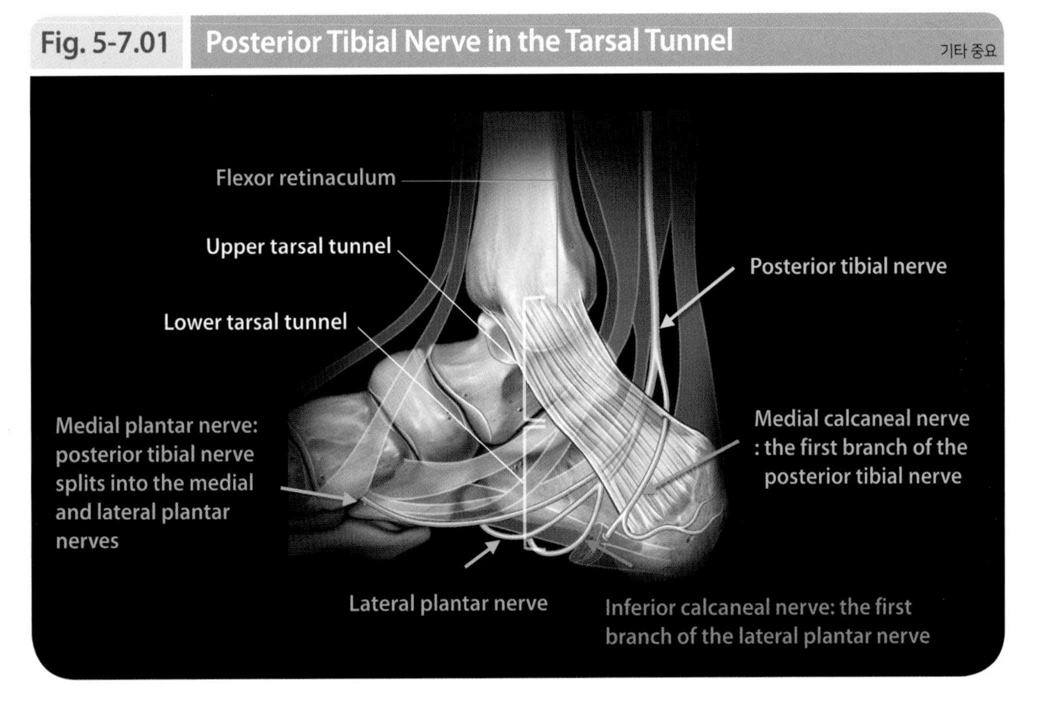

동영상 QR코드

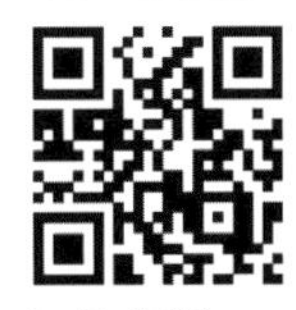

▶ 5-7.01

Posterior Tibial Nerve in the Tarsal Tunnel

- Posterior tibial nerve는 tarsal tunnel을 통과하면서 medial plantar nerve (orange), lateral plantar nerve (green), medial calcaneal nerve (light purple) 3개로 분지한다.
- Tarsal tunnel은 ankle의 medial side의 flexor retinaculum 안쪽 부위를 말하며, 이 안에서 posterior tibial nerve는 medial and lateral plantar nerves로 분지하고, posterior tibial artery와 2개의 posterior tibial vein들이 있다.
- Lateral plantar nerve의 첫 번째 분지는 inferior calcaneal nerve (Baxter's nerve, pink)이다.
- Tarsal tunnel은 upper tarsal tunnel (tibiotalar joint level)과, lower tarsal tunnel (subtalar joint level)로 나뉜다.
- Posterior tibial nerve는 plantar muscle들의 운동기능과 발, 발가락의 plantar aspect의 감각을 담당한다.
- Tarsal tunnel syndrome은 posterior tibial nerve나 그 분지가 tarsal tunnel 내에서 눌려 증상이 발생하는 것을 말한다.

Fig. 5-7.02 Deep Peroneal Nerve

기타 중요

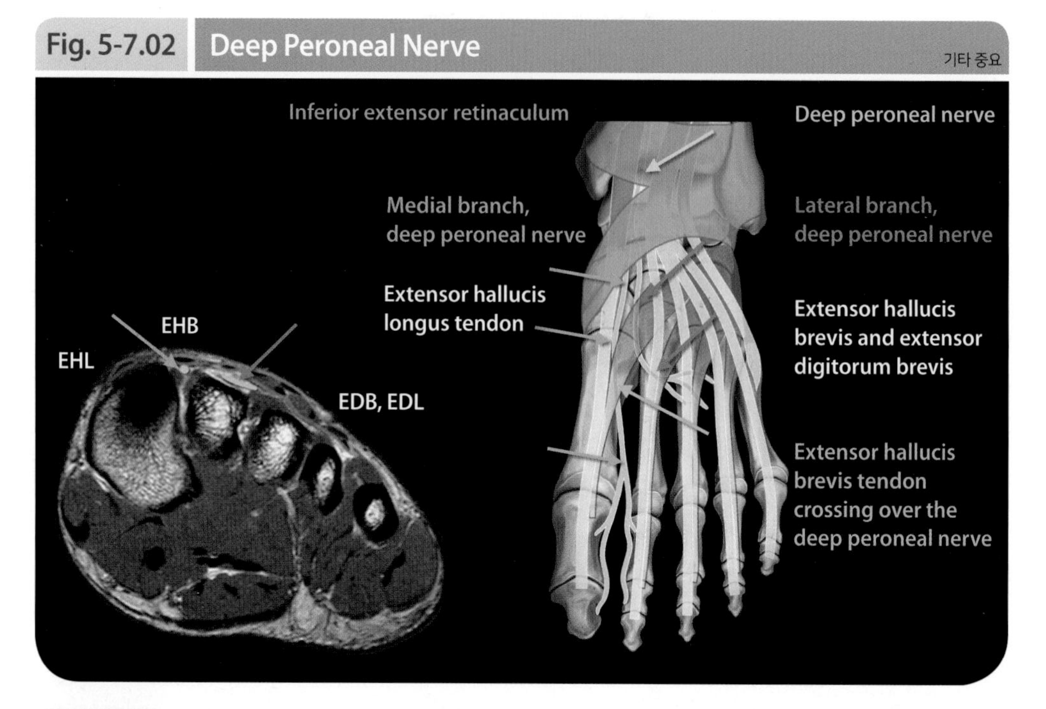

동영상 QR코드

▶ 5-7.02

Deep Peroneal Nerve

- Peroneal nerve는 ankle joint 전방에 위치하는 tendon들과 같이 주행한다.
- Deep peroneal nerve는 extensor digitorum longus와 extensor hallucis longus muscle 사이에 anterior tibial artery와 함께 주행하고 medial branch (orange)와 lateral branch (pink)로 나뉜다.
- Medial branch는 dorsalis pedis artery의 내측, extensor hallucis longus (EHL) tendon과 extensor hallucis brevis muscle 사이로 주행한다.
- Lateral branch는 extensor digitorum brevis muscle로 향한다.
- Deep peroneal nerve가 superior, inferior extensor retinacula 안쪽, talonavicular joint level, EHL tendon 안쪽으로 주행할 때 눌리게 되면 anterior tarsal tunnel syndrome 혹은 deep peroneal tunnel syndrome이라 부른다.
- Medial branch of deep peroneal nerve가 extensor hallucis brevis 아래 좁은 통로를 지나면서도 눌릴 수 있다.

Fig. 5-7.03 Upper Tarsal Tunnel Anatomy 기타 중요

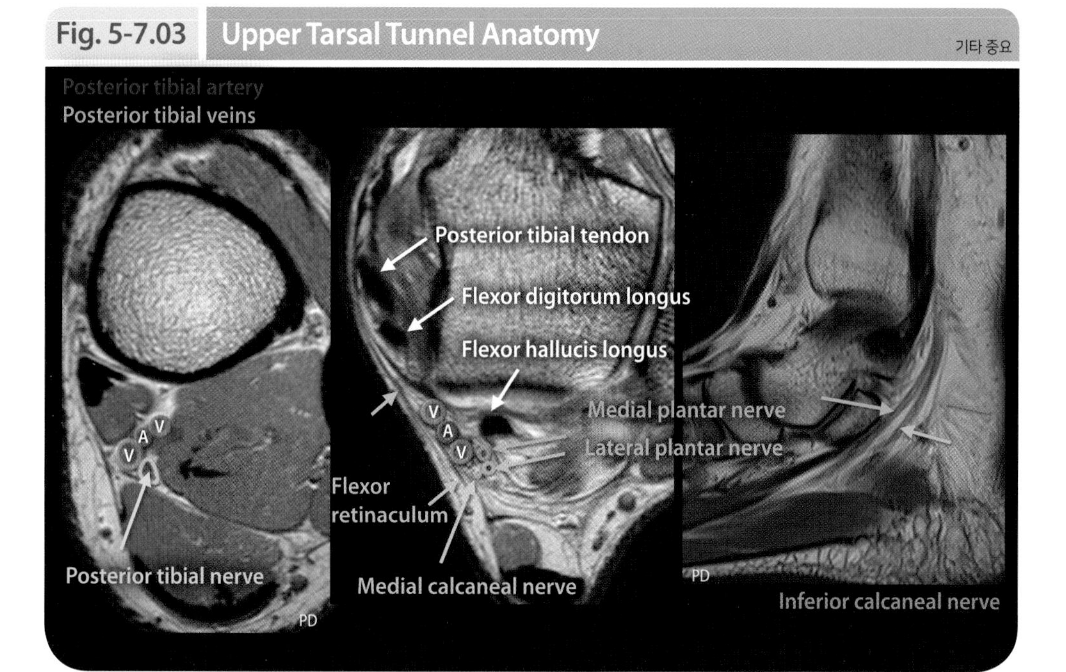

동영상 QR코드

▶ 5-7.03

Upper Tarsal Tunnel Anatomy

- Upper tarsal tunnel은 flexor retinaculum과, medial talus, calcaneus의 sustentaculum tali, medial calcaneus 사이의 fibro-osseous tunnel을 말한다.
- Posterior tibial tendon, flexor digitorum longus tendon, flexor hallucis longus tendon, posterior tibial artery and veins, posterior tibial nerve가 지나간다.

기타 중요병변

Fig. 5-7.04 Lower Tarsal Tunnel and Baxter's Nerve 기타 중요

Medial plantar nerve
Lateral plantar nerve
Abductor digiti minimi muscle
Inferior calcaneal nerve (Baxter's nerve)
Medial calcaneal nerve
Knot of Henry
Quadratus plantae
Abductor hallucis
Flexor digitorum brevis
Abductor digiti mini
FSPD
Flexor digitorum longus
Flexor hallucis longus
V
A
V
PD

동영상 QR코드

▶ 5-7.04

Lower Tarsal Tunnel and Baxter's Nerve

- Lower tarsal tunnel에 posterior tibial artery and vein, flexor digitorum longus tendon, flexor hallucis longus tendon, medial and lateral plantar nerve가 있다.
- Medial plantar nerve는 abductor hallucis muscle과 quadratus plantae muscle 사이, knot of Henry 근처에 위치한다. Flexor digitorum longus tendon이 navicular level에서 flexor hallucis longus tendon보다 더 plantar aspect로 비스듬하게 주행하면서 서로 교차하는데 이것은 knot of Henry라고 한다. (Fig. 3-7.02)를 참고하자.
- Lateral plantar nerve는 quadratus plantae와 flexor digitorum brevis muscle 사이에 위치한다.
- Inferior calcaneal nerve (Baxter's nerve)는 lateral plantar nerve의 첫 번째 분지이고, 90° horizontal turn을 하여 외측에 위치한 abductor digiti minimi muscle을 innervation한다.

c) Entrapment neuropathy (4) (Fig. 5-7.05~06) (Fig. 5-7.08) (Fig. 5-7.11)

- 신경이 물리적으로 혹은 역동적으로(특히 좁은 섬유조직 혹은 골조직으로 구성된 터널) 압박을 받아 신경학적 증상이 유발되는 경우를 말한다.
- MRI에서 nerve는 fat suppression 이미지보다 T1WI, T2WI에서 잘 보인다. Fat suppression을 하지 않은 이미지에서 지방은 고신호강도로 보이므로 그와 대비되어 신경이 더 잘보이게 된다. 정상 신경 내부에 nerve fascicle이 낮은 신호강도의 점들로 보인다. 하지만 nerve에 edema 여부를 볼 때는 fat suppression 이미지로 평가한다.
- 신경의 압박이나 손상이 있는 경우 신경이 edema로 커지고, T2WI에서 신호강도가 증가하고 신경 내부의 fascicular pattern이 불규칙하고 뭉치게(clumping)된다.
- 신경병증에 의해 근육이 denervation이 되면 병변보다 원위부의 근육은 acute 혹은 subacute phase에서는 T2WI에서 신호강도가 증가하고, chronic phase가 되면 근육이 위축되고 지방이 침착된다(Fig. 5-7.09).

2. 후경골신경(Posterior Tibial Nerve)

The tibial nerve divides into medial and lateral plantar nerves, but the level of the division is variable(47).

a) Tarsal Tunnel

- Upper tarsal tunnel, tibiotalar joint level (48) (Fig. 5-7.03)
  - 다리 내측의 deep aponeurosis로 덮여 있다.
  - Floor: medial talus, calcaneus의 sustentaculum tali

  - Posterior tibial tendon, flexor digitorum longus tendon, flexor hallucis longus tendon, posterior tibial artery and vein, posterior tibial nerve
- Lower tarsal tunnel, subtalar joint level (48) (Fig. 5-7.04)
  - Flexor retinaculum (created by the fusion of the superficial and deep aponeuroses of the leg) and the abductor hallucis muscle with its fascia로 덮여 있다.
  - Osseous floor formed by the talus and calcaneus laterally.
  - Contains medial and lateral plantar nerves

b) 족근관 증후군 Tarsal tunnel syndrome (4) (9)

- 후경골신경(posterior tibial nerve)과 그 분지가 flexor retinaculum (굽힘근지지띠) 아래 족근관(tarsal tunnel) 내에서 눌려 증상이 발생한다.
- Posterior tibial nerve는 medial, lateral plantar nerve로 나뉘지만 분지가 되는 level은 다양하다(49).

- 원인: (Fig. 5-7.05~07)

  Trauma (fracture, surgery, and scarring), space–occupying lesions (tumor, ganglia, varicosities, and anomalous muscles), and foot deformities (hindfoot valgus and, less typically, hindfoot varus, with forefoot pronation, pes planus, and tarsal coalition).

- 임상소견:

  발과 발가락의 plantar aspect의 감각이상, Tinel's sign, plantar muscles의 근력약화

- MRI:

  Tarsal tunnel 내에 space occupying lesion (공간점유병변) 확인, posterior tibial nerve (혹은 medial and lateral plantar nerves)의 크기 증가와 신호강도 증가, plantar muscle의 denervation edema (신경차단부종), tarsal tunnel의 조영증강, thickened flexor retinaculum 등이 보인다.

3. Deep Peroneal Nerve

a) Anatomy of Deep peroneal nerve (Fig. 5-7.02)

- 족관절 1.3 cm가량 상방에서 deep peroneal nerve는 2개의 terminal branch를 낸다(lateral branch and medial branch).
- Lateral branch는 extensor brevis muscle 아래를 따라 주행한다.
- Extensor hallucis brevis tendon이 medial branch 위를 가로질러 지나간다 (47).

b) Deep peroneal neuropathy (anterior tarsal tunnel syndrome) (4) (47)

- 심비골신경(deep peroneal nerve)이 superior, inferior extensor retinacula 안쪽으로 지나는 부위에서 혹은 talonavicular joint level을 지날 때 extensor hallucis longus tendon 안쪽에서 눌리는 경우를 말한다.
- 또는 심비골신경이 1st, 2nd tarsometatarsal joint level에서 extensor hallucis brevis muscle 아래 좁은 통로를 지날 때도 신경이 포착(entrapment neuropathy) 될 수 있다.

- 원인: (Fig. 5-7.08)

발목 불안정성에 따른 신경의 신전 손상, 발등의 direct trauma, extensor hallucis brevis muscle 비대, os intermetatarseum, talonavicular joint의 dorsal spur, 꽉 끼는 신발

- MRI 소견:
  Anterior tibial, extensor hallucis longus, extensor digitorum longus, peroneus tertius 등의 신경차단 부종(denervation edema), 근 위축

4. Inferior Calcaneal Nerve

a) Anatomy of inferior calcaneal nerve (Fig. 5-7.04)

- Posterior tibial nerve의 세 가지 분지 중 하나인 lateral plantar nerve에서 나온 첫 번째 분지가 inferior calcaneal nerve (Baxter nerve)이다.
- Inferior calcaneal nerve (also known as the nerve to the abductor digiti minimi muscle)는 일반적으로 lateral plantar nerve의 분지이지만 origin은 다양할 수 있다(50).

- Inferior calcaneal nerve는 abductor hallucis muscle의 deep fascia 안에서 abductor hallucis와 quadratus plantae muscle 사이로 수직으로 주행 후에 90도로 수평으로 방향을 틀어 외측에 있는 abductor digiti minimi muscle을 innervation한다.

b) Baxter neuropathy (4) (Fig. 5-7.09)

- 외측족저신경(lateral plantar nerve)으로부터 족근관 안에서 분지하는 inferior calcaneal nerve가 눌려서 생기는 신경병증을 Baxter neuropathy라고 한다.
- 육상선수의 비대해진 abductor hallucis muscle, calcaneal enthesophytes, plantar fasciitis, or varicosities에 의해서도 inferior calcaneal nerve가 눌릴 수 있다(49).

- 임상증상: 발뒤꿈치의 통증, 발바닥 외측 1/3 저린 느낌, abductor digiti minimi muscle 근력 약화

- MRI: abductor digiti minimi muscle 신경차단부종이나 지방변성(fatty atrophy)

Fig. 5-7.05 **Tarsal Tunnel Syndrome** 기타 중요

- The ganglion splays and displaces the neurovascular bundles.
- Swelling and increased signal change of posterior tibial, medial plantar and lateral plantar nerves.

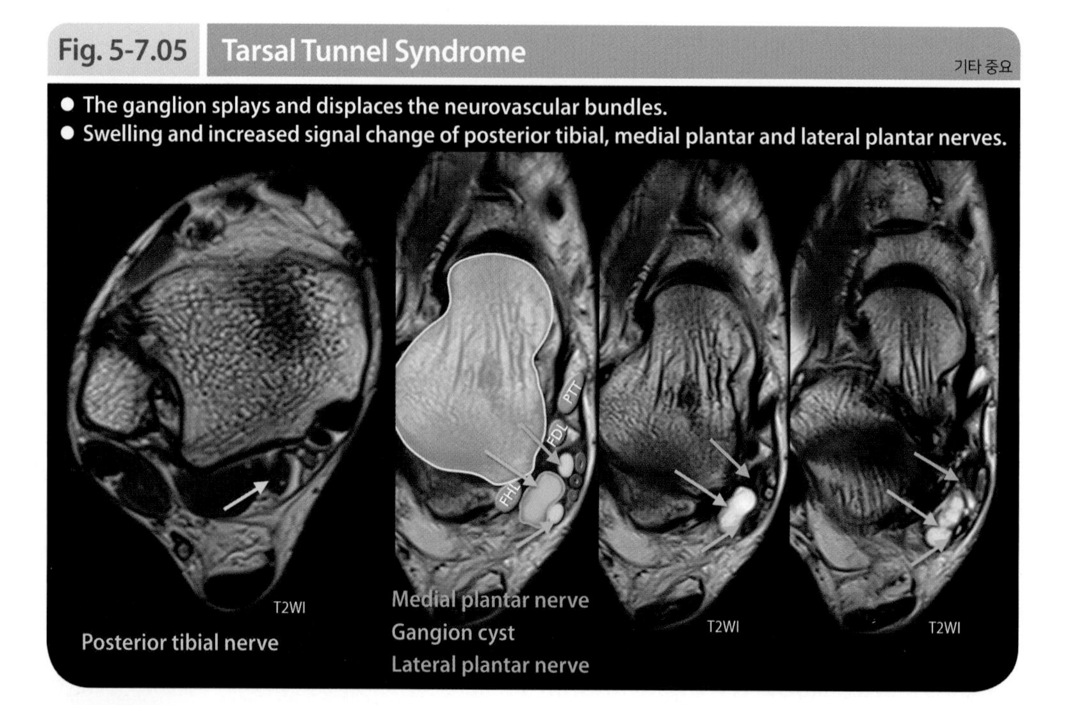

동영상 QR코드

▶ 5-7.05

Tarsal Tunnel Syndrome

- Posterior tibial nerve는 tarsal tunnel 내에서 medial (orange arrow) and lateral (green arrow) planar nerves로 분지한다.
- Ganglion cyst가 medial and lateral plantar nerve 사이에 위치하여 두 nerve 사이를 벌리면서 누르고 있다. Tarsal tunnel 내에 ganglion cyst같은 space occupying lesion이 있으면 posterior tibial nerve나 그 분지들을 눌러서 tarsal tunnel syndrome이 발생한다.
- Medial plantar nerve (orange)는 약간 swelling이 보인다.

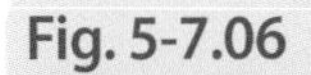

Tarsal Tunnel Syndrome 기타 중요

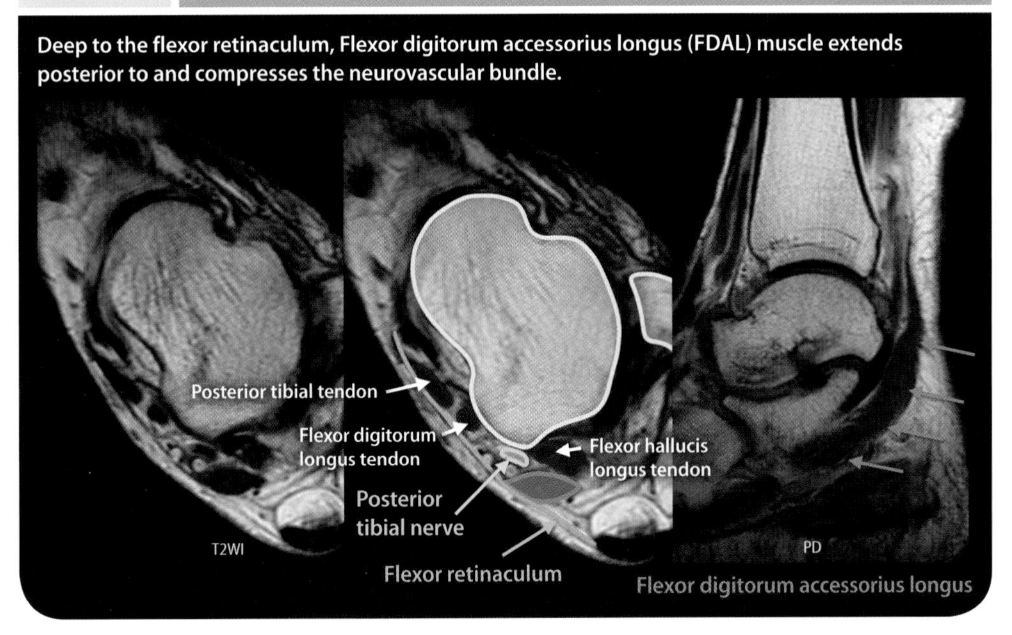

동영상 QR코드

▶ 5-7.06

Tarsal Tunnel Syndrome

- Flexor digitorum accessorius longus (FDAL)는 peroneus quartus muscle 다음으로 ankle joint에서 흔히 보이는 accessory muscle이다.
- FDAL은 flexor hallucis longus tendon의 posteromedial aspect에, posterior tibial nerve 후방에 위치하며 deep fascia와 flexor retinaculum보다 깊은 곳에 있다. 이러한 FDAL이 인접한 posterior tibial nerve를 눌러 tarsal tunnel syndrome이 생기거나, 간혹 flexor hallucis longus tenosynovitis가 생기기도 한다.
- (Fig. 5-7.11)을 참고하자.

Fig. 5-7.07 Tibial Nerve Schwannoma in the Tarsal Tunnel

기타 중요

- MRI is particularly helpful in detecting masses that may cause tarsal tunnel syndrome.

Posterior tibial nerve

Fascicular sign

T2WI

Enering/exiting nerve

PD

Split fat sign

T1WI

- Hypoechoic well-defined mass with posterior enhancement in continuity with the tibial nerve

동영상 QR코드

▶ 5-7.07

Tibial Nerve Schwannoma in the Tarsal Tunnel

- Posterior tibial nerve에 생긴 schwannoma에 의해 tarsal tunnel syndrome이 생긴 case이다.
- Schwannoma의 몇 가지 특징적인 소견이 있다(이것은 neurofibroma에서도 비슷한 소견을 보인다).
- Entering/exiting nerve: 경계가 분명한 oval shape의 병변으로 nerve 주행 방향을 따라 병변 안으로 들어가고 나가는 nerve를 볼 수 있다.
- Target sign: T2WI에서 병변 내부의 가장자리는 고신호강도이고, 중심은 저신호강도로 보인다.
- Fascicular sign: 병변 내부에 작은 ring like structures, 두꺼워진 fascicular bundles가 보인다.
- Split fat sign: 종양 주변(특히 근육 내에 위치한 schwannoma의 경우)에 T1WI에서 고신호강도의 지방 테두리가 보이기도 한다.

Fig. 5-7.08 Deep Peroneal Nerve Entrapment 기타 중요

Dorsal ganglia
T2WI
FSPD
Os intermetatarseum

- The small size of the nerve and its proximity to adjacent vessels makes detection of direct nerve abnormalities (eg, increased signal intensity and size) less reliable.

Possibility of DPN entrapment

동영상 QR코드

▶ 5-7.08

Deep Peroneal Nerve Entrapment

- Deep peroneal nerve의 medial branch는 extensor hallucis brevis muscle이 비대해진 경우(발레 댄서), extensor hallucis brevis tendon이 medial branch 위를 지나가는 위치(proximal to the 1st web space)에 space occupying lesion이 있는 경우, os intermetatarseum, talonavicular joint의 spur 등에 의해 신경이 눌린다.
- 왼쪽 이미지에서는 1st web space에 cyst가 있고 주변에 염증반응이 있던 환자이고 오른쪽 이미지는 os intermetatarseum이 있다.
- 이 위치에 병변이 생기면 deep peroneal nerve의 medial branch가 지나가기 때문에 neuropathy 가능성을 염두해야 한다.
- 일반적으로 entrapment neuropathy의 MRI 소견은 nerve가 커지거나 entrapment이 되는 곳에는 nerve의 flattening을 보이고 normal fascicular architecture가 소실되며, T2WI에서 신호강도가 증가한다.
- 하지만 지금 이 위치에서의 deep peroneal nerve는 크기가 작아서 인접한 vessels와 구분이 어렵고, entrapment neuropathy에서 보이는 MRI 소견을 보기 어려울 수 있다.

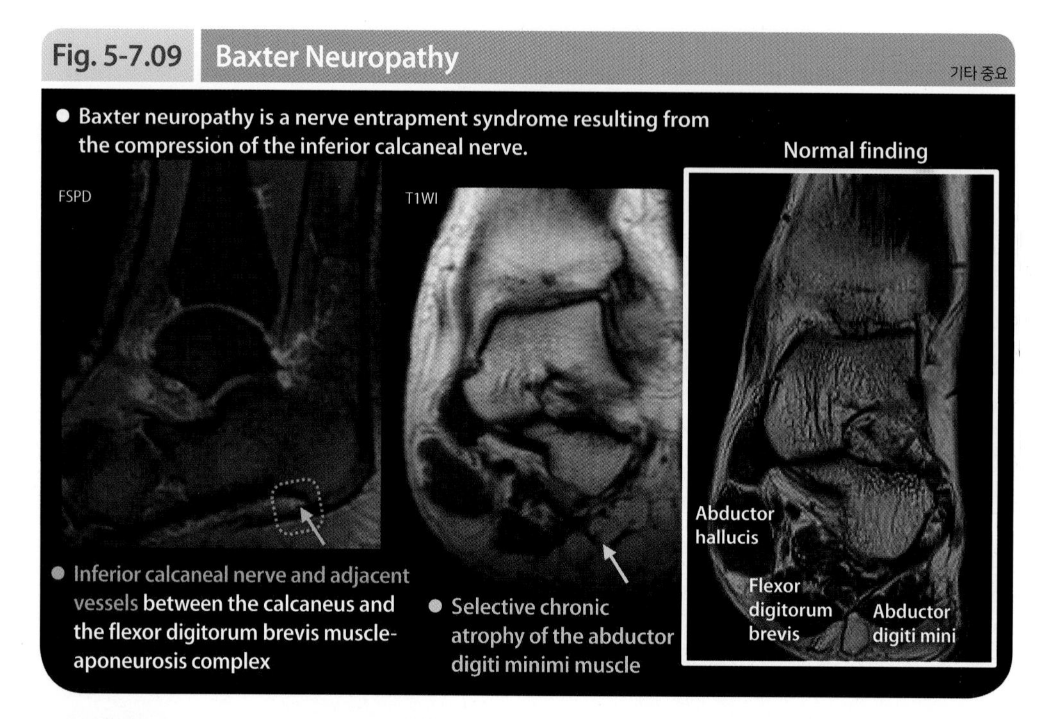

Fig. 5-7.09
Baxter Neuropathy
기타 중요
Baxter neuropathy is a nerve entrapment syndrome resulting from the compression of the inferior calcaneal nerve.
Normal finding
FSPD
T1WI
Inferior calcaneal nerve and adjacent vessels between the calcaneus and the flexor digitorum brevis muscle-aponeurosis complex
Selective chronic atrophy of the abductor digiti minimi muscle
Abductor hallucis
Flexor digitorum brevis
Abductor digiti mini

동영상 QR코드

▶ 5-7.09

Baxter Neuropathy

- Inferior calcaneal nerve (Baxter's nerve)는 lateral plantar nerve의 첫번째 분지이고, 90° horizontal turn을 하여, flexor digitorum brevis muscle-aponeurosis complex 사이를 지나 medial calcaneal tuberosity의 골막, abductor digiti minimi를 innervation한다

- Baxter neuropathy에서 denervation으로 인한 abductor digiti minimi muscle의 edema나 fatty atrophy가 생긴다.
- 이 케이스에서는 주변 abductor hallucis, flexor digitorum brevis muscle에 비해서 abductor digiti minimi muscle만 severe fatty atrophy가 된 것을 coronal image에서 잘 볼 수 있다.

- Acute denervation의 경우 STIR이나 T2WI에서 고신호강도를 보이고, 이 케이스처럼 chronic phase가 되어 fatty atrophy가 된 경우 T1WI에서 고신호강도의 지방침착을 볼 수 있다.
- 지방침착을 평가할 때는 fat suppression 하지 않은 MRI가 더 도움이 된다. 왜냐하면 iso signal intensity의 muscle이 고신호강도의 fat과 대비가 잘 되기 때문이다.

5. Foot Intrinsic Muscles (51)

- 발바닥의 intrinsic muscles는 4개의 층으로 나뉜다(Fig. 5-7.10).
- Plantar foot에는 10개, dorsal foot에는 2개의 intrinsic muscles가 있다.

6. Forefoot and midfoot Compartments (4) (52)

- Plantar fascia에서 발등 쪽으로 연속된 intermuscular septum을 기준으로 발의 compartment를 나눈다.
- 발의 soft tissue 감염이나 종양을 평가할 때 사용한다. 염증은 보통 compartment를 따라 퍼지나 인접한 compartment로도 파급된다.

- Medial compartment: Abductor hallucis muscle, Flexor hallucis longus (FHL) tendon, Flexor hallucis brevis (FHB) muscle
- Central compartment
  - Superficial subcompartment: Flexor digitorum brevis (FDB), Flexor digitorum longus (FDL) tendon (distal)
  - Middle subcompartment: FDL tendon (proximal), quadratus plantae muscle, lumbrical muscles
  - Deep subcompartment: adductor hallucis muscle
- Lateral compartment: Abductor digiti minimi (ADM) muscle, Flexor digiti minimi brevis (FDMB) muscle
- Interosseous compartment: dorsal and plantar interossei muscles

- Dorsal compartment:
  - Superficial layer: Extrinsic extensor tendon
  - Deep layer: Intrinsic extensor muscle

7. Accessory Muscles

Accessory muscles는 증상이 없지만, 간혹 pain, compressive neuropathy, compartment syndrome, rigid hindfoot deformity를 보이거나 종양으로 오인될 수도 있다(53) (Fig. 3-4.04).

a) Flexor Digitorum Accessorius Longus (FDAL) (4) (54) (Fig. 5-7.06) (Fig. 5-7.11)

- Peroneus quartus muscle 다음으로 ankle joint에서 흔히 보이는 accessory muscle
- Origin: 다양하며, tibia의 medial side, the deep posterior compartment fascia of leg, the lateral aspect of the fibula (any structure in the posterior compartment of the leg)
- Course: Flexor hallucis longus (FHL) tendon과 neurovascular bundle 사이에서 내려오거나 FHL tendon의 posterolateral aspect에 위치
- Insertion: Flexor digitorum longus (FDL) tendon or the quadratus plantae muscle (다른 accessory muscle과 구분)
- Symptom: FHL tenosynovitis and tarsal tunnel syndrome

b) Accessory Soleus (4) (53)

- Origin: the anterior (deep) surface of the soleus or the fibula and soleal line of the tibia
- Course: Achilles tendon의 전방 혹은 전내측으로 내려오며, flexor retinaculum보다 superficial하게 위치한다.
- Insertion: Achilles tendon, the upper surface of the calcaneus, and the medial aspect of the calcaneus

c) Accessory muscles의 종류를 위치에 따라 구분해보자(75).

- Ankle의 lateral aspect에 있으면 peroneus quartus (PQ)다.
- Ankle의 posteromedial aspect에 있는 경우는 deep aponeurosis를 기준으로 비교한다.
  - deep aponeurosis를 기준으로 superficial location을 하면 accessory soleus이다.
  - deep aponeurosis보다 깊은 곳에 위치하면 muscle의 부착 부위를 기준으로 나눈다. Quadratus plantae 혹은 flexor digitorum longus (FDL)에 부착하면 flexor digitorum accessorius longus (FDAL)이다.
  - deep aponeurosis보다 깊은 곳에 위치하면서 muscle이 calcaneus의 medial cortex에 부착하면 peroneocalcaneus internus (PCI) 혹은 tibiocalcaneus internus (TCI)이다.
  - PCI, TCI는 FHL과 비교하여 fibular side에서 origin하면 PCI이며, tibial side에서 origin하면 TCI이다.

Fig. 5-7.10 Foot Intrinsic Muscles

기타 중요

Foot Intrinsic Muscles			
	Origin	Insertion	Innervation
Layer 1 (superficial)			
Abductor hallucis	Medial calcaneus, plantar aponeurosis, flexor retinaculum	Proximal phalanx of great toe	Medial plantar nerve
Flexor digitorum brevis	Medial calcaneus, plantar fascia	Middle phalanges of 2nd ~5th toes	Medial plantar nerve
Abductor digiti minimi	Lateral process of calcaneal tuberosity	Lateral base of proximal phalanx of 5th toe	Lateral plantar nerve
Layer 2			
Quadratus plantae	Medial and lateral calcaneal tuberosity	Flexor digitorum longus tendon	Lateral planar nerve
Lumbricals	Flexor digitorum longus tendon	2nd ~ 5th MTP joints	Medial and lateral plantar nerves
Layer 3			
Flexor hallucis brevis	Cuboid, cuneiform, posterior tibial tendon	Proximal phalanx of great toe	Medial and lateral plantar nerves
Adductor hallucis	Oblique head: 2nd ~ 4th metatarsal bases Transverse head: 4th MTP joint capsule	Proximal phalanx of great toe	Medial and lateral plantar nerves
Flexor digiti minimi brevis	Cuboid, 5th metatarsal base	Proximal phalanx of 5th toe	Lateral planar nerve
Layer 4			
Plantar interosseous (3)	Medial aspect of 3rd ~5th metatarsals	Proximal phalanges bases of 3rd ~5th toes	Lateral planar nerve
Dorsal interosseous (4)	Two heads from the adjacent metatarsal shafts	Proximal phalanges bases of 2nd ~4th toes	Lateral planar nerve
Dorsal intrinsic muscle			
Extensor digitorum brevis	Anterior calcaneus, talocalcaneal interosseous ligament, inferior extensor retinaculum	Lateral 1st ~4th toes	Deep peroneal nerve
Extensor hallucis brevis	Dorsal surface of calcaneus	Proximal phalanx of great toe	Deep peroneal nerve

Foot Intrinsic Muscles

- 발바닥의 intrinsic muscles는 4개의 층으로 나뉜다.
- Plantar foot에는 10개, dorsal foot에는 2개의 intrinsic muscles가 있다.
- Plantar intrinsic muscles는 tibial nerve에서 나온 medial 혹은 lateral plantar nerves가 담당한다.
- Dorsal intrinsic muscles (extensor digitorum brevis, extensor hallucis brevis)는 deep peroneal nerve가 담당한다.

Fig. 5-7.11 **Flexor Digitorum Accessorius Longus** 기타 중요

동영상 QR코드

▶ 5-7.11

Flexor Digitorum Accessorius Longus

- Flexor digitorum accessorius longus (FDAL)는 다양한 곳에서 origin을 한다 (tibia의 medial side, deep posterior compartment fascia of leg and lateral aspect of the fibula).
- FDAL (white dots)은 flexor hallucis longus tendon (blue)의 posterior aspect에, posterior tibial nerve, medial and lateral plantar nerves 후방에 위치하며 deep fascia와 flexor retinaculum보다 깊은 곳으로 내려간다.
- Flexor digitorum longus tendon이나 quadratus plantae muscle에 부착한다.
- 그래서 FDAL은 인접한 posterior tibial nerve를 누르거나 간혹 flexor hallucis longus tenosynovitis가 생기기도 한다.

8. Neuromuscular disorder (4)

- Neuromuscular disorder는 nerve의 병변으로 innervation을 받는 voluntary muscle의 변화를 초래하는 경우를 말한다.
  - Muscular dystrophy: Duchenne dystrophy, Limb–girdle dystrophy 등 congenital muscular dystrophy가 있다.
  - Neuropathy: hereditary motor and sensory neuropathies
  - 이 외에도 cerebral palsy, Charcot–Marie–Tooth병, poliomyelitis 등이 포함된다(Fig. 5-7.12).

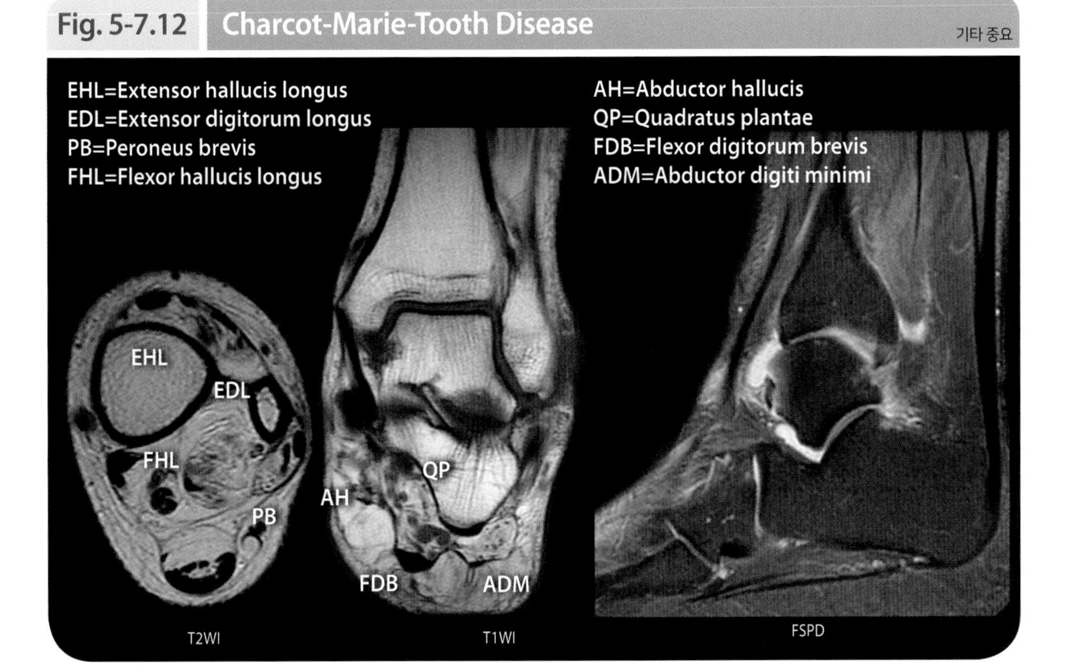

Fig. 5-7.12 Charcot-Marie-Tooth Disease 기타 중요

동영상 QR코드

▶ 5-7.12

Charcot-Marie-Tooth Disease

- Charcot-Marie-Tooth Disease는 lower motor (lesser degree sensory) neurons의 inherited neuropathy이다.
- 여기서도 전반적으로 모든 근육들이 fatty atrophy를 보인다.

08

류마티스 관절염, 통풍 (Arthropathy)

Similar to the hands, in rheumatoid arthritis, there is a predilection for the PIP and MTP joints (especially 4th and 5th MTP).

1. Rheumatoid Arthritis (55)

a) Rheumatoid Arthritis

- 발은 류마티스 관절염이 흔히 침범하는 부위로 손과 비슷한 분포 및 소견을 보이고, 류마티스 관절염 환자의 약 15%에서는 발에서 먼저 관절염이 발현한다.
- Forefoot의 중족지절관절과 엄지발가락의 지절간관절 침범이 가장 흔하며 midfoot의 관절들이 모두 침범될 수 있다.

- 빈도순: forefoot > midfoot > hindfoot > ankle
- Hindfoot은 아킬레스건염이나 족저근막염보다 종골후 윤활낭염(retrocalcaneal bursitis)이 더 흔하며, 인접하여 불분명한 골미란이 발생할 수 있다.

- 연부조직 부종, 내측과 발바닥 쪽 중족골두의 골미란(다섯 번째 발가락에는, 내측과 외측에 병변이 주로 생긴다)이 보인다(56).
- Characteristic deformities: metatarsal spreading, hallux valgus, lateral deviation of the toes in the metatarsophalangeal joint (57).

b) 영상소견(Fig. 5-8.01~05)

- Conventional radiography (58)
  - Fusiform soft tissue swelling
  - Regional or periarticular osteoporosis: regional osteoporosis is common in inflamed joints and is initially periarticular.
  - Concentric joint space narrowing progressive destruction results in bony ankylosis.
  - Bone cysts
  - Marginal and central bone erosions

- Computed Tomography
  - Useful in the detection of bone erosions.

- Ultrasound
  - Synovial proliferation and inflammation of the superficial joints
  - Ultrasound is useful in the evaluation of joint, tendons and bursal involvement.

- MRI findings of Early Rheumatoid Arthritis (RA) (55) (58) (Fig. 5-8.01~04) (Fig. 5-8.06)
  - Synovitis, tenosynovitis, and bursitis: synovitis는 RA의 가장 초기 소견이다. 관절, tendon sheath, bursa를 침범하며, 관절의 margin을 따라 frond-like synovial thickening을 보이며, 급성 염증이 있는 경우 synovial tissue가 조영증강이 잘 되므로 관절액과 구분할 수 있다. Tenosynovitis는 tendon sheath 내에 synovial proliferation을 보인다.
  - Bone marrow edema and erosion: RA에서 subchondral, peripheral marrow edema는 가역적인 소견이지만, 그 중 반은 1년 이내에 erosive disease로 진행한다(76).

- MRI findings of Chronic Rheumatoid Arthritis (55) (58) (Fig. 5-8.05~06)
  - Early and active RA에서는 hypervascular pannus가 특징이며, high T2 signal intensity이며 조영증강이 잘된다. 하지만 longstanding RA에서는 fibrous pannus를 보이며 lower T2 intensity이며 조영증강이 덜 된다.
  - Concentric or diffuse cartilage loss가 보이며, subchondral cysts and erosion이 잘 보인다. Superimposed osteoarthritis도 chronic RA에서 볼 수 있다.
  - Rice bodies는 tuberculosis에서 잘 보이나, chronic synovial inflammation을 보이는 osteoarthritis, chronic RA에서도 볼 수 있다. Rice bodies는

low T1 and T2 signal intensity를 보이며, mineralization이 없다(77).

- Rheumatoid nodules는 주로 heel pad에서 보이며, isointense to hypointense T1 signal, T2WI에서는 necrosis에 따라 다양하게 보이며 다양하게 조영증강된다(78).

c) 류마티스 관절염의 여러 감별 질환 중에 결핵성 관절염이 있다(Fig. 5-8.07~08).

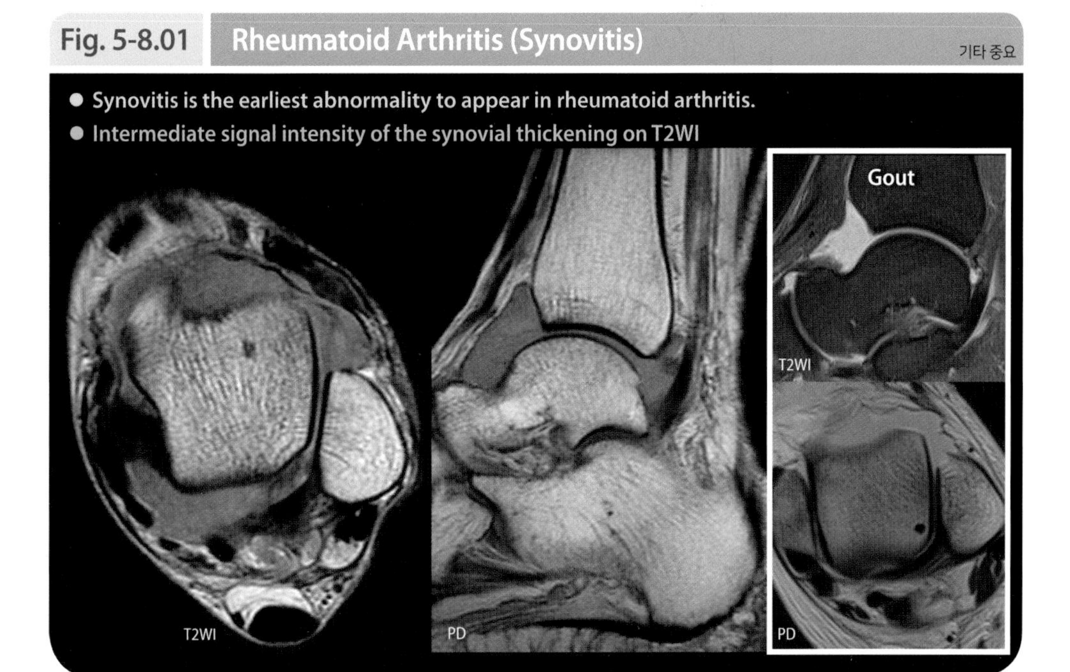

기타 중요
● Synovitis is the earliest abnormality to appear in rheumatoid arthritis.
● Intermediate signal intensity of the synovial thickening on T2WI
Gout
T2WI
T2WI
PD
PD

Fig. 5-8.01 Rheumatoid Arthritis (Synovitis)

동영상 QR코드

▶ 5-8.01

Rheumatoid Arthritis

- Rheumatoid arthritis (RA)에서 MRI는 synovitis를 조기에 발견하고 정량화할 수도 있어 도움이 된다.
- 비후된 synovium은 T1WI에서 저신호강도이며, T2WI에서 고신호에서 저신호강도까지 다양하게 보일 수 있다. 초기 synovitis는 joint effusion처럼 T2WI에서 고신호강도를 보이지만 chronic synovitis는 T2WI에서 저신호강도를 보인다.
- T1WI와 T2WI에서 synovitis와 effusion이 구분이 안되는 경우도 많은데 조영증강 검사를 하면 조영증강되는 synovium이 조영증강되지 않는 effusion과 구분이 잘 된다.
- 여기에서도 조영증강 검사를 시행하지 않았으나 T2WI에서 저신호강도를 보여 joint effusion보다는 synovial thickening/proliferation인 것을 알 수 있다. 오른쪽 이미지는 gout 환자인데 여기에서 생긴 joint effusion의 신호강도를 T2WI와 PD 이미지에서 비교해보자.
- 염증이 있는 synovium은 bursa와 tendon sheath에도 보인다.
- Tenosynovitis는 초기 RA에서 흔하게 보이기 때문에 중요한 병변이고, 손, 발, 손가락 등에 잘 발생한다.

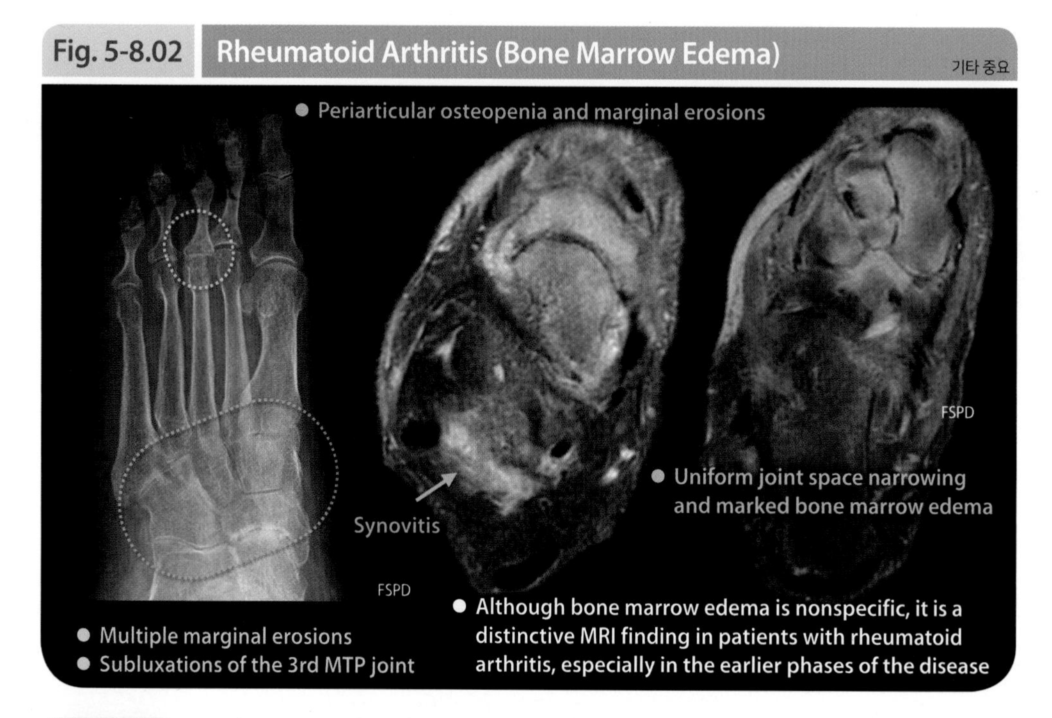

기타 중요
Periarticular osteopenia and marginal erosions
FSPD
Uniform joint space narrowing and marked bone marrow edema
Synovitis
FSPD
Multiple marginal erosions
Subluxations of the 3rd MTP joint
Although bone marrow edema is nonspecific, it is a distinctive MRI finding in patients with rheumatoid arthritis, especially in the earlier phases of the disease

Fig. 5-8.02 Rheumatoid Arthritis (Bone Marrow Edema)

동영상 QR코드

▶ 5-8.02

Rheumatoid Arthritis (Bone Marrow Edema)

- Bone marrow edema는 질병의 활성도와 연관이 있는 것으로 알려져 있고, bone erosion의 전조로 여겨지고 있다. Bone marrow edema, synovitis의 정도가 염증 초기 환자에서 중요한 소견이다.
- Bone erosion은 비가역적인 관절의 파괴를 시사하는 중요한 소견이다.

- 여기서는 tarsal bones에 심한 bone marrow edema, 일반촬영에선 periarticular osteopenia, marginal bone erosion이 보인다.
- Rheumatoid arthritis (RA)에서는 osteoarthritis와 다르게 diffuse, symmetric joint space narrowing이 보인다.
- 3rd MTP joint subluxation도 보인다.

Fig. 5-8.03 Rheumatoid Arthritis (Bone Erosion) 기타 중요

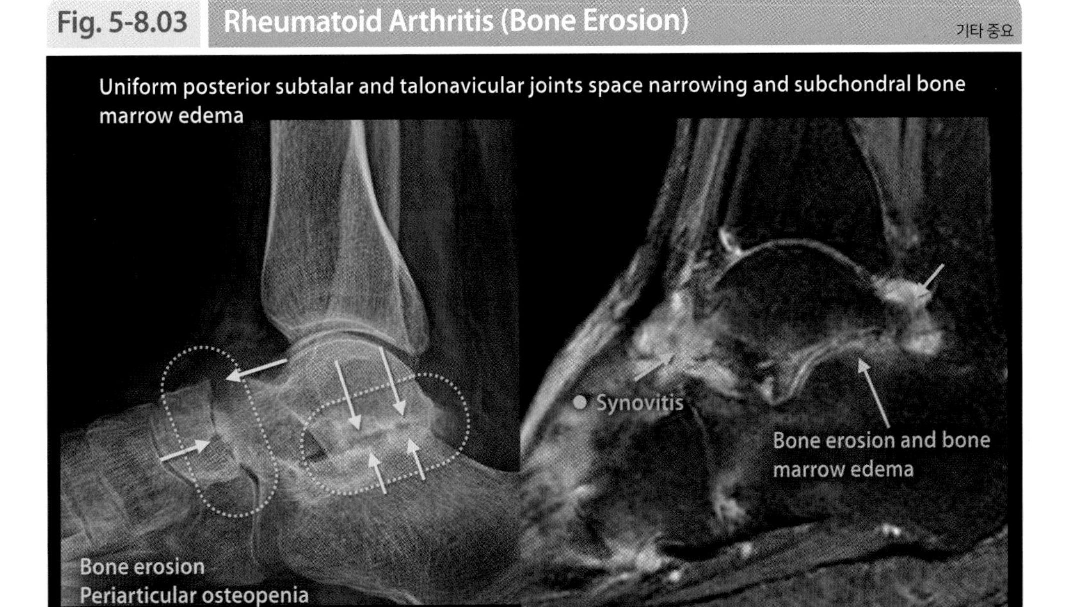

동영상 QR코드

▶ 5-8.03

Rheumatoid Arthritis (Bone Erosion)

- 일반촬영에서 talonavicular and posterior subtalar joints에 osteopenia, symmetric joint space narrowing이 보이고, bone erosion으로 인하여 cortex가 얇아지면서 불연속적으로 관찰된다.
- MRI에서 마찬가지로 bone marrow edema와 bone erosion과, synovitis가 보인다.

Fig. 5-8.04 Rheumatoid Arthritis (Bone Erosion)

기타 중요

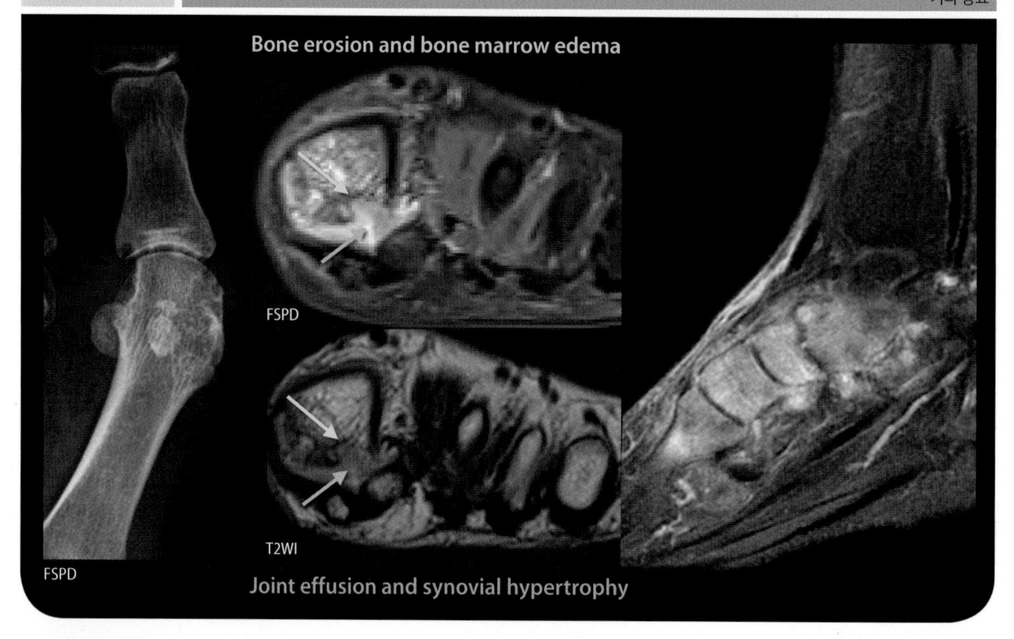

동영상 QR코드

▶ 5-8.04

Rheumatoid Arthritis (Bone Erosion)

- 발에서 생기는 rheumatoid arthritis (RA)는 손과 비슷한 분포 및 소견을 보인다.
- Forefoot의 metatarsophalangeal joint (MTP)와 엄지발가락의 IP joint 침범이 가장 흔하다. 진행되면 hallux valgus가 생길 수 있다.

- MRI에서 1st metatarsal head에 bone erosion (yellow arrow)과 인접한 synovitis (green arrow)가 보이고, synovitis는 T2WI에서 내부에 일부 저신호 강도가 보여 섬유화가 약간 진행된 것을 알 수 있다.
- Midfoot의 관절들은 rheumatoid arthritis (RA)에서 모두 침범될 수 있고 여기서는 diffuse bone marrow edema가 보인다.

Fig. 5-8.05 **RA with Secondary Osteoarthritis** 기타 중요

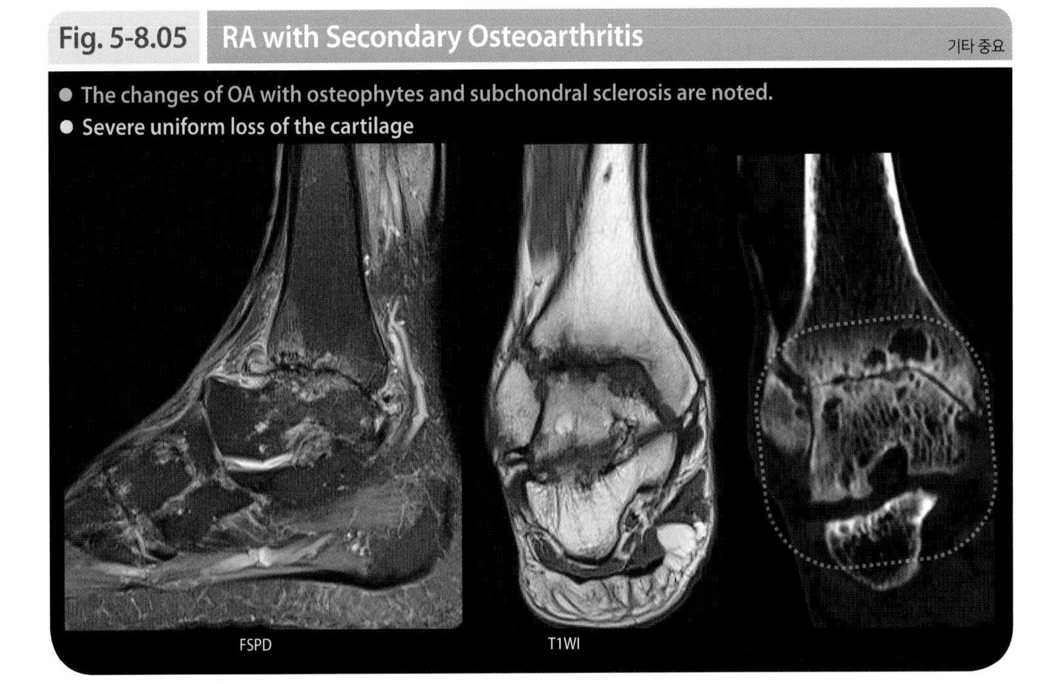

● The changes of OA with osteophytes and subchondral sclerosis are noted.
● Severe uniform loss of the cartilage
FSPD
T1WI

동영상 QR코드

▶ 5-8.05

RA with Secondary Osteoarthritis

- Rheumatoid arthritis (RA) 환자여서 severe cartilage loss와 subchondral cysts, edema, joint destruction, synovitis가 보인다. (tibiotalar, tarsal talocalcaneal joints)
- 하지만 RA의 전형적인 소견 이외에 spur 및 subchondral sclerosis가 보여서 osteoarthritic change가 동반된 소견이다. Chronic RA에서 superimposed osteoarthritis를 볼 수 있다.

Fig. 5-8.06 MRI Findings of Rheumatoid Arthritis

기타 중요

MRI Findings of Rheumatoid Arthritis (57) (58)	
Synovitis	• Manifests as synovial hyperemia (which enhances after contrast administration) and an increase in the volume of synovial fluid; it indicates acute inflammation
Fibrotic pannus	• Manifests as a relatively hypovascular soft tissue mass in close proximity to an erosion; indicates a latter phase in the inflammatory process.
Joint effusion	
Bone marrow edema	• Predominantly periarticular: has been shown to precede erosive damage.
Erosions and subchondral cysts	• These constitute osseous defects; it is thought that subchondral cysts in RA may constitute "pre-erosions" and eventually progress to erosions; • MRI is much more sensitive to its detection than conventional radiographs, and contrast enhancement permits the distinction between erosions / pre-erosions and degenerative subchondral cyst
Intra-articular loose bodies (Rice bodies)	• These are common and characteristic findings in RA and include bone and cartilage fragments.
Tendons	• Tendon sheath synovitis, tendinitis and rupture
Bursa	• Synovitis, erosions of the adjacent bone; the retrocalcaneal bursa is frequently involved
Subcutaneous tissues	• Rheumatoid nodules

MRI Findings of Rheumatoid Arthritis

Fig. 5-8.07 Tuberculous Arthritis and Osteomyelitis 기타 중요

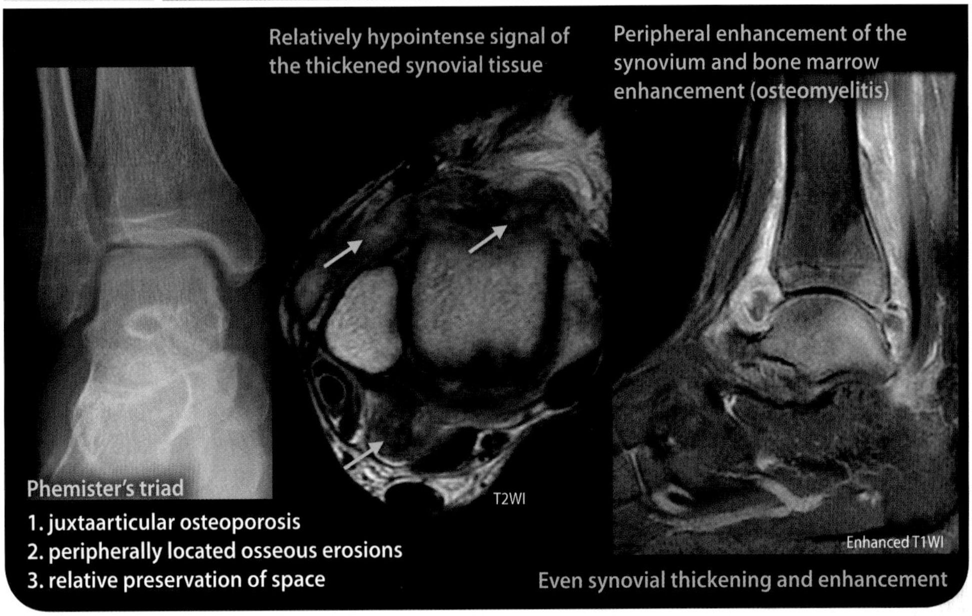

Relatively hypointense signal of the thickened synovial tissue

Peripheral enhancement of the synovium and bone marrow enhancement (osteomyelitis)

Phemister's triad
1. juxtaarticular osteoporosis
2. peripherally located osseous erosions
3. relative preservation of space

T2WI

Enhanced T1WI

Even synovial thickening and enhancement

동영상 QR코드

▶ 5-8.07

Tuberculous Arthritis and Osteomyelitis

- Tuberculous arthritis의 전형적인 일반촬영 소견으로 Phemister's triad가 있다(periarticular osteoporosis, bare area erosion, gradual joint space narrowing).
- MRI 초기 소견은 joint effusion, synovial thickening, bone marrow edema, cartilage irregularity, soft tissue change를 보인다.
- 병변은 T1WI에서 저신호, T2WI에서 저신호 혹은 중등신호를(green arrows), 조영증강 T1WI에서 종영증강 되지 않는 caseous necrosis를 보인다.
- Tuberculosis osteomyelitis에서 bone marrow edema, cortical destruction, soft tissue edema, abscess가 생길 수 있는데, 여기서는 bone marrow edema와 조영증강이 된다.
- Tuberculosis는 수 개월에서 수 년에 걸쳐서 매우 느리게 진행하고 proteolytic enzyme이 나오지 않아 오랫동안 관절간격이 유지된다.
- 감별질환으로 pyogenic arthritis의 경우 rapid joint space narrowing, osteolysis, bone marrow enhancement가 심하게 보인다.
- Tuberculosis arthritis는 joint space narrowing이 천천히 진행하고 periarticular abscess가 크고 rim enhancement를 보인다. Caseous necrosis는 여기 case에서 보이는 것처럼 T2WI에서 저신호강도를 보이는 것이 특징이다.

Fig. 5-8.08 Tuberculous Arthritis vs Rheumatoid Arthritis

기타 중요

Uneven synovial thickeing	RA > TB
Degree of synovial thickening Greater the thickness of inflamed synovium (>1 cm), greater the possibility of RA	RA > TB
Size of bone erosion Size of the bony erosions tend to be smaller in RA than TB	RA < TB
Rim enhancement of bone erosion	RA < TB
Extraarticular cystic mass Extra-articular cold abscesses are more common in TB	RA < TB

AJR 2009; 193:1347–1353

동영상 QR코드

▶ 5-8.08

Tuberculous Arthritis vs Rheumatoid Arthritis

2. Gout (4) (59) (60)

a) Gout

- Gout는 monosodium urate 결정이 articular cartilage, synovial, subchondral bone, capsular, periarticular tissues에 침착되는 질환으로 중년 남자에게 흔하다.
- 가장 흔한 병변 위치는 1st MTP joint이며 임상경과 초기에는 영상검사가 정상으로 보이는 경우가 많다.
- Overhanging edge 모양의 punched-out lytic bone erosion을 동반하는 tophi가 있다.
- Gout가 상당히 진행하여도 joint space가 비교적 잘 유지된다.
- 관절이 광범위하게 파괴된 경우에도 osteoporosis는 심하지 않을 수 있다. (61) (62) (Fig. 5-8.09~10)

b) 영상소견 (79)

- Ultrasound (63)
  - Tophus는 초음파에서 hyperechoic, heterogeneous poorly defined contour로 다양하게 보이며, hypoechoic peripheral rim을 갖고 vascularity가 증가한다.
  - Irregular bands of articular cartilage, synovial thickening, hyperechoic, punctate debris가 보이고, cortical erosion을 볼 수 있다.
  - Joint effusion 내에 hyperechoic spots, bands가 떠다니는 것을 "snowstorm appearance"라고 한다.
  - Anechoic hyaline cartilage의 가장 표면에 tophaceous deposit이 되어 hyperechoic surface를 보이면 "double contour sign"이라고 한다.

- 초음파로 bursa, tendon, ligament, soft tissue에 tophaceous deposit된 것을 볼 수 있다.
- CT (64)
  - Tophus는 160 - 170 Hounsfield units (HU)에서 인접한 연부조직보다 음영이 높아서 bone, joint 및 tendon 주변, soft tissue에 tophus를 잘 볼 수 있다.
  - Intraarticular and extraarticular sites에 overhanging margin을 보이는 well-demarcated corticated erosions이 잘 보인다.
  - Dual-energy CT를 통해 gout 치료 전후의 영상을 쉽게 비교할 수 있고, gout 결정의 정량적 측정도 가능하다.
- MRI (61) (65) (Fig. 5-8.11~15)
  - Gout는 MRI에서 다양하게 보인다.
  - Tophus는 T1WI에서 intermediate or low signal intensity, T2WI에서 calcium의 함량에 따라 heterogeneous signal intensity를 보인다. 조영증강 이미지에서는 uniform enhancement 혹은 중심은 조영증강이 되지 않기도 한다.
  - Tophus 주변으로 bone erosion이 보이며, 다양한 정도로 bone marrow edema를 보인다.

c) 감별 질환 중에 Tenosynovial giant cell tumors와, Synovial osteochondromatosis가 있다(Fig. 5-8.16~17).

- Acute gouty arthritis는 MRI에서 septic arthritis로 보일 수도 있다.
- Cortical erosion이 동반된 osteomyelitis와 감별이 필요할 수도 있는데, gout에서는 인접한 soft-tissue ulcer가 보이지 않는 점이 다르다.

Fig. 5-8.09 Gout Plain Radiography

기타 중요

Gout Plain radiograph	
Joints	• Joint effusion (earliest sign) • Preservation of joint space until late stages of the disease • An absence of periarticular osteopenia • Eccentric erosions • The typical appearance is the presence of well-defined "punched-out" erosions with sclerotic margins in a marginal and juxta-articular distribution, with overhanging edges, also known as rat bite erosions
Bone	• Punched-out lytic bone lesions • Overhanging sclerotic margins • Osteonecrosis • Mineralization is normal
Surrounding soft tissues	• Tophi:pathognomonic • Olecranon and prepatellar bursitis • Periarticular soft tissue swelling due to crystal deposition in tophi around the joints is common • The soft tissue swelling may be hyperdense due to the crystals, and the tophi can calcify (uncommon in the absence of renal disease)

Gout Plain Radiography

Fig. 5-8.10 **Tophaceous Gout**

기타 중요

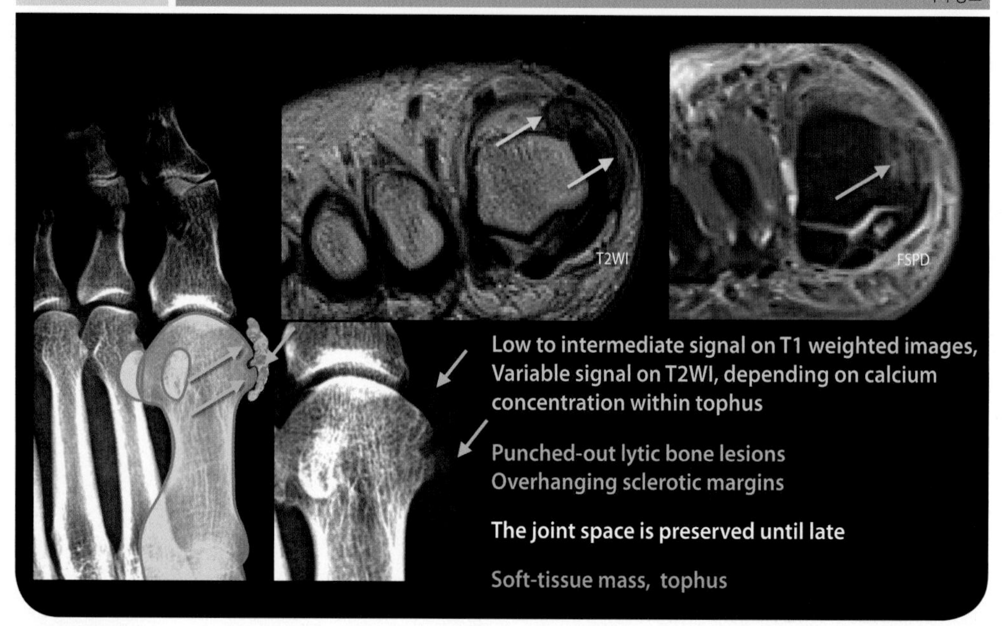

T2WI
FSPD
Low to intermediate signal on T1 weighted images, Variable signal on T2WI, depending on calcium concentration within tophus
Punched-out lytic bone lesions
Overhanging sclerotic margins
The joint space is preserved until late
Soft-tissue mass, tophus

동영상 QR코드

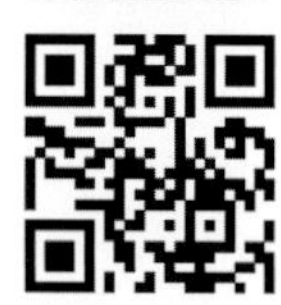

▶ 5-8.10

Tophaceous Gout

- Gout의 가장 특징적인 병변은 1st MTP joint에 생긴다.
- Overhanging edge 모양의 bone erosion (blue)을 동반하는 tophi (yellow)가 1st metatarsal head (medial and dorsal aspect)에 생긴다.
- 침범관절의 joint space narrowing이 없다
- T1WI, T2WI에서 비석회화 gout는 낮거나 중간 정도의 신호강도를 보인다. 그래서 tuberculosis와 비슷하게 보일 수도 있다(Fig. 5-8.07).

Fig. 5-8.11 Gout (Synovitis & Tenosynovitis) 기타 중요

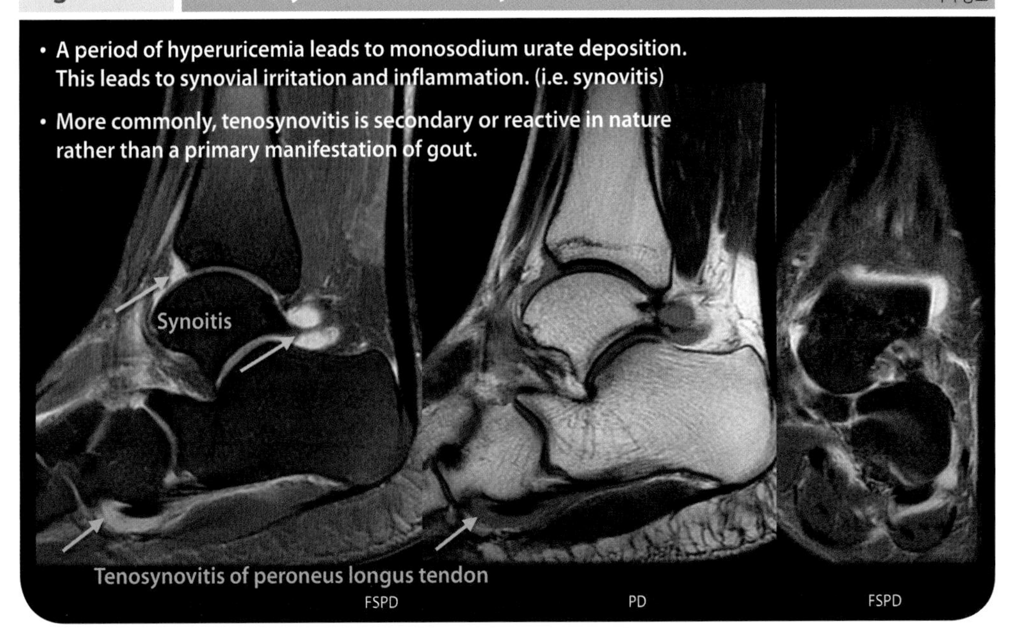

• A period of hyperuricemia leads to monosodium urate deposition. This leads to synovial irritation and inflammation. (i.e. synovitis)
• More commonly, tenosynovitis is secondary or reactive in nature rather than a primary manifestation of gout.
Synoitis
Tenosynovitis of peroneus longus tendon
FSPD
PD
FSPD

동영상 QR코드

▶ 5-8.11

Gout (Synovitis & Tenosynovitis)

- Tibiotalar joint에 effusion이 있고, peroneus longus tendon에 tenosynovitis (orange arrow)가 보인다.
- (Fig. 5-8.01) 오른쪽 그림이 gout 환자의 MRI이며, joint effusion이 보인다.
- 젊은 남자가 일반촬영에서 특이소견 없으면서 특별한 trauma 없이 갑자기 joint effusion, tenosynovitis가 발에 생긴다면 gout를 의심해볼 수 있다.

Fig. 5-8.12 Gout (Tophi)

기타 중요

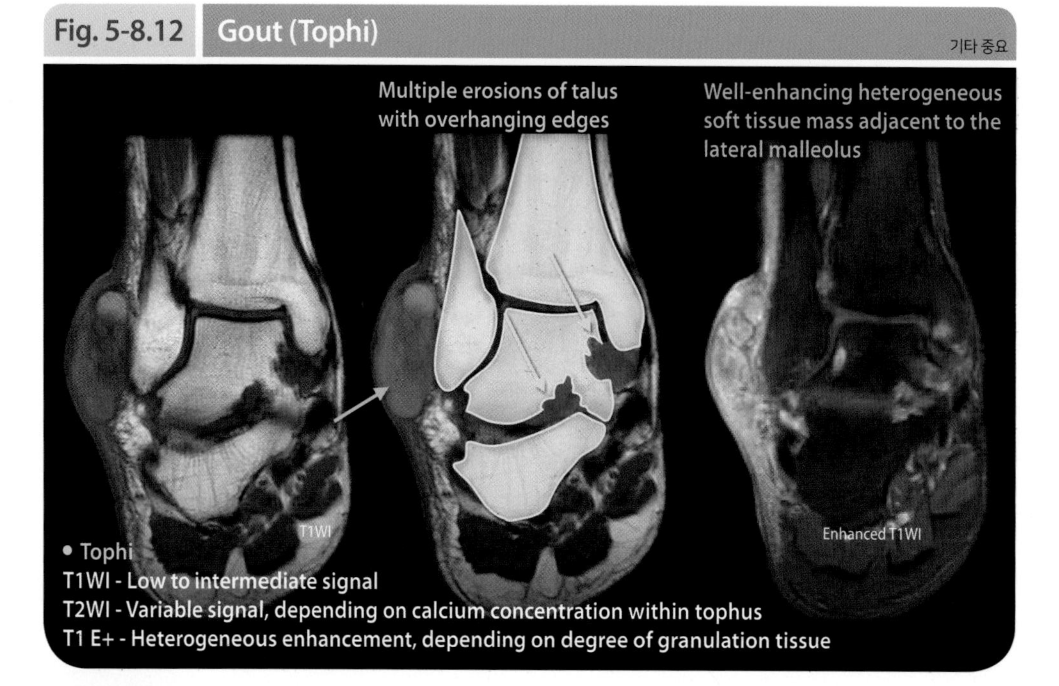

Multiple erosions of talus with overhanging edges
Well-enhancing heterogeneous soft tissue mass adjacent to the lateral malleolus
T1WI
Enhanced T1WI
• Tophi
T1WI - Low to intermediate signal
T2WI - Variable signal, depending on calcium concentration within tophus
T1 E+ - Heterogeneous enhancement, depending on degree of granulation tissue

동영상 QR코드

▶ 5-8.12

Gout (Tophi)

- Overhanging edges를 보이는 multiple erosion (yellow)이 medial talar side (deltoid ligament)와 tarsal canal (interosseous ligament 주변)내에 있으며 erosion 주변으로 tophi가 보인다.
- Tophus는 ligament와 tendon 안에 침착 될 수 있는데 MRI에서 ligament와 tendon이 저신호강도이므로 구분이 어려울 수 있다. Tophi는 T1WI 저신호에서 중등신호강도이며, T2WI에서는 다양하게 보이며, heterogenous enhancement를 보이므로 tendon이나 ligament 내에 침착한 tophi를 찾을 수 있다.
- Superficial lateral malleolus bursitis에도 조영증강 되는 tophi가 있다.

Fig. 5-8.13 **Gout (Intratendinous & Intraarticular Tophi)** 기타 중요

(Intraarticular tophi)

FSPD

Tophus within the flexor hallucis tendon (Intratendinous tophi)

Enhanced T1WI

동영상 QR코드

▶ 5-8.13

Gout (Intratendinous & Intraarticular Tophi)

- (Fig. 5-8.12)와 같은 환자이다. Intratendinous and intraarticular tophi를 하늘색으로 표시해두었다.
- Intraarticular tophi가 FSPD에서 저신호강도로 보인다.
- 그뿐 아니라 flexor hallucis longus tendon이 주변 다른 tendons와 다르게 내부에 증가된 신호강도를 보이며, 조영증강이 잘 되고, intraarticular tophi와 같은 신호강도 및 조영증강을 보인다. 그래서 FHL tendinosis나 partial tear가 아니라 tendon 내에 tophus가 침착된 것을 알 수 있다.

Fig. 5-8.14 Gout (Intraosseous Tophi) 기타 중요

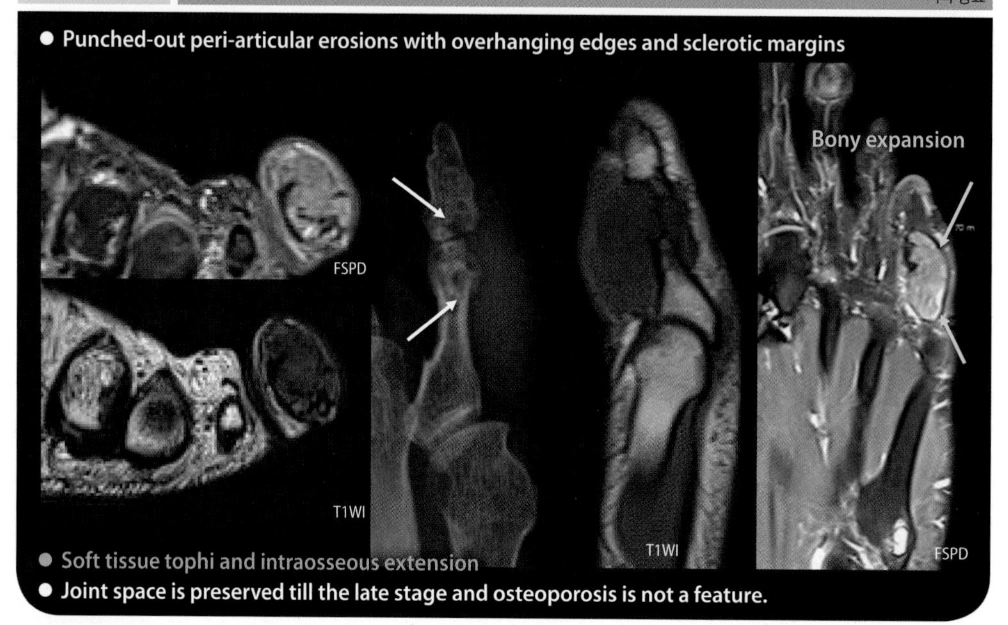

● Punched-out peri-articular erosions with overhanging edges and sclerotic margins
Bony expansion
FSPD
T1WI
T1WI
FSPD
● Soft tissue tophi and intraosseous extension
● Joint space is preserved till the late stage and osteoporosis is not a feature.

동영상 QR코드

▶ 5-8.14

Gout (Intraosseous Tophi)

- 일반촬영에서 전형적인 gout 소견이 보인다(sclerotic margin을 갖는 punch out bone erosion과 overhang edge가 있고 비교적 joint space는 유지되며 osteoporosis가 없다).
- 5th toe에 bone expansion이 동반된 T1WI에서 low, FSPD 이미지에서 heterogenous high, T2WI에서 저신호강도를 보이는 intraosseous, extraosseous tophi가 보인다. 전형적인 tophus의 신호강도이다.
- 이런 tophi는 bone tumor처럼 보일 수 있다.

Fig. 5-8.15 MRI Findings of Gout

기타 중요

MRI Findings of Gout	
Tophi	• Low to intermediate signal on T1 weighted images, • Variable signal on T2-weighting, depending on calcium concentration within tophus • Typically demonstrate heterogeneous enhancement on post-gadolinium imaging, depending on degree of granulation tissue present • Tophi demonstrate fairly homogeneous enhancement after administration of IV contrast though this is not always the case • The tophi may be intraarticular, extraarticular, or intraosseous in location. • The latter are typically metaphyseal and periosteal involving the long bones, with expansion and cystic changes occurring
Erosions	MRI much more sensitive than radiographs for detecting early erosions
Synovitis	
Tenosynovitis	• Can mimic an infectious tenosynovitis • Has been mistaken for tuberculous tenosynovitis • More commonly, tenosynovitis in patients with gout is secondary or reactive in nature rather than a primary manifestation of disease
Bursitis	• Retrocalcaneal bursitis is also seen, commonly associated with calcaneal erosions and Achilles tendon pathology

MRI Findings of Gout

기타 중요병변

Fig. 5-8.16 **Tenosynovial Giant Cell Tumor** 기타 중요

- Low signal on T1, lower signal on T2 likely from hemosiderine deposition

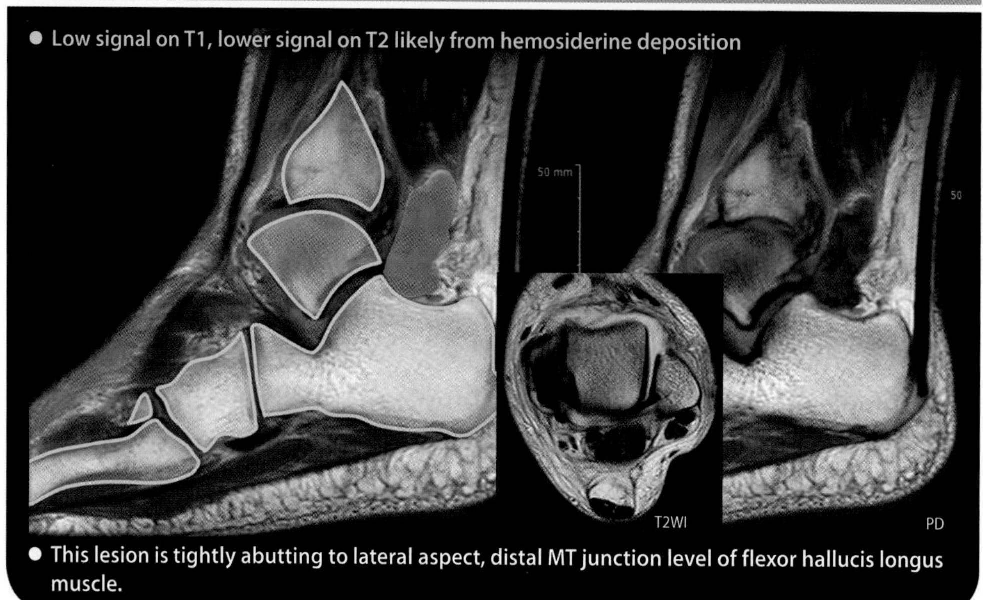

- This lesion is tightly abutting to lateral aspect, distal MT junction level of flexor hallucis longus muscle.

동영상 QR코드

▶ 5-8.16

Tenosynovial Giant Cell Tumor

- Tenosynovial giant cell tumor는 hemosiderin이 풍부하여 모든 시퀀스에서 저신호강도, 특히 T2WI에서 저신호강도를 보이며, 조영증강이 잘된다.
- Round and oval shape 또는 polylobular 모양의 solid mass이며, tendon sheath 내에 eccentric location을 보이거나, 혹은 tendon sheath를 감싸는 형태를 보인다.
- 여기도 flexor hallucis longus musculotendinous junction 이하에서 tendon sheath를 감싸고 있는 병변이 있고, 특히 T2WI에서 저신호강도를 보인다.

Fig. 5-8.17 Synovial Osteochondromatosis 기타 중요

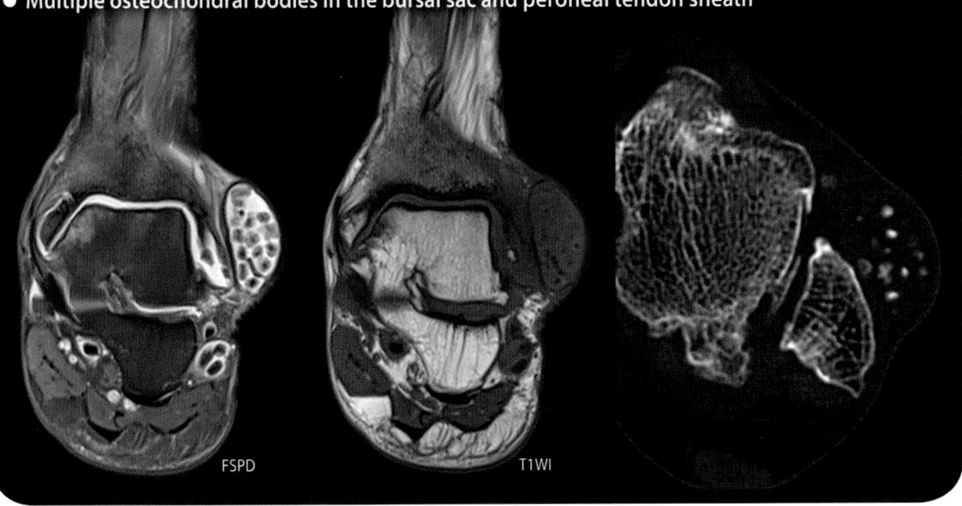
● Multiple similar-sized loose bodies of low signal intensity, some of them are showing intermediate to high signal intensity that is of cartilage.
● Multiple osteochondral bodies in the bursal sac and peroneal tendon sheath
FSPD
T1WI

동영상 QR코드

▶ 5-8.17

Synovial Osteochondromatosis

- Superficial lateral malleolus bursa 및 peroneus longus tendon sheath 내에 여러 개의 동그랗고 크기가 비슷한 loose bodies가 보인다.
- Synovial (osteo) chondromatosis는 primary와 secondary로 나뉜다. 여기에서는 비슷한 크기의 multiple osteocartilaginous loose bodies를 보여 primary synovial osteochondromatosis라고 볼 수 있다.
- MRI FSPD 이미지에서 mineralization이 된 중심부는 저신호로 보이고 주변으로 chondroid part는 중등신호에서 약간 고신호강도로 보인다. Ossification이 되지 않는다면 일반촬영이나 CT scan에서 병변을 찾기 어렵다.

09

연조직감염
(Soft Tissue Infection)

Soft−tissue infections are common in clinical practice, encompassing a wide spectrum of pathologic conditions that range from involvement of the skin to the deep soft tissues and bones (66).

Soft tissue는 skin (epidermis and dermis), superficial fascia or subcutaneous tissue (hypodermis), the deep fascia, and muscles의 4개의 층으로 구분된다(Fig. 5-9.01~02).

Fig. 5-9.01 Fascial Anatomy of the Thigh 기타 중요

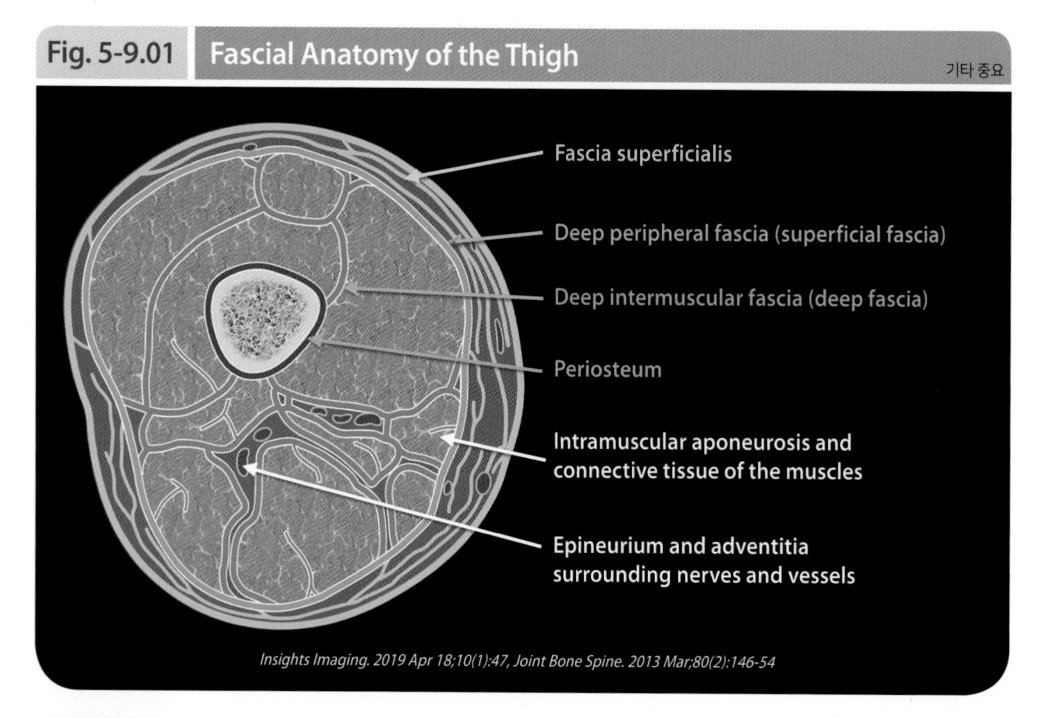

동영상 QR코드

▶ 5-9.01

Fascial Anatomy of the Thigh

- Soft tissue는 skin (epidermis and dermis), superficial fascia or subcutaneous tissue (hypodermis), the deep fascia, and muscles의 4개의 층으로 구분된다.
- Fascial anatomy에서 일반적으로 사용되는 용어와 해부학적 용어 사이에 차이가 있다.
- Fascia superficialis (cutaneous fascia), hypodermis는 혼선이 없으나, deep peripheral fascia (superficial fascia)는 용어가 정확하게 통일이 되진 않았다.
- Deep fascia를 두 가지로 나눠서 deep peripheral fascia (blue), deep intermuscular fascia (green) 이렇게 구분하기도 한다. 혹은 deep peripheral fascia (blue)를 superficial fascia로, deep intermuscular fascia (green)를 deep fascia로 구분하기도 한다.

Fig. 5-9.02 Summary of Soft Tissue Infection

기타 중요

Summary of Soft tissue infection

	Ultrasound	CT	MRI
Cellulitis	Cobblestone appearance	Stranding of the fat of SCT (subcutaneous tissue) High attenuation and septation of the SCT	Hyperintense T2 signal in SCT Normal deep fascia
Fasciitis (Non-necrotizing) (Necrotizing Fasciitis)	Thickening of the deep fascia (>4 mm)	Thickening with or without enhancement Fluid along deep fascia Intermuscular edema Gas (necrotizing fasciitis)	Hyperintense T2 deep fascial thickening (>3 mm) Enhancement (inflammation) or not (necrosis) No enhancement of deep fascia (severe necrotizing fasciitis case)
Myositis	Muscle hypo- or hyperechogenic swelling	Blurring and thickening of regional muscles	Peripheral band-like hyperintense signal in the muscles of three or more compartments

Skeletal Radiol. 2014 May;43(5):577-89, Poster No.: C-2369 Congress: ECR 2017

동영상 QR코드

▶ 5-9.02

Summary of Soft Tissue Infection

1. 봉와직염 Cellulitis (4) (66)

- 피부와 피하지방의 감염을 의미한다.
- 초음파:
  - Hyperechoic fat lobule 사이에 hypoechoic strand가 생기며, superficial fascia의 표면을 따라 fluid가 보인다.
  - Subcutaneous tissue에 edema가 심해지면 branching, anechoic striations가 "cobblestone" appearance로 보이게 된다.
  - Color flow가 증가한다.
- CT/MRI (Fig. 5-9.03)
  - Skin이 두꺼워지면서 조영증강이 되고, subcutaneous fat의 reticular pattern enhancement, superficial fascia를 따라 fluid가 보인다.

- Cardiogenic edema, 림프부종(lymphedema), deep vein thrombosis도 영상 소견이 비슷하지만, cardiogenic edema, 림프부종의 경우 병변이 대칭적이며 광범위하고 조영증강이 되지 않는다. Overlying skin이 두꺼워지거나 echogenic하다면 edema보다는 cellulitis의 가능성이 높다(67).

Fig. 5-9.03 Cellulitis 기타 중요

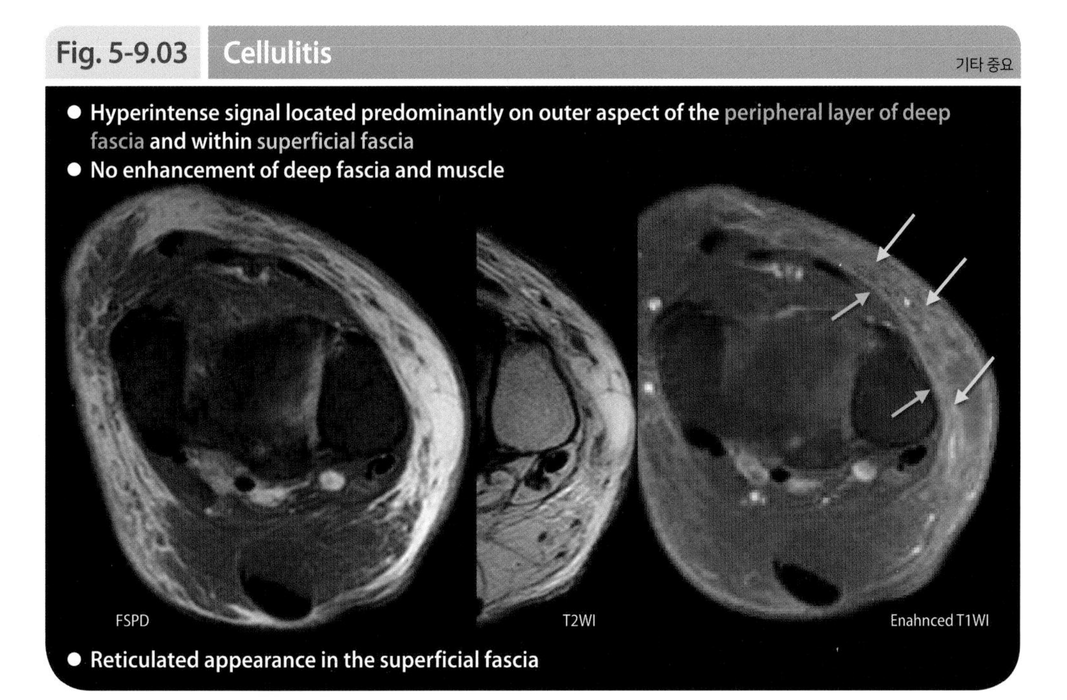

● Hyperintense signal located predominantly on outer aspect of the peripheral layer of deep fascia and within superficial fascia
● No enhancement of deep fascia and muscle
FSPD
T2WI
Enahnced T1WI
● Reticulated appearance in the superficial fascia

동영상 QR코드

▶ 5-9.03

Cellulitis

- Skin thickening이 보이며 subcutaneous fat은 edema와 함께 reticular thickening and enhancement가 있고, superficial fascia를 따라 fluid가 보인다. 이러한 병변은 peripheral deep fascia보다 밖에 위치한다.
- 조영증강 이미지(오른쪽)에서 병변이 조영증강이 되어 cardiogenic edema, lymphedema라기보다 cellulitis인 것을 알 수 있다.
- Lymphedema는 bilateral leg에 생기고 초음파에서 color flow가 보이지 않는 것도 cellulitis와 감별하는데 도움이 된다.
- Cellulitis가 조금 더 깊은 곳으로 infection extension이 되었는지, abscess가 있는지 확인하기 위하여 MRI를 시행한다.

2. 괴사성근막염 Necrotizing Fasciitis (4)

- 광범위하게 superficial과 deep fascia에 necrosis를 동반하는 감염이다.
- 괴사성근막염은 치사율이 높아 응급수술이 필요하므로 조기진단이 매우 중요하다.
- Infection의 깊이와 상관없이 necrotizing infection을 necrotizing soft tissue infection (NSTI)이라고 부르기도 한다(68).

- CT
  - Indistinct fascial plane, superficial and deep fascia thickening, air가 보일 수 있다. 조영증강이 되지 않기도 한다.
- MRI (66)
  - T2WI, STIR에서 intermuscular deep fascia에 signal change가 생긴다.
  - 인접한 muscle에도 신호강도 변화가 생기기도 한다.
  - 조영증강 이미지에서 fascia, muscle, abscess wall을 따라 조영증강을 보이지만 necrotic area (fascia)는 조영증강이 되지 않는다.
  - STIR 혹은 FS T2WI에서 3 mm 이상 thick perifascial thickening/hyperintensity를 보인다.
  - 3개 이상 compartments에 병변이 있는 경우 necrotizing fasciitis 가능성이 높다.

3. 감염성근육염 Pyomyositis (4)

- Muscle infection 중에 bacteria에 의해 abscess를 동반한 myositis를(pyogenic infection) pyomyositis라고 한다.
- Early phase: muscle edema, swelling, heterogenous high signal (T2WI), enhancement
- Liquefactive phase:
  - Abscess의 central portion은 T1WI에서 저신호강도, T2WI에서 고신호강도이며 조영증강이 되지 않는다.
  - Abscess 주변으로 T1WI에서 고신호강도를 보이고 rim enhancement를 보인다(penumbra sign) (69).

4. 감염성 건초염 Infectious Tenosynovitis (4) (69) (Fig. 3-9.01) (Fig. 5-9.04)

- 보통 penetrating trauma나 인접한 염증의 파급으로 생긴다.
- Septic 혹은 infectious tenosynovitis는 tendon sheath 내에 fluid collection, tendon sheath thickening, enhancement를 보인다.
- Inflammatory arthritis는 감염성 건초염과는 달리 여러 tendon sheath에 fluid collection을 보인다.

Fig. 5-9.04 Infectious Tenosynovitis

기타 중요

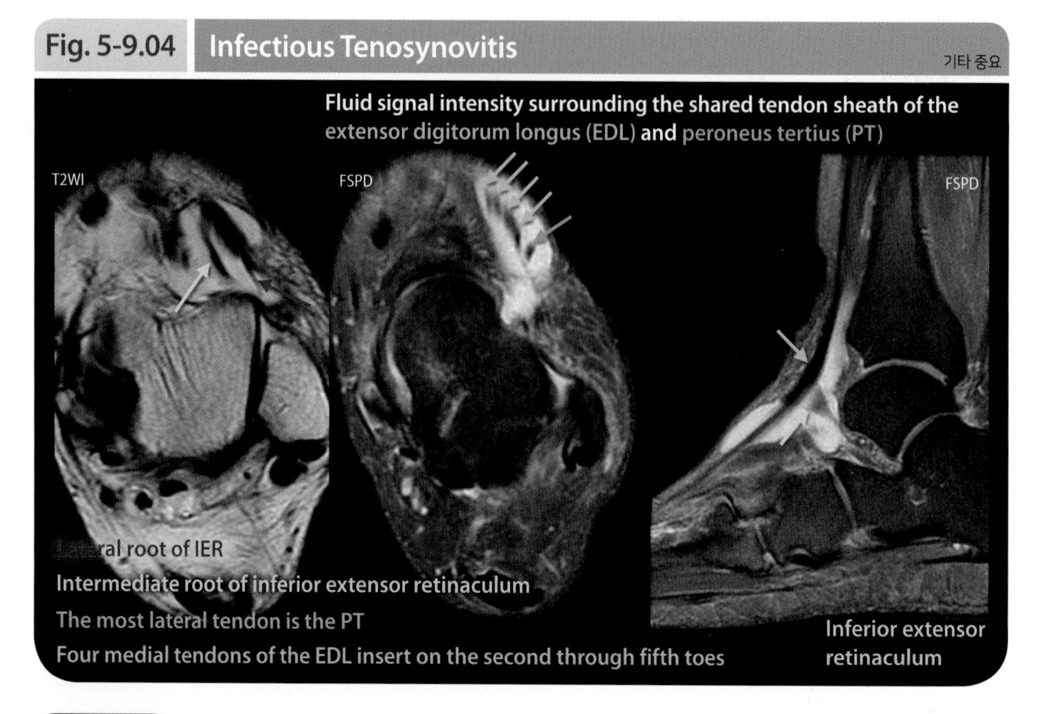

Fluid signal intensity surrounding the shared tendon sheath of the extensor digitorum longus (EDL) and peroneus tertius (PT)
T2WI
FSPD
FSPD
ral root of IER
Intermediate root of inferior extensor retinaculum
The most lateral tendon is the PT
Four medial tendons of the EDL insert on the second through fifth toes
Inferior extensor retinaculum

동영상 QR코드

▶ 5-9.04

Infectious Tenosynovitis

- Infectious tenosynovitis는 tendon sheath 내에 fluid collection, tendon sheath thickening, enhancement를 보인다.
- 특히 ankle의 extensor tendon은 tendon sheath 내에 소량의 fluid도 pathologic condition이다.
- Extensor digitorum longus와 peroneus tertius를 감싸는 fluid collection이 보인다.

5. 염증성 표재성 점액낭염 Infectious Superficial Bursitis (4) (66) (Fig. 9-9.05~06)

- 반복되는 자극, 스테로이드제제 주입 등이 원인이고, 당뇨, 알코올, 면역저하, 염증성 관절염 등이 위험인자이다.
- MRI:
  - Complex fluid 내부에 debris, septa가 보이며 bursa 주변으로 edema 및 cellulitis가 동반된다.
  - Infectious 그리고 non-infectious bursitis는 이미지가 서로 유사하지만 주변 염증반응이 심하면 infectious superficial bursitis 가능성이 더 높다.
  - Infectious superficial bursitis가 있어도 인접한 관절에 infectious arthritis가 동반되는 경우는 드물기 때문에 인접한 관절에 joint effusion이 있다고 해서 관절액 검사를 할 필요는 없다.

Fig. 5-9.05 Infectious Superficial Bursitis

기타 중요

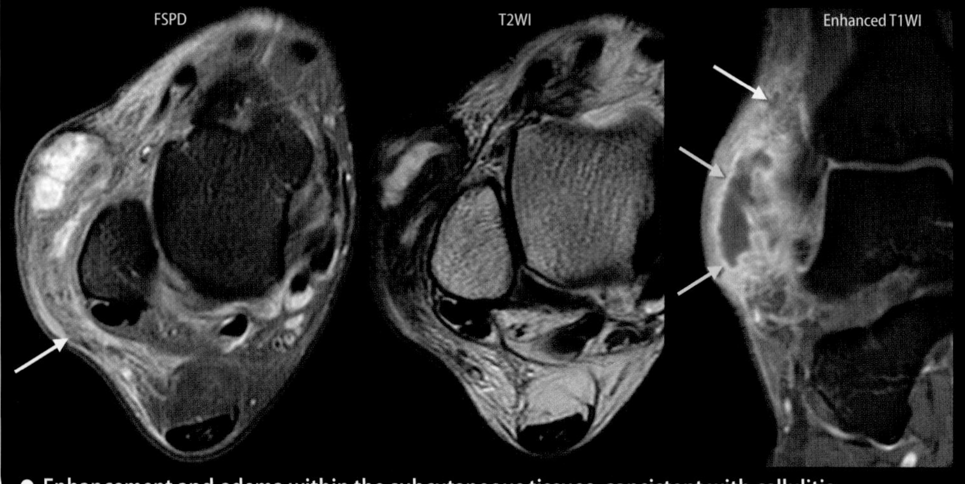

● Thick irregular peripheral rim enhancement around the superficial lateral malleolus bursa, consistent with bursitis.
FSPD
T2WI
Enhanced T1WI
● Enhancement and edema within the subcutaneous tissues, consistent with cellulitis.

동영상 QR코드

▶ 5-9.05

Infectious Superficial Bursitis

- Superficial lateral malleolus bursa에 thick irregular cystic lesion이 있고 peripheral rim enhancement를 보인다.
- 인접한 subcutaneous fat 및 skin도 infectious bursitis로 인하여 cellulitis가 동반되어 thickening과 edema, 조영증강이 된다.
- Non-infectious bursitis와 비교하여 보자(Fig. 5-9.06).

Fig. 5-9.06 **Superficial Lateral Malleolus Bursitis** 기타 중요

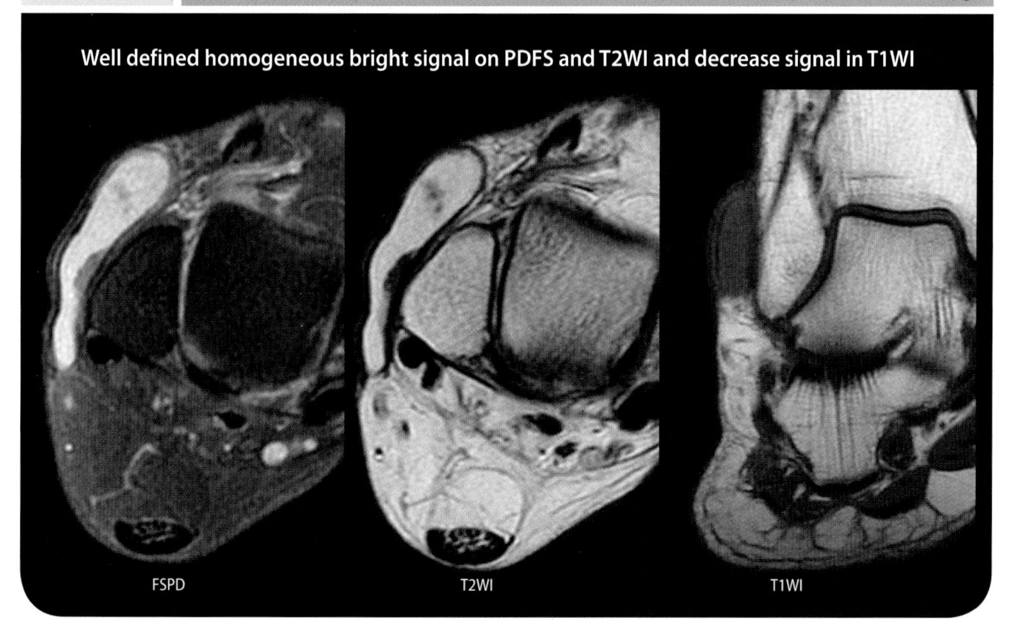

Well defined homogeneous bright signal on PDFS and T2WI and decrease signal in T1WI
FSPD
T2WI
T1WI

동영상 QR코드

▶ 5-9.06

Superficial Lateral Malleolus Bursitis

- (Fig. 5-9.05)처럼 superficial lateral malleolus bursa에 T1WI에서 저신호 강도, T2WI에서 고신호강도의 fluid collection이 보인다.
- 하지만 bursal wall이 infectious bursitis에 비해서 두껍지 않고 병변 주변에 cellulitis가 동반 되지 않아서 non-infectious bursitis에 해당한다.

참고문헌

1. "Posadzy M, Desimpel J, Vanhoenacker F. Staging of Osteochondral Lesions of the Talus: MRI and Cone Beam CT. J Belg Soc Radiol. 2017 Dec 16;101(Suppl 2):1. doi: 10.5334/jbr-btr.1377. PMID: 30498800; PMCID: PMC6251071."
2. "Elias I, Zoga AC, Morrison WB, Besser MP, Schweitzer ME, Raikin SM. Osteochondral lesions of the talus: localization and morphologic data from 424 patients using a novel anatomical grid scheme. Foot Ankle Int. 2007 Feb;28(2):154-61. doi: 10.3113/FAI.2007."
3. "Chew KT, Tay E, Wong YS. Osteochondral lesions of the talus. Ann Acad Med Singap. 2008 Jan;37(1):63-8. PMID: 18265900."
4. "근골격영상의학 2판 홍성환, 차장규, 채지원 공저, 범문에듀케이션, 2020년."
5. "You JY, Lee GY, Lee JW, Lee E, Kang HS. An Osteochondral Lesion of the Distal Tibia and Fibula in Patients With an Osteochondral Lesion of the Talus on MRI: Prevalence, Location, and Concomitant Ligament and Tendon Injuries. AJR Am J Roentgenol. 2016 Feb;."
6. "Naran KN, Zoga AC. Osteochondral lesions about the ankle. Radiol Clin North Am. 2008 Nov;46(6):995-1002, v. doi: 10.1016/j.rcl.2008.10.001. PMID: 19038608."
7. "Anderson IF, Crichton KJ, Grattan-Smith T, Cooper RA, Brazier D. Osteochondral fractures of the dome of the talus. J Bone Joint Surg Am. 1989 Sep;71(8):1143-52. PMID: 2777840."
8. "Zoga AC, Schweitzer ME. Imaging sports injuries of the foot and ankle. Magn Reson Imaging Clin N Am. 2003 May;11(2):295-310. doi: 10.1016/s1064-9689(03)00026-6. PMID: 12916892."
9. "Donovan A, Rosenberg ZS, Cavalcanti CF. MR imaging of entrapment neuropathies of the lower extremity. Part 2. The knee, leg, ankle, and foot. Radiographics. 2010 Jul-Aug;30(4):1001-19. doi: 10.1148/rg.304095188. PMID: 20631365."
10. "Gray H. "Gray's anatomy: the anatomical basis of medicine and surgery. 38th ed." New York, NY: New York, NY: Churchill Livingstone, 1995."
11. "Morscher E, Ulrich J, Dick W. Morton's intermetatarsal neuroma: morphology and histological substrate. Foot Ankle Int. 2000 Jul;21(7):558-62. doi: 10.1177/107110070002100705. PMID: 10919620."
12. "Murphey MD, Smith WS, Smith SE, Kransdorf MJ, Temple HT. From the archives of the AFIP. Imaging of musculoskeletal neurogenic tumors: radiologic-pathologic correlation. Radiographics. 1999 Sep-Oct;19(5):1253-80. doi: 10.1148/radiographics.19.5.g99se101253."
13. "Quinn TJ, Jacobson JA, Craig JG, van Holsbeeck MT. Sonography of Morton's neuromas. AJR Am J Roentgenol. 2000 Jun;174(6):1723-8. doi: 10.2214/ajr.174.6.1741723. PMID: 10845513."
14. "Klein EE, Weil L Jr, Weil LS Sr, Knight J. Musculoskeletal ultrasound for preoperative imaging of the plantar plate: a prospective analysis. Foot Ankle Spec. 2013 Jun;6(3):196-200. doi: 10.1177/1938640013484795. Epub 2013 Apr 4. PMID: 23559623."
15. "Umans H, Srinivasan R, Elsinger E, Wilde GE. MRI of lesser metatarsophalangeal joint plantar plate tears and associated adjacent interspace lesions. Skeletal Radiol. 2014 Oct;43(10):1361-8. doi: 10.1007/s00256-014-1920-8. Epub 2014 Jun 1. PMID: 24880715."
16. "Ganguly A, Warner J, Aniq H. Central Metatarsalgia and Walking on Pebbles: Beyond Morton Neuroma. AJR Am J Roentgenol. 2018 Apr;210(4):821-833. doi: 10.2214/AJR.17.18460. Epub 2018 Feb 22. PMID: 29470159."
17. "Linklater JM, Bird SJ. Imaging of Lesser Metatarsophalangeal Joint Plantar Plate Degeneration, Tear, and Repair. Semin Musculoskelet Radiol. 2016 Apr;20(2):192-204. doi: 10.1055/s-0036-1581115. Epub 2016 Jun 23. PMID: 27336453."
18. "Stoller DA. "Magnetic resonance imaging in orthopaedics and sports medicine, 3rd ed." Baltimore: Lippincott Williams & Wilkins, 2007. 2007."
19. "Resnick DR. "Diagnosis of bone and joint disorders, 3rd ed." Philadelphia, PA: Saunders, 1995."
20. "Zanetti M, Strehle JK, Zollinger H, Hodler J. Morton neuroma and fluid in the intermetatarsal bursae on MR images of 70 asymptomatic volunteers. Radiology. 1997 May;203(2):516-20. doi: 10.1148/radiology.203.2.9114115. PMID: 9114115."
21. "Anderson MW, Greenspan A. Stress fractures. Radiology. 1996 Apr;199(1):1-12. doi: 10.1148/radiology.199.1.8633129. PMID: 8633129."

22. "Fredericson M, Bergman AG, Hoffman KL, Dillingham MS. Tibial stress reaction in runners. Correlation of clinical symptoms and scintigraphy with a new magnetic resonance imaging grading system. Am J Sports Med. 1995 Jul-Aug;23(4):472-81. doi: 10.1177/03635."
23. "Gauthier G, Elbaz R. Freiberg's infraction: a subchondral bone fatigue fracture. A new surgical treatment. Clin Orthop Relat Res. 1979 Jul-Aug;(142):93-5. PMID: 498654."
24. "Van Hul E, Vanhoenacker F, Van Dyck P, De Schepper A, Parizel PM. Pseudotumoural soft tissue lesions of the foot and ankle: a pictorial review. Insights Imaging. 2011 Aug;2(4):439-452. doi: 10.1007/s13244-011-0087-2. Epub 2011 May 1. PMID: 22347966; PMCID."
25. "Dedmond BT, Cory JW, McBryde A Jr. The hallucal sesamoid complex. J Am Acad Orthop Surg. 2006 Dec;14(13):745-53. doi: 10.5435/00124635-200612000-00006. PMID: 17148622."
26. "Hallinan JTPD, Statum SM, Huang BK, Bezerra HG, Garcia DAL, Bydder GM, Chung CB. High-Resolution MRI of the First Metatarsophalangeal Joint: Gross Anatomy and Injury Characterization. Radiographics. 2020 Jul-Aug;40(4):1107-1124. doi: 10.1148/rg.2020190145."
27. "Nery C, Baumfeld D, Umans H, Yamada AF. MR Imaging of the Plantar Plate: Normal Anatomy, Turf Toe, and Other Injuries. Magn Reson Imaging Clin N Am. 2017 Feb;25(1):127-144. doi: 10.1016/j.mric.2016.08.007. PMID: 27888844."
28. "Smyth NA, Aiyer AA. Introduction: Why Are There so Many Different Surgeries for Hallux Valgus? Foot Ankle Clin. 2018 Jun;23(2):171-182. doi: 10.1016/j.fcl.2018.01.001. Epub 2018 Mar 5. PMID: 29729792."
29. "Linklater JM, Hayter CL, Vu D. Imaging of Acute Capsuloligamentous Sports Injuries in the Ankle and Foot: Sports Imaging Series. Radiology. 2017 Jun;283(3):644-662. doi: 10.1148/radiol.2017152442. PMID: 28514214."
30. "Mendicino RW, Statler TK, Saltrick KR, Catanzariti AR. Predislocation syndrome: a review and retrospective analysis of eight patients. J Foot Ankle Surg. 2001 Jul-Aug;40(4):214-24. doi: 10.1016/s1067-2516(01)80021-1. PMID: 11924682."
31. "Jeswani T, Morlese J, McNally EG. Getting to the heel of the problem: plantar fascia lesions. Clin Radiol. 2009 Sep;64(9):931-9. doi: 10.1016/j.crad.2009.02.020. Epub 2009 Jun 18. PMID: 19664484."
32. "McNally EG, Shetty S. Plantar fascia: imaging diagnosis and guided treatment. Semin Musculoskelet Radiol. 2010 Sep;14(3):334-43. doi: 10.1055/s-0030-1254522. Epub 2010 Jun 10. PMID: 20539958."
33. "Lemont H, Ammirati KM, Usen N. Plantar fasciitis: a degenerative process (fasciosis) without inflammation. J Am Podiatr Med Assoc. 2003 May-Jun;93(3):234-7. doi: 10.7547/87507315-93-3-234. PMID: 12756315."
34. "Abreu MR, Chung CB, Mendes L, Mohana-Borges A, Trudell D, Resnick D. Plantar calcaneal enthesophytes: new observations regarding sites of origin based on radiographic, MR imaging, anatomic, and paleopathologic analysis. Skeletal Radiol. 2003 Jan;32(1):13."
35. "Draghi F, Gitto S, Bortolotto C, Draghi AG, Ori Belometti G. Imaging of plantar fascia disorders: findings on plain radiography, ultrasound and magnetic resonance imaging. Insights Imaging. 2017 Feb;8(1):69-78. doi: 10.1007/s13244-016-0533-2. Epub 2016 De."
36. "Grasel RP, Schweitzer ME, Kovalovich AM, Karasick D, Wapner K, Hecht P, Wander D. MR imaging of plantar fasciitis: edema, tears, and occult marrow abnormalities correlated with outcome. AJR Am J Roentgenol. 1999 Sep;173(3):699-701. doi: 10.2214/ajr.173.3."
37. "Pascoe SC, Mazzola TJ. Acute Medial Plantar Fascia Tear. J Orthop Sports Phys Ther. 2016 Jun;46(6):495. doi: 10.2519/jospt.2016.0409. PMID: 27245491."
38. "Lee HS, Choi YR, Kim SW, Lee JY, Seo JH, Jeong JJ. Risk factors affecting chronic rupture of the plantar fascia. Foot Ankle Int. 2014 Mar;35(3):258-63. doi: 10.1177/1071100713514564. Epub 2013 Nov 25. PMID: 24275488."
39. "Theodorou DJ, Theodorou SJ, Resnick D. MR imaging of abnormalities of the plantar fascia. Semin Musculoskelet Radiol. 2002 Jun;6(2):105-18. doi: 10.1055/s-2002-32357. PMID: 12077700."
40. "JACK EA. Bone anomalies of the tarsus in relation to peroneal spastic flat foot. J Bone Joint Surg Br. 1954 Nov;36-B(4):530-42. doi: 10.1302/0301-620X.36B4.530. PMID: 13211728."
41. "Newman JS, Newberg AH. Congenital tarsal coalition: multimodality evaluation with emphasis on CT and MR imaging. Radiographics. 2000 Mar-Apr;20(2):321-32; quiz 526-7, 532. doi: 10.1148/radiographics.20.2.g00mc03321. PMID: 10715334."
42. "Crim J. Imaging of tarsal coalition. Radiol Clin North Am. 2008 Nov;46(6):1017-26, vi. doi: 10.1016/

j.rcl.2008.09.005. PMID: 19038610."

43. "Taniguchi A, Tanaka Y, Kadono K, Takakura Y, Kurumatani N. C sign for diagnosis of talocalcaneal coalition. Radiology. 2003 Aug;228(2):501-5. doi: 10.1148/radiol.2282020445. Epub 2003 Jun 20. PMID: 12819337."
44. "Resnick D. Talar ridges, osteophytes, and beaks: a radiologic commentary. Radiology. 1984 May;151(2):329-32. doi: 10.1148/radiology.151.2.6709899. PMID: 6709899."
45. "Alaia EF, Rosenberg ZS, Bencardino JT, Ciavarra GA, Rossi I, Petchprapa CN. Tarsal tunnel disease and talocalcaneal coalition: MRI features. Skeletal Radiol. 2016 Nov;45(11):1507-14. doi: 10.1007/s00256-016-2461-0. Epub 2016 Sep 2. PMID: 27589967."
46. "Crim JR, Kjeldsberg KM. Radiographic diagnosis of tarsal coalition. AJR Am J Roentgenol. 2004 Feb;182(2):323-8. doi: 10.2214/ajr.182.2.1820323. PMID: 14736655."
47. "Klauser AS, Peetrons P. Developments in musculoskeletal ultrasound and clinical applications. Skeletal Radiol. 2010 Nov;39(11):1061-71. doi: 10.1007/s00256-009-0782-y. PMID: 19730857."
48. "Delfaut EM, Demondion X, Bieganski A, Thiron MC, Mestdagh H, Cotten A. Imaging of foot and ankle nerve entrapment syndromes: from well-demonstrated to unfamiliar sites. Radiographics. 2003 May-Jun;23(3):613-23. doi: 10.1148/rg.233025053. PMID: 12740464."
49. "De Maeseneer M, Madani H, Lenchik L, Kalume Brigido M, Shahabpour M, Marcelis S, de Mey J, Scafoglieri A. Normal Anatomy and Compression Areas of Nerves of the Foot and Ankle: US and MR Imaging with Anatomic Correlation. Radiographics. 2015 Sep-Oct;35(5)."
50. "Nazarian LN. The top 10 reasons musculoskeletal sonography is an important complementary or alternative technique to MRI. AJR Am J Roentgenol. 2008 Jun;190(6):1621-6. doi: 10.2214/AJR.07.3385. PMID: 18492916."
51. "McKeon PO, Hertel J, Bramble D, Davis I. The foot core system: a new paradigm for understanding intrinsic foot muscle function. Br J Sports Med. 2015 Mar;49(5):290. doi: 10.1136/bjsports-2013-092690. Epub 2014 Mar 21. PMID: 24659509."
52. "Ledermann HP, Morrison WB, Schweitzer ME. Is soft-tissue inflammation in pedal infection contained by fascial planes? MR analysis of compartmental involvement in 115 feet. AJR Am J Roentgenol. 2002 Mar;178(3):605-12. doi: 10.2214/ajr.178.3.1780605. PMID."
53. "Sookur PA, Naraghi AM, Bleakney RR, Jalan R, Chan O, White LM. Accessory muscles: anatomy, symptoms, and radiologic evaluation. Radiographics. 2008 Mar-Apr;28(2):481-99. doi: 10.1148/rg.282075064. PMID: 18349452."
54. "Cheung YY, Rosenberg ZS, Colon E, Jahss M. MR imaging of flexor digitorum accessorius longus. Skeletal Radiol. 1999 Mar;28(3):130-7. doi: 10.1007/s002560050489. PMID: 10231910."
55. "Narváez JA, Narváez J, De Lama E, De Albert M. MR imaging of early rheumatoid arthritis. Radiographics. 2010 Jan;30(1):143-63; discussion 163-5. doi: 10.1148/rg.301095089. PMID: 20083591."
56. "Sommer OJ, Kladosek A, Weiler V, Czembirek H, Boeck M, Stiskal M. Rheumatoid arthritis: a practical guide to state-of-the-art imaging, image interpretation, and clinical implications. Radiographics. 2005 Mar-Apr;25(2):381-98. doi: 10.1148/rg.252045111. PM."
57. "Chan PS, Kong KO. Natural history and imaging of subtalar and midfoot joint disease in rheumatoid arthritis. Int J Rheum Dis. 2013 Feb;16(1):14-8. doi: 10.1111/1756-185X.12035. Epub 2013 Feb 5. PMID: 23441767."
58. "Tavares Junior WC, Rolim R, Kakehasi AM. Magnetic resonance imaging in rheumatoid arthritis. Rev Bras Reumatol. 2011 Dec;51(6):635-41. English, Portuguese. PMID: 22124596."
59. "Perez-Ruiz F, Dalbeth N, Urresola A, de Miguel E, Schlesinger N. Imaging of gout: findings and utility. Arthritis Res Ther. 2009;11(3):232. doi: 10.1186/ar2687. Epub 2009 Jun 17. PMID: 19591633; PMCID: PMC2714107."
60. "Chowalloor PV, Siew TK, Keen HI. Imaging in gout: A review of the recent developments. Ther Adv Musculoskelet Dis. 2014 Aug;6(4):131-43. doi: 10.1177/1759720X14542960. PMID: 25342993; PMCID: PMC4206657."
61. "Carter JD, Kedar RP, Anderson SR, Osorio AH, Albritton NL, Gnanashanmugam S, Valeriano J, Vasey FB, Ricca LR. An analysis of MRI and ultrasound imaging in patients with gout who have normal plain radiographs. Rheumatology (Oxford). 2009 Nov;48(11):1442-6."
62. "Chowalloor PV, Siew TK, Keen HI. Imaging in gout: A review of the recent developments. Ther Adv Musculoskelet Dis. 2014 Aug;6(4):131-43. doi: 10.1177/1759720X14542960. PMID: 25342993; PMCID: PMC4206657."
63. "de Ávila Fernandes E, Kubota ES, Sandim GB, Mitraud SA, Ferrari AJ, Fernandes AR. Ultrasound features

of tophi in chronic tophaceous gout. Skeletal Radiol. 2011 Mar;40(3):309-15. doi: 10.1007/s00256-010-1008-z. Epub 2010 Jul 31. PMID: 20676636."

64. "Desai MA, Peterson JJ, Garner HW, Kransdorf MJ. Clinical utility of dual-energy CT for evaluation of tophaceous gout. Radiographics. 2011 Sep-Oct;31(5):1365-75; discussion 1376-7. doi: 10.1148/rg.315115510. PMID: 21918049."
65. "Yu JS, Chung C, Recht M, Dailiana T, Jurdi R. MR imaging of tophaceous gout. AJR Am J Roentgenol. 1997 Feb;168(2):523-7. doi: 10.2214/ajr.168.2.9016240. PMID: 9016240."
66. "Hayeri MR, Ziai P, Shehata ML, Teytelboym OM, Huang BK. Soft-Tissue Infections and Their Imaging Mimics: From Cellulitis to Necrotizing Fasciitis. Radiographics. 2016 Oct;36(6):1888-1910. doi: 10.1148/rg.2016160068. PMID: 27726741."
67. "Malghem J, Lecouvet FE, Omoumi P, Maldague BE, Vande Berg BC. Necrotizing fasciitis: contribution and limitations of diagnostic imaging. Joint Bone Spine. 2013 Mar;80(2):146-54. doi: 10.1016/j.jbspin.2012.08.009. Epub 2012 Oct 6. PMID: 23043899."
68. "Paz Maya S, Dualde Beltrán D, Lemercier P, Leiva-Salinas C. Necrotizing fasciitis: an urgent diagnosis. Skeletal Radiol. 2014 May;43(5):577-89. doi: 10.1007/s00256-013-1813-2. Epub 2014 Jan 29. PMID: 24469151."
69. "Turecki MB, Taljanovic MS, Stubbs AY, Graham AR, Holden DA, Hunter TB, Rogers LF. Imaging of musculoskeletal soft tissue infections. Skeletal Radiol. 2010 Oct;39(10):957-71. doi: 10.1007/s00256-009-0780-0. Epub 2009 Aug 28. PMID: 19714328."
70. Griffith JF, Lau DT, Yeung DK, Wong MW. High-resolution MR imaging of talar osteochondral lesions with new classification. Skeletal Radiol. 2012 Apr;41(4):387-99. doi: 10.1007/s00256-011-1246-8. Epub 2011 Aug 9. PMID: 21826613.
71. Patel M, Francavilla ML, Lawrence JTR, Barrera CA, Nguyen MK, Longoria C, Nguyen JC. Osteochondral lesion of the talus in children: Are there MRI findings of instability? Skeletal Radiol. 2020 Aug;49(8):1305-1311. doi: 10.1007/s00256-020-03436-6. Epub 2020 Apr 18. PMID: 32306071.
72. Dinoá V, von Ranke F, Costa F, Marchiori E. Evaluation of lesser metatarsophalangeal joint plantar plate tears with contrast-enhanced and fat-suppressed MRI. Skeletal Radiol. 2016 May;45(5):635-44. doi: 10.1007/s00256-016-2349-z. Epub 2016 Feb 18. PMID: 26887801.
73. Deland JT, Lee KT, Sobel M, DiCarlo EF. Anatomy of the plantar plate and its attachments in the lesser metatarsal phalangeal joint. Foot Ankle Int. 1995 Aug;16(8):480-6. doi: 10.1177/107110079501600804. PMID: 8520660.
74. Lawrence DA, Rolen MF, Haims AH, Zayour Z, Moukaddam HA. Tarsal Coalitions: Radiographic, CT, and MR Imaging Findings. HSS J. 2014 Jul;10(2):153-66. doi: 10.1007/s11420-013-9379-z. Epub 2014 Feb 12. PMID: 25050099; PMCID: PMC4071469.
75. Cheung Y. Normal Variants: Accessory Muscles About the Ankle. Magn Reson Imaging Clin N Am. 2017 Feb;25(1):11-26. doi: 10.1016/j.mric.2016.08.002. PMID: 27888843.
76. McQueen FM. The use of MRI in early RA. Rheumatology (Oxford). 2008 Nov;47(11):1597-9. doi: 10.1093/rheumatology/ken332. Epub 2008 Aug 13. PMID: 18701537.
77. Iyengar K, Manickavasagar T, Nadkarni J, Mansour P, Loh W. Bilateral recurrent wrist flexor tenosynovitis and rice body formation in a patient with sero-negative rheumatoid arthritis: A case report and review of literature. Int J Surg Case Rep. 2011;2(7):208-11. doi: 10.1016/j.ijscr.2011.07.001. Epub 2011 Jul 22. PMID:22096729; PMCID: PMC3199677.
78. Starok M, Eilenberg SS, Resnick D. Rheumatoid nodules: MRI characteristics. Clin Imaging. 1998 May-Jun;22(3):216-9. doi: 10.1016/s0899-7071(97)00116-2. PMID: 9559235.
79. Girish G, Glazebrook KN, Jacobson JA. Advanced imaging in gout. AJR Am J Roentgenol. 2013 Sep;201(3):515-25. doi: 10.2214/AJR.13.10776. PMID: 23971443.